PRIX DES LIBRAIRES DU QUÉBEC
PRIX LIBR'À NOUS

« Un roman fabuleux, plein d'humanité,
difficile à oublier. Important, bouleversant, essentiel,
de ceux qui nous marquent profondément. »
Le comité de sélection du Prix des libraires du Québec

« Une œuvre essentielle pour la mémoire collective. »
Chronik

« Gardell signe ici l'un des grands livres
de la dernière année. »
Voir

« Précisément documenté, embrassant l'Histoire,
le social et le politique, empli d'une rage et d'une
énergie le plus souvent exprimées par un humour
au tranchoir […]. Tombeau littéraire dédié aux
amis disparus, ce roman bouleversant est d'abord un
extraordinaire témoignage de vie. »
Télérama

« Incontournable et tellement utile. Exceptionnel,
à bien des égards, il livre au lecteur beaucoup plus
qu'un plaisir romanesque. »
Actualitté

« Un requiem pour une génération disparue. »
Le Monde des Livres

« *N'essuie jamais de larmes sans gants* est ainsi
à la fois une histoire d'amour tragique,
un Mausolée des amants. »
Livres hebdo

DU MÊME AUTEUR

Un ovni entre en scène, Gaïa Éditions, 2005
Petit comique deviendra grand, Gaïa Éditions, 2002
Et un jour de plus, Gaïa Éditions, 2000, (10/18, 2004)

Jonas Gardell

N'ESSUIE JAMAIS DE LARMES SANS GANTS

Traduit du suédois par
Jean-Baptiste Coursaud et Lena Grumbach

Alto | CODA

Les Éditions Alto remercient de leur soutien financier
le Conseil des arts du Canada et la Société de développement
des entreprises culturelles du Québec (SODEC).

Gouvernement du Québec – Programme de crédit d'impôt
pour l'édition de livres – Gestion SODEC.

Financé par le gouvernement du Canada | Canadä

Titre original : *Torka aldrig tårar utan handskar*

Photographie de la couverture :
Esthacm, *Flower Briefs (Somos)*, 2015
(www.esthaem.com)

ISBN : 978-2-89694-387-6

I

L'AMOUR

Cette journée d'août s'en est allée sans un nuage dans le ciel, mais à travers les fenêtres condamnées du service d'isolement l'été ne pénètre pas.

L'homme dans le lit est terriblement amaigri et marqué par un sarcome de Kaposi au stade avancé. Il n'a plus que quelques jours à vivre.

Habituellement, ce syndrome ne touche que les hommes âgés issus du pourtour méditerranéen et progresse avec une telle lenteur que les malades finissent par mourir d'autres complications. Or, depuis un certain temps, une multitude de cas ont été rapportés, surtout aux États-Unis, où cette forme de cancer s'est montrée beaucoup plus agressive.

Les bras, la tête et le cou de l'homme dans le lit sont couverts de ces grandes taches violacées caractéristiques de la maladie.

Il a d'abominables escarres aux fesses et au sacrum. On a entouré les plaies de mousse pour protéger la peau afin qu'elle ne frotte pas directement au drap et au matelas, mais ce n'est pas d'un grand secours.

Son corps est si mince, presque transparent. Décharné par les diarrhées persistantes. L'homme s'est vidé, expulsant jusqu'à ses organes.

Il est seul. Il n'a jamais de visites.

Depuis quelque temps il a presque cessé de parler. Il reste alité, apathique, mutique. Il lutte.

Parfois il pleure. De douleur ou de chagrin, personne ne le sait.

Deux femmes accomplissent leurs tâches en silence dans la chambre dépouillée dont les fenêtres ne sont jamais ouvertes, dont la seule sortie est constituée d'un sas ouvrant directement sur la cour. Elles s'affairent autour du corps dans le lit comme des prêtresses officient autour d'un autel.

Le jeune homme dans le lit a le regard rivé au plafond. Il transpire, il pleure, mais il ne parle pas.

À son chevet se trouvent une infirmière d'un certain âge et une aide-soignante plus jeune. La plus vieille travaille à l'hôpital des maladies infectieuses de Roslagstull depuis de nombreuses années. La plus jeune vient d'y être affectée. Toutes les deux portent des gants en latex, un masque de protection, une charlotte et une blouse jaune. Ensemble, elles ont soigné et posé un pansement sur l'une des escarres de l'homme. Cela fait, l'aide-soignante a enlevé par inadvertance ses gants souillés, peut-être pour remettre en place un drap.

Elle se penche soudain sur le jeune homme dans le lit et, du dos de la main, essuie rapidement ses larmes. Elle le fait sans réfléchir, dans un geste spontané d'empathie et d'attendrissement.

L'infirmière écarquille un instant les yeux, de réprobation.

Le malade ferme les siens. Il pleure encore.

Leurs soins terminés, les deux femmes quittent la chambre sans un mot.

– Va te désinfecter les mains tout de suite !

Elles viennent juste de franchir le sas – chaque chambre est isolée par deux portes qui ne doivent jamais être ouvertes en même temps – et se tiennent dans la cour, devant le pavillon abritant les chambres où les patients sont contraints à l'isolement.

L'infirmière expérimentée, c'est plus fort qu'elle, ne peut pas s'en empêcher : elle corrige vertement la jeune aide-soignante. Celle-ci ne semble pas comprendre. L'autre précise sa pensée sur un ton irrité.

– Ben, si tu comptes essuyer des larmes comme ça tout le temps, tu as plutôt intérêt à mettre des gants !

– Mais il a tellement de chagrin ! s'exclame la petite nouvelle, désemparée.

Sa collègue renifle de mépris.

– Tu connais parfaitement les règles. Chaque fois qu'on est obligé d'entrer dans la chambre d'un malade, même si ce n'est que pour arranger une alèse ou demander s'il a soif, on doit observer rigoureusement la procédure : se laver les mains, enfiler des gants en latex, mettre un masque de protection, une charlotte et la blouse jaune en plastique. Ça ne souffre aucune exception. Les gestes médicaux doivent à tout moment prévaloir sur l'aspect humain. C'est compris ?

– Mais… tente de protester la plus jeune, aussitôt interrompue.

– Enfin bon, maintenant tu le sais. N'essuie jamais de larmes sans gants !

La plus vieille secoue la tête. Puis elle s'en va.

Ce récit parle d'une époque et d'un lieu.

Ce qui est raconté dans cette histoire s'est réellement passé.

Ça s'est passé ici, dans cette ville, dans ces quartiers, chez les gens qui ont leur vie ici. Dans les parcs de cette ville, à ses terrasses de café, dans ses bars, ses saunas, ses cinémas porno, ses hôpitaux, ses églises, ses cimetières. C'est dans les rues et dans les immeubles de cette ville, chez ces gens, que ça s'est passé.

Ce qui est raconté dans cette histoire s'est passé simultanément dans beaucoup d'autres lieux, à la même époque, mais c'est à d'autres d'en faire le récit.

Ce qui est raconté dans cette histoire continue de se passer aujourd'hui, ça se passe tout le temps, mais ça non plus n'appartient pas à ce récit, même s'il se perpétue jusqu'à nos jours.

Raconter est une sorte de devoir.

Une manière d'honorer, de pleurer, de se souvenir.

Une manière de mener la lutte de la mémoire contre l'oubli.

La petite maison n'a en soi rien de remarquable, mais elle se dresse tout en haut d'un rocher à pic qui plonge dans l'eau. Perchée comme un nid, elle contemple la mer. Cette maison dont leur mère a hérité ressemble en réalité davantage au repaire d'un oiseau qu'à une maison de campagne. Le choix a été fait lors de sa construction de ne pas la disposer parallèlement à l'eau mais en angle par rapport à la baie de sorte que, depuis la véranda, on bénéficie d'une vue imprenable sur la mer et le soleil du soir tout en demeurant à l'abri du vent, pour peu qu'il ne souffle pas directement du nord.

– Notre tour de garde rien qu'à nous ! dit souvent leur père pour plaisanter – et tous de prendre alors une mine réjouie car c'est tellement vrai.

Cette bâtisse est leur tour de garde.

En ville ils occupent un logement sombre et exigu, alors que cet endroit est inondé d'une lumière quasi irréelle et offre un panorama aussi loin que porte le regard. Ce n'est pas sans rappeler la différence entre le monde des ténèbres condamné à l'anéantissement dans lequel vit l'humanité, et le monde nouveau qu'ils attendent eux, avec son flot de lumière qui résulte de la présence de Jéhovah.

Plus tard, lorsque de loin en loin Benjamin se souviendra de son enfance, c'est d'abord l'image de la maison d'été qui surgira dans son esprit : la mer, la lumière – cette lumière qui décidément frôle l'irréel –, la véranda, les marches étroites et bancales qui descendaient vers le ponton et la plage. Une image d'éternité.

C'est un soir entre la fin du printemps et le début de l'été. Les mouettes crient. Le soleil brille sur la baie en contrebas ; ses rayons, mêlés aux lueurs du ciel et de la mer, se reflètent dans toutes les fenêtres de la véranda. L'hiver est enfin vaincu.

Il n'y a plus d'hiver. À l'instar de la mer, quand Jéhovah a instauré son Royaume. «*Et j'ai vu un nouveau ciel et une nouvelle terre ; car l'ancien ciel et l'ancienne terre avaient disparu, et la mer n'est plus.*»

Dans la journée ils sont allés à la pêche au hareng. La mère est aux fourneaux où elle fait frire les filets panés. Benjamin s'ébat avec sa petite sœur, Margareta. Pendant tout l'hiver la maison d'été leur a manqué – et maintenant, ça y est : ils y sont enfin.

Elle a lentement repris vie. Quand ils ont déverrouillé la porte dans la matinée du samedi pour y pénétrer, le temps semblait être resté suspendu durant l'hiver, comme une horloge qui se serait arrêtée. Il faisait froid et un peu humide à l'intérieur. Par terre, Benjamin a découvert trois petits soldats en plastique vert et une petite voiture. La poupée de Margareta, celle qui ferme les yeux toute seule, traînait dans un coin. Ils étaient sûrement en plein jeu, lui et sa sœur, au moment de quitter la maison l'automne dernier. Sur la table, resté ouvert, un exemplaire du quotidien *Dagens Nyheter*. Daté du 7 octobre 1969. De l'année dernière, donc. Benjamin a épelé laborieusement les gros titres. Car l'année dernière il ne savait pas encore lire. Il a appris au cours de l'hiver.

Ils ont profité de ce week-end pour ouvrir la maison le temps de la saison estivale, pour aérer, pour faire le ménage et les lits. Benjamin et Margareta ont surtout joué en courant dans tous les sens. «Mes deux petits cabris !» dit souvent leur père en riant.

Pendant que la mère prépare le repas, le père nettoie les vitres de la véranda. Ça ne le dérange pas d'avoir Benjamin et Margareta dans les pattes. Et quand elle grimpe sur la balustrade de la véranda, il n'interrompt pas son travail, il ne la regarde même pas : il se contente de lui adresser un avertissement, une petite phrase lancée au passage.

– Margareta, ne grimpe pas sur la rambarde. Tu pourrais tomber.

– Sauf que je ne tomberai pas.

– Tu n'en sais rien.

Le père continue à laver ses vitres, très concentré. C'est un travail qu'il adore. Nettoyer. Enlever les taches. Remettre les choses en place. Comme la vague qui escamote les châteaux de sable des enfants et efface leurs empreintes sur la plage pour laisser dans son sillage une surface lisse et unie. Comme une espèce de correction.

Benjamin cesse de jouer. Il se penche par-dessus la balustrade, regarde en bas de la falaise qui tombe à pic dans la mer. C'est vertigineux.

La mère apporte assiettes, verres, couteaux et fourchettes. Elle commence à mettre la table.

– Est-ce qu'on meurt si on tombe d'ici ? demande Benjamin.

Ils se trouvent très haut. Tomber est un péché. Celui qui tombe a lancé un défi à Dieu.

– Fais voir !

Sa petite sœur se penche à son tour, là où elle vient de grimper. Comme son grand frère elle veut regarder la falaise. Benjamin se penche un peu plus encore dans le vide. Margareta rit et l'imite.

Le soleil brille. Les mouettes crient.

La mère pose un couteau et une fourchette à côté de chaque assiette. Méticuleusement. Méthodiquement. Tout en fredonnant.

Benjamin sent ses muscles se tendre, son corps se préparer à sauter. Il se balance sur la rambarde.

Manquant de perdre l'équilibre, il est parcouru de frissons. L'abîme est béant.

Margareta rit encore plus fort et grimpe encore plus haut, elle se pousse pour ainsi dire par-dessus – et là quelque chose semble soudain déraper : elle rate sa prise, elle glisse de plus en plus, plus en avant, plus vers le bas ; elle tombe d'abord lentement, puis d'un seul coup très rapidement.

Au même moment le père abandonne son nettoyage des fenêtres et se précipite sur sa fille. Il la rattrape, elle n'a même pas le temps d'avoir peur. Il la descend de la balustrade en la tenant dans ses bras, avant que l'accident n'ait eu lieu. Il en profite également pour éloigner son fils en le serrant contre lui. Et, avec la même voix calme mais ferme qu'auparavant, il répond à sa question par ces mots :

– Je pense, Benjamin, que nous allons nous abstenir de le vérifier.

Aucune autre réponse. La discussion est close.

– Toujours est-il que le repas est prêt, dit la mère, qui de ce pas va chercher le plat dans la cuisine.

La famille se met à table sur la véranda. Le père récite la prière. Et les voici ensuite attablés devant leur hareng de la Baltique accompagné de purée mousseline. Les enfants mangent le poisson avec les doigts. La mère, pour qui les repas sont censés représenter un moment privilégié d'échange et de dialogue, dit :

– En tout cas, il fait un temps magnifique.

Ce n'est pas une question, elle n'obtient donc aucune réponse. C'est plutôt l'exemple de phrase typique qu'on prononce quand on partage un repas. Une petite phrase sympathique.

– On pourra aller se baigner après ? demande Benjamin entre deux bouchées.

– Benjamin doit utiliser sa fourchette lorsqu'il mange, répond le père sans lever les yeux de son assiette.

Benjamin répète sa question :

– On pourra aller se baigner après ?

– Ah, sûr : des soirées comme celle-ci, c'est fantastique, quand on pense que nous sommes encore au mois de mai, dit le père.

– On pourra aller se baigner après ?

– L'été paraît, oui, tellement long, dit la mère. Le père lui coupe la parole.

– Benjamin, tu as sept ans. Ne mange pas avec tes doigts. Et utilise ta fourchette.

Un autre hôpital. Une autre chambre de malade.

Stockholm. Hôpital Söder. Service 53. Chambre 5.

Blanche.

Des murs dépouillés. Hormis un tableau, un seul. Une lithographie. Des rectangles qui se chevauchent. Qui a bien pu avoir l'idée de l'accrocher ici ? S'agit-il d'un élément de décoration censé égayer la pièce ?

Près du lit d'hôpital : une table avec des cotons-tiges, du sérum physiologique, des médicaments, un verre de jus d'orange avec une paille, des tulipes rouges dans un vase, des journaux de la veille, datés du 10 mars 1989 et tous barrés de gros titres au sujet de l'affaire Ebbe Carlsson, scandale politico-judiciaire plein de rebondissements et évidemment lié à l'assassinat toujours non élucidé d'Olof Palme.

À la tête du lit d'hôpital : un goutte-à-goutte qui diffuse de la morphine, des antibiotiques et une alimentation parentérale dans les veines du jeune homme alité, des tuyaux plantés dans les bras, dans le nez.

À côté du lit d'hôpital : un autre jeune homme, assis sur une chaise. Il veille. Plus tôt dans la journée quelques amis sont venus lui tenir compagnie. Mais en ce moment il est seul avec le malade. Il lui lit des poèmes à haute voix.

– Je vais continuer avec un poème de Karin Boye, dit-il. «*Autrefois notre été s'étirait en éternité. Nous flânions sans fin sous le soleil autrefois.*»

L'espace d'un instant il regarde par la fenêtre. L'hiver vient de faire une embardée dans le printemps. Il voudrait ouvrir la fenêtre, mais la fenêtre est impossible à ouvrir.

Puisque tout dans cette chambre d'isolement est scellé. Condamné.

Il ferme les paupières. Il convoque dans son esprit une soirée de mai. C'est tout au début de quelque chose. Un parfum de merisier pénètre par la fenêtre ouverte. Et il est imminent, cet été qu'ils ont tant attendu, cet été qu'ils s'étaient fixé comme objectif.

«Au moins jusqu'à l'été», s'étaient-ils dit. Et de toper là, même.

Il lui arrive de sentir le désespoir l'envahir quand il y repense.

Il rouvre les yeux. Il est de retour. La fenêtre est fermée. Entre ces quatre murs, une odeur de désinfectant et des effluves indéfinissables, douceâtres, écœurants, qu'il associera pour toujours à cette chambre.

On n'est pas en été. C'est l'hiver en plein printemps.

– Je n'ai plus faim. Je peux sortir de table ? demande Margareta.

– Tu es sûre que tu as assez mangé ? réplique la mère.

Le fils se lève, impatient.

– Moi je suis sûr que j'ai assez mangé. On peut aller se baigner maintenant ?

Benjamin se tourne et voit son reflet dans la fenêtre tout juste lavée.

– Il ne fait pas trop froid pour se baigner ? objecte le père.

– Il ne fait pas froid du tout, dit Margareta.

– Tu n'en sais rien, dit la mère. Je te sers un café, Ingmar ?

– Oh oui, ça me ferait bien plaisir, ma colombe. Quant à vous, il faudra attendre une demi-heure avant de vous baigner, autrement vous risquez de vous noyer.

Benjamin se regarde dans la fenêtre propre. Il se plonge dans son reflet. Ça lui arrive de temps en temps. Il remue le bras, lentement, et voit son double l'imiter. Il étudie ses yeux, son visage, incline un peu la tête, d'abord d'un côté, puis de l'autre.

Soudain il applique ses deux paumes sur la vitre. Ses mains y laissent une empreinte visible.

– Pourquoi tu as fait ça ? s'exclame le père, irrité. Moi qui viens de faire les carreaux…

Benjamin revient à la réalité. Émerveillé, il voit les empreintes de ses mains. Il pense : Je suis ici.

C'est une pensée grande et puissante. Il vient de découvrir qu'il existe.

Toute sa vie durant il se souviendra de cet instant très précis. La soirée d'été, la véranda, la mer. Les marques laissées par ses mains sur la vitre. L'instant où il a eu un aperçu de lui-même. Il a vu quelque chose dans le miroir de la fenêtre. Quelque chose qui lui a rendu son regard, qui a approuvé d'un hochement de tête. Ce sera l'un de ses premiers souvenirs indélébiles.

– Maintenant tu vas chercher le chiffon et le produit à vitres. Et tu m'effaces cette trace, s'il te plaît.

Le père continue de manger. Il fait toujours ça. Il n'élève pas la voix. Il ne se met pas en colère. Il tranche une question. Dès lors, c'est comme ça et pas autrement. Puis les autres s'y plient. Ils *veulent* obéir.

Benjamin aime son père. Et il aime l'autorité du chef de famille. Le fait qu'il décide ce qui doit être.

– Ce n'est pas grave, dit-il gaiement. Moi je trouve ça rigolo de nettoyer les carreaux.

Le jeune homme dans le lit vient d'ouvrir les yeux. Son regard fouille inlassablement le plafond.

Il transpire. Il respire. Entêté, terrorisé.

Respirer est un effort. Il est étendu les paumes tournées vers le haut, comme en prière. Il gémit. Il est très fatigué, il a très peur.

Les larmes coulent sur ses joues. Il pleure, il n'en finit pas de pleurer.

Le jeune homme assis à son chevet essaie de ne pas voir que l'homme dans le lit pleure. Il essaie au contraire de se concentrer sur le poème qu'il lui lit.

Ne pas élever la voix. Ne pas se laisser submerger par l'inquiétude de l'autre.

Garder son calme. Son autorité. Grâce à son autorité il va rasséréner le malade.

Amour et contrôle. Les deux sont indissociables.

En fait il voudrait crier et agripper l'homme qu'il aime, le secouer pour le ramener à la vie, le frapper, le caresser, le consoler : «Ne pleure pas, mon amour. Il ne faut pas que tu pleures !»

Or il ne crie pas. Il ne crie ni ne frappe ni ne caresse ni ne console. Il lit, c'est tout. Il lit le poème de Karin Boye, en tentant de s'approprier les mots :

– «*Sans appréhender l'approche du soir nous chavirions*»…

L'émotion lui serre la gorge, malgré lui. Il est obligé de prendre une profonde inspiration pour étouffer les pleurs qui menacent de jaillir. Il se force à poursuivre la lecture, posé et imperturbable, exactement comme il a été éduqué à le faire, exactement comme l'aurait fait son père.

– «*Sans appréhender l'approche du soir nous chavirions dans les senteurs verdoyantes de profondeurs sans fond.*»

Le malade jette la tête d'un côté sur l'autre, fébrile, anxieux. Son regard erre, hagard. Il étouffe. D'où l'anxiété et la terreur. Il est en train d'étouffer.

Le jeune homme dans le lit va mourir et il le sait.

Il a très peur de mourir.

Margareta et Benjamin jouent tout nus sur le rivage et sous le soleil du soir. Il ne fait guère plus de quinze ou seize degrés, mais ils ont tellement attendu ce printemps, cet été, qu'ils ne peuvent plus attendre.

Leurs parents les regardent. Le père nettoie la plage des cailloux rejetés par les vagues, qu'il lance ensuite dans la mer. Même à cette heure tardive, le soleil brille tellement fort que le sable semble en feu. L'eau scintille, les bouleaux et les trembles près du ponton sont flamboyants.

– Bon, moi je vais faire trempette, décide d'un seul coup le fils qui avance de quelques pas dans l'eau.

– Mais Benjamin, la mer est glacée ! proteste sa mère, debout à côté du père sur la plage.

Il ne l'écoute pas, continue de barboter. Et la mer est réellement glacée. Tant pis, il y va quand même.

– Pas plus loin que le nombril, alors ! lance le père.

Benjamin s'arrête, croise les bras, prend une grande bouffée d'air. Puis, dans un mouvement lent mais déterminé, il s'enfonce dans l'eau encore si froide.

Le jeune homme étendu dans le lit transpire et pleure parce qu'il va mourir. L'autre jeune homme assis à son chevet essaie de maîtriser ses émotions en lisant un poème de Karin Boye.

– «*Où s'est-elle évaporée notre éternité ? Où avons-nous égaré son secret sacré ? Nos jours étaient trop courts.*»

Le jeune homme qui lit poursuit sa lecture.

C'est comme une conjuration. Comme une prière, maintenant qu'il n'est plus autorisé à prier, maintenant qu'il a perdu le droit de prier.

Il pense : Nous qui n'avons plus la foi, nous aussi nous prions. Simplement, personne n'écoute notre prière.

– «*Sous le joug nous ployons, dans la peine nous forgeons une œuvre impérissable – dont l'essence*»… lit le jeune homme sur la chaise.

Il lève les yeux sur le malade dans le lit qui s'est momentanément calmé et a refermé les yeux. Deux infirmières venues retourner l'homme alité et soigner ses escarres quittent en silence la chambre une fois leurs soins terminés.

– … «*s'appelle le temps.*»

Le jeune homme sur la chaise pose délicatement le recueil de poèmes de Karin Boye, une anthologie qu'il a achetée pendant les soldes de février. Il observe la respiration du malade dans le lit. Toujours brève et rapide, comme celle d'un oiseau effarouché. La tête remue toujours sur l'oreiller, d'un côté puis de l'autre, mais à présent avec des mouvements minuscules.

Le jeune homme sur la chaise se lève pour éponger le visage du malade. Celui-ci pousse un gémissement, comme s'il venait d'être dérangé dans sa concentration. Le jeune homme lui caresse la poitrine.

Il sent les côtes. Il laisse sa main reposer.

Il sent le cœur qui bat encore.

Benjamin a fini de faire trempette, il sort rapidement de l'eau.

– Vous avez vu mon plongeon ? crie-t-il, tout fier, tout content, avant d'y retourner en courant.

– Parfait ! répond le père sans même l'avoir regardé car il surveille Margareta du coin de l'œil, assise sur le sable mouillé. On rentre maintenant, avant que vous ne soyez morts de froid.

Britta glisse sa main dans celle d'Ingmar, pour le forcer à lâcher la bride un instant. En fait, elle l'aime pour son autorité de chef de famille, son sens des responsabilités, sa maîtrise des choses ; mais il n'est pas non plus interdit de se détendre et de se laisser aller, ne serait-ce qu'un tout petit peu. Elle regarde la mer lisse comme un miroir et les enfants qui se baignent. Elle pousse un soupir de bonheur.

– Autrefois notre été s'étirait en éternité… dit-elle en serrant doucement la main de son époux.

Il n'a pas dû reconnaître le vers de Karin Boye ni remarquer qu'elle lui tenait la main, forcément, car il se détourne d'elle pour ramasser le grand drap de bain. Comme d'habitude, elle est parcourue d'un frisson de déception quand il porte son attention ailleurs. Il le fait avec désinvolture. Ça ne lui coûte absolument rien de la repousser.

– Allez, venez maintenant, les enfants, j'ai dit ! crie-t-il. Venez que nous vous essuyions !

Il tient le drap de bain comme un défi lancé à Benjamin, toujours avec de l'eau à quinze degrés jusqu'à la taille, et à Margareta, assise les fesses dans le sable froid et mouillé. Les enfants obéissent tous les deux, ils se précipitent dans ses bras.

Tel un ange gardien il les enveloppe de sa chaleur.

Benjamin dort dans la couchette du haut, Margareta dans celle du bas. Tout est dans l'ordre des choses.

Le garçon porte un pyjama délavé trop petit pour lui, imprimé de petits éléphants qui se tiennent sur des sortes de ballons de plage. Le pyjama est resté dans la maison d'été pendant l'hiver. Il le renifle. Son pyjama d'été. Il s'est poussé pour faire de la place sur l'oreiller à ses deux peluches préférées, un nounours en piètre état et un petit chat en tissu. Il aime leur offrir les endroits les plus confortables du lit, et tant pis s'il est obligé de se recroqueviller sur le matelas au bas de l'oreiller.

Comme toujours, Margareta a emporté un tas de *Picsou Magazine* dans le lit. La mère est assise sur une simple chaise en bois à côté de la couchette inférieure, elle récite la prière du soir. Le store enrouleur bouge un peu dans la légère brise, l'air un peu plus frais s'insinue dans la chambre comme un petit ruisseau. Tout est exact et calculé par Dieu. Tout est comme ça doit être.

La mère prie à voix haute pour eux :

– Jéhovah Dieu, commence-t-elle – et Benjamin et Margareta ferment les yeux pour se laisser pénétrer par la voix de leur mère et son invocation : Jéhovah Dieu. Jéhovah Dieu.

Jéhovah Dieu qui s'est révélé à Moïse dans un buisson ardent. Qui a guidé son peuple à travers le désert. Qui a divisé les eaux de la mer Rouge pour que ses élus puissent marcher les pieds au sec au fond de la mer. Qui a laissé la manne tomber du ciel pour les nourrir.

– Jéhovah Dieu, prie-t-elle, nous Te remercions d'avoir pu vivre ce jour et d'être Tes témoins. Nous Te prions de veiller sur Margareta et Benjamin, sur papa et moi cette nuit, pour que nous ayons un bon sommeil et que nous puissions nous réveiller demain et continuer à honorer et sanctifier Ton nom dans tous nos actes…

Benjamin se met en chien de fusil sur le matelas. Il lève brièvement la tête pour s'assurer que le nounours et le chat sont bien à leur place attitrée sur l'oreiller. Il entend la voix de sa mère. Une moustiquaire fixée dans l'encadrement de la fenêtre laisse entrer la fraîcheur de la soirée.

Il repose dans cette sécurité qui est Jéhovah. Il ferme de nouveau les yeux et, si sa maman avait pris la peine de regarder, elle aurait vu qu'il souriait.

Ingmar débarrasse la table du dîner. Il a un torchon jeté sur l'épaule. Il adore débarrasser et faire la vaisselle, corriger et remettre en place. Même quand son épouse a décidé de ranger la cuisine, il est capable de repasser derrière elle avec un chiffon afin de soigner la finition, pour que tout soit parfait. Ce n'est pas un désaveu du travail de sa femme, simplement il y prend tant de plaisir ; et cette pensée peut-être immorale lui traverse l'esprit : c'est exactement cette sensation que Jéhovah a dû éprouver au sixième jour de la Création en regardant tout ce qu'Il avait fait et en voyant que c'était très bon.

Car Ingmar a la même impression : il se sent satisfait, maître de tout, et il se sent pur. À présent la nuit peut venir. Et le jour suivant. Si Dieu le veut. Ils sont prêts.

Dans le soleil du soir il aperçoit soudain l'empreinte des mains de son fils sur la vitre.

Elle n'a pas été essuyée. Benjamin était gentiment allé chercher le chiffon, il s'en souvient, mais autre chose a dû se passer entre-temps, comme si souvent avec les enfants. Les petits étant déjà couchés, il ne peut pas obliger Benjamin à se lever pour ça. N'empêche, il ne peut pas non plus laisser ces taches sur le carreau. Il enlève le torchon de son épaule et s'approche de la fenêtre. Les marques sont très visibles à la lumière du soir. C'est le gras du hareng que Benjamin a mangé avec ses doigts.

Le père se fige pour considérer les traces de son fils.

Cinq doigts à chaque main. Une sorte de perfection. Il est aussitôt submergé de gratitude. Plein de reconnaissance envers Jéhovah de l'avoir jugé digne d'être père, de lui avoir confié, chose inouïe, ces deux vies à administrer. Il se sent brusquement désemparé face à tant d'amour. Et il demeure ainsi, inerte, perdu dans la contemplation des empreintes de son fils. Il veut remercier Jéhovah, le louer pour ce moment qu'il est en train de vivre. Il veut prier pour que ses deux enfants deviennent de fidèles serviteurs de Jéhovah, qu'avec leur vie ils sanctifient continûment le nom sacré de Dieu.

Il regarde longuement les traces de mains. Et il reste là, comme s'il voulait retenir l'instant.

Les mains de son fils, si petites. Les doigts écartés. Elles ressemblent aux gravures rupestres dans les grottes françaises qu'il a vues en photo.

Le soleil descend sur le miroir de l'eau.

Hésitation.

Le jeune homme dans le lit respire encore. Ou plutôt il inspire, très lentement. Toute l'attention dans la chambre est concentrée sur cette respiration courte et laborieuse. Le jeune homme sur la chaise fixe sa bouche et le creux de sa gorge qui se soulève encore, comme une eau dont les vagues sont en train de se niveler.

Hésitation. Alors qu'il n'y a aucune place pour elle. L'hésitation est plus néfaste que tout ou presque.

Là, sans la moindre hésitation, le père efface en frissonnant les traces laissées par son fils sur la vitre. Comme une chose qui doit être faite.

La vitre est à nouveau propre. Seuls le soleil couchant et le ciel s'y reflètent encore.

Le jeune homme dans le lit serre tout à coup ses poings. Fermement, très fermement il les serre. Puis il se détend.

Le jeune homme assis lève les yeux, comme si l'espace d'un instant il avait relâché son attention.

– Rasmus ?

Il se redresse, d'un coup.

– Rasmus ?

Sa voix, il l'entend. Sa voix à elle qui fuse au loin, qui ne l'atteint pour ainsi dire pas. Il n'est pas obligé d'y prêter attention. De toute manière, si elle cherche, elle finira par le trouver. Puisqu'il ne s'est pas caché, pas du tout. Il a uniquement disparu en lui-même – encore. Comment pourrait-il l'expliquer ? Il se tourne en dedans, à l'intérieur de lui où c'est comme un univers à part entière. Un autre monde. Un monde de verre. Rasmus est un garçon de verre.

Rasmus se tient devant la fenêtre du salon, le visage tout près de la vitre. Dehors, leur jardin. Tout y est toujours si immobile : les meubles de jardin, la pelouse impeccablement tondue, les pommiers parfaitement taillés, les parterres coquettement plantés de rosiers et d'anthémis qui bordent l'allée de gravier jusqu'au portillon. Puis, derrière le portillon et la clôture : la route. Cette route qui traverse Koppom, qui fait sortir d'ici, qui emmène loin.

Koppom est un petit village. Bien sûr, il y a des routes secondaires comme la route Vieille et la route des Champignons et la route de la Lande, mais il n'y a qu'une vraie route digne de ce nom : la route de Koppom. Celle qui mène à Åmotfors si on prend à droite et à Årjäng si on prend à gauche.

Aussi longtemps qu'il vivra, Rasmus va associer gauche et droite avec Årjäng et Åmotfors. On salue avec Åmotfors, «bonjour, bonjour» ; et, comme Rasmus est gaucher, il écrit avec Årjäng.

29

Certains jours, il peut rester des heures devant la clôture et ne faire qu'une chose : fixer la route. Celle qui emmène loin. Celle qui fait sortir d'ici.

Rêveur, haletant, il regarde la circulation. Les voitures qui défilent, qui filent. Il imagine les conducteurs : qui ils sont, où ils vont. Dans son imaginaire, ils sont toujours heureux, et ce sont toujours des hommes.

– Rasmus ?

Elle va bientôt quitter la cuisine pour venir le trouver. Elle fait toujours ça. Elle a toujours peur qu'il lui soit arrivé quelque chose.

Il appuie son front contre le verre. Sur le rebord de la fenêtre, des pots avec des pétunias violets. Ils ont toujours été là. Les mêmes petits pots. Les mêmes pétunias violets. Comme d'ailleurs tout dans la maison. Tout dans cette maison a toujours été là.

Un jour, alors qu'il avait trois ans, Rasmus a consciencieusement pincé les fleurs, toutes sans exception. Ses parents racontent souvent cette histoire quand ils ont de la visite. L'histoire de Rasmus qui a pincé les fleurs. Et ensuite ils éclatent de rire.

Il respire contre le verre. Écrit dans la buée avec l'index.

– Rasmus !

Elle se tient à présent sur le seuil de la porte du salon. Elle le regarde, elle se calme.

– Ah, te voilà enfin. Pourquoi tu ne réponds pas quand je t'appelle ?

Elle vient lui caresser doucement les cheveux et la nuque.

– Qu'est-ce que tu fais ? Pourquoi tu ne vas pas jouer dehors ?

L'enfant de sept ans ne bouge pas, le visage à quelques centimètres seulement de la vitre. Fasciné, il observe le mot dans la buée. Il n'arrive pas à s'arracher à ce phénomène qui est un vrai miracle.

– J'écris mon prénom. Regarde ! C'est écrit Rasmus.

Son prénom.

– Je vois ça, oui. Tu as écrit Rasmus !

Elle change de sujet. Tente de paraître pleine d'entrain et d'insouciance.

– Écoute, je viens de voir Erik avec un copain, dehors. Tu ne veux pas aller demander si tu peux jouer avec eux ?

Comme d'habitude, il fait semblant de ne pas l'avoir entendue, bien qu'elle se tienne tout près de lui. Comme d'habitude, il est complètement plongé dans son monde.

– Regarde, maman ! s'écrie-t-il, émerveillé, et d'un signe de tête il montre la vitre où les lettres qu'il a tracées avec l'index sont en train de disparaître.

– Mon prénom ! Il s'efface !

L'infirmière accourt à la hâte. Elle enfile des gants d'un geste rapide et déterminé. Le partenaire du patient a l'oreille plaquée sur la bouche du malade, il caresse son front et crie d'une voix aiguë que son petit ami ne respire plus.

L'infirmière sort de sa poche un petit miroir qu'elle tient devant la bouche du patient.

Elle voudrait dire : «Il ne faut surtout pas céder à l'hystérie !»

Mais elle ne le dit pas. Elle dit :

– Si, il respire. Regardez !

Une légère buée se forme sur le miroir de poche.

Les lettres de son prénom se distinguent encore dans la buée.

Sa mère lui caresse la joue, avec inquiétude et admiration à parts égales. Il est son grand, son seul miracle. Lui seul donne un sens à sa vie.

Elle le touche précautionneusement, comme si elle avait peur qu'il n'existe pas pour de vrai, mais qu'il soit juste un petit îlot dans la mer qu'on rejoint une seule fois dans son existence, jamais plus ; comme s'il était de l'eau que la chaleur de ses mains transformerait en vapeur, comme s'il pouvait à tout moment se dissoudre et s'évaporer.

Lui, le miracle de sa vie.

Son amour pour lui : naturellement qu'il est une joie, un bonheur et tout. Mais cet amour a aussi été une inquiétude permanente ; un chagrin, une douleur, un deuil. Elle sait qu'elle n'a pas le droit d'éprouver ça, pourtant c'est le cas.

Ce chagrin, il est épais comme un ciel gris et bouché. Il est une pression qui pèse sur sa poitrine, et elle sait qu'elle doit apprendre à vivre avec cette pression qui n'est autre que le poids de son fils. Ou plus exactement : l'absence de son fils. Un membre fantôme.

Quand il était bébé, elle le mettait souvent debout sur sa poitrine en le tenant avec les mains, et il riait – il avait alors des yeux si heureux, si joyeux ; et elle, elle sentait le poids de son petit garçon comme une pression sur sa cage thoracique.

Cette même pression, ce même poids, elle les ressent toujours – ou plutôt : elle les ressent *surtout* quand il n'est pas auprès d'elle. Elle ressent la pression et le poids de son fils. Et si là, tout de suite, elle avait pu le voir, elle aurait pu du même coup voir s'il riait et si ses yeux étaient heureux. Mais elle ne peut pas le voir. Elle peut seulement l'évoquer comme un écho ou comme une ombre, et elle comprend alors que le véritable deuil ce serait ça : le perdre, ne plus jamais le voir, ne plus jamais le toucher ; quand tout ce qui reste serait le poids, la pression et la douleur fantôme dans sa poitrine.

Son absence.

C'est pourquoi elle est presque au bord des larmes, même quand elle l'a auprès d'elle, même quand il se tient tout près et que, époustouflée, elle caresse sa nuque, ses cheveux, car elle sait qu'il est en train de s'éloigner. Ça doit forcément se terminer ainsi : il va s'éloigner d'elle.

Dissous comme la vapeur, comme la brume du matin. Si fragile, si précieux.

Elle le touche, inondée de tendresse et d'inquiétude, elle voit Erik, le fils des voisins, jouer avec des enfants de l'autre côté de la route ; et Rasmus ne devrait pas être ici, à l'intérieur avec elle : il devrait être dehors avec les autres, il devrait courir partout et s'amuser, il ne devrait pas être ici à respirer sur le verre et écrire son prénom dans la buée avec le doigt.

– Pourquoi tu ne vas pas jouer dehors avec les autres enfants ?

Elle n'attend pas de réponse. Il semble déjà très loin. Déjà dans un autre monde.

Les années ont passé. Le paysage défile à toute vitesse. Rasmus regarde dehors. L'enfance est terminée. Son visage se reflète sur la vitre.

Le compartiment est presque vide. De temps en temps un monsieur des wagons non-fumeurs entre pour fumer une cigarette, sans un mot ou un hochement de tête pour lui. Puis il repart. Les petits cendriers métalliques sont remplis de mégots. Un panonceau sur le rebord de la fenêtre indique qu'il est interdit de se pencher au-dehors et de jeter des objets susceptibles de provoquer des incendies ou d'autres dommages.

Rasmus porte le vieux duffel-coat de son père. Dans ce manteau un poil trop grand il peut en quelque sorte s'emmitoufler, il peut s'en envelopper. Dehors, des champs et des forêts, une route par-ci par-là, un village.

Le compartiment est une capsule. Il est en route maintenant. Quand il quittera la capsule, il débarquera dans sa nouvelle vie. Et ne reviendra plus jamais. Il est en route pour un chez-lui qu'il n'a jamais vu.

Un contrôleur ouvre la porte. Son uniforme lui donne une apparence autoritaire. Il a le menton large, le fond de la barbe sombre. Des yeux marron et chaleureux.

– Prochain arrêt Katrineholm, dit-il. Le suivant, Södertälje sud.

Rasmus essaie de capter son regard. Une brève seconde, ils se regardent dans les yeux. Et c'est soudain comme s'ils se déchiffraient, comme s'ils concluaient une sorte d'accord. Ou bien c'est juste Rasmus qui se fait des idées.

Le contrôleur referme la porte du compartiment et s'éloigne. Parcouru d'un frisson, Rasmus se penche en avant, se cache les yeux dans ses mains et rappuie son front contre la fenêtre.

Un jour, aux urgences d'un hôpital, un jeune médecin l'a touché avec une douceur si particulière que ça l'a chaviré. Il avait ces mêmes yeux marron et chaleureux que le contrôleur.

Un jour, un étranger a collé son genou contre le sien dans le train entre Åmotfors et Charlottenberg. Et il a gardé son genou serré comme ça, alors que rien ne l'y obligeait. Ils sont restés dans cette position pendant quasiment tout le trajet. C'était presque un pacte.

Un jour, à la piscine d'Arvika, un type a commencé à se tripoter devant lui quand ils se sont retrouvés seuls dans le sauna. Rasmus a senti la panique le gagner. Il n'avait pas de serviette pour se cacher. C'était un bel homme. Rasmus devait avoir seize ans environ. Un peu plus tard, le type a essayé de l'attirer dans sa cabine. C'était tellement bouleversant que Rasmus en avait le souffle coupé.

Et maintenant le regard du contrôleur qui s'est attardé dans le sien. Des approches toutes petites, scintillantes. Il ne s'est pas trompé, il ne le pense pas. Il y avait quelque chose entre eux. Ils allaient bien ensemble.

Mais ça ne suffit pas, il en faut plus. Il a dix-neuf ans, il doit se libérer. Et c'est ce qu'il fait en ce moment même. C'est pour ça qu'il se trouve dans la capsule. Il va descendre du train et entamer une nouvelle vie.

Il respire sur le verre, il écrit son prénom. Le paysage défile à toute vitesse.

La veille au soir, alors que Rasmus fait ses bagages, Sara entre dans sa chambre avec des vêtements et des objets qu'elle estime indispensables : chemises repassées de frais, serviettes. Et puis elle lui apporte sa casquette de bachelier, qu'elle tourne et retourne dans ses mains.

– Je me suis dit… tu ne veux pas emporter ta casquette ?

– Mais enfin, maman, qu'est-ce que tu veux que j'en fasse à Stockholm ?

– Ben… non… euh, je ne sais pas.

Elle est un peu blessée. Il s'en rend compte. Elle donne une petite tape offusquée à la casquette.

– Bon, dans ce cas, je vais la garder ici. En attendant.

Puis elle la place sur la bibliothèque du salon, comme un trophée. Vexée, elle repousse la photographie de mariage pour lui faire de la place. Que le garçon le voie de ses propres yeux, la valeur qu'elle a, cette casquette ! La bibliothèque contient aussi des photos de famille et un joli vase chinois, ainsi que quelques livres. Puisque Harald s'est récemment abonné au club de livres Bra Böcker. Voilà qu'il s'est mis dans l'idée de collectionner leurs encyclopédies. Quatre tomes sont déjà arrivés. Et encore, on n'en est qu'au début.

Harald regarde la télé. Aux infos, ils diffusent une interview du vainqueur des élections, Olof Palme. Rasmus entend la diction claire de Palme à travers la mince cloison de sa chambre. Son père est satisfait désormais, Rasmus le sait : les sociaux-démocrates sont enfin de retour au pouvoir, ces six années de traversée du désert avec des gouvernements de droite appartiennent au passé.

Ciel dégagé. Une journée fraîche malgré le soleil. Le jour où il laisse son enfance derrière lui. Un parfum d'automne et de départ. Les pommiers croulant sous les fruits.

Le coffre de la voiture est ouvert. Harald y dépose les sacs. Sara va et vient entre la voiture et la maison, comme montée sur ressorts. Elle croise les bras sur sa poitrine. Elle semble avoir peur d'oublier quelque chose.

Des jeunes traînent de l'autre côté de la route, près de la station-service.

– Regarde, c'est Erik et sa petite bande ! s'écrie Sara, elle ne peut pas s'en empêcher.

Elle lève la main pour les saluer. Elle veut peut-être qu'ils les voient. Après tout, ce sont les copains d'enfance de Rasmus. Elle lance :

– Erik !

Les jeunes les voient, mais ils se détournent. Rasmus aussi détourne le regard.

Sara baisse la main. Perplexe. Elle ne sait pas ce qu'elle doit faire. Elle repense à toutes les fois où elle a essayé de soudoyer ces foutus mômes. Avec des gâteaux, du chocolat, des bonbons. «Venez jouer avec Rasmus !» Harald ferme le coffre. Il jette un coup d'œil sur les jeunes de l'autre côté de la route. Puis, calmement, il s'installe au volant.

– Bon. Alors on y va.

Personne ne parle dans la voiture. Harald est au volant, Rasmus à l'arrière. Ils traversent Koppom au pas.

Rasmus regarde les maisons, les magasins et les commerces qu'ils dépassent : Matériel forestier de Koppom, le Coin de la Chaussure, la station-service

Nynäs, la Hierneskolan, son ancienne école qui va du primaire au collège, puis le Koppom-shop qui vend des vêtements pour enfants et les jeans les plus ringards de la terre.

Ils passent devant la quincaillerie, la Papeterie de Valdemar, le Salon de coiffure Astrid et le Magasin de Haute-Fidélité, Conseils en Construction situé tout près de l'arrêt de l'Autorail, la Banque coopérative, la supérette Ica, la Caisse d'Épargne départementale et la bibliothèque dont la cave héberge un local pour les jeunes, géré par le pasteur, qui est peut-être ce que Rasmus déteste le plus dans Koppom.

Ils passent devant la coop Konsum, la station Shell, Fagergren et fils, la Maison du Peuple et la Pâtisserie de Bosse qui a changé de propriétaire l'année dernière, le nouveau est marié à une Philippine, raison pour laquelle la pâtisserie a été rebaptisée Café Philippines. Derrière le Café Philippines, on aperçoit les anciennes usines où Harald a travaillé, chez Frank Dahlberg. C'était avant la faillite de 1973. Ensuite il a trouvé son emploi actuel à l'usine de munitions Norma à Åmotfors, comme chef d'équipe dans les ateliers de chevrotines.

Ils passent devant la gare ferroviaire, la Caisse de Sécurité sociale, la Poste et la banque du Wermland, la pharmacie où travaille Holger et le centre médical où travaille sa mère. Ils passent devant tout, et Rasmus se dit que c'est la dernière fois. Car il n'a pas l'intention de revenir ici.

Et tant pis s'il sait qu'il reviendra pour Noël.

– Ils auraient pu dire bonjour, ressasse sa mère.

Il soupire.

– Moi non plus je n'ai pas dit bonjour.

– Mais tu te rends compte, vous avez été dans la même classe pendant neuf ans ! s'écrie la mère, consternée.

Quel échec, tout ça. Un camarade d'enfance qui a vécu dans la maison d'en face pendant toutes ces années et qui se contente de se détourner.

Ils restent silencieux jusqu'à ce que le père sente qu'il doit intervenir. Il dit :

– On s'en fiche, Rasmus est un bon garçon.

– Attrape-le !

Un cri dans la cour d'école. C'est un hiver très enneigé. Avec des quantités et des quantités de neige. Et il est difficile de courir dans la neige ainsi emmitouflé, avec une combinaison, des bottes, un bonnet d'ours et des moufles. Il est impossible de donner de l'ampleur à ses mouvements. Le cœur bat fort sous le tee-shirt côtelé, le tricot, la combinaison. Rasmus transpire. Il est pourchassé par ses camarades de classe. Ils le rattrapent, le font tomber sur le dos. Quelque part, un soleil qui parvient tout juste à percer le ciel gris. Un témoin poltron. Les arbres dénudés. Dans la cour, des tas de neige pourrie formés par le chasse-neige.

Un garçon s'assied sur sa poitrine, bloque ses bras vers le haut avec ses genoux et ses mains. Un autre garçon, Erik de la station-service en face de chez lui, crie à tue-tête qu'il faut bien le tenir. On croirait entendre un cheval qui hennit.

Rasmus a encore des forces. Il lutte pour se dégager. C'est tellement dur de bouger avec tous ces vêtements sur le dos, cette combinaison. Les mouvements sont comme assourdis. Le garçon n'a aucun mal à rester à califourchon sur sa poitrine.

Erik continue à crier ses ordres stridents comme s'il était officier.

– Prenez d'la neige ! Défoncez-lui la gueule, putain !

Un autre garçon prend une poignée de neige et s'en sert pour lui frotter le visage. Il l'enfonce sous son pull, sur sa poitrine, sur son ventre. La neige est piquante, elle lui brûle le visage. La neige est froide et sèche et piquante.

Un troisième garçon arrive en courant avec de la neige pleine de pisse de chien. Jaune foncé. Ils lui en frottent la figure, la font entrer dans sa bouche, l'introduisent de force entre ses lèvres.

Un instituteur se tient à la fenêtre de la salle des profs, à moitié caché derrière un rideau. Il fume en jetant un regard inexpressif par la fenêtre. Il voit que les garçons ont fait tomber leur camarade et sont en train de le bouchonner avec de la neige. Il entend leurs cris excités. Mais les bruits lui arrivent si étouffés, de si loin, ils ne le concernent pas.

L'instituteur tire sur sa cigarette, souffle la fumée par le nez. Un autre instituteur s'arrête derrière lui, une tasse de café à la main. Remue avec la cuillère. Regarde par la fenêtre, lui aussi. Voit ce que voit son collègue. Sent que cela nécessite un commentaire. Peut-être pour expliquer pourquoi il s'est arrêté là. Les conventions exigent qu'il lâche un petit mot de complaisance. Il dit :

– Eh ben, les garçons, c'est quelque chose !

Puis il porte la tasse à sa bouche et boit. Son collègue souffle encore de la fumée par le nez et soupire.

– C'est sûr.

Il reste silencieux un moment. Regarde la cour de récréation. Regarde les garçons qui frappent leur camarade plaqué au sol. Le ciel gris. Le soleil qui n'a pas la force de percer. Il soupire encore une fois.

– Ils n'y vont pas de main morte.

Il tire une bouffée de cigarette, pensif. Il souffle la fumée. L'autre instituteur va poser sa tasse dans la vaisselle sale.

Autrefois notre enfance s'étirait en éternité.

Elle peut cependant être mesurée à l'aune des vêtements devenus trop petits, déteints, délavés. Les vêtements qui, sitôt immettables, sont lavés, repassés, pliés et conservés dans des cartons. Comme des sortes de reliques.

Mais la croissance en tant que telle est imperceptible, à moins de l'observer à distance, à moins de se fendre d'une petite visite épisodique, disons tous les six mois, pour ainsi constater que quelqu'un est monté en graine.

Vu de très près, rien ne semble avoir changé. Et soi-même on semble séquestré, sans aucune issue de secours.

Tôt le matin, en décembre. Il va faire nuit pendant quelques heures encore.

Rasmus vient de prendre son petit déjeuner. Des Frosties avec du lait, du pain de seigle avec une épaisse couche de pâte à tartiner au petit-lait de chèvre. Il est vêtu de son vieux pyjama trop court pour lui, délavé et marronnasse. Et en plus imprimé de dames joviales juchées sur leur vélo, nues.

– Mais il est insensé, ce dessin, pour un pyjama d'enfant ! a aboyé Sara lorsque Christina, la tante de Rasmus, le lui a offert.

Qu'importe : Rasmus a toujours adoré plus qu'aucun autre vêtement ce pyjama désormais usé et déteint et trop petit qui, dans un ultime acte d'amour délivré par Sara, sera bientôt lavé, repassé, plié et rangé.

Pieds nus sur le sol froid. Cuisses serrées contre le radiateur chaud. Rasmus s'est installé à sa place habituelle. Il se met ici quand il veut regarder par la fenêtre du salon. Un bougeoir électrique de l'Avent, à sept branches, se reflète sur la vitre à côté de son visage. C'est bientôt Noël. Viendront pour l'occasion sa tante Kjerstin avec son mari Stig, ainsi que tante Christina. Et même le voisin Holger se joindra à eux puisqu'il n'a pas de famille. Rasmus sera le seul enfant présent. Ça a toujours été comme ça, Kjerstin et Stig n'ayant pas d'enfants. Tout est organisé pour lui. Vers lui convergent les attentions de tous. Une responsabilité qu'il endosse avec beaucoup de dignité.

Il reste deux semaines d'école avant la fin du premier semestre. Dans un jour ou deux, Sara va remonter de la cave les cartons contenant les pères Noël. Tous ces pères Noël qu'ils ont, c'est à peine croyable.

La neige, lourde et immuable, s'amasse sur les pommiers, les rosiers, les meubles de jardin.

Harald avait installé une balançoire dans le pommier. Rasmus en a fait jusqu'à ce que les petits voisins viennent le narguer derrière la clôture. Ils se plantaient face à lui dès qu'il était assis dessus et le fusillaient du regard. Il essayait de les ignorer, mais il se sentait tellement gêné qu'au bout d'un moment ça n'a plus été possible. Depuis, il en fait uniquement lorsque Harald lui reproche de ne jamais l'utiliser.

Tout est immobile. Les pommiers. Les meubles de jardin. La balançoire.

Derrière la maison des voisins, le ciel se teinte en rose. C'est allumé dans leur cuisine. Erik est sûrement en train de prendre son petit déjeuner.

Rasmus appuie son front contre la vitre. Respire sur le verre. Écrit dans la buée.

Harald sort de la salle de bains. Il se rase avec un rasoir électrique. Dans ces cas-là il se balade toujours entre la salle de bains et la cuisine, dans un sens puis dans l'autre, en marmonnant tout seul. Rasmus aime voir son père se raser. Il ne sait pas pourquoi.

Son père, qui a une formation d'ingénieur, travaille au laboratoire de recherche de l'entreprise Frank Dahlbergs AB qui est numéro un en matière de clous pour les pneus-neige. Le siège de l'usine est situé à Skillingmark, du côté de la frontière norvégienne. Dans la succursale de Koppom, ils fabriquent des silencieux pour l'industrie automobile, du matériel isolant autoadhésif qui sert à diminuer le bruit des vibrations et ce genre de produits – et puis il y a le laboratoire de recherche où travaille Harald.

Le papa s'arrête net en voyant Rasmus.

– Tu n'es pas encore habillé ? s'écrie-t-il, étonné. Sara ? Rasmus est encore en pyjama !

Sara arrive de la cuisine en robe de chambre et bigoudis, ses lunettes de lecture sur le nez et le *Nya Wermlands-Tidning* à la main.

– Mais Rasmus, le gronde-t-elle, tu vas être en retard à l'école ! Tu as envie d'arriver en retard ?

Rasmus ne répond pas. Il entend ce qu'elle dit, mais ses paroles ne l'atteignent pas. Il appuie son front contre la vitre. Tout ce qu'il ressent se résume à ça : le contact du verre, froid.

– Rasmus ! Tu entends ce que je te dis ? Tu vas être en retard à l'école !

Et là, sa maman a tout d'un oiseau en colère qui voudrait casser avec son bec la coquille de fraîcheur qui enveloppe Rasmus. Pourquoi faut-il absolument qu'elle fasse ça ?

Il la dévisage. Il n'arrive pas à comprendre pourquoi elle fait ça. Pourquoi elle le force.

Puis il tourne la tête sur le côté pour vomir.

Parfois elle entre dans sa chambre alors qu'il est à l'école, peut-être sous un prétexte quelconque, un livre ou un jouet à ranger. Parfois elle s'assied sur son lit et reste assise un instant, elle passe la main sur le couvre-lit.

C'est une sorte de recueillement. Sa chambre lui fait l'effet d'une petite chapelle. Mais quand elle ouvre le tiroir de la commode pour ranger un vêtement, là, quelque chose se brise en elle. Dans les tiroirs, ses vêtements sont pliés avec tant de soin qu'ils ressemblent à de petits paquets empesés ou de petits poings serrés.

C'est Rasmus qui les plie comme ça. Il peut consacrer des heures, dans une concentration extrême, à sortir tous ses vêtements et à les poser sur le parquet pour ensuite les plier et les remettre en place.

Et lorsqu'elle voit tous ces tee-shirts et tous ces slips méticuleusement pliés, c'est là qu'elle se brise. Comment va-t-elle pouvoir protéger ce petit être ?

Ces effets personnels pliés si serrés, roulés si serrés.

Jamais, jamais elle n'aurait cru qu'il était possible d'aimer autant quelqu'un.

Harald range les sacs de Rasmus sur le compartiment à bagages.

Puisqu'ils s'occupent de tout pour lui, Sara et Harald. Oui, ils se mettent en quatre pour lui. C'est plus fort qu'eux. Il est quand même leur fils unique.

Car c'est extraordinaire, quand on y songe, que Harald soit devenu père. Lui qui pendant tant d'années a cru : pas maintenant, pas moi. Lui qui commençait même à accepter sa condition de célibataire, à comprendre qu'il finirait sans doute vieux garçon. Ici, dans le nord-ouest du Värmland, c'est monnaie courante qu'un homme reste célibataire. Il suffit de voir Holger, leur voisin et ami.

Puis Harald a rencontré Sara. Par hasard. Exactement comme dans la chanson de Monica Zetterlund, *En slump*. Ils avaient largement dépassé la trentaine, tous les deux ; oui, Sara a même un an de plus que lui. Il fréquentait sa sœur, Kjerstin, à l'époque où elle habitait à Karlstad. Enfin, fréquenter... façon de parler. Ils devaient en fait aller au cinéma et, pour une raison ou une autre, Kjerstin a demandé si sa sœur aînée, de passage à Karlstad, pouvait les accompagner. Voilà comment ils se sont rencontrés. Plus tard, Kjerstin s'est mariée avec Stig. Alors en somme, l'histoire s'est bien terminée pour tout le monde.

– Montre-moi ton billet !

Rasmus le lui tend, Sara incline la tête et plisse les yeux pour mieux voir.

– Place 7, c'est là-bas, côté fenêtre !

Elle joint le geste à la parole.

– Quelle chance ! Comme ça tu vas pouvoir regarder dehors, ça te fera une occupation...

– Il faut qu'on descende maintenant, l'interrompt Harald en regardant sa montre. Autrement on va partir avec le train.

Harald, Sara et Rasmus descendent sur le petit quai d'Åmotfors pour se dire au revoir.

Tout près de la gare se trouve le nouveau lieu de travail de Harald. Norma. Fabrication de munitions. Enfin, nouveau n'est pas le mot. Harald y travaille depuis la faillite de Frank Dahlberg il y a presque dix ans.

Et maintenant ils sont à la gare, tous les trois. Voilà.

Les seuls établissements d'enseignement secondaire du canton sont un centre d'apprentissage spécialisé dans la mécanique et une école d'éducation ménagère. Pour aller dans un vrai lycée d'enseignement général, il faut s'inscrire au lycée Solberga à Arvika, à quarante kilomètres de Koppom.

Que Rasmus irait au lycée après le collège tombait sous le sens. Qu'aurait-il fait dans une école professionnelle à apprendre la mécanique ?

Aussi, tous les matins pendant trois ans, il monte dans l'Autorail à l'arrêt situé devant Conseils en Construction pour se rendre à Arvika où il est en section littéraire. Il se lève à six heures du matin et ne rentre que le soir.

On aurait pu lui trouver une chambre chez l'habitant à Arvika, histoire de lui épargner ces allers-retours quotidiens. C'est ce que font en général les élèves qui habitent loin, à Koppom ou Årjäng : ils louent une chambre chez une dame célibataire qui a besoin d'arrondir ses fins de mois, ou alors ils se dégotent une petite chambre avec kitchenette dans un petit immeuble privatif qu'ils partagent avec un camarade. Jamais Sara n'aurait accepté qu'ils s'organisent de cette manière. Cinq autres jeunes de Koppom vont comme Rasmus au lycée Solberga, ils sont tous en pension chez l'habitant et ne rentrent que le week-end. Ils sont membres de l'Église évangélique de Koppom et Rasmus ne les fréquente pas.

En fait, il ne fréquente que deux élèves au lycée : Gabriella et My. Elles seront ses premières amies.

Gabriella est grande et énergique, elle est en section économie, a les meilleures notes partout, porte un polo Lacoste au col relevé sous un pull en pure laine vierge toujours fiché d'un badge des jeunesses libérales. En réalité, Rasmus et elle ne devraient rien avoir en commun mais, curieusement, elle l'a adopté dès la première semaine de cours. Ils sont devenus le couple le plus mal assorti du lycée.

Gabriella lui a tout bonnement transmis une invitation en bonne et due forme pour qu'ils se retrouvent chez Nordells, le salon de thé le plus chic d'Arvika, avec service à table, argenterie et pâtisseries fines. Et, pendant qu'avec un naturel confondant elle joue l'hôtesse en lui versant le café et lui proposant un morceau de gâteau, elle lance sans tourner autour du pot, s'excusant au passage d'être aussi directe :

– Toi, à tous les coups tu es homosexuel !

Puis, sans attendre sa réponse, elle lui raconte qu'elle est déjà sortie avec deux filles de sa classe mais qu'elle est probablement bisexuelle parce qu'elle est avant tout amoureuse de son prof principal, un amour voué à l'échec puisque, non content d'être marié et d'avoir trente ans de plus qu'elle, il est ennuyeux à mourir. À ces mots elle éclate de rire et engloutit la moitié de son mille-feuille d'une seule bouchée.

Rasmus tombe immédiatement sous le charme de Gabriella.

Chaque homosexuel, paraît-il, a sa façon bien à lui de faire son coming out.

Rasmus, lui, n'est jamais sorti du placard. Il en a été gentiment mais fermement arraché par Gabriella, sans qu'elle lui ait demandé son avis.

Elle déploie la même détermination à faire de Rasmus son confident qu'à faire la cour à son professeur principal.

– Ernst ! Parmi tous les prénoms horribles, il a fallu que ce con se fasse appeler Ernst ! peut-elle se lamenter pendant les nombreux après-midi passés avec Rasmus et consacrés à ressasser les faits et gestes du prof principal.

Mais l'obstination paie, comme on dit. En terminale, elle a en effet la permission de monter dans sa voiture, à l'abri d'un parking discret, et d'écouter sa complainte : après un torrent de larmes, il se lamente de ne pas aimer sa femme et lui avoue qu'il est en réalité amoureux d'elle, Gabriella, mais que c'est mal parce qu'elle est son élève. Puis il verse quelques larmes supplémentaires sur son sort cruel avant de la serrer maladroitement dans ses bras. Et de coucher avec elle sur la banquette arrière. Ernst est toujours tellement et terriblement à plaindre.

Gabriella confie donc tout ceci à Rasmus quand ils prennent le goûter, soit au café du lycée, le Kulturcafét, soit au Nordells ou à la cafèt' du Domus.

La liaison avec Ernst connaît d'ailleurs une fin brutale. Au deuxième semestre, un mois seulement avant le bac, il s'avère que Bella, comme on l'appelle plus simplement, n'est pas la seule fille de la classe à avoir reçu la mission de confiance consistant à monter dans la voiture du professeur principal pour écouter ses jérémiades sur le parking isolé.

Carola s'attendrit elle aussi avec dévouement sur son malheur en l'écoutant s'épancher sur son extrême difficulté à vivre avec une femme qui ne l'aime pas, après quoi il ne tarde pas à se pencher sur le sexe adolescent si réconfortant que Carola lui ouvre généreusement, lui donnant ainsi ce que sa femme lui refuse.

Autrement dit, Ernst a appris comment convaincre ses élèves de s'allonger sur le dos, puis il a systématisé la pratique : quelques larmes, deux ou trois laïus sur l'air de «oh ce que c'est mal, ce qu'on fait», une promesse d'amour éternel, et hop, ouverture de la braguette du prof principal et extraction de sa bite.

Putain de merde ! Car elle est furax, Bella, quand elle s'en rend compte. Au début, elle songe à manigancer un stratagème avec Carola et mettre ensemble le prof au pied du mur ; elle songe aussi à écrire une lettre anonyme à sa femme ou au proviseur. Manque de chance, il se trouve que sa camarade de classe est réellement amoureuse de lui et attend véritablement qu'il divorce pour elle.

C'est à peu près à ce moment-là de son récit que Gabriella lève les yeux au ciel et se jure solennellement de devenir gouine à plein temps et de ne plus jamais s'approcher d'un homme.

Le père de Gabriella est ingénieur et ils habitent dans le plus grand appartement d'Arvika. Rasmus passe souvent chez eux après le lycée et dort volontiers là-bas plutôt que de rentrer à Koppom, histoire d'éviter le pénible voyage en train. À l'occasion des soixante ans du père, Rasmus est même invité à la fête d'anniversaire et présenté à toute la famille comme le «petit copain» de Gabriella, ce qui les fera tous les deux hurler de rire pendant des mois.

My est, à maints égards, l'exact contraire de Bella. Si Gabriella n'ôte jamais son badge des jeunesses libérales, My est la seule communiste du lycée. Ses parents sont paysans dans une ferme à Gunnarskog, un village plus petit encore que Koppom. À Arvika, elle loue à quelques encablures du lycée une petite chambre enfumée avec kitchenette et ne rentre quasiment jamais chez ses parents le week-end.

My coud pour ainsi dire tous ses vêtements elle-même et achète le reste d'occasion. C'est elle qui incite Rasmus à adopter un style vestimentaire aussi radical. Elle s'habille pour sa part comme une *mod* des années soixante, avec un fond de teint pâle, un rouge à lèvres violet et un eye-liner finement étiré, des cheveux teints et soigneusement crêpés. Elle a des dents petites et jaunes, tachées par la nicotine comme le bout de ses doigts. Elle a toujours froid.

Ils sont dans la même classe, ils sèchent les mêmes cours, surtout le sport, et sont tous les deux d'accord pour affirmer que le prof de sport est un porc, en plus de détester les élèves de la campagne et de ne pas hésiter à leur faire savoir à quel point il les trouve ploucs. My et Rasmus sont toujours l'un à côté de l'autre en cours. En anglais par exemple, où le concept pédagogique de leur prof se résume à lire de la littérature anglaise à voix haute pendant que ses élèves regardent par la fenêtre, s'écrivent des petits mots ou essaient de dormir.

En français, c'est Birgitta Gräns qui fait la loi. Petite, ronde et toujours en colère, Birgitta, ou Brigitte comme ils l'appellent, enseigne le français au lycée depuis des temps immémoriaux. La mère de My l'avait déjà dans les années cinquante. Tout le monde a une peur bleue d'elle. Même ses collègues. À ses cours, on ne peut pas occuper les deux premiers rangs, parce qu'elle postillonne en permanence et qu'elle écrit sur le tableau noir avec tant de hargne que les craies se cassent, ce dont elle se contrefiche : elle en sort une autre de la boîte et continue de plus belle.

– Le français est la plus belle langue du monde ! déclame-t-elle à tout bout de champ, et les élèves doivent toujours se lever pour la saluer avant le début du cours.

– BONJOUR, mes amis ! rugit-elle en français quand elle entre dans la classe.

– Bonjour, madame ! répondent les élèves, en français eux aussi.

Sans qu'il puisse se l'expliquer, Rasmus l'adore. Elle a ses quartiers au dernier étage du lycée et, souvent, quand on se dépêche pour arriver à l'heure à un cours, on peut la croiser sur un palier où elle s'est arrêtée pour se reposer et reprendre son souffle.

Un autre professeur que Rasmus adore est le vieux prof de suédois, Sune Lindwall. Un petit bonhomme d'une extrême gentillesse, toujours en veston et nœud papillon. Il a publié un roman dans sa jeunesse. My et Rasmus ont essayé de le trouver à la bibliothèque, mais il est toujours emprunté. Le plus génial avec Sune, c'est qu'il gobe tout ce qu'on lui dit. Si on le lui demande, on obtient la permission de rester dans la bibliothèque du lycée pour travailler, il suffit alors de bâcler ce qu'on a à faire pour ensuite aller traîner en ville.

Plus tard, Rasmus sourira en repensant à cette expression que My et lui employaient, «aller traîner en ville». Seulement voilà, quand on vient de bleds paumés tels que Koppom ou Gunnarskog, Arvika représente vraiment une ville : Arvika est leur toute première grande ville.

Avec My et Bella, Rasmus se rend plusieurs fois à Karlstad et en Norvège pour sortir en boîte : Magnor, Kongsvinger, parfois ils poussent même jusqu'à Oslo.

Sinon, Rasmus a seulement fréquenté avec ses parents des soirées organisées dans ces petits dancings situés en pleine forêt, comme le parc de Skillingmark, le parc d'Eda et Hillringsberg – aussi bien Harald que Sara adorent danser. Mais les parents ont fini par renoncer à s'y rendre quand ils ont compris que Rasmus risquait de se faire tabasser par les autres garçons présents. Harald et Sara l'ont très mal pris. Par la suite leur vie a en quelque sorte rétréci, puis ils n'ont plus jamais dansé.

My et Gabriella. Ses deux amies de lycée. Pour Rasmus adolescent, ce qui ressemble le plus à des amis d'enfance.

Car Rasmus fait partie de ces gens très nombreux qui se voient obligés de recommencer à zéro, de tirer un trait et de prendre un nouveau départ. Laisser le passé disparaître dans le brouillard et cesser d'exister.

Comme une brume matinale qui s'évapore dès que le soleil se met à luire.

Entrer au lycée d'Arvika fut un de ces traits tirés. En sortir en fut un autre.

Le ciel est bleu et dégagé en ce mois de juin. L'édifice d'aspect industriel est posé tel un gros cube au fond de la cour goudronnée où quelques arbres sont plantés au milieu de leurs carrés de pelouse respectifs. Le soleil se reflète dans les grandes fenêtres en enfilade parfaitement symétriques qui ornent la façade enduite d'un crépi jaune clair. Deux corps de bâtiment sont reliés par un préau. Autrefois ce lycée abritait aussi un collège, Harald y a usé ses fonds de culotte, dans le temps.

Massées devant la porte principale, les familles attendent que leurs enfants, tout heureux d'avoir décroché le bac, sortent sous les cris de joie.

Endimanchés et cérémonieux, Harald et Sara se retrouvent relégués derrière tout le monde, avec Holger, leur voisin, et les tantes venues exprès pour le grand événement. Sara porte un ensemble vert pistache, jupe, chemisier et veste, tout neuf. Histoire de marquer le coup, Harald a ressorti sa vieille casquette de bachelier, aujourd'hui jaunie, qu'il arbore sur un costume sombre.

Sara tripote le ruban bleu et jaune de son bouquet de roses rouges, auquel elle a attaché une casquette de bachelier miniature. Les tantes ont même acheté du mousseux allemand : du Henkel Trocken ! Rasmus trinquera avec eux, bien sûr : avec le bac en poche, il aura enfin la permission de boire.

Sara arpente le bitume, se hisse sur la pointe des pieds pour tenter d'apercevoir la porte. Elle est nerveuse et impatiente, assez irritée en fait. Il aurait fallu arriver beaucoup plus tôt pour avoir une meilleure place. Elle les avait pourtant prévenues. Mais non, Kjerstin et Christina ont évidemment lambiné pour se préparer alors qu'elle, elle s'y est prise dès la veille au soir, elle a mis la table afin d'être à l'heure le lendemain. Ça la vexe, qu'ils soient arrivés avec autant de retard. Ça l'agace, ça la hérisse. Après tous les efforts qu'elle a déployés. Ils se retrouvent à présent retranchés dans le fond, ils ne voient strictement rien, ils tournent en rond comme des âmes en peine.

Harald brandit la pancarte qu'il a bricolée. Il y a collé une vieille photographie agrandie de Rasmus enfant. «RASMUS BACHELIER 1982», peut-on lire.

– En tout cas on ne peut pas se plaindre, on a beau temps, dit Holger surtout pour dire quelque chose, et il donne de petits coups de pied dans le goudron du bout de ses chaussures.

– Oui, c'est une sacrée chance ! répond Harald surtout pour répondre quelque chose.

– Taisez-vous, les voilà ! les rembarre Sara.

La porte du lycée s'ouvre effectivement et les bacheliers surgissent sur le petit perron où ils sont accueillis par les acclamations de leurs familles. Sara se hisse de nouveau sur la pointe des pieds pour mieux voir. Très énervée, elle rabroue son mari.

– La pancarte, Harald ! Lève la pancarte !

Elle manque de tomber de tout son long à force de s'étirer pour entrevoir Rasmus tout là-bas, au loin.

– Rasmus ! Rasmus !

Sa voix se noie dans le flot des hourras et des bravos. Elle piaffe d'impatience. Sans savoir si elle doit fendre la foule ou ne pas bouger.

– Je ne le vois pas. Harald, tu le vois ?

Elle saute à pieds joints tant son empressement la rend fébrile.

– Rasmus ! Rasmus !

Familles et bacheliers se cherchent dans la cohue. Ces sections littéraires sont surtout fréquentées par des filles : la classe de Rasmus ne compte que cinq garçons sur vingt-sept élèves. Les parents serrent les bacheliers dans leurs bras, suspendent des bouquets de fleurs autour de leur cou, des rubans avec des mignonnettes, des drapeaux suédois et de minuscules casquettes de bachelier. Sara a l'impression que tous les parents ont trouvé leur progéniture, sauf eux. C'est totalement injuste.

– Mais il est où ? Lève la pancarte, Harald, qu'il nous voie !

Elle rudoie son mari.

– Mais lève-la, je te dis !

Elle lui administre un coup de coude. Harald proteste.

– Mais je la lève, tu le vois bien ! Je ne peux pas me faire plus grand, merde à la fin !

Et pour la énième fois Sara se met sur la pointe des pieds. Elle est à deux doigts de fondre en larmes.

– Je ne comprends pas. Il est forcément sorti avec les autres.

Soudain Harald s'exclame :

– Là ! Il est là !

– Où ça ? Je ne le vois pas !

Sara étire le cou, mais partout des gens s'enlacent et s'interpellent et s'agitent.

– Rasmus ! lance Harald sans oser crier. On est là ! Rasmus !

Resté sur l'escalier, Rasmus inspecte la foule du regard. Enfin il distingue ses parents tout au fond. Il se fraie un chemin jusqu'à eux. Et il est si beau dans son costume clair qu'ils sont allés acheter à Karlstad exprès, avec sa casquette blanche de bachelier qu'il porte avec panache. En le voyant, Sara est parcourue d'un frisson de fierté et de frayeur. Elle avale sa salive, elle n'essaie même pas de cacher qu'elle a les yeux baignés de larmes.

– Rasmus !

– Maman ! Papa !

Sara le serre fougueusement contre elle et lui passe autour du cou le bouquet de roses avec la casquette miniature ; elle le jette, presque. Aussitôt gênée par tant d'ardeur, elle recule d'un pas et frotte le revers de sa veste pour balayer une miette invisible.

Harald lui tend la main en adoptant un ton grave, comme s'ils se parlaient désormais d'homme à homme.

– Félicitations, mon garçon ! T'as sacrément bien réussi !

Retrouvant son calme, Rasmus regarde son père dans les yeux.

– Merci, papa !

Ils se serrent solennellement la main.

C'est maintenant au tour de Holger, le voisin, de le féliciter. Rasmus lui donne une poignée de main puis prend les tantes dans ses bras. Sara le tire par la manche, elle réclame son attention.

– Attends de voir ce que Harald et Holger ont préparé ! dit-elle en cachant mal son excitation. Tu vas être tellement… Enfin, c'est une surprise, tu comprends. Tu vas voir !

Tout ce petit monde se dirige vers le parking. Sara bras dessus bras dessous avec son fils. Quand ils sont presque arrivés, Sara ne peut plus se retenir : elle se précipite devant tout le monde et marche ensuite à reculons.

– Regarde ! crie-t-elle.

Et de désigner un pick-up redécoré : la carrosserie a disparu sous des rameaux de bouleau, les ailes sont vêtues de banderoles qui proclament en lettres gigantesques «RASMUS BACHELIER 1982», le plateau accueille en son centre une chaise arrimée au plancher et ornée de feuillage.

– C'est là-haut que tu vas trôner, Rasmus ! jubile Sara. Tout au long du chemin. Jusqu'à Koppom !

Rasmus est cloué sur place.

– Je vais rester tout seul sur le plateau ? Vous ne venez pas avec moi ?

– Kjerstin, Christina et moi, on rentre avec la Saab. On sera derrière toi !

Sara rit.

– Mais Rasmus, mon cœur, on dirait que tu es épouvanté ! Harald et Holger ont fixé la chaise bien comme il faut, ne t'inquiète pas.

Elle jette un coup d'œil soucieux vers Harald.

– N'est-ce pas, Harald ?

– Évidemment qu'on l'a bien attachée. Allez, Rasmus, monte. En route !

Rasmus grimpe de mauvaise grâce sur le plateau et, un peu perplexe, s'assied sur la chaise. Les autres regagnent leurs véhicules respectifs.

Rasmus se retrouve seul sur son trône.

Harald et Holger quittent le parking à bord du pick-up de location. Des bacheliers s'entassent sur des camionnettes décorées. Certains, tirés à quatre épingles, coiffés de leur casquette immaculée, prennent place dans des décapotables. Leur diplôme en poche, ils partent célébrer cette réussite avec leur famille, leurs amis, leurs camarades de classe. Ils filent à des dîners, des fêtes, des réceptions. Rasmus est le seul à voyager en solitaire sur un plateau de pick-up.

Avec une maladresse qui frise la timidité, il tente de faire signe aux autres adolescents, de prendre l'air de celui qui apprécie réellement les efforts de ses parents, qui n'est pas miné par la honte. Il aperçoit My, emportée sur une moto par son grand frère. Elle ne le voit pas. Gabriella se tient sur le plateau d'un camion avec d'autres élèves de la section économie. Au programme pour elle : d'abord la réception à la maison, puis une virée chez chacun de ses camarades de classe.

Harald et Holger klaxonnent avec enthousiasme en sortant du parking. Un tel départ en fanfare parce que Harald sait combien Rasmus se trouve dans une situation délicate en tant que fils unique : c'est problématique qu'il n'ait pas de frère et sœur, pas de cousins, pas d'amis de son âge pour assister à la fête organisée en son honneur. N'y participent que ses parents, le voisin et les tantes.

Voici donc la maigre escorte qu'il leur a été possible de mobiliser. Et ça lui laisse un arrière-goût amer dans la bouche, à Harald. Quel échec. Quel échec flagrant, criant presque. Son fils, qu'il aime par-dessus tout, sa fierté, vient de réussir à franchir un cap et laisse sa jeunesse derrière lui sans personne pour lui dire au revoir.

Car qui Rasmus compte-t-il autour de lui ? Quelques copines du lycée, mais pas d'amis de Koppom. En plus, ces filles ont déjà fort à faire un jour comme celui-ci, on l'imagine sans peine. Aussi Harald compense-t-il en klaxonnant avec enthousiasme : il baisse sa vitre pour saluer les gens sur les trottoirs. Il fait ce qu'il peut, voilà tout.

Rasmus trône donc sur le plateau, dans son costume neuf et sa casquette. Il s'agrippe à la chaise quand le pick-up manque de se coucher dans un virage. Il essaie de garder le sourire et d'avoir l'air ravi. Lui aussi déploie des efforts démesurés.

Leur camionnette décorée de feuillage est suivie par la Saab également garnie de verdure. Sara conduit. Christina tient la caméra Super 8 de Harald.

– Tu filmes là, Christina ? demande Sara, impatiente. Hein, tu filmes ?

– Chuut !

Et, pendant que sa sœur filme, Sara fait coucou à Rasmus à grand renfort de coups de klaxon et de mains agitées.

Rasmus rit, gêné, le visage tordu par une grimace désespérée censée montrer qu'il est heureux, assis sur ce plateau, dans une grandiose solitude. Obéissant, il fait un signe à la caméra de tante Christina.

Et souvent, très souvent Sara regardera ce petit bout de film bien précis : Rasmus assis seul sur sa chaise décorée, riant et agitant la main et regardant droit dans la caméra. Chaque fois elle aura du mal à respirer. Chaque fois elle sera submergée par toute cette tendresse, tout cet amour et tout ce chagrin qui l'inondent. Chaque fois son ventre se serrera car elle n'est pas dupe.

Elle n'est pas dupe de ce qu'elle voit. Ce qu'elle voit et que jamais, à personne, à commencer par elle-même, elle n'admettra percevoir.

Le petit équipage entame à présent son défilé de la victoire bachelière à travers le paysage du Värmland. Le cortège triomphal baroque s'offre en spectacle sur la départementale 172 qui les mène d'Arvika à Sulvik, où il convient de tourner vers Koppom. Par précaution, Harald ne conduit pas trop vite et serre à droite pour laisser passer les autres véhicules. En guise d'ovation, certains klaxonnent, d'autres font des appels de phare. Oh là là, comme c'est sympa !

Rasmus doit en permanence se cramponner des deux mains au siège s'il ne veut pas perdre l'équilibre.

Le périple est interminable. Ils ne pensaient pas mettre autant de temps à rentrer chez eux. Mais sinon c'est chouette, vraiment. Le genre de trajet qu'on ne fait qu'une fois dans sa vie, comme Harald l'expliquera plus tard.

Un nombre à leurs yeux incalculable de fermes, de prés et de champs égaie leur parcours. À intervalles réguliers, Sara baisse sa vitre et agite une main pleine d'allant pour regonfler le moral de Rasmus.

Il essaie de lui rendre la pareille mais, systématiquement, il s'en faut d'un cheveu qu'il ne dégringole de son trône. De plus, étant donné qu'il voyage en sens inverse de la marche et que la camionnette bringuebale sans arrêt, il est tellement ballotté qu'il en a la nausée. Aussi filtre-t-il l'air entre ses dents. Il ne manquerait plus qu'il vomisse, ce serait le comble.

Ils franchissent enfin le panneau Koppom et peuvent s'engager dans la brève traversée du village. Quelques connaissances les saluent au passage. Des enfants arrivent en courant au bord de la route et suivent le convoi exceptionnel des yeux. Dans les jardins, les villageois suspendent leurs gestes pour observer la course en solitaire de Rasmus. D'autant plus que les autres bacheliers de Koppom, ils étaient quelques-uns, ont quitté le lycée Solberga en escadron uni.

À la station-service en face de leur maison, Erik traîne avec deux autres garçons de l'ancien collège de Rasmus. Ils ont fait mécanique à l'école professionnelle, ils n'ont pas passé le bac, eux.

Erik croque dans une pomme verte. Il voit le pick-up décoré s'approcher lentement. Il continue de mâchouiller sa pomme acidulée.

Quand le convoi passe devant lui, Sara klaxonne et fait bonjour aux adolescents. La camionnette s'engage dans l'entrée. Harald s'arrête pour ouvrir le portail.

Rasmus baisse la tête pour ne pas avoir à croiser les regards méprisants des garçons. Il sait qu'il ne devrait pas mais c'est plus fort que lui : il a honte.

Erik soupèse dans sa main la pomme à moitié mangée et dit aux autres :

– Hé, les mecs. Regardez !

Il vise alors Rasmus et lance la pomme sur lui. Elle vient cogner contre sa poitrine avec un bruit sourd. Rasmus sursaute mais ne fait rien pour se protéger : il ne se baisse pas, il ne riposte pas, il demeure impassible, rivé à son trône feuillu sur le plateau du pick-up.

Il détourne la tête. Il a honte.

Les autres exultent en voyant la pomme d'Erik percuter Rasmus. Enhardi, Erik lance :

– Sale pédé !

Le sourire de Sara se fige. C'est allé tellement vite.

À travers le pare-brise, elle voit son fils se prendre la pomme en pleine poitrine. Et elle est impuissante. Elle entend les horreurs qu'ils débitent sur son garçon, alors que c'est un si grand jour pour lui. Ils devraient avoir honte. Le plus étrange, c'est que Rasmus ne semble pas réagir. On dirait qu'il se laisse faire.

Harald a ouvert le portail, il s'apprête à reprendre le volant. Il a compris que quelqu'un venait de lancer quelque chose, il a entendu les jeunes exulter de joie, il a entendu quelqu'un crier quelque chose.

Il demande à Holger :

– Qu'est-ce qui s'est passé ? Qu'est-ce qu'ils ont dit ?

– J'ai rien vu, moi, répond Holger en haussant les épaules.

Sara ouvre la portière et s'écrie d'une voix stridente :

– Démarre, Harald ! Mais démarre, je te dis !

Elle se rassied dans la Saab. Harald remonte dans la camionnette. Les jeunes devant la pompe à essence gloussent. Le pick-up cahote sur l'allée gravillonnée qui monte vers la maison. Sara avance la main vers la caméra de sa sœur.

– Christina, arrête de filmer !

Les voitures se sont immobilisées. Sara descend avec Christina et Kjerstin. Rasmus se lève et saute du plateau. Sara se précipite sur lui pour s'assurer qu'il ne s'est pas fait mal. Elle entreprend de brosser une tache sur le gilet de Rasmus, mais il la repousse, les mâchoires crispées.

– Ne les écoute pas, dit Sara qui, continuant de plus belle, se rabat sur la veste. Ils sont jaloux,

c'est tout. Ils n'ont pas le baccalauréat, eux. Enfin,
pas le vrai.

– Bon, on peut entrer ? supplie Rasmus d'une
voix malheureuse.

– Oui, entrons, répond-elle en glissant son bras
sous celui de Rasmus.

Et, bras dessus bras dessous, mère et fils franchissent la porte d'entrée, elle aussi retapissée
de feuillage et de ballons. Comme cela lui arrive
souvent, Rasmus tente de réconforter sa mère.

– Oh, c'est joli, ce que vous avez fait. Y a pas
à dire, c'est super joli !

Il ne veut pas qu'elle se fasse de mauvais sang
à cause de lui, il veut au contraire qu'elle soit heureuse, qu'elle profite de cette belle journée, qu'elle
arrête de ressasser dans sa tête ce petit incident.

Mais Sara ne peut pas se retenir. Comme si elle
devait à tout prix se convaincre et se rassurer.

– Ce qu'ils ont dit… ce n'est pas vrai ? Parce
que… tu n'es pas…

Elle se tait. Elle lui tapote affectueusement la
joue. Et, comme pour rétablir les faits, pour faire
triompher la vérité, elle répète :

– Rasmus ! Hein que tu n'es pas…

Se tournant vers les tantes qui les suivent, elle
met les points sur les i :

– Il n'en est pas un.

– Un quoi ?

– Ce truc, là, qu'ils ont dit sur lui. À cet âge-là,
les garçons disent tellement de bêtises.

Ils entrent. Sara veut refermer la porte. Mais,
ce faisant, elle jette un dernier regard dehors. Et
aperçoit les garçons de l'autre côté de la rue, qui
traînent devant la pompe à essence. Elle pousse
la porte en réprimant un frisson. Et résiste à la
tentation de fermer à clé.

Harald, Sara et Rasmus descendent du train
pour se faire leurs adieux. Ils restent plantés sur

le quai, presque embarrassés. Ils n'ont rien à se dire dans le fond, ni les uns ni les autres.

– Alors eeeuh… commence Rasmus.

Hélas, il ne sait comment poursuivre. Sara s'y essaie à son tour, et tout ce qu'elle trouve se résume à :

– On va quand même pouvoir profiter encore un peu de la belle saison.

L'heure tourne sur le cadran de l'horloge de la gare. La grande aiguille avance d'un cran supplémentaire.

– Bon, tu ferais mieux de remonter dans le train, Rasmus, dit soudain Harald. Sinon il risque de partir sans toi.

C'est sans appel.

Sara serre Rasmus dans ses bras. Harald lui donne une poignée de main.

Rasmus grimpe, seul, dans le compartiment.

Les portes se ferment, le train s'en va.

Sara et Harald rentrent seuls à Koppom. Ils ne décrochent pas un mot du trajet.

Harald referme la porte de la maison et range les clés à leur place attitrée, dans la jolie petite boîte bleue à motifs végétaux de Dalécarlie.

Malheureuse comme les pierres, Sara balaie du regard les pièces vides.

– Booon… fait-elle en se tordant les mains.

– En tout cas ça s'est bien passé, hein. On est arrivés à temps et tout et tout, lâche Harald, comme une espèce de consolation.

Ils regardent chacun de son côté. Ils se taisent. Le silence s'installe.

Il commence maintenant, leur silence. Il les accompagnera pour le restant de leurs jours. Ils se sont dit tout ce qu'ils avaient à se dire. Alors, Rasmus parti, forcément, la conversation s'arrête.

– Tiens, et si je commençais à préparer le repas ? dit Sara.

– Oui, bonne idée, dit Harald. Et moi je crois que je vais faire… Mais qu'est-ce que je vais bien pouvoir faire ?

Il se campe devant la fenêtre du salon, là où Rasmus s'installait d'habitude. Il regarde dehors. Le soleil de fin d'été est bien bas. Les feuilles ont déjà commencé à jaunir. La nuit sera vite tombée.

Le paysage défile à toute allure. Le visage de Rasmus se reflète dans la vitre. Le contrôleur revient, ouvre la porte du compartiment.

– Prochain arrêt, Gare centrale de Stockholm.

Rasmus sent l'excitation envahir son corps, il suffoque presque. Il se lève, descend ses sacs du compartiment à bagages, enfile son duffel-coat, se rassoit, se relève, appuie les bras contre la vitre, regarde dehors. Le train franchit un pont élevé, Rasmus comprend que c'est le pont qui sépare Stockholm du reste du monde. Ça y est, il est arrivé en ville.

Stockholm, la ville, l'aspire, l'engloutit. Le train file sur la voie ferrée comme sur une voie neuronale : à une vitesse vertigineuse il dépasse des immeubles et des parcs, des rues et des gens sur les trottoirs, précipitamment, impatiemment, c'est le sprint final, maintenant qu'il est bientôt arrivé il fonce tel un cheval devenu fou.

Rasmus essaie d'assimiler ce qu'il voit. Les immeubles, les rues. Pour tout mémoriser. Pour pouvoir s'orienter plus tard.

Ils traversent un nouveau pont, le train vibre et se penche. Rasmus voit une deuxième baie et un grand bâtiment altier au bord de l'eau, qu'il devine être l'hôtel de ville de Stockholm. Le train ralentit, légèrement essoufflé après son rodéo à travers la ville. La gare centrale de Stockholm n'est plus qu'à quelques centaines de mètres.

Il est arrivé.

Rasmus porte des bottes en caoutchouc. Bleues. Flambant neuves. Son pantalon en velours côtelé est râpé aux cuisses. Le tissu y est soyeux et lustré.

Maman, papa et lui font une promenade en forêt comme souvent le week-end. Parfois ils ne partent que tous les deux, papa et lui.

Il aime marcher avec son papa dans la forêt grande et silencieuse qui serait effrayante s'il n'était pas avec lui. Papa est rassurant, il connaît les lieux comme sa poche. Ils cheminent côte à côte et papa fait preuve d'une patience d'ange chaque fois que Rasmus doit s'arrêter.

Il désigne les baies et les champignons, indique leur nom, explique à Rasmus lesquels sont comestibles et lesquels sont toxiques. Il lui montre comment on cueille l'oseille des bois pour en sucer le nectar acidulé, comment on écrase une vesse-de-loup pour en faire sortir un petit nuage de fumée. Il essaie de lui apprendre à reconnaître les oiseaux à leur chant et les bêtes à leurs excréments.

Le sac à dos de papa contient une Thermos de chocolat chaud et des sandwiches enveloppés dans ce papier sulfurisé qui peut aussi servir de calque : Rasmus le pose souvent sur la couverture de ses *Picsou Magazine* pour recopier le dessin, avec méticulosité et une extrême concentration.

Ils s'assoient sur une pierre pour manger. La mousse vert foncé mouille les fesses de Rasmus. Ça fait partie du jeu.

– Écoute ! dit papa en tendant l'oreille. C'est un coucou du nord.

– Coucou du nord, trésor ! s'exclame alors Rasmus, qui répète le vieux dicton suédois.

La plupart du temps ils se taisent.

Aujourd'hui maman les accompagne parce qu'ils vont ramasser des myrtilles – et des framboises sauvages, s'ils en trouvent du côté de la coupe à blanc : les framboisiers se plaisent dans les parcelles où les bûcherons ont coupé tous les arbres, explique papa.

Maman et Rasmus s'accroupissent devant les fourrés, munis chacun d'un gobelet pour les myrtilles. Rasmus emporte toujours son verre à dents jaune, c'est son gobelet porte-bonheur. Maman se relève de temps à autre pour verser le contenu du sien dans un seau rouge en plastique. Campé à quelques mètres de là, papa donne l'impression de guetter quelque chose.

Ce n'est pas très commode de rester accroupi. Le pull gratte. Maman oblige toujours Rasmus à bien se couvrir. Mais c'est papa qui a décidé qu'il fallait mettre des bottes, malgré le beau temps.

– Papa, j'ai trop chaud en bottes, se plaint Rasmus.

– Peut-être, répond papa d'un air absent, mais dans la forêt il faut toujours mettre des bottes au cas où on marcherait sur une vipère.

– Tu trouves des myrtilles, mon chéri ? demande maman. Montre-moi ton gobelet.

Elle se penche sur Rasmus pour examiner sa cueillette et fait une grimace de mécontentement.

– Mais mon cœur, tu ne peux pas toutes les manger, il faut en garder un peu.

– Chuuut ! leur lance soudain papa avec de grands signes. Rasmus ! Sara ! Venez voir. Vite !

Tous deux tardant un peu à le rejoindre, pour une fois c'est lui qui s'impatiente.

– Mais dépêchez-vous, bon sang !

Rasmus s'élance vers papa. Avec un gémissement, Sara parvient à se relever de sa position inconfortable et, en s'étirant le dos, va tranquillement retrouver son mari.

– Qu'est-ce qui se passe ? veut-elle savoir, dubitative.

– Regarde, Rasmus. Là-bas ! chuchote Harald, le doigt pointé.

Dans le champ dégagé trottine un élan blanc. Rasmus a déjà vu des élans, plusieurs fois même, mais jamais un blanc. Et si seule sa couleur le distingue des autres élans, il a cependant tout d'une créature de conte de fées, à émerger ainsi de la forêt sombre.

– Tu as vu, Rasmus, un élan blanc ! lui chuchote maman à l'oreille en passant un bras autour de ses épaules.

Rasmus se dégage d'un geste agacé :

– Je ne suis pas aveugle.

Papa commence à expliquer à voix basse sans quitter l'animal des yeux :

– À ce qu'on m'a raconté, ces élans sont blancs à cause d'une disposition génétique. Ils ne sont pas albinos mais bêtement différents. Dans cette région du Värmland, il en existe toute une lignée. Autrefois on leur attribuait des pouvoirs magiques, paraît-il qu'en tuer un portait malheur.

– Qui voudrait tuer un aussi bel animal ? s'exclame maman, incrédule.

– Beaucoup de gens. Des gens qui trouvent qu'il n'a rien à faire chez nous, que son existence est une aberration de la nature. Qu'il est dégénéré, si tu vas par là.

– Pourtant il existe ! proteste Rasmus.

– Certes, mais… Oui, non, enfin si, soupire papa. Il existe, ça on ne peut le lui enlever.

' Ils regardent en silence l'animal singulier. Papa tente une nouvelle explication.

– Les opinions sur l'élan blanc divergent un peu selon les différentes équipes de chasse. Certains chasseurs trouvent sans doute que, un élan blanc, c'est sympa à regarder et tout. Mais que, du simple point de vue de la reproduction, ce serait une erreur de le laisser vivre.

– Alors ils vont le tuer ?!

Le cri de Rasmus sort spontanément. L'élan lève le museau et inspecte les lieux du regard.

Papa parle à voix basse et douce.

– Il est une aberration de la nature. La chasse est aussi une façon de prendre soin de la nature, tu le sais, on en a déjà parlé. Ce qu'on veut préserver dans la nature doit aussi avoir toutes les possibilités d'y être préservé, si tu comprends ce que…

Rasmus éclate en sanglots.

– Non, je ne comprends rien !

La détresse de Rasmus plonge papa dans une égale détresse. Il poursuit ses explications, mais en employant des mots tellement emberlificotés, il l'entend lui-même, que son fils est incapable de saisir le fin mot de l'histoire.

– Il existe une notion qui s'appelle la vitalité : un élan blanc peut certes être viable en tant qu'individu, mais il n'augmente pas la vitalité de la population, il peut même à long terme… oui, carrément la dégrader ! L'espèce, la population entière, la grande famille des élans, sont plus importantes que l'élan particulier, que l'individu, surtout un individu qui pour ainsi dire est…

Il hésite avant de prononcer le dernier mot et il a tout de suite envie de le reprendre.

– … pourri !

– Harald !

Révoltée, Sara le rabroue.

– Oui, mais… essaie de se justifier papa. D'un point de vue purement reproductif, il est dégénéré…

Et brusquement l'élan semble les remarquer : il lève la tête, regarde dans leur direction puis s'éloigne vers la forêt, de l'autre côté du champ.

– Bon, en tout cas, maintenant il s'en va ! constate maman.

Elle ébouriffe les cheveux de Rasmus.

– C'était chouette de le voir, quand même ! Hein, que c'était chouette, un élan blanc, mon Rasmousse au chocolat adoré ?

Mais Rasmus n'a plus du tout envie de rire ni rien. Il a entendu ce qu'a dit papa. Comme quoi cet élan qu'ils viennent de voir, il ne devrait pas avoir le droit d'exister et qu'on devrait le tuer sous prétexte qu'il est dégénéré.

Sous prétexte qu'il est bêtement différent.

Le train entre dans la gare centrale, quai 17. Les freins hurlent. Les portières s'ouvrent, les passagers descendent.

Parmi eux, un jeune garçon de Koppom, cité métallurgique du canton d'Eda, dans le nord-ouest du Värmland. Il écarquille les yeux et s'arrête. La première chose qui le frappe, c'est l'odeur : un mélange de bitume, de soufre et d'urine.

Des yeux, il cherche la sortie. Tous les passagers se précipitent avec leur bagage au bas d'un escalier pour s'engouffrer dans un couloir qui passe sous les rails, entièrement revêtu d'un carrelage jaune sale. Il entreprend de les suivre à pas lents. Dans ce couloir jaunasse, il se fait presque renverser par la foule qui court vers les différentes voies.

Il est arrivé. Il est tiré d'affaire. Il s'en est sorti.

Il traverse l'immense hall de la gare centrale avec ses valises. Il est chaussé de ses bottes préférées, des santiags en daim rouge. Les talons biseautés claquent sur le sol carrelé. Sous le duffel-coat de son père il porte un gilet sans manches arlequin, qu'il a lui-même confectionné sur la vieille machine à coudre Singer de sa mère, à partir d'une chute. Ces vêtements qui lui ont valu d'être montré du doigt et raillé aussi bien à Koppom qu'au lycée d'Arvika ces trois dernières années.

Il est quoi ? New wave ? Cold wave ? Dark wave ? Nouveau romantique ?

La plupart du temps ils l'ont surtout traité de sale pédé.

Ils n'avaient pas tort. Ils le savaient avant lui.

Sale pédé.

C'est exactement ce qu'il est.

Mais un sale pédé qui leur a échappé. Il les a tous plantés là. Ils n'existent plus. Ils ont définitivement cessé d'exister. Comme quelque chose dont on se débarrasse en se secouant et qu'on abandonne.

Avec à la fois un haussement d'épaules et un frisson.

Avec dans la bouche un arrière-goût amer de cendre et de bile.

Avec des santiags en daim rouge aux talons biseautés qui claquent contre le marbre dans le grand hall de la gare centrale, avec un mince gilet arlequin sur son corps chétif.

Avec un cœur qui cogne comme après la dose de nicotine envoyée par la première cigarette du matin.

Et on ne se retourne pas ! On ne se retourne surtout pas. Parce qu'on leur a échappé. On a échappé à ce Koppom de merde et ce collège de merde et ce lycée de merde et cet Erik de merde et ce Conny de merde et ce Henning de merde et à tout ce Värmland puant et dégoulinant de merde. Ils ne peuvent plus l'atteindre.

Il remodèle la honte. Il va en faire une identité et une fierté.

Au milieu du grand hall principal de la gare, il y a un trou dans le sol, une ouverture circulaire entourée d'un garde-fou, un rond d'où on peut regarder les gens à l'étage inférieur, dans leurs allées et venues précipitées entre les voies des trains de banlieue et les quais de la station de métro T-Centralen. Ce rond est le point de rencontre naturel de la gare centrale de Stockholm. Ce rond est le centre de l'univers, autour duquel tourne le monde entier.

Rasmus sait très bien comment dans le langage courant on surnomme ce rond, ce trou, cet orifice.

La Rondelle.

S'il y a une chose de Stockholm que connaissent tous les petits ados suédois de sexe masculin sans même y être allés, c'est ça : Les pédés, on les retrouve à Stockholm ; et les pédés, entre eux, ils se retrouvent à la Rondelle, où ils se draguent pour rentrer ensemble chez les uns ou chez les autres ; et, une fois là-bas, ils se font défoncer… la rondelle. Beurk ! C'est carrément dégueu, comme truc ! De la merde sur la bite !

Combien de fois Rasmus a fantasmé, presque fébrilement, sur cette fameuse Rondelle.

À l'instant même où il gravit les dernières marches de l'escalier, Rasmus la voit. Pour de vrai, pour la première fois. Il s'est détaché du flot principal des gens qui poursuivent leur chemin vers la bouche du métro. Ce lieu n'a cessé d'être son but ultime.

Sous peu il ira chez sa tante chez qui il va loger, mais d'abord il doit la voir : la Rondelle. Ça fait dix-neuf ans qu'il attend. Et il n'en peut plus d'attendre.

Lorsque Rasmus aperçoit le garde-fou métallique qui entoure l'ouverture circulaire dans le sol, son cœur bat contre les poumons et les côtes, il a presque du mal à respirer. Il entend résonner comme un écho autour de lui quand il s'en approche. Il a l'impression d'être dans une église, une cathédrale, et le rond est un autel. Un lieu de sacrifice. Il est Isaac, le fils d'Abraham, et il scra sacrifié ici. Il porte lui-même les bûches sur lesquelles son jeune corps blanc sera posé.

Leur grande bible familiale, à Koppom, renferme un chromo de la scène : le jeune Isaac, les mains liées dans le dos, dénudé, le corps blanc et brillant offert, de petits tétons dressés ; et on voit très nettement Abraham, une main énorme sur le visage de son fils, brandissant un poignard pour le lui planter dans le corps.

Mais, dans le coin supérieur gauche, surgit un ange, une main posée sur le bras d'Abraham et l'autre tendue d'une façon un peu apprêtée, un peu chochotte.

Rasmus sait pourquoi l'ange arrête Abraham dans son geste.

L'ange veut Isaac pour lui tout seul.

Rasmus s'approche de la Rondelle.

Accoudés au garde-fou – dont Rasmus remarque maintenant seulement qu'il forme une grille en fer forgé ouvragée, décorée de motifs représentant des indigènes et des animaux d'Afrique –, trois immigrés sont en train de discuter. Ils fument. De temps en temps ils jettent un œil au fond du trou.

Ce sont eux, les pédés ?

Il voit un monsieur d'un certain âge aller et venir, comme s'il flânait.

Lui aussi en est un ? Comment savoir ?

Certains sont sans doute ici parce qu'ils attendent un rendez-vous. D'autres passent, sortant du train ou y allant, sans même connaître la nature très particulière de cet endroit.

Il avise à quelques mètres de distance un mec adossé à un pilier, qui a peut-être dix ans de plus que lui, avec une veste en daim marron clair à franges. Rasmus pose ses valises sous prétexte d'allumer une cigarette.

Et il les observe, les hommes. Les trois immigrés. Le vieux. Le mec devant le pilier.

Ici, il a le droit. Il a le droit de les regarder, de les dévorer du regard. Les hommes.

Il remarque un autre mec avec un blouson en jean fourré et des cheveux permanentés. Il a l'air ivre ou nerveux, en tout cas il ne tient pas en place. Puis Rasmus note la présence d'un homme, la quarantaine peut-être, qui ressemble à n'importe quel employé de bureau avec son trench-coat, costume et attaché-case.

Et subitement il la sent. L'électricité. Les tensions qui circulent entre l'homme devant le pilier, le vieux, l'homme au blouson en jean et l'employé de bureau. Ils ressortent plus nettement que les autres, comme si les passants devenaient invisibles, comme s'ils appartenaient à un autre monde, à une autre réalité.

Il en a maintenant la certitude : il peut les *sentir*. Et il sait qu'ils peuvent le sentir, lui. Eux, les extraterrestres. Ceux qui sont comme lui.

Il reste hésitant par rapport aux immigrés. Certes ils l'ont remarqué, mais ils retournent très vite à leur conversation. Alors peut-être est-ce lui, tout bonnement, qui désire qu'ils soient là pour draguer.

Surtout l'un d'eux : un jeune homme aux yeux ténébreux, avec l'ombre d'une barbe foncée et une sorte de nonchalance dans son attitude. Il excite Rasmus au point que le sang afflue dans son cœur et qu'il en a la bouche sèche.

Voilà, il est enfin arrivé. Il est arrivé parmi les pédés.

Ils se surveillent. Il s'en rend maintenant nettement compte, les hommes dans ce champ de force qui émane du rond se surveillent : ils se jettent des regards, des œillades. Ils sont conscients de la position des uns et des autres, même quand ils ont le dos tourné.

Rasmus a fini sa cigarette. Il a beau se creuser les méninges, il ne trouve aucun autre prétexte qui lui permette de rester. Il reprend ses valises, passe lentement devant les immigrés, ose jeter des coups d'œil furtifs vers le plus mignon des trois, tente de capter son attention. Pendant quelques secondes, ils se dévisagent. Rasmus sent qu'il est évalué, jaugé, jugé.

Puis le mec mignon se détourne. L'occasion vient de lui passer sous le nez. Rasmus vient d'être rejeté.

Il a soudain honte de ses vêtements. Peut-être qu'il a une dégaine trop outrancière, peut-être que dans un lieu comme celui-ci il devrait s'habiller de façon plus ordinaire, ne pas trop se distinguer. C'est sans doute pour ça qu'il a été éconduit. Ou à cause de son physique, parce qu'il n'est pas assez beau. À moins que l'immigré ne soit pas pédé.

Or voilà que le mec en costard lui lance un regard. Un coup d'œil rapide, craintif, qui cependant ne prête pas à confusion.

Sans vraiment le vouloir, Rasmus lui adresse un sourire. Presque insaisissable, mais un sourire quand même. Puis il détourne vivement la tête et rougit. L'autre l'imite, tout aussi vivement. Il sursaute, un peu comme s'il venait de recevoir une décharge électrique.

Et de nouveau leurs regards se croisent, rapidement. Tout le temps rapidement.

Le mec en costard semble lui envoyer un message muet, de façon aussi imperceptible que possible.

Seigneur ! Ça tourbillonne dans la tête de Rasmus. Qu'est-ce qu'il est en train de faire ?

Le sang afflue dans son sexe, il bande.

Le mec en costard n'est pas du tout son genre. Ce sont plutôt les mecs dans le style de l'immigré et du contrôleur qui habitent ses fantasmes – or il se trouve que lui, le petit provincial, est totalement dépourvu de la capacité de dire non (ce qu'il ne va pas tarder à découvrir lui-même) : il prend ce qui s'offre à lui, il va prendre tout ce qui surgira sur son chemin. C'est comme ça, tout simplement.

Dans sa sexualité, il n'a pas de volonté propre. Il suit le moindre petit souffle de vent.

Comme lorsqu'il était enfant et que quelqu'un lui disait : «Ferme les yeux et ouvre la bouche !», pour ensuite y fourrer un bonbon ou autre chose.

Il ferme les yeux et ouvre la bouche.

Il voit maintenant qu'aussi bien le vieux que l'homme au blouson en jean fourré observent leur petit jeu, au mec en costard et lui. Il sent une vague de chaleur le parcourir. Il est au centre de leur attention.

Le mec en costard s'écarte un peu. Se retourne. Lui adresse un nouveau regard fugace, un hochement de tête fugitif, une question muette.

Qu'est-il censé faire ? Lui rendre son hochement de tête ? Avancer à son tour ? C'est un pas de deux qu'ils exécutent. Ça au moins il le comprend. Il se fend d'un mouvement brusque de la tête dont il ignore la nature exacte. C'est peut-être un hochement.

Puis le mec en costard se retourne et le scrute. Rasmus prend une profonde inspiration, accepte.

Qu'il en soit ainsi, pense-t-il. Il ne s'agit pas ici de vouloir. Il s'agit uniquement de fermer les yeux et d'ouvrir la bouche.

Il se prépare à le suivre.

Rasmus voit alors le mec devant le pilier, celui avec la veste en daim à franges, s'extraire soudain de son territoire près du pilier et filer droit sur lui d'un pas étonnamment rapide. Le courant qui passe entre Rasmus et le mec en costard est coupé net.

Rasmus est pris par surprise, chamboulé.

Le mec inconnu sort en habitué une cigarette et, avec un accent traînant, demande sans chichis :

– Salut, mon cœur. Tu n'aurais pas du feu par hasard ?

Rasmus est décontenancé. Son regard flotte du côté du mec en costard qui, après s'être figé, se sauve d'un seul coup vers la sortie.

– Si, bien sûr, murmure Rasmus.

Il pose ses valises et cherche le briquet dans les poches de son duffel-coat. L'homme à la veste en daim allume sa cigarette en courbant la main autour de la flamme du briquet Bic, à croire que le hall de gare est traversé de courants d'air.

En même temps, il plonge son regard dans les yeux de Rasmus et le sonde.

Il a des yeux bleus. Un bronzage artificiel. Une frange décolorée et lissée au sèche-cheveux. Un âge indéterminable. La trentaine peut-être.

Il fixe Rasmus de ses yeux bleu acier. Celui-ci est désemparé jusqu'à ce que l'autre tourne la tête.

L'homme sourit, lui dit merci. Ses yeux scintillent.

Rasmus bégaie quelque chose et désigne maladroitement ses valises, un alibi parfait pour expliquer qu'il passait ici par hasard, qu'il s'est juste arrêté à la Rondelle, fortuitement, qu'il ne savait pas, qu'il ne sait pas, qu'il n'est pas, qu'il s'est arrêté ici en passant, rien de plus.

– Bien sûr, dit l'homme à la veste en daim, à croire qu'il lit Rasmus comme un livre ouvert. Tu es attendu quelque part et tu es un peu pressé. Mais c'est évident ! Oh, quelle gourde je fais ! On se verra une autre fois, voilà tout.

Il lui fait un clin d'œil.

Rasmus pique un fard et s'entend souffler :

– Oui, une autre fois.

Et là, c'en est trop pour lui : il prend ses valises, tourne les talons et quitte les lieux à grandes enjambées. Il se fiche du mec en costard, il se fiche de tout. Il dévale l'escalier, il fonce vers le flot rassurant et anonyme des usagers du métro.

Il est excité. Excité et étourdi et terrorisé.

Il disparaît dans le grouillement de la foule.

C'est si difficile à comprendre, c'était une époque si différente. Et il est si loin, l'automne 1982 que décrivent ces événements ; il semble remonter à des temps immémoriaux.

À peine trois ans plus tôt, l'homosexualité était encore officiellement classée parmi les maladies mentales et cataloguée comme telle par la société. Les psychiatres les plus éminents du pays, Johan Cullberg en tête, qualifiaient l'homosexualité de tare. L'homme homosexuel était une pauvre petite chose infantile et tourmentée, un sujet dont le développement s'est arrêté au stade anal, une créature pathétique, rivée à sa mère, dépendante d'autrui.

Les ouvrages publiés en suédois dans ce domaine, tel *L'homosexualité* aux éditions Wahlström & Widstrand, qui revendiquaient un esprit libre et une bienveillance – ou qui ont «*cherché à donner une image moderne et dépourvue de préjugés aux nombreux problèmes associés à cette déviance singulière*» –, assuraient eux aussi sur leur quatrième de couverture que l'accent avait été mis sur «*les possibilités de prévenir le développement homosexuel*». Ce livre permettait entre autres de connaître les histoires que le zoologiste Mogens Höjgaard avait à raconter sur les «*pulsions déraillées dans le monde des animaux*».

Pendant qu'on y était, on pouvait en partie accuser les premiers militants homosexuels en Allemagne des dernières décennies du XIXe siècle et des premières du XXe, tels que Karl Heinrich Ulrichs, Karl Maria Kertbeny et Magnus Hirschfeld, d'avoir apposé l'étiquette «maladie» à l'homosexualité. Alors qu'ils menaient tout bonnement un combat politique délibéré pour débarrasser celle-ci de son statut de vice corrupteur et la transformer en une anomalie biologique, en un caprice tragique de la nature – pour pouvoir ainsi plaider contre le paragraphe de la loi qui interdisait l'homosexualité et la frappait d'une peine de prison.

Car comment pourrait-on punir quelqu'un pour sa «*nature*», fût-elle extrêmement pathologique ? (Encore de nos jours, il n'est pas rare d'entendre dans une même phrase que, en tant qu'homosexuel, vous êtes à la fois vicieux et malade, à la fois immoral et anormal – et tant pis si l'un devrait exclure l'autre.)

C'est si difficile à comprendre, c'était une époque si différente. Nous nous imaginons aujourd'hui la Suède comme un pays libéral, presque magnanime, et nous pensons qu'elle l'a plus ou moins toujours été. Or, au début des années 1980, le plus grand quotidien du pays, *Dagens Nyheter*, refusait de publier des faire-part de décès où le défunt était un homme pleuré par un autre homme.

Avec pour argument que c'était «*indigne*». Il était indigne pour un homme de pleurer un autre homme.

Aussi, en bon adolescent tâtonnant et incertain que vous étiez, pour peu que vous vouliez trouver une référence identificatoire, la plus infime qui soit, vous vous voyiez contraint, à l'instar de Rasmus, de vous faufiler à la bibliothèque d'Arvika puis, une fois sûr d'être à l'abri des regards, de chercher au fil des rayonnages de la rubrique «Médecine» une confirmation dans les livres : la confirmation que vous existiez, que vous étiez bel et bien réel.

Puis vous restiez assis là, accroupi, le cœur battant, et essayiez de lire des choses qui vous concernaient. Vous lisiez les qualificatifs «*malade*» et «*déviant*», vous lisiez les qualificatifs «*malheureux*», «*vicié*» et «*perverti*», vous lisiez les qualificatifs «*dépravé*», «*anormal*», «*répugnant*», «*non désiré*» – et vous accueilliez ce chapelet de qualificatifs à bras ouverts, car ils confirmaient au moins que vous existiez et qu'il y avait d'autres personnes comme vous.

Au lycée, le manuel scolaire de biologie comportait vers la fin du chapitre consacré à la sexualité un petit paragraphe sur les déviances et les perturbations de la pulsion sexuelle. Dans celui-ci, le mot *homosexualité* brillait comme en lettres de feu. Il bondissait hors de la page, ce mot. Il vous collait à la peau et vous laissait rougissant de honte. Et votre seul espoir, c'était que personne dans la classe ne lise ce passage en même temps que vous, que personne ne vous regarde – et comprenne.

D'une manière tout aussi naturelle, l'homosexualité était soit amalgamée à l'exhibitionnisme, à la pédophilie et à la zoophilie, soit expédiée en tant que phase passagère au cours de l'adolescence : à ce stade, on pouvait effectivement être un peu hésitant sur son identité et sa sexualité.

Au lycée Solberga, Rasmus avait un professeur de musique qui avait un jour fait écouter à la classe un ballet de Piotr Tchaïkovski en expliquant que, si cette musique était pathétique, elle l'était aussi parce que le compositeur avait été homosexuel et obligé de se suicider à cause de ses penchants. On lui avait même *ordonné* de le faire.

Ce devait être la seule fois pendant sa scolarité, hormis à la lecture du petit paragraphe portant sur les déviances à la normalité, que Rasmus apprenait qu'il était «*pathétique*» et qu'on attendait de lui qu'il se suicide.

A posteriori, Rasmus se rappellera que ça l'avait effrayé, l'idée qu'on lui ait *ordonné* de se donner la mort.

Aller et venir, le pistolet serré dans sa main moite, et savoir qu'il serait obligé d'enfoncer le canon dans sa bouche et de presser la détente. Dans la pièce d'à côté patientaient des gens prêts à entendre la détonation qui mettrait fin à sa vie, le coup de feu qui montrerait qu'il était au moins capable de mourir comme un homme, à défaut de pouvoir vivre comme un homme.

Rasmus se voyait, enfermé, arpentant la pièce. Pleurant et reniflant et souffrant le martyre, hésitant et voulant vivre – mais sachant qu'il *devait* enfoncer le canon du pistolet dans sa bouche et presser la détente, alors que tout ce qu'il voulait vraiment, c'était vivre !

À n'importe quel prix, il voulait vivre !

Sachant qu'on lui avait pourtant ordonné de mourir.

En y réfléchissant bien, Rasmus se souvient que Sune Lindwall, leur professeur de suédois et de littérature, avait un jour lu un poème d'Oscar Wilde, pour ensuite raconter que ce poème avait été écrit quand il purgeait une peine de prison pour…

… et là le prof s'était tu.

Comme s'il s'asphyxiait. Comme s'il s'était soudain rendu compte de ce qu'il avait failli dire à ses jeunes élèves.

Il s'était tu, le visage cramoisi, la bouche ouverte, le regard fuyant… puis il avait enchaîné sur tout autre chose.

Oscar Wilde avait été condamné à la prison pour – et ensuite ce bloc de silence.

Ce silence. Ce mutisme.

Après la mort de la poétesse Karin Boye, sa famille avait brûlé tous les textes qui pouvaient l'associer à son lesbianisme ; et les lettres d'amour de Selma Lagerlöf à Sophie Elkan allaient rester sous le sceau du secret pendant encore une décennie.

Dans les rares articles de journaux qui parlaient d'homosexualité, et ce jusque dans les années

1980, vous étiez systématiquement désignés comme *les* homosexuels, pour bien *vous* distinguer du journaliste qui écrivait ou des lecteurs pour qui il écrivait.

Vous étiez l'autre, l'obscur étranger ; vous étiez *eux*, les pas-comme-nous, séparés du reste de la société ; vous étiez des séditieux, des frondeurs ; vous étiez l'un des pédérastes membres de cette grande mafia sexuelle.

Les homosexuels étaient une conspiration d'hommes efféminés et précieux dont les mœurs perverties ne supportaient pas le grand jour, qui menaçaient la saine et franche normalité suédoise.

Si l'un de ces homosexuels était interviewé dans la presse, on lui donnait un nom fictif – par égard pour la position sociale de l'interviewé –, confirmant ainsi le poème d'Alfred Douglas, amant d'Oscar Wilde, sur «*l'amour qui n'ose pas dire son nom*».

Le *pédéraste* interviewé était également photographié de dos pour qu'on ne puisse pas identifier son visage, et ce dos anonyme, toute sa personne fictive et fuyante, était ainsi considéré comme une énième confirmation que le pédéraste était justement cet autre, cet obscur étranger ; et contre lui, non seulement on *pouvait* mais on *devait* légiférer pour se protéger, pour protéger la société et surtout pour protéger la jeunesse, attendu que l'homosexualité était un poison qui pouvait se répandre sans retenue, une maladie contagieuse et une abomination qui, quoique répugnante, était néanmoins supposée être irrésistiblement attirante pour un jeune homme faible et influençable.

Des journalistes et écrivains tels que Vilhelm Moberg ou Ture Nerman, qui d'ordinaire s'érigeaient en défenseurs de la démocratie et en preux chevaliers dans la lutte contre la gangrène du système judiciaire, se comportaient dans les années 1950 en véritables chiens de chasse surexcités face aux homosexuels – et cela une dizaine d'années seulement avant la naissance de Rasmus.

Des vagues successives de traques des homosexuels avaient déferlé sur le pays dans les années 1950, nées sous le fouet de journaux tels que *Stockholms-Tidningen, Dagens Nyheter, Expressen, Aftontidningen* et *Arbetaren*, des journaux qui sans le moindre esprit critique publiaient des ragots, des informations non vérifiées et de pures inventions en les faisant passer pour la vérité. On y pérorait sur des messes noires, sur des bordels à pédérastes, sur des médecins sadiques qui brûlaient des jeunes gens avec des cigarettes et sur une confrérie secrète homosexuelle où l'on s'épaulait mutuellement.

Pendant cette époque paranoïaque, les quotidiens ne reculaient pas devant des gros titres tels que : «ORGIES HOMOSEXUELLES DANS DES BRUMES PERPÉTUELLES DE DROGUES» (*Aftontidningen*), «LES SCOUTS METTENT LES HOMOSEXUELS SUR LISTE NOIRE, PURGE DES DIRIGEANTS SOUPÇONNÉS» (*Aftontidningen*), «COUP DE FILET PARMI LES HOMOSEXUELS, QUATORZE HOMMES ARRÊTÉS À STOCKHOLM» (*Dagens Nyheter*), «46 HOMMES MIS EN EXAMEN POUR ATTEINTE SEXUELLE SUR MINEUR, GRAND NETTOYAGE CHEZ LES HOMOSEXUELS» (*Aftontidningen*), «450 GARÇONS EN INTERROGATOIRE SUR LEUR HOMOSEXUALITÉ» (*Expressen*), «1000 JEUNES GENS SAUVÉS DU BOURBIER HOMOSEXUEL» (*Aftonbladet*).

Rasmus et les copains de sa génération sont nés dans la houle laissée par ces vagues de haine et de traque, ils ont grandi dans son ombre, chacun de son côté, sans se connaître les uns les autres, à une tout autre époque que la nôtre aujourd'hui.

Une époque de dissimulations, de cachotteries, de mensonges et de secrets.

Après la Seconde Guerre mondiale, l'Allemagne de l'Ouest a conservé le paragraphe 175 de son code pénal, un article de loi qui criminalisait les relations homosexuelles et a envoyé ces hommes dans les camps de concentration. Marqués du triangle rose, ils se sont retrouvés au bas de la hiérarchie qui régnait entre les déportés ; il existe des histoires de prisonniers homosexuels qui ont tué pour s'emparer d'une étoile jaune. En 1982, on refusait toujours aux survivants homosexuels des camps de prendre en compte ces années de déportation pour le calcul de leur retraite, puisqu'ils avaient été légalement condamnés.

À quelques décennies seulement de distance, mais à une époque si radicalement différente. La libération sexuelle qui existait était si récente. Si diaphane, si désespérée, si presque impensable.

On pouvait remarquer les changements comme une fonte de neige qui goutte des toits même si cette même neige recouvre encore le sol d'un épais manteau.

En 1970, le Premier ministre Olof Palme répondait par exemple en ces termes à une lettre d'un certain Sören Klippfjell d'Örebro :

L'on ne doit pas blâmer moralement des personnes sous prétexte que leurs pulsions sexuelles s'orientent dans une autre direction que celle du plus grand nombre. [...] L'école doit expressément prendre ses distances avec la moindre tendance qui irait vers une attitude de discrimination raciale dans le domaine de la vie sexuelle.

À Stockholm, inspirés par le mouvement gay américain, les gays et les lesbiennes suédois avaient pendant quelques années fêté par une marche la «Journée de la Libération homosexuelle» – ainsi que la Gay Pride s'appelait à l'époque –, en souvenir des émeutes de Stonewall à New York en 1969. Des personnes plus offensives et plus enclines à la lutte avaient entre-temps repris les rênes de la RFSL, l'organisation de défense des droits des homosexuels fondée en 1950.

Les premières années de la marche, seules quelques rares personnes défilaient dans le centre de Stockholm en scandant des slogans tels que «*Regardez-nous sur les boulevards, montrez-vous et sortez du placard !*» et «*On n'est pas des bêtes curieuses, on est des folles furieuses !*».

En 1982, l'année où Rasmus est arrivé à Stockholm, la journée de la Libération homosexuelle avait grossi jusqu'à se prolonger sur une semaine entière à la fin du mois d'août, elle se clôturait par une marche le samedi puis, le dimanche, par un culte dans l'église Storkyrkan auquel assistait même l'évêque de Stockholm, Lars Carlzon.

Un peu plus de mille personnes avaient défilé – et chacun s'accordait à affirmer qu'il s'agissait d'un succès énorme.

Mille hommes et femmes courageux.

Les rues étaient bordées de passants qui regardaient, de badauds qui fixaient les manifestants comme des phénomènes de foire ou des animaux exotiques dans un zoo, tandis que d'autres observaient avec une certaine distance, timidement, le cœur battant la chamade et dans la tête le rêve vertigineux de trouver un jour le courage de participer à ce cortège.

Montrez-vous et sortez du placard.

Vivre sa sexualité au grand jour à Stockholm était difficile, quasiment impossible dans une petite ville suédoise telle que Karlstad ou Arvika, alors dans un trou perdu comme Koppom… c'était carrément impensable. Et si tant est qu'on y ait pensé, on aurait éclaté de rire tellement ça paraissait saugrenu !

Vous déménagiez donc de la campagne vers l'anonymat de la capitale, où les chances de rencontrer des pairs étaient infiniment plus grandes. Vous arriviez de partout.

Comme des sortes de pèlerins. En quête. Assoiffés. Comme le cerf assoiffé a hâte d'atteindre l'eau du ruisseau.

L'un après l'autre, vous arriviez. Pour vous unir, pour devenir plus nombreux, pour devenir moins seuls.

Vous quittiez votre lieu de naissance, votre famille et votre ancienne vie pour en commencer une nouvelle, plus libre, plus vraie, à Stockholm. Comme le patriarche Abraham partait en laissant tout derrière lui pour suivre le dieu inconnu qui lui avait promis un nouveau pays.

Vous tous arrivant dans la capitale aviez un long voyage derrière vous. Vous portiez pour une majorité d'entre vous une histoire la plupart du temps remplie d'exclusion, de solitude et de mensonges, vous étiez comme couverts de plaies qui refusaient obstinément de guérir, qui restaient constamment à vif ou qui se rouvraient sitôt que vous les touchiez.

.Vous deviez voyager si loin pour arriver enfin chez vous.

Paul, l'homme qui s'est approché de Rasmus avec le prétexte de lui demander du feu, voit Rasmus s'en aller, anéanti.

Amusé, il souffle la fumée par le nez et regarde s'éloigner ce garçon troublé. Il note ensuite que l'homme au blouson en jean fourré est visiblement lui aussi en chasse. Il ne peut s'empêcher de sourire. L'autre jette un regard par-dessus son épaule et prend le chemin de la sortie.

Paul acquiesce d'une façon presque imperceptible et le suit à pas lents. Ils sortent de la gare à une dizaine de mètres l'un de l'autre. L'homme au blouson en jean tourne la tête à intervalles réguliers pour s'assurer que Paul le suit toujours.

C'est la partie du rituel que Paul trouve la plus excitante : lorsqu'on a quelqu'un accroché à son hameçon et qu'on commence doucement à ramener la ligne. Même s'il est difficile de dire qui a capturé qui.

Il adore cet instant, quand l'autre se retourne pour vérifier s'il est toujours là. Un regard rapide qui révèle son empressement. Ensuite, selon les règles du jeu, il doit de nouveau tourner la tête, ne pas trop montrer qu'ils se sont tapés dans l'œil.

L'autre doit ouvrir la marche et ne pas douter que Paul le suit. C'est aussi lui qui décide de l'endroit où ils iront, forcément puisqu'il ouvre la marche.

Il a peut-être une voiture garée tout près. Un appartement, c'est peu probable. Très peu de mecs habitent ici, dans le centre de Stockholm : il y a surtout des bureaux et des magasins.

À plusieurs reprises, Paul s'est tapé des mecs dans les ascenseurs puant la pisse de la ligne bleue du métro.

Bien sûr, ils pourraient s'enfermer dans un des cinémas porno du coin, mais a priori ce n'est pas là qu'ils vont. L'homme au blouson en jean fourré se dirige vers l'île de Kungsholmen, sous le viaduc du pont Centralbron. Ils baiseront probablement contre un mur de l'hôtel de ville ou alors en face, dans les buissons, devant l'ancien hôpital Serafimer situé près du canal.

Pour celui qui cherche dans le centre de Stockholm à tirer son coup vite fait avec un partenaire anonyme, ce ne sont pas les possibilités qui manquent. Pour peu qu'on les connaisse, elles surgissent et sont soudain très apparentes. Comme tant d'autres parcs de la capitale, le square et le parking devant l'hôpital Serafimer, ainsi que le sentier piétonnier le long du canal vers la rue Kungsgatan, se remplissent au crépuscule d'hommes solitaires en promenade. Quand les yeux se sont accommodés à l'obscurité du soir, on distingue nettement des ombres bouger entre les sortes d'alcôves qui ornent la façade est de l'hôtel de ville et le bosquet d'arbustes, à l'endroit où le gazon se transforme en un petit mamelon de nature préservée au bord de l'eau.

Dans cette partie constituée d'une surface rectangulaire très délimitée, la tradition veut que les hommes qui cherchent du sexe avec d'autres hommes se retrouvent pour des rencontres rapides et silencieuses.

Car, ici, tout se passe rapidement et en silence. Discrètement. Ici, la communication se fait par coups d'œil, gestes furtifs, hochements de tête. Ici, on ne lambine pas pour bavarder. Ici, on cherche et on trouve ou bien on s'en va.

Paul suit l'autre homme à dix mètres de distance. L'homme se retourne de temps en temps pour contrôler que Paul le talonne toujours. Il a accéléré un peu le pas, franchit en vitesse le petit pont vers la pointe sud de Kungsholmen, puis il traverse la rue en direction de l'hôtel de ville et disparaît du côté est : il disparaît dans l'obscurité du crépuscule.

Le pont porte toujours les reliques des dernières élections parlementaires : affiches et pancartes électorales, toutes un peu de traviole, recouvertes de graffitis ; certaines détruites par des coups de pied, d'autres juste arrachées, comme des confettis par terre lorsque la fête est finie et que tout le monde est parti.

«Sauvegardons la famille !» s'écrie l'affiche des modérés. «Moins d'impôts !» proclame une autre. Parmi les nombreuses pancartes des partis de droite, le parti de gauche – les Communistes a réussi à glisser quelques malheureuses annonces. «La paix !» peut-on y lire.

Paul a voté pour le parti de gauche. Il n'est pas communiste pour deux sous et n'a pas d'inquiétude particulière pour la sauvegarde de la paix. En revanche, il a de la sympathie pour Jörn Svensson, très actif au sein du parti et le seul parlementaire à s'être jamais soucié des homosexuels, qui année après année dépose inlassablement des motions sur ce sujet et interpelle les ministres de tutelle. Il est sans doute le seul député qui se souciera des homosexuels, les autres partis ne veulent pas toucher à cette question, ne serait-ce que du bout des doigts.

Jörn Svensson est même venu prononcer le discours de clôture après la marche du mois d'août. C'était courageux de sa part. En plus il a bien parlé : *«L'amour humain peut prendre de nombreuses expressions. Il peut être violent et passionnel. Il peut être tranquille et modeste. Il peut être jubilatoire et tragique. Il peut être angoisse et souffrance. Il peut être pathétique et même un peu ridicule. Mais il y a une chose qu'il ne peut jamais être : Il ne peut jamais être honteux.* »

Instinctivement, Paul inspecte les lieux du regard quand il traverse la rue en direction du terrain sur la façade est de l'hôtel de ville où l'homme au blouson en jean fourré s'est réfugié.

Paul et l'inconnu ne sont pas seuls ici. De ce côté du bâtiment, d'autres hommes silencieux évoluent entre un groupe de buissons et les niches dans les murs.

C'est une sorte de danse. Ils suivent une chorégraphie bien orchestrée. Changent de place et de position. S'approchent les uns des autres. Se rejoignent et se séparent à nouveau. Chacun est prudent, attend de préférence que l'autre prenne l'initiative. Aucun ne veut se mettre à nu trop vite.

Ce ne sont que des hommes, des hommes ordinaires qui se déplacent dans les lieux publics de la ville. Comme les hommes l'ont toujours fait. Car le soir, et surtout la nuit, la ville leur appartient. Ils sont des hommes ordinaires. Ils n'en sont pas, *eux*.

Paul et l'homme au blouson en jean fourré ont déjà terminé cette partie de l'acte qui correspond à une invitation à la danse. Ils se sont choisis, ils vont maintenant droit au but.

L'homme attend déjà dans une des niches, le pantalon déboutonné. Il est à moitié dissimulé par le mur de brique rouille. Pour la première fois ils se font face. L'haleine de l'homme sent l'alcool. Il a des yeux brumeux. De près, Paul voit qu'il est plus âgé qu'il en avait l'air, avec ses cheveux permanentés et son jean serré. Tant pis, ça fera l'affaire. La nuit, tous les chats sont gris.

L'homme glisse sa main dans son slip et extirpe sa bite à moitié raide.

– Mais regardez-moi ça ! lâche Paul avec son fort accent du Södermanland. Et tout ça pour moi !

Il sourit, écrase sa cigarette par terre et, à l'abri de l'obscurité du soir, il se met à genoux.

– Ah, tiens, te voilà ! Tant mieux. Tu comprends, Sara allait se mettre à téléphoner à tous les hôpitaux de Stockholm. Elle m'a appelée au moins cent fois. Mais ne reste pas là, voyons ! Entre, mon chéri. Tu as mangé ? Tu dois être affamé ! C'est tout ce que tu as comme bagage ? Mais bon sang, entre enfin, je vais te montrer ta chambre.

La tante tient un verre de vin rouge dans une main et une cigarette allumée dans l'autre. Avec une douce violence elle le pousse à l'intérieur de l'appartement et referme la porte. Ça sent l'encens, la fumée de cigarette et le renfermé. Le vestibule déborde de chaussures et de bottes, de manteaux et de vestes imprégnés d'une odeur de tabac et de parfum, la petite table d'appoint croule sous un amas de clés, de papiers froissés, de papier à rouler, en plus d'une pomme à moitié croquée, d'une tasse avec un vieux fond de café desséché et, étrangement, d'une chaussure à talon en cuir bleu.

Un gros chat gris se frotte contre les jambes de Rasmus. Avant même qu'il n'ait eu le temps d'enlever son duffel-coat, le téléphone sonne. Christina pivote et se précipite en riant dans la cuisine pour répondre.

– Je te parie cent couronnes que c'est encore Sara ! Au fait, tu as faim ?

Elle n'écoute pas la réponse et décroche. Pendant que Rasmus entend en arrière-fond Christina informer Sara qu'il est enfin arrivé dans la capitale, qu'il n'a pas été assassiné en route, il fait un premier tour dans l'appartement.

Les pièces sont hautes de plafond, sûrement trois mètres. Les étagères Ikea qui recouvrent les murs arrivent à peine à mi-hauteur. Sinon le salon est dominé par un gros canapé défraîchi au milieu de la pièce, deux fauteuils dépareillés et un poste de télévision allumé, le son coupé. Sur la table basse, les reliefs d'un repas, les deux journaux du soir, quelques piles de livres dont certains ouverts, et un carnet de notes.

La tante est certes traductrice mais fait parfois des extras comme professeur. Elle est la sœur bohème, la petite sœur indomptée.

Des doubles portes à miroir ouvrent sur la chambre à coucher de la tante : le store est toujours baissé et le lit à peine fait, sur lequel traîne un jeté de lit indien brodé de fils d'or.

Et, tandis qu'il jette un coup d'œil dans la chambre, Rasmus capte sur l'écran de télé que c'est l'heure du journal. Olof Palme est interviewé pour la millième fois : il traverse un couloir éclairé par des flashes d'appareils photo qui donnent au lieu un aspect fantomatique.

Puis l'attention de Rasmus est attirée par la haute fenêtre du salon. Il s'y dirige et retient sa respiration. Devant lui, semble-t-il, se déploie la capitale.

Il fait complètement noir à présent, les contours des immeubles se détachent sur le ciel nocturne presque dépourvu d'étoiles.

Contrairement à Koppom, ici la nuit n'est jamais sombre. L'électricité conjuguée de dizaines de milliers de lampadaires, d'éclairages de rue, de phares de voitures, de vitrines de magasins, de néons de publicités et des lampes qui illuminent les millions de fenêtres rendent la nuit citadine claire.

Un peu plus loin, on voit se dresser vers le ciel la grande tour de l'hôtel de ville. Les trois couronnes dorées au sommet sont éclairées par en dessous d'une manière presque magique. Rasmus se dit qu'elles ressemblent à un immense élan qui veillerait sur la ville. Il voit l'hôtel de ville, les phares rouges des voitures qui serpentent au loin. Un nouveau train – pas le sien, un autre – se dirige vers la gare centrale pour déposer de nouveaux arrivants comme lui.

Il voit la ville bouger et respirer. L'idée lui vient qu'elle ne s'arrête jamais. Et c'est tellement beau que ça fait mal.

Sa route se termine ici : la capitale était le but, le trésor promis au pied de l'arc-en-ciel.

Et, sans déroger à ses vieilles habitudes, il appuie son front contre la vitre, souffle sur le verre et inscrit son nom dans la buée.

Il devine derrière lui la présence de sa tante. Elle vient se couler à côté de lui, et il sent son haleine douceâtre de tabac et de vin mêlés, son parfum capiteux rehaussé de notes de musc. Elle aussi regarde la ville, le visage tout près de celui de Rasmus.

– J'imaginais toujours, chuchote-t-elle à son oreille, qu'un jour j'habiterais à Stockholm et que j'aurais vue sur l'hôtel de ville. Et c'est le cas aujourd'hui. Regarde, là-bas ! Le voilà ! Je frissonne encore dès que je le vois. Quand je pense que tout ça est à moi.

Rasmus ne répond pas. Ils restent sans parler devant la fenêtre et contemplent la ville. Le corps, vivant, comme un système nerveux bouillonnant.

Quelles sont ses pensées à lui ?

Que la vie commence maintenant. *Sa* vie. Sa vie nouvelle et vertigineuse. L'aventure.

Soudain il repense à Henrik.

Lors de son entrée au lycée d'Arvika, Rasmus avait dès la première semaine repéré un mec de terminale, en sciences naturelles comme il allait l'apprendre plus tard. Il s'appelait Henrik et n'avait pas échappé à l'attention de Rasmus. Forcément.

Car il était royal. À le voir au milieu de sa bande de copains, il avait l'air d'un soleil incontestable autour duquel les planètes et la lune évoluaient. Avec ses yeux verts, ses cheveux frisés et un sourire qui illuminait tout son visage.

Les scientifiques et les littéraires ne se fréquentaient pas. Des cloisons étanches séparaient soigneusement les deux sections. On se croisait dans les couloirs, à la cantine de l'École centrale ou à la cafèt' du Domus après les cours, mais on s'ignorait totalement. On vivait dans deux mondes différents.

Le mercredi, néanmoins, les scientifiques de terminale avaient sport juste avant la classe de Rasmus. Donc on se frôlait dans les vestiaires.

Un jour, tandis que Rasmus faisait semblant d'être invisible, le regard comme d'habitude rivé au sol pendant qu'il se changeait, les terminales s'étaient rués dans les vestiaires, dégoulinants de sueur, exaltés et hilares, bruyants et chahuteurs. Ils s'étaient déshabillés puis précipités sous les douches – et Henrik, eh bien Henrik ne s'était tenu qu'à quelques petits centimètres de lui. Tel ce Dieu qu'il était. Sans avoir conscience de la présence de Rasmus à côté. Lequel n'aurait eu qu'à tendre la main pour toucher la peau douce et soyeuse tout près.

Lorsque Rasmus respirait, l'air qui sortait de ses poumons entrait en contact avec la peau de Henrik.

Avec les fesses et le dos et les cuisses et les pieds et les épaules de Henrik, avec l'odeur de sa transpiration.

C'était prodigieux.

Les narines de Rasmus frémissaient, son corps était comme parcouru d'un tremblement.

Après que Henrik avait noué sa serviette autour de la taille et fait quelques pas pour atteindre les douches, Rasmus avait timidement levé les yeux.

Juste à ce moment-là, comme s'il avait soudain senti sa présence, Henrik avait tourné la tête et capturé son regard. Et, sans s'arrêter là, durant un laps de temps plus bref que l'ombre d'une seconde, il s'était façonné un petit sourire amusé au coin de la bouche, en arborant un regard ni malveillant ni dédaigneux, pas intéressé non plus, bien sûr, mais en quelque sorte *compréhensif*. Il n'en fallait pas plus, rien que cette *compréhension*, pour que les dernières résistances de Rasmus s'effondrent et que, impuissant, il sente l'amour jaillir en lui, un amour plus proche du désespoir.

Pendant toute la première année scolaire, il a agi en fonction de Henrik bien qu'ils n'aient jamais vraiment fait connaissance. Ils se croisaient dans le large escalier en pierre ou dans les couloirs, ils se retrouvaient à la cantine, dans la file d'attente à quelques mètres l'un de l'autre ou peut-être même à des tables voisines où ils mangeaient dos à dos.

De temps à autre, Henrik se retournait sur son passage, ne serait-ce que brièvement, comme s'il tenait à s'assurer de son emprise. De manière jamais désagréable mais au contraire aimable, comme si lui aussi savait qu'ils partageaient une sorte de connivence.

Qu'ils étaient des amoureux.

Il va de soi que My et Gabriella étaient extrêmement investies dans le coup de foudre de Rasmus. Elles faisaient office tout à la fois de conseillères, de conjurées et de guetteuses. Elles rapportaient en permanence à Rasmus le moindre mouvement de son chouchou.

Ils ne traînaient plus qu'à la cafèt' du Domus, puisque c'est là que Henrik avait ses quartiers. Il ne saurait être question ni du salon de thé Nordells ni de la pâtisserie Citykonditoriet. De plus, comme la vitrine de la cafèt' donnait sur le passage des clients du grand magasin, on pouvait voir si l'objet de sa surveillance approchait.

Et, quand surgissait l'objet en question, parfois seul mais en général accompagné de camarades de classe, il était important de l'ignorer totalement, pour éviter toute suspicion.

Il arrivait que Henrik les salue. Rasmus rougissait alors comme un idiot et bafouillait quelques mots inaudibles en guise de réponse. À une occasion, après avoir rassemblé son courage pendant près d'une heure, il s'était approché de la table de Henrik pour demander s'il pouvait prendre le cendrier. Celui-ci s'était montré amical. «Bien sûr !» avait-il dit en tendant le cendrier à Rasmus. Et quand Rasmus l'avait pris, ses doigts avaient involontairement frôlé la main de Henrik.

Lorsqu'à Koppom Erik et sa troupe l'apostrophaient ou lorsque les loubards, qui sillonnaient les rues en grosses voitures américaines pour draguer les filles, le traitaient de «sale pédé» et menaçaient de lui flanquer une dérouillée, ils ignoraient que cet effleurement unique et involontaire d'un fragment de seconde représentait à l'époque le seul contact physique que Rasmus ait jamais eu avec un garçon.

Ce bref instant a fait de lui, et pour l'éternité, un coupable.

Au printemps, le lycée terminé, Henrik était tout de suite parti faire son service militaire. Depuis, les deux garçons ne s'étaient plus revus.

Or c'est justement à Henrik que pense Rasmus tandis que, fraîchement débarqué à Stockholm, il se tient dans le salon de sa tante et regarde la ville par la fenêtre.

C'est comme une tristesse en lui. Le monde se trouve là, à ses pieds, alors que lui en est toujours au même point : de l'autre côté de la vitre, à regarder dehors.

Malgré leurs manigances et leurs papotages incessants, à Bella, My et lui, malgré les heures passées à ressasser chaque détail du physique de Henrik, malgré les vaillants efforts des filles à jouer les marieuses, ça ne s'est jamais produit pour de vrai.

Entre eux, il ne s'est jamais rien passé, rien n'avait jamais existé. Henrik a à peine su qui était Rasmus.

Rien dans la vie de Rasmus ne s'est jusqu'ici produit pour de vrai.

Il ne connaît personne. Personne ne le connaît.

Tout ce qu'il a, c'est l'élan de son cœur. Il sait que ça paraît ridicule, mais ce n'en est pas moins vrai. Et c'est cet élan qui s'étend devant lui en ce moment, la ville dans l'obscurité du soir, scintillant de points lumineux par milliers.

L'élan de son cœur.

Sans rien comprendre de ce qui se passe dans la tête de son neveu, Christina éclate de rire et lui ébouriffe les cheveux.

– Tu sais, Rasmus, je crois que tu vas te plaire ici !

Deux semaines jour pour jour après l'arrivée en train de Rasmus à Stockholm, le parlement du pays adopte la proposition de son président de nommer Premier ministre le président du parti social-démocrate, Olof Palme. Après avoir dirigé le pays pendant six ans dans différentes coalitions, les partis conservateurs s'abstiennent de voter.

Pour le nouveau chef du gouvernement, ce choix représente sa plus grande victoire politique. Depuis qu'il a pris la direction du parti en 1968, les sociaux-démocrates n'ont cessé à chaque élection de perdre des voix. Le suffrage de 1976, qui les a obligés à abandonner le pouvoir, a constitué une déroute d'autant plus cuisante qu'elle mettait fin à quarante-quatre années de règne ininterrompu. Aussi était-il impossible de se méprendre sur l'amertume d'Olof Palme lorsque, à la suite de cette défaite, il disait des conservateurs fraîchement élus qu'ils arrivaient pour se mettre les pieds sous la table.

De tous, Harald était à coup sûr le plus affecté par la chute des sociaux-démocrates. Sans nul doute parce que lui-même, pour la première et d'ailleurs dernière fois de sa vie, les avait laissé tomber et avait voté pour les centristes. Il s'est senti comme un traître. Pire : il *était* un traître !

Que Dieu lui vienne en aide, ce n'était pas sa faute. Après tout, une polémique virulente avait éclaté au sujet de la centrale nucléaire de Barsebäck, dont le premier réacteur fournissait de l'électricité depuis 1975. Dans ce débat, Thorbjörn Fälldin, le patron des centristes, un type fiable a priori, affirmait qu'il ne transigerait pas avec sa conscience et promettait de ne pas mettre en service le deuxième réacteur bientôt opérationnel.

Et c'est pile ce qu'il a fait, le gars Fälldin : grâce au soutien de Harald, il a pris le pouvoir, il a atteint son but, il est devenu Premier ministre. Puis il a mis en service Barsebäck 2 l'année d'après.

Harald s'est senti roulé dans la farine, trompé sur toute la ligne, avec, chevillée au corps, la honte indicible de s'être ainsi laissé berner. Chaque fois qu'il était question de ce «salopard de Fälldin», Harald tremblait de colère et se jurait que plus jamais rien ni personne ne le ferait se fier aux conservateurs et abandonner les sociaux-démocrates.

Aussi, lors du scrutin de 1982, l'ordre est rétabli et, pour Harald, le retour de Palme sonne comme un pardon longuement attendu.

Trahison et pardon.

Tant et tant de choses au cours des années suivantes vont justement tourner autour de ces notions. Comment se pardonner à soi-même, comment pardonner aux autres. La famille, les amis, la société. Dieu.

Tous ces gens qui ont trahi.

Les élections législatives de 1982 ont rétabli l'ordre. La Suède pour laquelle les citoyens ont tant œuvré ou dans laquelle ils ont grandi, cette Suède est à nouveau reconnaissable. Tout est redevenu comme avant et va le rester pour toujours.

Sauf que non.

Quelques petits mois plus tard, tout va changer, et rien ne sera plus jamais comme avant.

Hôpital de Roslagstull. Service d'isolement. L'homme dans le lit respire encore.

Ou plutôt il inspire, très lentement.

Un autre homme, masque sur la bouche, est aujourd'hui assis à son chevet. Car sinon personne ne vient jamais lui rendre visite. Personne hormis cet homme aux cheveux décolorés, avec des santiags et une veste en daim à franges.

Il papote de choses et d'autres, du temps qu'il fait, de l'été, d'un mec qu'il a dragué sur la plage de Frescati, d'une manifestation à laquelle Seppo et Lars-Åke ont participé : «Les pays nordiques – zone sans armes nucléaires». Il raconte une blague sur Ola Ullsten qui vient de démissionner de son poste de chef du parti du peuple, puisqu'il adore se moquer de lui à cause de son physique si singulier.

L'homme dans le lit ne répond pas.

Il est difficile de dire s'il a conscience ou pas de la visite de Paul. On a noté un début de démence chez le malade, malgré sa relative jeunesse.

Au bout d'un moment, la nervosité gagne Paul. Il se lève et va à la fenêtre. Il regarde dehors. Le carreau est froid bien qu'on soit en plein été. Comment ça se fait ? Il le touche du bout des doigts. Une sorte de frisson le parcourt.

Les néons du plafond se reflètent dans la vitre. En bas, dans la cour intérieure de l'hôpital des maladies infectieuses, le gazon jauni paraît grillé. Sortant des bâtiments réservés au personnel, une aide-soignante traverse la cour à grandes enjambées en direction de l'immeuble jaune. Les bras serrés contre sa poitrine pour se protéger du vent, elle manque soudain de tomber. Elle trébuche mais reste d'aplomb.

Le crématorium est en fonctionnement, une colonne de fumée monte de la haute cheminée.

Ce qui se produit actuellement est incompréhensible. Quelques mois plus tôt, Paul expédiait cette histoire en la qualifiant de boniment : un énième baratin inventé par les mères la pudeur pour effrayer les pédés et les forcer à retourner dans le placard.

Il s'emmitoufle dans les pans de sa veste en daim et se dit qu'il hait cet endroit si isolé, où le temps s'est arrêté ; cet endroit séparé du reste de la ville, où la vie continue avec une telle insouciance que c'en est révoltant, sans savoir ce qui se passe ici, sans se douter que son ami souffre, qu'il est en train de dépérir entre ces quatre murs.

Des chambres blanches et dépouillées ; des patients gravement malades, mourants, sans aucun espoir de survie, soignés par un personnel en gants, masques et blouses jaunes.

Il suppose que la couleur jaune a été choisie pour son effet rassurant. Des blouses jaunes et des patients sous des couvertures tout aussi jaunes de l'administration. Parfois une pile entière pour atténuer les frissons de fièvre des malades.

Les chambres blanches. Les blouses jaunes. Les couvertures jaunes. La chapelle. Le crématorium. La fumée qui sort de la cheminée.

Un lieu isolé. Tellement retranché du monde que les malades pourraient crier ou même s'époumoner, personne ne les entendrait. Et de toute manière son ami étendu dans le lit ne va pas se réveiller de ce cauchemar.

Lui, un des jeunes hommes les plus merveilleux à avoir quitté son patelin de la côte ouest pour s'installer à Stockholm et pouvoir, enfin, vivre la vie qu'il voulait.

Ce jeune homme merveilleux qui va bientôt mourir.

Quant à Paul, il est celui qui veille, qui prend soin, qui tient la main, qui ne renonce pas.

Il ne manquerait plus que ça.

Eux qui, ensemble, devaient être irrésistibles ! Comme ils l'avaient scandé à la manifestation.

Ce n'était pas censé se terminer ainsi.

– Apparemment il n'y a pas de sonnette. Frappe donc, Benjamin, tiens !

Benjamin et sa mère se tiennent devant une énième porte du territoire que leur a attribué le surveillant de district de leur congrégation. Ce territoire, qui ici dans le centre se limite à quelques immeubles, couvre plusieurs quartiers dans une zone pavillonnaire située en périphérie de Stockholm.

Ils se sont tous deux mis sur leur trente et un : sous sa doudoune, Benjamin a passé chemise et cravate. Voyant le hochement de tête encourageant de sa mère, il frappe. Puis ils attendent. Benjamin a toujours trouvé que cette attente représente le moment le plus excitant.

Qui viendra ouvrir ? Comment sera-t-il ou elle ? Seront-ils accueillis aimablement ou éconduits sans ménagement ?

Après un petit instant, des pas traînants se font entendre derrière la porte qu'entrouvre une dame. Du vestibule s'échappe une odeur de renfermé et de tabac. Bien que la journée d'automne soit sombre et grise, la dame n'a pas allumé la lumière. Elle les toise avec méfiance.

Soudain troublé, Benjamin recule d'un pas sans le vouloir et se retrouve un peu derrière sa mère.

– Quoi ? lâche la dame d'un ton bourru, en les regardant à tour de rôle, Benjamin puis sa mère.

Celle-ci ne se laisse pas impressionner pour si peu. Elle sourit juste ce qu'il faut et dit à haute et intelligible voix :

– Bonjour ! Je m'appelle Britta, je suis Témoin de Jéhovah. Et voici mon fils Benjamin.

Elle fait un geste vers son fils. Benjamin s'incline poliment et prononce ensuite la phrase qu'il s'est entraîné à dire pendant toute la semaine :

– J'aimerais vous donner une brochure.

Benjamin a accompagné ses parents dans leur activité de prédication aussi loin que remontent ses souvenirs. Depuis qu'il est dans son landau, aime à répéter sa mère.

Service du champ, ça s'appelle. *Porte-à-porte*, disent la plupart du temps les profanes, ceux qui ne font pas partie de la congrégation. Mais eux parlent de *service du champ*, une expression que Benjamin trouve très belle. On est en service, on sert. Et pendant qu'on sert, on marche. La marche implique la lenteur. On n'utilise ni voiture ni mobylette. On marche. Comme le faisaient les apôtres.

Se tenir devant des étrangers et vouloir les sauver, bien qu'on ne les connaisse pas du tout : quoi de plus juste et de plus évident ! Car Benjamin a vu ce qui va arriver au monde : des éruptions volcaniques, des tremblements de terre et des inondations, des villes entières anéanties. C'est ça la réalité.

Alors, aller vers ceux qui sont exclus, ceux qui n'ont pas la connaissance, et vouloir réellement les faire monter dans l'arche qui va les porter quand le déluge arrivera. Y a-t-il chose plus urgente ?

Oui, Benjamin et sa sœur ont participé au service du champ avant même de se tenir debout. À cinq ans, Benjamin a eu le droit d'appuyer sur la sonnette. Puis on lui a appris à les présenter poliment, lui-même, sa mère ou son père. À sept ans, il a pu porter les brochures et les textes qu'ils distribuaient. Et, pour la première fois aujourd'hui, il a la permission de proposer des brochures aux personnes qui les accueillent, sa mère et lui.

Après avoir longuement répété la phrase que son père lui a demandé de maîtriser, il la prononce maintenant en essayant d'articuler comme sa mère, à haute et intelligible voix :

– J'aimerais vous donner une brochure.

Il tend des documents à la dame. Celle-ci y jette un œil sceptique.

– J'veux rien ! marmonne-t-elle – et elle leur claque la porte au nez.

La main toujours tendue, Benjamin en reste chaque fois comme deux ronds de flan.

Sa mère, malgré cette rebuffade, ne se départ pas de son grand sourire. Elle n'arrive pour ainsi dire pas à changer de registre. Voyant la mine dépitée de Benjamin, elle passe un bras autour de ses épaules et le serre légèrement contre elle.

– Ce sont des choses qui arrivent, dit-elle de sa voix douce. Allez, au suivant. Vas-y, toi, sonne !

Ils se tournent vers la porte à droite de l'appartement où ils viennent d'être refoulés avec tant de brusquerie. Benjamin sonne, la porte s'ouvre et sa mère redit à haute et intelligible voix, avec un sourire aimable juste ce qu'il faut :

– Bonjour ! Je m'appelle Britta, je suis Témoin de Jéhovah. Voici mon fils Benjamin…

La famille dîne dans la petite cuisine au papier peint gris et usé, sous le plafonnier en plastique à l'éclairage insuffisant qui les oblige à laisser toujours allumée la lampe de la hotte. Il n'a jamais été question de remplacer cette relique vert avocat laissée par les anciens locataires. Le sol est recouvert d'un lino lui aussi gris, mais d'une nuance plus claire.

Le père a préparé un pain de viande nappé d'une sauce à la crème accompagné d'airelles et de pommes de terre. Il sert les enfants toujours vêtu de son tablier qu'il porte sur une chemise rose saumon impeccablement repassée, dont il a remonté les manches avec soin et qu'il a agrémentée d'une cravate. Il y a une sorte d'évidence dans sa façon de se déplacer et de s'habiller.

Il a cette allure à tout moment irréprochable, comme si elle était inhérente à sa nature. Il possède dans la famille une autorité absolue, qu'il exerce sans faire de manières. Il sait très bien que certains hommes de la congrégation la lui envient.

– Comment s'est passé ton service du champ aujourd'hui, Benjamin ? demande-t-il, debout, tout en remplissant leur assiette avant de s'asseoir en bout de table, sa place attitrée tant pour les repas que pour l'étude de la Bible.

Benjamin prend son assiette, fier de susciter l'intérêt de son père et plus content encore car il sait ce qu'il va répondre.

– Ça se passe toujours bien, papa !

Son visage s'illumine à ces mots.

L'air satisfait, son père se sert un verre de bière sans alcool, les autres boivent de l'eau.

– Voilà ce que je voulais entendre ! Même si les gens ne nous écoutent pas toujours, nous accomplissons la volonté de Dieu.

La mère, coincée entre Margareta et le mur, finit de mâcher et raconte :

– Nous avons fait la connaissance d'un monsieur qui s'est montré très intéressé.

D'un hochement de tête, elle invite Benjamin à poursuivre.

– J'ai lu un passage des saintes Écritures !

– Ah bon ? dit le père en levant un sourcil. Et peut-on savoir lequel, Benjamin ?

Il charge sa fourchette de pain de viande, de pommes de terre et d'airelles. Une bouchée minutieusement composée qu'il porte à sa bouche puis mastique lentement.

– La Révélation, 21, 4.

Le père sourit.

– Eh bien, ça me paraît tout à fait pertinent, comme choix !

Benjamin est si fier de l'approbation paternelle qu'il pique un fard.

– «*Et il essuiera toute larme de leurs yeux, et la mort ne sera plus ; ni deuil, ni cri, ni douleur ne seront plus. Les choses anciennes ont disparu.*»

Le jeune homme en costume et au menton rasé de près est assis dans la cuisine d'une dame âgée où ils boivent un café. Il récite ce verset de la Bible qu'il connaît par cœur.

– C'est la Révélation 21, 4, explique-t-il avec une assurance aimable. Il est cité ici, dans cette publication : *La vie dans un monde nouveau et paisible.*

En proclamateur chevronné, il ouvre un tract.

– Si vous me le permettez, j'aimerais aussi vous conseiller ce passage. Regardez…

Benjamin montre un petit extrait sur le tract à la vieille femme qui chausse ses lunettes et fait semblant de lire.

– Ah oui, oui ! glousse-t-elle. Oui, en effet.

Benjamin sourit.

Il n'est pas dupe de l'attitude de la vieille dame, surtout ravie d'avoir un peu de compagnie. Et cela ne le dérange en rien : si ça lui permet d'être reçu quelque part, c'est une bénédiction de plus de la part de Jéhovah.

Benjamin est entré dans l'âge adulte. Il est devenu un homme jovial et serein, aimé dans sa congrégation et doté d'un charme indéniable. De sa mère il tient son visage franc et ses yeux d'un bleu intense, mais il a de son père le maintien droit et l'ombre de barbe foncée.

Il vit sa vie dans et par la congrégation. Il y compte tous ses amis, oui, l'ensemble ou presque de ses connaissances.

– Je peux vous laisser le tract pour que vous puissiez le lire tranquillement, je reviendrai dans une semaine pour voir ce que vous en pensez.

Il s'adresse aux gens d'une voix toujours aimable, presque feutrée. Donnant ainsi l'impression que, avec les années, la cordialité et l'affabilité de sa voix sont devenues un trait de caractère à part entière. À l'instar de son père, il élève rarement le ton et ne paraît jamais en colère. Il a aussi hérité de son assurance, cette assurance que peut afficher quiconque a conscience d'avoir raison.

D'un geste doux, il pose la publication sur la toile cirée, appuie sa main dessus pour montrer en quelque sorte qu'elle sera laissée ici, aux bons soins de la dame. Tel un petit trésor.

La dame âgée porte la tasse à sa bouche et souffle sur le café. Elle a sorti la porcelaine du dimanche et servi les incontournables gâteaux et biscuits. Bien élevé, Benjamin a bu et mangé.

– Oh, je ne suis pas bien sûre, hein… dit-elle en hésitant, comme si Benjamin était un vendeur et elle se voyait obligée de décliner poliment l'achat.

Mais Benjamin est rompu à l'exercice, il sait comment éviter un rejet. Il se lève et, à croire qu'ils sont de vieux amis ou que la dame est une parente âgée à laquelle il accordera évidemment une nouvelle petite visite, il dit d'un ton jovial qu'il tentera le coup : il reviendra frapper à sa porte, puis ils verront.

Il tend la main et se fend d'un nouveau sourire, comme l'aurait fait sa mère : il sourit juste ce qu'il faut.

– Portez-vous bien en attendant.

Il serre la main de la dame et se prépare à partir après être resté le temps nécessaire pour un premier contact.

Benjamin sort dans la rue avec ses brochures et ses tracts dans une serviette. Il prend une profonde inspiration. L'air est pur et limpide. Il fait froid, le ciel est dégagé. Le soleil d'octobre brille. À cette heure-ci, en pleine journée, ses rayons atteignent encore la chaussée. Benjamin plisse les yeux pour ne pas être ébloui. Il s'apprête à entrer dans l'immeuble suivant. Une dernière cage d'escalier, et il aura terminé son service du champ.

Après avoir décroché son bac au mois de juin, il est enfin passé pionnier permanent. Fort de ce titre, il s'est engagé à accomplir son service du champ au moins quatre-vingt-dix heures par mois. Cela équivaut à vingt-deux heures trente par semaine, auxquelles il faut ajouter des réunions de la congrégation les mardis, jeudis et samedis soir, ainsi que les préparations préalables évidemment. Il a dix-neuf ans et sa vie entière tourne autour de la congrégation dans laquelle il est né et a grandi.

Un bon serviteur de Jéhovah. Voilà ce qu'il est.

En tant que pionnier il jouit également d'un statut enviable au sein de la congrégation. Ses parents sont très satisfaits, très fiers de lui. Ils ont toute raison de bomber le torse.

Sa petite sœur n'est même pas pionnière auxiliaire. Contrairement à son frère, Margareta est mal à l'aise pour parler en public et intimidée dès qu'il s'agit d'engager la conversation avec les étrangers qu'on est sans cesse appelé à rencontrer quand on effectue son service du champ. Dans l'activité de prédication, elle est toujours accompagnée de quelqu'un, que ce soit son père, sa mère ou une amie, et elle parle le moins possible.

Son père lui fait tout le temps la leçon, lui reprochant son manque d'engagement. Selon lui, elle n'a aucune excuse. Les éventuelles difficultés rencontrées ne sont que des épreuves, et il n'y a aucune raison de ne pas tenir le coup si l'on songe au soutien et à l'encouragement immenses fournis tant par la congrégation et les parents que par les publications.

Benjamin préfère effectuer son service seul. Il trouve souvent que c'est plus facile ainsi. Les personnes chez qui il frappe se sentent sans doute moins submergées que s'ils avaient été deux, par exemple.

Mais lui aussi s'inquiète pour Margareta. Elle donne l'impression de glisser, de perdre pied et d'avoir du mal à retrouver son équilibre. Tout comme Benjamin, Margareta a eu l'autorisation de continuer le lycée après l'école obligatoire, elle suit en ce moment la filière sociale de deux ans et, à l'inverse de Benjamin, elle s'est plongée corps et âme dans le travail scolaire.

On ne doit pas le négliger, cela va de soi ; mais on ne doit pas non plus se laisser absorber par lui au point de se détacher des études spirituelles, infiniment plus importantes et plus urgentes.

Elle compte dans sa classe plusieurs amis profanes, des filles – et même des garçons – avec qui elle passe beaucoup de temps, ce qui préoccupe ses parents. Elle ferait mieux de s'intéresser un peu moins aux choses temporelles, il est si facile de perdre de vue l'essentiel.

Pareil pour cette histoire de sport. Leur père a expliqué avec soin pourquoi il n'est pas convenable qu'elle fréquente l'association sportive de Zinkensdamm, comme le font certains de ses camarades désormais décidés à l'y traîner.

Il a lu avec elle le raisonnement éloquent reproduit dans *Les Jeunes s'interrogent*. Elle a formulé des objections qu'il a, après avoir patiemment écouté, toutes torpillées. Margareta s'incline devant les arguments et la volonté de son père, cela va sans dire. Mais elle ne semble pas prête à se laisser convaincre pour autant.

Ils en sont même à venir aux mots. Lors de ces disputes de plus en plus régulières, Benjamin se range sans hésitation du côté des parents. Comme un grand frère est supposé le faire. Pour le bien de Margareta, bien entendu. Il se fait beaucoup de soucis pour elle, il redoute qu'elle ne sache résister à tout ce qui l'attire, qu'elle succombe aux tentations. Qu'elle ne suive pas la voie de la vérité.

Benjamin se place dans le rayon de soleil de plus en plus mince qui s'insinue dans l'étroite rue de Brännkyrkagatan, il étudie les notes concernant les visites précédentes dans cet immeuble.

Dans la Salle du Royaume, où les Témoins organisent leurs réunions, on retire au bureau d'accueil les cartes de territoire, qui indiquent où on effectuera sa prédication, mais aussi les notes prises sur un formulaire pré-imprimé par les proclamateurs précédents : les visites abouties, les appartements où il n'y avait personne, les endroits où on s'est fait claquer la porte au nez, les publications qu'on a laissées et la façon dont il convient de poursuivre le contact.

Ce territoire étant nouveau pour Benjamin, il se documente avant d'entrer dans l'immeuble. Il y a des abréviations pour chaque appartement. H, 30, NI, par exemple, signifie «Homme de 30 ans qui n'est pas intéressé». En général, on indique sur des bouts de papier joints à la carte de territoire les personnes qui ne sont absolument pas intéressées et celles qu'on tient à revoir soi-même.

Entre chaque étage, Benjamin procède lui aussi à des annotations, pour aider ceux qui prendront la relève. Des Témoins qui comme lui sont en… comment dire… oui, voilà : en mission de sauvetage, pour aider des gens à sortir la tête hors de l'eau et monter dans l'arche. Les aider à revenir vers Jéhovah.

Quand il a fini, il glisse ses notes dans la serviette, où sont également rangés sa bible, les tracts et les publications qu'il pourra peut-être donner à des personnes intéressées.

Il tape le code d'entrée soigneusement laissé par le proclamateur qui l'a précédé sur ce territoire.

La porte s'ouvre, il s'engage dans l'obscurité de l'immeuble.

La décision de poursuivre sa scolarité au-delà du collège a été longuement débattue. Il en a beaucoup discuté avec ses parents, surtout avec son père, pour savoir si c'était primordial.

À juste titre, ils se sont demandé si Benjamin en avait vraiment besoin. La plupart de leurs amis parmi les Témoins travaillent comme femme de ménage, préposé à l'entretien des cages d'escalier, gardien d'immeuble, agent d'entretien d'immeubles ou distributeur de journaux.

Certes, leur congrégation compte des professeurs et même des médecins, mais ils ne sont pas nombreux et ont en général rejoint le mouvement bien après la fin de leurs études.

Le père de Benjamin, par exemple, il est employé par la mairie où il s'occupe du ménage, et sa mère a toujours été femme au foyer. Ni l'un ni l'autre n'ont jamais eu ne serait-ce que l'idée de remettre en cause cette vie modeste. On ne gagne pas le respect de sa congrégation avec un haut salaire et un statut social élevé.

Benjamin aurait donc très bien pu commencer à travailler tout de suite après sa scolarité obligatoire, ce qui lui aurait permis d'avoir nettement plus de temps et d'énergie pour la prédication.

Comme la congrégation tient à ce que ses membres accomplissent le plus de services du champ possible, le travail, la carrière et les études ne figurent pas parmi les priorités. Le parfait exemple n'en est autre que Jésus lui-même, un humble artisan sans la moindre formation supérieure – voilà pourquoi il pouvait consacrer son temps à la prédication. Paul était quant à lui fabricant de tentes et Pierre pêcheur : on travaillait pour gagner son pain et, sinon, on dédiait sa vie à l'Église.

Pourquoi quelqu'un se croirait-il plus distingué que Jésus en personne ou ses premiers disciples ?

L'envie de Benjamin d'aller quand même au lycée, lui qui avait tant de facilités à l'école, était certes acceptable (à la rigueur !), mais loin d'être une évidence. Pour montrer à la congrégation et à sa famille qu'il comprenait bien les risques encourus à gaspiller son temps à de telles trivialités que des études au lycée, il s'est engagé chaque année comme pionnier auxiliaire pendant les grandes vacances, promettant de surcroît de faire au moins soixante heures de service par mois.

Pendant ces mois d'été, il n'a par conséquent rejoint ses proches qu'une ou deux fois par semaine à leur maison tant aimée dans l'archipel de Stockholm. Demeurant à l'appartement familial, il a pratiqué la prédication à peu près tous les jours.

L'été s'est transformé en automne, sa famille est revenue en ville. Pour gagner sa vie, Benjamin travaille à mi-temps dans une quincaillerie et voue le reste de ses journées à Jéhovah.

Il fait preuve d'une dévotion inouïe, d'une implication personnelle considérable.

Il vit dans la vérité.

Il est la fierté de ses parents.

« *… et il essuiera toute larme de leurs yeux, et la mort ne sera plus ; ni deuil, ni cri, ni douleur ne seront plus. Les choses anciennes ont disparu…* »

Il tient la main de son adoré et murmure comme une conjuration ce verset de la Bible qu'il connaît toujours par cœur, même après toutes ces années ; et il essuiera toute larme de leurs yeux, et la mort ne sera plus, et en définitive ces mots représentent la seule chose qui reste : la promesse de ne pas être abandonné, la promesse que ce ne sera pas toujours ainsi. Ce ne sera pas toujours comme maintenant car maintenant est épouvantable et ça ne doit surtout pas l'être pour toujours ; c'est épouvantable et c'est comme ça, et tant pis s'il est impossible de croire autre chose en ce moment.

Ça ne doit surtout pas l'être pour toujours : épouvantable.

Dehors des couches de neige dans cet hiver en plein printemps, le vent froid qui souffle sur la ville et la fumée qui monte des cheminées, pareille à la fumée d'un sacrifice pour amadouer Jéhovah Dieu tout là-haut.

Jéhovah qu'il a quitté pour ce jeune homme dans le lit. Jéhovah qu'il a quitté pour cet être amaigri et décharné, en fait d'homme jeune, au visage et au corps déformés et détruits par les mycoses et les tumeurs cancéreuses.

Cet homme qu'il aime d'amour.

Rasmus marche dans la foule, longeant le passage Hötorgsgången entre les places de Sergels torg et de Hötorget. Il est un individu parmi d'autres. Un jeune homme anonyme. Ce même jour d'automne limpide et froid où Benjamin sort d'un immeuble rue Brännkyrkagatan après avoir été refoulé devant un certain nombre de portes, mais après avoir pu déposer un tract chez une dame âgée qui se laisserait peut-être gagner pour la cause.

Les deux jeunes hommes n'ont pas encore fait connaissance.

Ils ignorent encore tout l'un de l'autre. Ils n'ont même pas entamé pour de bon le voyage qui va aboutir à leur rencontre. Dans quelques mois. Pas maintenant.

En cette journée d'automne limpide et froide ils sont heureux. Tous les deux, mais chacun de son côté. Le manque de l'autre n'est pour l'heure qu'une inquiétude indéfinie et floue dans leur poitrine. Le vague pressentiment inconscient qu'ils ne sont pas complets, qu'ils cherchent quelque chose. Il leur suffirait de s'apercevoir mutuellement pour savoir ce que c'est.

N'empêche, ils sont heureux.

À tel point que Rasmus se rend à peine compte du froid. Comme si, dans la chaleur diffusée par la masse de gens anonymes, il était plus facile d'exister. Il s'émerveille de ce flot intarissable. Il éprouve un plaisir infini à constater qu'ils lui jettent un regard, mais sans plus : ils ne le dévisagent pas, ne s'arrêtent pas pour le montrer du doigt, ne lui lancent pas d'insultes à la figure. Et pourtant c'est *lui* qui se promène ici, qui évolue parmi eux, qui fait partie de leur foule.

S'il tourne la tête à gauche ou à droite, il voit son reflet dans les grandes vitrines des magasins. Ce qui signifie qu'il n'est pas invisible. En réalité, ici non plus il ne se fond pas dans le décor ; au contraire, ici aussi il tranche sur la foule. Mais les réactions de l'entourage sont plus atténuées, plus raisonnées.

Ses cheveux coiffés en arrière ont désormais une teinte bordeaux. Il est mince et pâle. Gracile, dit souvent sa mère. Dans une main, une cigarette allumée. Il s'observe. Et sait à qui il essaie de ressembler. À ce dandy mourant que le peintre Nils Dardel a représenté dans son tableau du même nom. C'est son idéal absolu. Sans doute surtout parce que ainsi il se distingue de tout son être des autres à Koppom.

Koppom où les jeunes hommes ne ressemblent pas à des dandys mourants mais à des abrutis finis. Un ramassis de ploucs, tous autant qu'ils sont !

Tandis que lui est sophistiqué, raffiné. Il est un esprit qui ne voit ni n'entend, qui s'en balance.

Sauf que ses yeux le trahissent. Ils ne sont pas du tout mi-clos et blasés comme ceux d'un dandy. Ils sont grands ouverts, bleus et pétillants de joie. Et il a beau essayer de feindre l'indifférence, à tout moment son visage éclate en un large sourire heureux et curieux.

Cette soif de vivre qu'il ne peut dissimuler.

Il devrait se couler dans la foule quand il se déplace. Au lieu de quoi il sautille. Comme un jeune élan, aurait dit Harald s'il l'avait vu.

Le seul fait d'exister est parfois extraordinaire et amplement suffisant.

Depuis son arrivée à Stockholm et son installation chez sa tante, il s'est appliqué à se familiariser avec la ville, mettant à peine un pied dans l'appartement.

Il a exploré certaines lignes de métro pour relier les stations entre elles. Il a ainsi raccordé Fridhemsplan à Sankt Eriksplan, Sankt Eriksplan à Odenplan, Odenplan à Rådmansgatan, Rådmansgatan à Hötorget, Hötorget à T-Centralen. De là il a pris la ligne rouge, traversé Östermalmstorg, Stadion et Tekniska högskolan pour finir à Universitetet où, uniquement afin de bénéficier du prêt étudiant financé par l'État, il suit un cours, un seul : histoire de l'art, niveau A.

Il n'a pas encore pris la direction du sud. Les stations au-delà de Gamla stan et de Slussen – Mariatorget, Zinkensdamm et Hornstull vers le sud-ouest, Medborgarplatsen et Skanstull vers le sud-est – demeurent des terres inexplorées, aussi étrangères et effrayantes que l'Afrique par exemple.

C'est une des choses de Stockholm qu'il trouve électrisantes : où qu'on descende de métro, où qu'on sorte de la station en haut de l'escalator, on aboutit chaque fois dans une tout autre ville. Et partout des gens. Des gens qu'il n'a jamais vus, qu'il n'a pas besoin de feindre de connaître – à l'inverse de ce Koppom de merde où tout le monde connaissait tout le monde mais où personne ne le connaissait vraiment, lui.

Il peut rester un temps infini dans la rame à étudier les autres du coin de l'œil. Faire semblant de regarder par la fenêtre la paroi rocheuse apparente qui défile. Mais en réalité les observer dans le reflet de la vitre. Les contempler, les disséquer, les absorber ; les collectionner d'une certaine manière. En secret, il les possède.

Parfois il tombe amoureux et entame une liaison avec un inconnu assis en face de lui, un homme dont le regard s'attarde sur lui une seconde de trop, un geste qu'il interprète aussitôt comme une sorte de signal, un message secret. En proie à l'excitation, il fantasme sur leur vie commune dans une relation qui ne dure que quelques stations.

Un rien lui donne envie de suivre quelqu'un pour le restant de ses jours. Il suffit d'un regard qui plonge un peu trop longtemps dans le sien.

Voilà comment s'exprime son manque. Et il lui fait l'effet d'une fièvre à l'intérieur de son corps. Rasmus ressemble à un sac plastique vide qui traînerait dans la rue, dont le vent s'emparerait au hasard pour le faire virevolter et tournoyer à sa guise.

Peu importe la nature de cette sensation, pourvu simplement qu'on lui permette de l'appeler ainsi : l'amour.

Une fois qu'il connaît le nom des stations, il parvient lentement à associer les quartiers centraux de la ville et se rend compte qu'il est en réalité possible de *marcher* entre les différentes bouches de métro. C'est une véritable découverte pour lui qui, les premières semaines, a pris le métro pour descendre à la station suivante. Aussi, quand il comprend qu'on *aperçoit* Rådmansgatan depuis Hötorget, il se met à marcher d'un pas déterminé et, chaque fois qu'il arrive à un nouvel arrêt, il se retourne pour mémoriser ses mouvements. De cette manière, il a l'impression de conquérir la ville et de se l'approprier.

Trois femmes se placent devant lui et cachent son reflet dans la vitrine. Au même moment une bande de punks déboule sur la gauche et croise un homme qui promène son berger allemand. Rasmus ne se voit plus dans le miroir. Il se fond dans les autres.

Ainsi perd-il littéralement sa virginité. Pas en se donnant à quelqu'un en particulier, mais à une ville entière.

Les arbres se sont teintés de rouge. Dans le parc Kungsträdgården, une longue file d'attente serpente devant le Piccolino. C'est peut-être un des derniers week-ends de la saison où le café ouvre sa terrasse. Il s'agit d'en profiter.

À en croire *Spartacus*, le guide gay international qui paraît une fois l'an et se donne pour ambition de recenser dans le monde entier la totalité des lieux de rencontre homosexuels, le Piccolino est le seul café véritablement gay de Stockholm.

D'un autre côté, fait souvent remarquer Paul, au chapitre consacré à «*Sweden*», on trouve aussi Götene.

Götene !? Mais ils l'ont dégoté où, ce bled ?

Spartacus croit connaître trois lieux de drague à Götene : Kungsparken, Slottskogsparken et les bains de plein air de Blomberg. Trois, rien que ça !

– Du coup, on est en droit de se poser la question : est-ce que, à la nuit tombée, tous les habitants du coin foncent se renifler le cul au Kungsparken et s'adonnent ensuite aux *partouzes* qui a priori font rage dans le bois de Slottskogsparken ?

Paul éclate de rire puis allume une autre cigarette. Il sirote un café en terrasse en compagnie de Bengt. Et il surveille les mecs. De temps en temps il aperçoit quelqu'un qu'il connaît. Il appelle alors le type en question et part dans de grandes gesticulations, offrant chaque fois un petit spectacle. Paul est un centre de gravité à lui tout seul.

Bengt a dix ans de moins que lui et compte parmi les très nombreux jeunes garçons qui tournent dans l'orbite de Paul. Ces petits minets qu'il collectionne, dont il s'occupe, pour qui il cuisine, à qui il achète des cigarettes et offre un lit pour la nuit quand ils n'ont nulle part où aller. Il les aime, et il les aime tous.

Bengt et Paul ont sûrement couché ensemble. Du moins au début. Quoi de plus normal que de commencer une relation de cette manière.

Mais une fois que la page de la baise a été tournée, ils sont devenus de simples amis. Quoique. Paul rétorquerait que c'est la connerie la plus monumentale qu'il ait entendue de sa vie. Et il ajouterait : Bengt fait partie de la *famille*, bordel de merde ! Et quand on forme une famille, on prend soin l'un de l'autre. On est là quand l'autre a besoin de nous, quand il a été trahi, quand il tremble à cause d'un chagrin d'amour, d'une gueule de bois ou de ses parents qui l'ont foutu dehors parce qu'il est pédé ou qui ne savent même pas qu'il l'est. Dans ces cas-là, on s'allonge à côté de lui et on le prend dans ses bras, on ressent la même douleur que lui et on partage la même tristesse que lui, parce qu'on connaît ces sensations par cœur et qu'on sait très bien que ce n'est pas la peine d'en faire tout un plat. De la même façon qu'on répond présent pour faire la java, pour danser et picoler ou aller à Ikea.

On est une famille. La seule vraie famille qui soit.

En réalité, Paul n'a que quelques années de plus que les autres, puisqu'il fête ses vingt-huit ans à chaque anniversaire. Mais surtout, il est devenu une mère poule qui veille sur sa couvée. Si on lui demandait son avis, il répondrait qu'il n'est qu'une tantouze sur le retour qui se met en quatre. Seppo, son plus vieil ami et à peu près de son âge, dit que Paul est quelqu'un comme on n'en trouve plus : d'une gentillesse à toute épreuve. Paul l'envoie aussitôt bouler en le traitant de vieille folle perdue sentimentale et déclare que la discussion est close.

Au bout d'une petite heure passée au Piccolino le samedi après-midi, on a vu passer grosso modo toutes ses copines.

– Nan mais j'hal-lu-cine ! Toi ici ? s'écrie Paul.

Il s'illumine, claque une bise, rit et fait de la place autour de la table à un énième larron. Bengt est exhibé comme un trophée, et pour qui n'est pas au courant les deux forment un couple. Bengt a vingt et un ans, il a grandi à Hammarstrand près d'Östersund.

Pour une mystérieuse raison, il y a une proportion invraisemblable de pédés originaires d'Östersund. Paul dit souvent que c'est sûrement dû à l'air du lac Storsjön : grâce à lui, les tapettes poussent comme des champignons.

– Nan mais attends, j'hallucine ! Tu vas à l'After Dark, tu prends n'importe quelle trave, même la dernière des dernières, et tu verras que dès qu'elle ouvre la bouche elle se tape un putain d'accent du Jämtland.

Et Paul a entièrement raison.

Sinon, globalement, ils viennent de partout : du Norrland, du Jämtland, de la Scanie et même de la Finlande, ils viennent de leurs petits villages, de leurs Hammarstrand et Brunflo et Eskilstuna et Kjula, de leurs Kristinehamn et Pite et Skellefte et Yttermalung et Hedemora. Ils ont tous pris la tangente, quitté leurs familles et leur maison natale, abandonné ces putain d'endroits de merde où ils ont joué quand ils étaient petits, ils ont laissé derrière eux leur enfance et leurs défaites – et désormais ils sont ici, à Stockholm, au Piccolino, par une magnifique journée d'automne en ce samedi d'octobre où le café ouvre sa terrasse pour la toute dernière fois sans doute, et ils se sont recréés : ils ont créé leurs vies d'adultes ici, dans la capitale, en compagnie d'autres pédés comme eux, et surtout avec Paul qui prend soin d'eux, tous autant qu'ils sont.

Bengt n'avait que seize ans quand il a débarqué à Stockholm, laissant à Hammarstrand un frère et une sœur plus âgés ainsi qu'une maman inquiète et divorcée. Il avait décroché un petit rôle dans le film d'un réalisateur très connu et, le tournage terminé, il est tout bonnement resté en ville, hébergé par le réalisateur qui avait un faible pour les garçons très jeunes et très beaux.

Quant à savoir qui tirait profit de qui, ça, mystère…

Idem lorsque Bengt s'est mis à traîner dans les quartiers miteux autour de la gare centrale et de la rue Klara norra kyrkogata, surnommée Klara pornorra à cause de ses nombreux cinémas spécialisés et ses lieux de rencontre tout aussi spécialisés pour les pédés.

Faisait-il le tapin ou pas ? C'est juste une question de goût, sans doute.

Quand on est un jeune pédé, on n'a pas forcément le choix. La ville n'offre pas beaucoup d'options.

Michetonneur sans toucher de fric, mais michetonneur quand même.

On est assoiffé de tendresse. Les mecs veulent de la bite. Si vous les laissez vous sucer, peut-être qu'ils vous caresseront la joue ensuite.

Exploiteur ou exploité ? Disons plutôt qu'ils échangent des services.

Parce qu'on ne peut pas rester indéfiniment seul. On doit se mettre à plusieurs.

Et c'est donc dans la Klara pornorra que Bengt a rencontré Paul. D'abord dans une relation de dragueur à dragué, cela tombe sous le sens. Puis est arrivé ce qui arrive toujours quand Paul rencontre quelqu'un : il veille sur sa couvée. C'est une sorte de vocation chez lui. À moins qu'il soit simplement quelqu'un d'une gentillesse à toute épreuve, comme l'affirme Seppo.

Parce qu'on ne peut pas rester exclusivement seul. On doit se mettre à plusieurs.

Aujourd'hui, du haut de ses vingt et un ans, Bengt a franchi ce cap depuis longtemps : il a fait la connaissance de gens, il a une famille capable de l'aimer, de le protéger, de le supporter. Il n'est plus cet ado écorché vif, sans peau et sans défense, errant dans la Klara pornorra.

En plus, il vient d'entrer dans une école de théâtre, et pas n'importe laquelle : la très renommée Scenskolan. Parmi plusieurs centaines de candidats, il est l'un des douze à avoir été pris. Il va pouvoir devenir ce dont il a toujours rêvé. Il va atteindre ce qu'il a vu, ça et rien d'autre. Il va récolter ce qu'il a semé, ça et rien d'autre.

Un jeune homme intelligent et talentueux qui a peut-être le désavantage d'être d'une beauté renversante. Mais justement, sa beauté, Paul a l'habitude de la balayer d'un revers de main. Il claque sa paume sur le genou de Bengt et dit avec son accent inimitable d'Eskilstuna :

– La beauté, elle paaasse et elle trépaaasse, mon chou !

À ces mots il rit, allume une autre Blend jaune («une clope de gonzesse pour une gonzesse comme moi», dixit) et interpelle une nouvelle copine qui vient d'arriver.

Pour se rendre à la Salle du Royaume, on s'habille correctement. Jéhovah doit être sanctifié. Les garçons portent le costume, les filles des escarpins. On s'est préparé à la réunion en lisant les sujets qui seront abordés et les versets de la Bible qui serviront de support. Pendant la réunion, on prend des notes.

La Salle du Royaume rappelle plus une salle de conférences qu'une église. Elle ne contient ni ornement ni crucifix. Des étagères jouxtent l'entrée. Après la réunion, on peut se servir en tracts et y prendre les livres dont on a besoin ; on a également la possibilité de s'inscrire pour obtenir un territoire où effectuer son service du champ.

Ingmar s'approche du surveillant de district que, bien sûr, il connaît depuis de longues années.

– Gideon ! s'écrit-il, et ils se serrent la main. Dis-moi, as-tu un territoire à me donner ?

– Ingmar ! répond l'autre sur le même ton. On va te trouver ça tout de suite !

Il cherche dans une boîte de cartes.

– Hornsgatan, du 29 au 31. Ça t'irait ?

– C'est parfait ! Benjamin, tu viendras avec moi ?

Benjamin fouine dans les étagères, en quête du matériel qui lui sera nécessaire. Il a hérité de la propension de son père à parler avec d'autres personnes sans se déconcentrer sur ce qu'il fait. Il continue donc à chercher tout en répondant un peu distraitement qu'il préfère y aller seul.

Son père n'a pas l'air mécontent. Au contraire. Avec fierté, il regarde Gideon dans les yeux et poursuit la conversation avec son fils :

– En fait je le sais. Je le sais bien. Et Margareta, alors ?

Margareta sursaute. Elle avait la tête ailleurs. Le père se tourne vers elle, sa satisfaction est nettement moins béate et sa demande de toute évidence un ordre :

– Tu viens avec moi !

– Oui, papa, chuchote Margareta, qui baisse aussitôt la tête.

De nouveau, Ingmar regarde Gideon droit dans les yeux. Ils se reconnaissent dans le reflet l'un de l'autre. Ils s'approuvent l'un l'autre. Gideon hoche la tête. Ingmar est un bon chef de famille exerçant la responsabilité qui lui incombe et qu'on attend de lui.

Benjamin les interrompt :

– J'essaie de mettre la main sur *Trouvez la vie éternelle dans le paradis sur terre…*

Le sourire aux lèvres, Gideon vient à sa rescousse et lui tend le livre rouge.

– Le voici.

– Merci. Tu peux m'attribuer un territoire aussi pendant qu'on y est. J'aimerais bien être à proximité de la Brännkyrkagatan, je dois y faire une nouvelle visite.

Gideon parcourt la boîte et en sort une carte.

– Sankt Paulsgatan, du 33 au 37. Ça te va ?

– Ça me va parfaitement, merci beaucoup, répond Benjamin, ravi.

Il la prend sans savoir que, à l'instant même où cette carte avec les adresses lui est donnée, une petite rupture se produit, un mouvement s'opère comme à la suite d'un léger tremblement de terre, une collision en chaîne d'événements qui vont modifier sa vie pour toujours.

Rien ne sera plus jamais comme avant.

Il sort du local avec un sourire mesuré au millimètre près, à côté de son père, avec dans sa serviette la carte de territoire, les notes de la réunion et le livre intitulé *Trouvez la vie éternelle dans le paradis sur terre.*

Margareta les suit, à quelques pas derrière eux, comme toujours mal à l'aise dans ses escarpins.

Dans la cuisine, Rasmus est aux fourneaux. Il fait revenir des carottes et des oignons dans du curry, mouille avec un peu de lait, prépare le riz. Son repas standard.

Christina est assise à la table avec un café, une cigarette et le journal du soir. Elle l'interroge à propos de l'université, veut savoir s'il s'y est fait des amis, lui conseille de fréquenter les pubs universitaires, une façon infaillible selon elle de connaître du monde. Elle demande ce qu'il fait de ses journées puisqu'elle le voit à peine, précise que Sara téléphone presque tous les jours et elle ne sait plus quoi lui raconter : Rasmus peut tout de même comprendre que sa mère s'inquiète, il sait comment elle est.

La tante lève les yeux au ciel et fait une grimace. À ce stade de la discussion, ils sont censés glousser et se moquer gentiment du besoin de contrôle qu'éprouve la grande sœur. Voyant néanmoins que Rasmus ne rit pas, sa tante se tait aussitôt. Puis elle dit, sur le ton de la confidence, qu'elle n'a pas touché mot à sa sœur du fait que Ramus passe la moitié de ses nuits dehors.

Or, cette phrase ne suscitant elle non plus aucune réaction chez son neveu, Christina s'empresse d'ajouter qu'il est majeur, évidemment, et libre de ses mouvements, mais elle s'est quand même bien gardée de dire la vérité à sa sœur, elle tient à ce que Rasmus le sache, il ne faut pas réveiller le chat qui dort et ainsi de suite, mais quand même, elle espère qu'il est prudent, on ne sait jamais, on n'est pas à l'abri d'un malheur,

Stockholm peut aussi être une ville dure et froide ; Rasmus a beau avoir dix-neuf ans, il connaît très peu de chose de la vie, s'il devait lui arriver quelque chose, même une broutille, elle ne se le pardonnerait pas, elle se sent responsable de lui, il doit le comprendre, bien qu'il soit majeur et libre de ses mouvements, et elle ne veut surtout pas y mettre son grain de sel, mais elle aimerait qu'il ait confiance en elle, qu'il sache qu'elle n'est pas comme sa sœur, comme la mère de Rasmus, non, vraiment : il peut lui faire confiance et la considérer comme quelqu'un de son âge, une copine plutôt que comme une tante.

Pendant que Rasmus remplit son assiette, elle reprend sa respiration et allume une autre cigarette.

Elle s'habille en Gudrun Sjödén (des vêtements volontiers à rayures), porte les cheveux courts (au carré et teints au henné) et fume des sans-filtre (brunes, de marque française). Elle est membre des Amis du Moderna Museet et elle a un abonnement au théâtre Stockholms Stadsteater.

Elle vit depuis de nombreuses années une sorte de relation «ensemble séparément» avec un mec cradingue dénommé Lasse. Des frissons de dégoût lui courent sur la peau dès que Rasmus le voit, avec son air de vieux machin, ses dents jaunies par la nicotine et son petit coup dans l'aile quasi en permanence. En plus d'être essayiste (ou un truc dans le genre), il est impliqué en tant que bénévole au sein de Författarförlaget, une maison d'édition dirigée par des écrivains, qui a connu son heure de gloire à une époque grâce à Povel Ramel, puisque cet artiste populaire de café-théâtre a choisi d'y publier le recueil complet de ses chansons.

Une fois par mois, ils organisent des rencontres littéraires dans le grand appartement de Christina, avec vin rouge et plateau de fromages. Et surtout lecture à voix haute par un obscur poète. La plupart du temps, c'est Lasse qui déclame des textes du seul bouquin qu'il ait réussi à publier. Aux éditions Författarförlaget, bien entendu. Pour rien au monde, aime-t-il à répéter, il n'irait vendre son âme à un éditeur commercial et accepter ses conditions dégradantes.

Rasmus engloutit son repas pendant que Christina papote en sirotant son vin. Il vient de terminer quand on sonne à la porte. Ce n'est que Lasse.

Et il est à peine entré dans la cuisine qu'il fonce vers Rasmus, s'appuie contre le plan de travail, se roule une cigarette et le regarde faire la vaisselle. Il l'interroge sur ses études en histoire de l'art, évoque l'un de ses professeurs, un ami à lui.

Ce que Rasmus déteste sans doute le plus chez lui, ce sont ses tentatives de faire copain copain : Lasse s'installe tout près de lui, lui laisse entendre qu'ils ont plus de choses en commun qu'il ne le croit, lui pose des questions si indiscrètes, à croire qu'il a un droit de regard sur sa vie, à croire qu'il est un membre de sa famille.

Sauf que Lasse ne fait *pas* partie de la famille. Rien que l'idée que lui et tante Christina couchent ensemble le répugne. Leurs dents et leurs doigts jaunasses à cause de la nicotine… Rasmus en a froid dans le dos.

Mais le pire est atteint quand Lasse présuppose tout un tas de choses sur lui, du jeune homme qu'il est.

Rasmus le déteste. Il déteste quand les gens prétendent le connaître alors qu'ils ne le connaissent pas. Lasse sous-entend qu'il *comprend* quelque chose à son sujet, ce qui met Rasmus terriblement mal à l'aise.

En plus, Lasse n'hésite pas à le… toucher ! Un geste censé montrer à quel point il est courageux et dépourvu de préjugés face à cette chose qu'il croit *comprendre*. Là-dessus il hoche la tête d'un air entendu à l'adresse de la tante pour obtenir son approbation, et elle de lui rendre la pareille. Mais Rasmus esquive pour se dégager au plus vite de cette nouvelle intimité forcée. Voyant ça, Lasse rit comme un imbécile heureux et lâche un «Ah tu payes, toi !». Ensuite, quand Rasmus annonce qu'il s'en va, Lasse lui dit : «Viens ici deux secondes», et lui glisse un billet de cinquante pour qu'il puisse se payer des bières.

Ce connard de Lasse se prend pour un papa de remplacement ou un truc comme ça.

Mais le pire du pire, c'est quand Rasmus se tient à la porte, prêt à partir. Là, de but en blanc, Lasse lui chuchote (pour que Christina n'entende pas) qu'à sa place il irait au Timmy, un club situé rue Timmermansgatan, dans le quartier de Södermalm ; il ne connaît pas le numéro mais, si ses souvenirs sont exacts, c'est à deux pas de la place Mariatorget, entre la Sankt Paulsgatan et la Krukmakargatan.

Rasmus rougit. Il est tellement gêné que les mots lui manquent.

Sur ce, non sans lui donner une petite tape amicale sur l'épaule, Lasse ajoute que, oui, lui en tout cas c'est ce qu'il ferait s'il était Rasmus : il irait au Club Timmy. Et il indique enfin, en insistant lourdement sur le dernier mot :

– Tu sais, là où il y a les locaux de la RFSL.

Non, Rasmus ne sait pas. Et il hait Lasse parce que c'est lui et non quelqu'un d'autre qui le lui explique.

– Qu'est-ce que vous mijotez ? s'écrie la tante en arrivant dans le vestibule.

– Oh, rien, répond Lasse en riant. On discute un peu de la vie et de l'amour, c'est tout.

Il fait un clin d'œil à Rasmus. Comme s'ils avaient conclu un pacte.

Soirée d'octobre. Il n'est que vingt heures mais la nuit est déjà tombée. Benjamin effectue comme d'habitude son service du champ. Il se trouve au deuxième étage d'un immeuble fatigué de la rue Sankt Paulsgatan. Il appuie sur une sonnette, attend.

Et c'est cet instant très précis qui provoque chaque fois en lui une exaltation : lorsque, prêt à témoigner en faveur de Jéhovah, il sonne chez un parfait inconnu et que la porte s'ouvre enfin. Il doit alors se présenter, assumer qui il est face à un étranger, dire : «Je suis Benjamin et je suis un serviteur de Jéhovah.»

L'homme qui ouvre aujourd'hui la porte de son appartement tient une cigarette à la main. Ses cheveux décolorés laissent apparaître des racines noires, sa peau bronzée mais un peu desséchée trahit un passage prolongé au solarium. Quand il constate que la personne qui vient de sonner chez lui n'est autre qu'un Témoin de Jéhovah, son visage s'illumine d'un large sourire aussi ravi qu'inattendu et, avec un accent du Södermanland à couper au couteau, il s'exclame :

– Non mais regardez-moi qui nous avons là ?

L'homme se passe la langue sur les lèvres.

Benjamin décroche ce sourire mesuré au millimètre près qu'il utilise toujours lors du premier contact, pendant qu'il prend la température, après quoi il prononce ses phrases rituelles d'introduction.

– Bonjour, je m'appelle Benjamin Nilsson, je suis Témoin de Jéhovah. Si vous le voulez bien, j'aimerais vous montrer quelques brochures…

L'autre l'interrompt.

– Et moi c'est Paul. Mais entre, bon sang ! Ne reste pas planté là !

Il ouvre la porte en grand et disparaît au fond de l'appartement. Après quelques secondes d'hésitation, car il n'est pas très fréquent qu'on l'invite d'emblée à entrer, Benjamin lui emboîte le pas. Il se fraie un chemin à travers un vestibule encombré de chaussures, santiags et rangers, où un foulard palestinien accroché avec négligence à un cintre et un châle de soie côtoient un blouson en cuir blanc, une veste en daim à franges et un perfecto noir clouté avec des chaînes.

L'homme n'attend pas Benjamin, il file dans le séjour sans cesser de bavarder à la vitesse du battement d'ailes d'un papillon.

– Tu veux quoi ? Du café, du vin, un gin tonic ? Mais… que je suis gourde ! Si ça se trouve tu ne bois pas puisque tu es croyant et pratiquant ?

Benjamin secoue la tête pour avoir le temps de suivre.

– Je veux bien un café, merci.

L'homme se retourne d'un seul coup et braque ses yeux sur lui.

– Mon ange, dit-il soudain avec sérieux et sincérité. Tu es tellement beau que je ferais n'importe quoi pour toi. Mais du café, là, ça ne va pas être possible. Je n'ai ab-so-lu-ment pas le temps. Ce sera de l'alcool ou rien !

Sa dernière phrase fait davantage l'effet d'une menace. Or il reprend très vite le ton de tout à l'heure, sur le mode du bavardage.

– Je suis en train de sortir mes décorations de Noël. Oui, je sais, je sais, on n'est qu'en octobre. Mais il y a tellement de babioles à installer. Enfin bon, tu sais ce que c'est.

Benjamin parcourt la pièce du regard, qui croule sous les cartons. Ils sont empilés par terre, sur le canapé, sur la table basse, et tous remplis de décorations de Noël : des boules pour le sapin, des pères Noël de petite et de grande taille, des pères Noël habillés et déshabillés, des guirlandes scintillantes et des guirlandes électriques, des bougeoirs de l'Avent, des broderies de Noël, des crèches, des napperons, des chèvres en paille…

– En fait, non, dit Benjamin. Vous comprenez, en tant que Témoin de Jéhovah, je ne fête pas Noël.

L'autre l'arrête en agitant la main.

– Nan mais j'hallucine, là ! Mon cœur, tu sauras que moi je suis juif. Et moi non plus je ne fête pas Noël. Mais là, on parle de décorer l'appartement. Et là, moi, j'adhère *complètement*. Tiens, assieds-toi donc ici. Moi c'est Paul. Et toi ton petit nom, c'est Benjamin, je crois. Un prénom d'une beauté in-sen-sée, soit dit en passant !

Il désigne à Benjamin un bout du canapé encore vide. Pas très rassuré, celui-ci s'assied et ouvre sa serviette.

– Donc, je disais, j'aimerais vous proposer quelques publications…

Paul se fait une place à côté de Benjamin.

– Tout ce que tu veux, mon cœur. Mais j'espère au moins que tu as cette image fan-tas-tique, là, tu sais : celle où le papa, la maman et leurs enfants pique-niquent avec un tigre et une brebis, ou je ne sais quelles bestioles, devant un lac dans les Alpes. Donne-moi ça !

Il lui arrache la brochure des mains et la feuillette. Il jubile en découvrant l'illustration dans les pages du milieu.

– Ouiii, la voilà ! J'hal-lu-cine ! Quelle image merveilleuse… Alors là, j'adhère complètement !

Il jette la brochure sur la table basse, se renverse dans le canapé et s'étire.

– Pardon, je t'ai coupé. Continue !

Benjamin est décontenancé. Il est habitué à rencontrer de la perplexité, de la méfiance, voire de la malveillance ; mais certainement pas un tel intérêt, si déroutant et tout en jacassements, venant d'un homme qui par-dessus le marché semble se ficher de ce qu'on a à lui transmettre et ne pense qu'à une chose : lui-même, sa propre personne.

– Si vous voulez bien, je pensais lire une citation de la Bible, la Révélation… commence Benjamin, en s'apprêtant à déclamer les versets sur Dieu qui essuiera toute larme de nos yeux, lorsque l'autre l'interrompt à nouveau.

– Mais mon chou, je suis déjà partant *à fond*. Tu m'écoutes ou quoi ? Moi je me mets à genoux quand tu veux !

Il éclate de rire et offre une cigarette à Benjamin. Gêné, celui-ci secoue la tête.

– Nan mais j'hallucine ! Une secte capable de produire un tel *kitsch* !

Il fait un grand geste de la main vers le tract.

– Moi j'adhère mais im-mé-dia-tement. Rien que le fait qu'un apollon comme toi daigne sonner à ma porte et accepte d'entrer – chéri, mais moi je suis au septième ciel !

Paul rit de bonheur.

Benjamin rougit ! Lui à qui pourtant ça n'arrive jamais, voilà qu'il rougit. Il cherche désespérément une répartie, une réponse pertinente.

Depuis qu'il est gamin, Benjamin a participé chaque semaine dans la Salle du Royaume à un programme de formation intitulé École du ministère théocratique, qui prépare les Témoins aux entretiens qu'ils mèneront pendant leur service de prédication : les questions susceptibles d'être posées et la façon d'y répondre, les arguments susceptibles d'être avancés et les contre-arguments à leur opposer. L'enseignement prévoit aussi des jeux de rôle qui permettent de se plonger dans les différentes situations possibles qu'on risque de rencontrer sur le terrain.

Mais cette situation-là, cet enthousiasme trou-
blant, cette insistance de la part d'un inconnu
au bronzage artificiel et aux cheveux décolorés,
cette fougue qui de plus ne semble pas concerner
le message de Benjamin mais lui-même en tant
qu'individu, personne ne l'y a jamais préparé.
Ici, l'École du ministère théocratique le laisse
dans la panade, tout comme *La Tour de Garde,
Réveillez-vous !* et l'ensemble des livres et publications provenant du quartier général à Brooklyn.

Pour la première fois depuis qu'il accomplit
son service du champ, Benjamin est embarrassé.
Il ne sait pas quoi répondre. Instinctivement il se
met debout.

L'autre suit chacun de ses mouvements mais
demeure silencieux, il attend impatiemment que
Benjamin poursuive. Oui, évidemment ! Puisque
c'est lui qui a sonné et a demandé s'il pouvait
entrer, lui qui est censé proclamer la bonne nouvelle au sujet de l'amour universel de Jéhovah et
du salut offert par Jéhovah.

Il se racle la gorge. Il ne trouve alors qu'une
seule chose à dire, et il la dit sans savoir pourquoi :

– Je… je vous dérange peut-être ?

Paul le regarde sans comprendre.

– Mais pas du tout, voyons ! Où est-ce que tu
vas chercher ça ?

Benjamin prend la décision de se retirer.

– Je pense que je ferais mieux de partir.

– Ah bon, déjà ? Ben, je ne peux pas t'en
empêcher !

Paul se lève, surpris et même un peu déçu, et
raccompagne poliment Benjamin à la porte. Il le
regarde s'efforcer d'enfiler et de lacer ses chaussures le plus vite possible.

– En tout cas, maintenant tu sais où j'habite.

Benjamin a honte de l'admettre, mais il rougit
encore. Haletant, il répond :

– Oui, maintenant je le sais.

– Et surtout, tu reviens quand tu veux, hein ?

L'autre lui offre un visage aimable, comme pour le rassurer.

– Je pourrais peut-être revenir dans une semaine… dit Benjamin peu sûr de lui. Si vous avez eu le temps de lire la brochure, je veux dire ! se dépêche-t-il d'ajouter, pour éviter toute ambiguïté.

Paul lève les yeux au ciel et sourit.

– Tu m'as déjà apporté le salut, mon cœur. Mais ça me ferait plaisir de te revoir !

Puis, repensant à quelque chose, il prend une profonde inspiration et déclare :

– Et tu devrais vraiment être des nôtres pour le réveillon ! Il y aura un tas de gens adorables. Tu ne peux quand même pas passer ta vie sans fêter Noël !

En s'apprêtant à quitter l'appartement, un pied déjà sur le palier, Benjamin retrouve son assurance habituelle de Témoin. Comme si le danger était en quelque sorte passé.

Sur le seuil, la situation ressemble enfin à celle qu'il connaît, qu'il a déjà vécue et maîtrisée un nombre incalculable de fois. Il arbore à nouveau son sourire mesuré au millimètre près, qui d'une étrange façon lui donne toujours un avantage sur son interlocuteur.

– Merci, dit-il, c'est gentil de votre part. Je vais y réfléchir.

Il ne va évidemment pas y réfléchir. Mais, sur le moment, c'est la phrase la plus commode à prononcer.

Il fait un autre pas en arrière.

– Bon, je reviens dans quelques jours, alors ?

L'autre hausse les épaules.

– Comme tu voudras, mon chou ! gazouille-t-il. Tchao !

L'homme aux cheveux décolorés agite la main et referme la porte. Or elle se rouvre alors que Benjamin se dirige vers l'escalier. Il est obligé de s'arrêter. Il se retourne, prend un air étonné mais courtois. Et il est encore une fois confronté à ce sourire malicieux, à ce regard scrutateur.

– Une dernière chose, mon cœur, pour être sûr de ne pas avoir loupé un épisode…

Benjamin est désarçonné. Il ne comprend pas et répond, incertain :

– Oui ?

L'étranger fait une grimace comme s'il hésitait à révéler le fond de sa pensée, comme si la réflexion qu'il se faisait n'était pas *opportune* ou *appropriée*. L'instant d'après, il semble cependant se dire : Pff ! Et puis merde. On s'en fout. C'est comme ça, point barre. Du coup il y va franco, et sans détour. Il le dit. Comme un fait. Pas comme une question.

– Tu le sais, hein, que tu es homosexuel ?

Tu le sais, hein, que tu es homosexuel ?

Benjamin sort de l'immeuble. C'est le même soir que tout à l'heure. Le froid, l'automne, le trottoir – tout est pareil. Seul lui n'est plus pareil.

Sur une armoire électrique est collée une affiche à moitié arrachée, réalisée par des militants se réclamant du POE, le parti ouvrier européen. Benjamin reconnaît Olof Palme derrière la caricature, accusé d'être un agent à la solde du KGB. Le Premier ministre suédois a la tête du diable.

Benjamin frémit. Les jambes en coton, il rejoint à pas lents la place Mariatorget. Les pensées tournoient dans sa tête.

Malgré le froid, il s'assied sur un banc public. Devant lui, la grande statue de la place. Elle représente un homme en lutte avec un dragon, le dieu Thor qui, avec son marteau, va terrasser le serpent de mer *Jörmungand*. Jéhovah a lui aussi dû affronter un monstre marin, le Léviathan. Une lutte pour créer de l'ordre dans le chaos. Cette lutte pour résister aux forces désireuses de nous renverser et de nous détruire, de nous entraîner à notre perte.

Benjamin regarde ses mains. Elles tremblent. La serviette sur ses genoux. Il l'a ouverte sans savoir pourquoi. Il scrute l'intérieur.

Que cherche-t-il ? Qu'avait-il l'intention de faire ?

Il voulait peut-être rédiger une note sur sa visite. Qu'aurait-il alors écrit ? Quelle abréviation aurait-il utilisée ? Une phrase lui vient à l'esprit : «Je suis comme un bœuf qui va à l'abattoir de son plein gré.» Il sait qu'il l'a lue dans l'une des nombreuses publications de la congrégation.

Il entend quelqu'un éclater de rire près de lui. Il a le sentiment qu'on se moque de lui. Que cet homme aux cheveux blonds décolorés se moque de lui. Satan.

Je suis comme un bœuf qui va à l'abattoir de son plein gré.

Mais que va-t-il faire ? Concentrer ses problèmes dans une prière et s'en remettre à Jéhovah, fort de la conviction qu'Il s'en soucie ?

Dans le chapitre consacré à la sexualité déviante, le livre *Les Jeunes s'interrogent. Réponses pratiques* ne conseille pas autre chose. Combien de fois n'a-t-il pas lu ce passage. Il l'a répété telle une litanie, le connaît presque par cœur : «*Jéhovah peut vous insuffler une paix qui "surpasse toute pensée".*» La phrase y figure mot pour mot. «*Voilà qui "gardera vos cœurs et vos facultés mentales" et vous donnera la "puissance qui dépasse la normale" pour résister à de mauvais désirs.*»

De mauvais désirs.

Comme il a prié pour que Jéhovah le libère ! Combien n'a-t-il pas prié avec toute la sincérité de son être pour ne pas tomber dans la débauche et la perversité, pour pouvoir vivre dans la chasteté et la pureté afin de ne pas finir exclu, banni de la congrégation et du royaume de Dieu.

De tout son cœur il a voulu être le serviteur de Jéhovah. Pourtant, il a été reconnu par l'autre, ce moulin à paroles, cette follasse superficielle qui au passage en a profité pour l'écraser, pour le renverser, pour le terrasser.

Voilà. Il a été *reconnu* !

Et pendant son service par-dessus le marché ! En accomplissant l'activité la plus importante, la plus astreignante de toutes, alors qu'il proclamait la Bonne Parole, la Bonne Nouvelle !

Et là il a été percé à jour.

Effrayé, il lève les yeux. Il a l'impression de voir réellement les autres pour la première fois. Il serre la serviette contre lui, la tient comme un bouclier devant sa poitrine.

Est-ce qu'ils le voient ?

Il n'a jamais compris qu'il le portait autant sur sa figure.

Tu le sais, hein, que tu es homosexuel ?

L'homme a dit ça avec une telle simplicité. Comme si dans le fond c'était une broutille, un petit détail qu'on pourrait mentionner juste en passant, mais qui fracasserait tout.

Benjamin sait qu'il doit trouver la force de résister.

Une des méthodes utilisées par Satan pour égarer les hommes consiste à les tenter en faisant appel à *des désirs impurs.* Jéhovah les exhorte à ne pas s'adonner à des actions impures, puisqu'Il sait qu'elles vont leur nuire.

«*Ne vous égarez pas : on ne se moque pas de Dieu.*»

C'est écrit dans l'épître aux Galates.

«*Car ce qu'un homme sème, cela il le moissonnera aussi ; parce que celui qui sème pour sa chair moissonnera de sa chair la corruption.*»

Benjamin inspecte les lieux du regard comme pour obtenir de l'aide. Puisqu'il est si facile à reconnaître, puisqu'il est si facile à démasquer, pourquoi alors les gens ne voient pas qu'il est en train de tomber ?

Puisse Jéhovah le sauver !

De sa chair il va moissonner la corruption.

C'est une soirée vraiment fraîche. Un froid beaucoup plus âpre que chez lui à Koppom. Rasmus n'a ni bonnet ni foulard ni gants. Pas question. Il a enfilé ce qu'il estime avoir de plus beau : un pantalon fin et une chemise noire en satin tout aussi légère, au col déboutonné qui laisse apparaître sa poitrine blanche et frêle, et par-dessus une petite veste en cuir blanc. Le vent passe à travers ses vêtements, il faut une volonté de fer pour prendre un air aussi détaché que lui.

Avec un cœur qui palpite tellement d'excitation qu'il semble battre à l'extérieur du corps, Rasmus descend à la station Mariatorget et prend, par l'escalator, la sortie Swedenborgsgatan. Il essaie d'avoir une démarche la plus flegmatique et naturelle possible. Une cigarette à la main. Il traverse d'un pas rapide le hall du métro comme quelqu'un qui sait parfaitement où il va. Il adopte une attitude si nonchalante qu'il touche à peine le trottoir.

Comme s'il était ici chez lui. Alors qu'il n'a jamais mis les pieds dans cette partie de la ville.

Une fois dehors, il remarque d'emblée l'allure délabrée du quartier, nettement plus que dans celui de Vasastan où il habite. Des immeubles vétustes et mal entretenus. Deux lampadaires à l'entrée du métro aux ampoules brisées. Une bande de punks qui traînent au coin de la rue et représentent une menace potentielle. Rasmus les dépasse à toute vitesse, en regardant droit devant lui. Il se rend invisible.

Une place dégagée s'ouvre devant lui, au centre de laquelle trône une grande statue. Ce doit être

Mariatorget. Il tourne à gauche sans remarquer, dans le parc, le jeune homme en costume affaissé sur un banc public, une serviette sur les genoux, les yeux dans le vide.

Bien sûr, Rasmus espère par-dessus tout qu'il va lui arriver ce soir quelque chose d'extraordinaire, maintenant qu'il a pris son courage à deux mains pour aller dans un club destiné aux homosexuels. Une boîte gay, pour la première fois de sa vie !

Comment peut-il savoir que la rencontre avec le jeune homme malheureux et songeur sur son banc (qu'il dépasse à cinquante mètres de distance sans même le voir, pendant qu'il cherche la rue Timmermansgatan où le club est censé se trouver) – que la rencontre avec cet homme très précis va non seulement bouleverser sa vie mais la propulser dans une tout autre direction ?

Comment sait-on quand sa vie bascule à la faveur d'un événement déterminant ? Un événement qui se produit de manière inéluctable, qui jalonne un sentier insoupçonné d'où on ne peut revenir.

Comme quand l'amour apparaît.

Ou quand une épidémie se transmet.

La plupart du temps, on est trop occupé à chercher l'endroit où on *croit* aller, où on s'est mis en tête qu'il faut à tout prix y être. Comme ce soir, alors que Rasmus essaie de trouver le fameux Club Timmy que lui a indiqué le copain de sa tante, cet abruti de Lasse.

Sankt Paulsgatan, lit Rasmus en douce sur une plaque. Il marche donc dans la bonne direction.

Sur une armoire électrique il reconnaît une affiche du POE, à moitié arrachée. Les militants de cette formation politique manifestent souvent devant le grand magasin NK. Chaque fois qu'il voit leur vilaine caricature d'Olof Palme, Rasmus pense à son père et à son indignation s'il venait à apprendre que le chef de son cher parti est montré sous un tel jour, encore plus maintenant que les sociaux-démocrates ont enfin repris le pouvoir aux conservateurs et que les choses, Dieu soit loué, sont rentrées dans l'ordre.

Rasmus manque ensuite de se tromper de rue. Voilà ce qui arrive quand on erre pour trouver son chemin. On s'égare.

Le club où il se rend est tellement petit qu'il le loupe. Il suit la Timmermansgatan jusqu'à la Hornsgatan où les voitures passent en trombe et où le quartier reprend vie.

Peut-être qu'au moment de passer devant il n'a pas osé regarder franchement, pour que personne n'aille penser qu'il cherche sa route. Une impression que Rasmus, pendant ses premières semaines à Stockholm, ne voulait pas donner. Surtout pas ! Du coup, il marche vite. Du coup, il touche à peine le trottoir. Le regard fixe droit devant lui, sans jeter le moindre coup d'œil sur les côtés.

Ce vieux con de Lasse lui a cependant précisé que le club se trouvait sur ce trottoir-ci de la Hornsgatan. Ce qui signifie que Rasmus, la mort dans l'âme, doit se résigner à revenir sur ses pas (si quelqu'un le voyait, l'humiliation que ce serait !). Il lui suffit de remonter sur deux pâtés de maisons pour tomber, enfin, d'abord sur La Chambre rose, une librairie mitoyenne au Timmy, puis sur le local de la RFSL en question.

Des romans sont exposés dans la petite vitrine éclairée : *Le baiser de la femme-araignée* de Manuel Puig et *Je ne regrette rien* d'un certain Bengt Martin. Mais aussi le dernier numéro de la revue *Revolt*. En une, un mec souriant et le gros titre : *Neuf hommes sur dix veulent être séduits par Tarzan !* De part et d'autre de l'espace, des triangles roses et des badges portant la lettre lambda, deux symboles de l'homosexualité.

Rasmus observe longuement la devanture, feignant de ne pas avoir repéré la porte à côté. Ni la plaque en laiton discrète, à peine plus grande que celle sur la porte d'un appartement, qui indique «Club Timmy».

C'est là que l'autre monde l'attend. Ce monde où tout est inversé. Où tous les hommes sont comme lui. Le monde pour lequel il a tourné le dos à son village natal.

Dès qu'il sera entré, ces hommes vont le serrer dans leurs bras et lui souhaiter la bienvenue. Ici se trouve sa meute. Il sera arrivé chez lui et, pour la première fois de sa vie, il ne sera pas différent.

D'affolement, les battements de son cœur s'accélèrent encore plus. Le voici si près du but. Il ne lui reste qu'à ouvrir la porte et entrer.

Sauf qu'il est incapable de bouger. Et reste là, pétrifié.

Il aperçoit du coin de l'œil quelqu'un remonter la rue en provenance de la Hornsgatan. Tournant la tête, il voit un jeune homme venir dans sa direction d'un pas rapide, se déplacer comme s'il flottait au-dessus du sol, enfermé en lui-même, regarder droit devant lui, les yeux dans le vide.

Ce flottement, il le connaît. C'est le sien. Le regard aussi, il le reconnaît. Là encore c'est le sien. Il sait pourquoi cet inconnu a les yeux dans le vide.

Rasmus refrène l'impulsion de le saluer. Il a envie de se dévoiler à l'autre, de se mettre à nu. De le forcer à atterrir, à ralentir le pas, à redevenir un être capable de voir. Et capable de le voir lui : Rasmus. Tel qu'il est.

Rasmus voudrait lui faire ainsi comprendre qu'ils vont ensemble. Qu'ils sont pareils.

Mais l'autre passe son chemin, vite, toujours avec sa démarche flottante, sans l'ombre d'un regard pour lui : il ouvre la porte à un petit mètre seulement de Rasmus, cette porte sur laquelle une plaque indique qu'il s'agit du Club Timmy.

Alors oui, Rasmus pourrait le suivre. Là, maintenant. Il pourrait se détacher de la vitrine et se lancer dans son sillage, se dépêcher de faire les quelques pas qui le séparent de l'entrée, dans laquelle l'autre disparaît si rapidement – avant que la porte ne glisse sur ses gonds.

Il n'arrive pas à s'y résoudre. Il a tout juste le temps de penser que l'autre pourrait comprendre à quel point il manque d'assurance (une pensée impossible !) – avant que la porte ne se referme. Qu'elle soit encore plus fermée que l'instant d'avant.

Et tout à coup il ne sait pas ce qui lui prend. Il s'en va, à toutes jambes. Il détale !

C'est plus fort que lui. La honte ! Il court et court et court. La honte qu'il éprouve ! Il ne s'arrête qu'une fois arrivé devant l'armoire électrique avec l'affiche du POE, dans la Sankt Paulsgatan.

Il se déteste. Pourquoi faut-il que ce soit si difficile ? Rasmus a l'impression que quelque chose en lui s'est détraqué, cassé en mille morceaux. À la limite du tolérable. Ça lui vrille les tympans.

Puis il se force à y retourner. Quand même. Il s'approche à nouveau, lentement, de la Timmermansgatan puis du club. Il s'arrête sur le trottoir d'en face, y reste un long moment – à distance respectueuse – et regarde avec envie à travers les grandes vitrines.

C'est la dernière case à ouvrir sur le calendrier de l'Avent. La grande, avec le numéro 24.

Rasmus voit la lumière à l'intérieur. Des hommes sont accoudés au bar. Les voilà.

Les pédés.

Ceux qui sont comme lui.

Et ils sont si près. À dix mètres de distance. Dix mètres et une grande vitrine le séparent d'eux. Rasmus est frigorifié. C'est monstrueux. C'est la même sensation qu'à l'école, pendant la récréation, quand ils lui fourraient de la neige dans sa combinaison. Si ça continue il va tout envoyer chier et rentrer se coucher.

Pourquoi c'est si difficile ? Pourquoi c'est si insurmontable ?

S'il se retourne, il verra Erik et ses copains se foutre de lui.

La famille a déjà dîné lorsque Benjamin rentre enfin à la maison. Sur la table de la cuisine une assiette, une seule, remplie de pommes de terre et d'épinards à la crème accompagnés d'une tranche de jambon braisé. Les épinards refroidis se sont couverts d'une fine pellicule. Il s'assied et entame son repas.

Sa mère, qui vient aussitôt le retrouver, propose de le lui réchauffer.

Il secoue la tête et, mécaniquement, continue de manger.

Son père entre à son tour, pour mieux lui faire remarquer qu'ils l'ont attendu tout à l'heure.

Benjamin lui demande pardon, explique que le travail de prédication a aujourd'hui duré plus longtemps que prévu. S'obligeant à le regarder dans les yeux, il espère que son père ne s'apercevra pas que ses mains tremblent en tenant les couverts.

Les Témoins de Jéhovah se font un point d'honneur de présenter un rapport de prédication qui contient une quantité élevée de services du champ, aussi bien le père que le fils le savent – dans les congrégations, on constate même une tendance à la compétition entre les membres, dans la mesure surtout où chaque congrégation transmet ses résultats au bureau principal d'Arboga, lequel à son tour transmet l'information au bureau central de Brooklyn, lequel à son tour établit un rapport annuel envoyé à chaque congrégation et publié en pages centrales de *La Tour de Garde*. Un rapport d'activité censé stimuler les membres et montrer que leur nombre est en augmentation constante au fil des ans.

Plus de proclamateurs, plus d'heures de prédication. Une heure effectuée, rien qu'une, et elle sera comptabilisée dans le rapport qui peut ainsi se targuer de sept à huit milliards d'heures de prédication chaque année.

Et c'est cette évidence que Benjamin, en creux de sa réponse, livre à son père tandis qu'il s'oblige à le regarder dans les yeux en espérant qu'il ne verra pas le tremblement de ses mains.

Les repas pris en commun sont importants. Il est très rare que l'un d'eux fasse défection, auquel cas le négligent a plutôt intérêt à fournir une bonne excuse. Comme Ingmar fait partie des membres les plus éminents de la congrégation, il considère en tant qu'ancien que leur famille doit impérativement montrer l'exemple. Raison de plus pour que le père dévisage longuement le fils. Et de nouveau Benjamin se voit contraint d'affronter et de soutenir son regard.

Ils semblent tous les deux retenir leur respiration.

Ingmar finit par lâcher, sans quitter son fils des yeux :

– Alors, comment ça s'est passé aujourd'hui dans le service, Benjamin ?

– Eh bien, ça…

Benjamin sent son regard se dérober, papillonner un petit peu. Et il sait que son père s'en rend compte. Celui-ci, sans perdre un instant, le corrige sèchement.

– Ça se passe toujours bien dans le service, Benjamin !

– Oui, papa.

Le père quitte la pièce, non sans un souffle de mécontentement. Comme un automate, Benjamin continue de mâcher la nourriture. Il est obligé au bout d'un moment de poser les couverts.

Ses mains tremblent. Les tremblements le trahissent.

Il croise les mains sur ses genoux, sous la table.

Il attend.

Rasmus a toujours aussi froid. Pourtant il ne quitte pas le trottoir d'en face. Il guette la grande vitrine du Timmy. On dirait un aquarium, pense-t-il. Un aquarium rempli de pédés qui se connaissent tous.

Il entame une petite discussion avec lui-même.

La soirée vient juste de commencer, c'est encore trop tôt. Voilà pourquoi il ne peut pas entrer. Voilà pourquoi il reste dehors. Et non parce qu'il n'ose pas. Hors de question pour lui d'arriver le premier. Il va devoir attendre jusqu'à vingt-trois heures, au moins. Voilà pourquoi il reste là à se geler, dehors, dans le noir.

Il regrette de s'être fringué comme ça. Quel con ! À cause de cette tenue BCBG, ça crève les yeux qu'il vit un moment crucial. Non, jamais il n'aurait dû s'habiller aussi bien. Merde, merde, merde !

Un petit groupe d'hommes passe devant lui. Ils parlent fort, traversent la rue et entrent au Timmy. Comme si c'était la chose la plus simple au monde. Enfoirés !

Au même moment quelqu'un quitte le local.

Peu de temps après, un homme s'arrête devant l'entrée. Il tourne la tête et regarde Rasmus droit dans les yeux. Ils restent longtemps comme ça. Dans cette position. À se regarder.

Puis l'homme entre au club. Il laisse Rasmus tout seul, dans la rue et dans le froid, avec le cœur galopant dans sa poitrine et l'objet de son désir situé à un jet de pierre seulement de lui. À un jet de pierre.

Justement, il pourrait en ramasser une et la lancer contre la vitre qui se briserait en mille morceaux. Là, plus rien ne le séparerait d'eux. Des pédés.

L'émerveillement se lit dans ses yeux quand il observe les hommes à l'intérieur. Ceux qui sont comme lui.

Est-ce que c'est avec eux qu'il va baiser ? Et est-ce qu'ils auront envie de baiser avec lui ?

Rasmus a dix-neuf ans, il est homosexuel, et il n'a jamais couché avec un homme.

Un jour, quand il avait seize ans, sa main a involontairement touché les doigts d'un camarade du lycée qui lui tendait un cendrier.

C'est tout.

Dieu est un Dieu aimant et plein d'amour, mais Il est aussi un Dieu qui veille et surveille. Dieu veut que ceux qu'Il a appelés à partager Son royaume vivent et agissent dans l'intégrité.

Les directives et les textes des publications *Réveillez-vous !* et *La Tour de Garde*, élaborés au quartier général à Brooklyn puis traduits et distribués à toutes les congrégations, non seulement aident les Témoins dans leurs études théologiques, mais leur fournissent aussi des recommandations détaillées dans tous les domaines de leur vie.

Comment gérer le stress de la circulation automobile ; Quelle influence la télévision a-t-elle sur votre vie ? ; Conseils pour le soin de vos cheveux ; Quels films devez-vous voir ? On trouve également des articles intitulés *L'hygiène – pourquoi est-elle importante ? ; Consolations pour les personnes âgées* et *Que dit la Bible au sujet de l'alcool ?*

Bien entendu, on peut dire qu'il est question de contrôle. Mais on peut aussi dire qu'il est question d'un berger ayant pour vocation de mener paître ses brebis et de prendre soin de son troupeau.

Le mouvement des Témoins de Jéhovah est dans son entier construit sur ce contrôle. Un contrôle obtenu grâce à de perpétuelles exhortations au troupeau, grâce à l'enseignement permanent de la façon dont les ouailles doivent vivre.

Tous les membres individuels, tous les surveillants, tous les anciens, tous les dirigeants de la société Watchtower dans les différents pays, tous sans exception basent leur foi et leur enseignement sur une même source : un flot régulier de textes que déverse le siège américain sur les congrégations, une littérature selon ses concepteurs inspirée dans son entier par la Bible, de même que l'organisation est dans son entier inspirée par Dieu.

Et, de même que Dieu est un Dieu plein d'amour et commis à la surveillance, l'organisation est constituée en parts égales d'amour et de surveillance. Dans chaque famille, c'est l'homme, le père, qui a la responsabilité de guider et de contrôler ses proches et, si on va par là, de les surveiller.

Comme Satan aspire par-dessus tout à s'emparer des enfants, le contrôle est synonyme de sollicitude, il est amour dans sa forme la plus pure.

En tant que parents, on est invités à faire preuve de patience et d'amour, mais aussi de fermeté et de clarté face aux limites autorisées et aux conséquences éventuelles dans le cas où ces limites seraient franchies.

Comme Satan aspire par-dessus tout à s'emparer des enfants, on doit trouver à temps les failles possibles, ces brèches dans lesquelles Satan pourrait s'engouffrer.

Pour ce faire, on doit éduquer les enfants dans tout, mais on doit aussi tout savoir sur eux, on doit gagner leur confiance pour qu'ils racontent tout, pour qu'ils révèlent tout tout tout, ce qui comprend également leurs pensées, leurs rêves et leurs réflexions les plus intimes.

Aucun secret ne doit exister, car c'est dans les secrets que Satan attend son heure. Les parents sont même invités à se renseigner, sans éprouver la moindre honte, sur les paroles que leurs enfants adressent à Jéhovah dans leurs prières personnelles.

Amour et surveillance. Les deux sont indissociables.

Qu'est-ce qui pousse Rasmus, aux environs de vingt-trois heures, à entrer malgré tout ? Il l'ignore.

Toujours est-il que d'un seul coup il franchit le pas. Comme ça, sans réfléchir.

Pile au moment d'ouvrir la porte, il se dit qu'il doit avoir le nez rouge. En tout cas il coule, il s'en rend compte. Il l'essuie rapidement avec sa manche.

Ça y est, il est à l'intérieur ! Il souffle sur ses mains gelées pour les réchauffer et pour gagner du temps. Il balaie rapidement le local du regard.

Mais c'est vide ! Ça ne peut pas être la seule pièce ! Entendant de la musique qui vient d'en bas et voyant dans un coin un escalier en colimaçon, il se dit qu'il doit forcément y avoir un truc au sous-sol. C'est peut-être en bas qu'ils sont tous. Les pédés.

Il jette des coups d'œil les plus discrets possible, mais il est sûr que les autres s'aperçoivent de son manège. C'est *ça* qu'il a autant désiré ?

Il avise une poignée d'hommes, au bar. Ils portent tous une chemise de bûcheron, ont tous au moins dix ans de plus que lui et, comme si ça ne suffisait pas, ils ne se retournent pas sur lui.

Un petit comptoir près de l'entrée accueille les clients, derrière lequel est assis un homme d'âge moyen, à moitié chauve, avec une chemise en flanelle et une épaisse moustache sous un nez rougeaud. Après un bonjour vite expédié, il demande à Rasmus sa carte de membre. D'une voix nasale pontifiante. Rasmus le déteste dès la première seconde.

Comment ça une… *carte de membre* ? Faut être membre pour avoir le droit d'être pédé, maintenant ? Lui, il veut juste pouvoir entrer. Avoir la permission d'être là. De faire partie du groupe.

Il ne pourrait pas entrer, comme ça, vite fait, juste histoire de jeter un coup d'œil ? Pour se faire une idée ? Pour se réchauffer un petit peu ?

Comme Rasmus n'est pas en mesure de montrer une carte de membre, le type à la caisse explique sur le même ton nasal obséquieux qu'il doit remplir le formulaire et payer sa cotisation à la RFSL. Sinon il ne pourra pas entrer. Rasmus n'ose pas se rebeller, il obéit sur-le-champ.

– Coche ici si tu veux recevoir notre magazine, *Kom Ut*, dans ta boîte aux lettres.

Alors là, pas question !

– Je vis chez ma tante, ce n'est peut-être pas une très bonne idée…

Il a honte.

L'homme lève les yeux au ciel. Peut-être que Rasmus se fait des idées, mais il sent littéralement le mépris grésiller autour du vieux.

– Oui, enfin, tu fais comme tu veux, hein… Mais je te signale qu'il est envoyé dans une enveloppe marron sans expéditeur. Juste pour que tu le saches.

Rasmus a envie de pleurer.

– Ah oui… Ah bon ? Ben… dans ce cas, chuchote-t-il.

Puis il coche la case indiquant qu'il accepte de recevoir du courrier.

Il vient de faire son premier pas d'homosexuel qui ne se cache plus.

Et se retrouve contraint et forcé de s'abonner à un journal qui lui sera envoyé dans une enveloppe discrète sans mention de l'expéditeur puis glissé à travers le clapet de la porte, directement dans l'appartement de sa tante.

Le type à la chemise en flanelle tend à Rasmus sa carte de membre.

– Voilà, ça fera 150 couronnes.

– Ben dis donc ! C'est pas donné…

Rasmus rougit. Il ne voulait pas être aussi direct. Mais bon, cent cinquante couronnes, ça représente grosso modo un dixième de ce qu'il a par mois pour vivre. D'un autre côté, avec les cinquante couronnes que Lasse lui a offertes, la carte de membre ne lui en coûte plus que cent.

Toujours est-il que le bonhomme de la caisse ne semble pas réagir, il s'est désintéressé de lui à la seconde où il a empoché son fric. Rasmus lui chuchote un merci et poursuit enfin sa découverte du club. Il se place devant le comptoir qui domine cette pièce.

Le voici maintenant juste à côté des autres hommes.

En fait, quand il est entré, ils se sont bel et bien retournés pour le regarder. Et là ils recommencent : ils l'inspectent en quelque sorte, de la tête aux pieds, et sans se gêner avec ça. Ils l'évaluent.

Rasmus sent monter en lui une vague de chaleur, il ne sait pas où poser ses yeux. Aura-t-il leur approbation ? Voudront-ils baiser avec lui maintenant ?

Raté : eux aussi se désintéressent de lui et reprennent leur conversation. Rasmus est anéanti, ou pas loin.

Il se retrouve aussi invisible qu'avant, si ce n'est plus. Et il a honte à nouveau. De toute évidence, ils ne veulent pas de lui. Lui qui a enfin osé s'aventurer dans un club pour homosexuels se voit rejeté par ces mêmes homosexuels. Et le pire dans l'histoire, c'est que lui ne les aurait pas rejetés. Même l'autre tête de lard avec sa chemise en flanelle, il ne l'aurait pas refusé.

En plus, maintenant qu'il est là, il ne sait pas quoi faire. Qu'est-ce qu'il avait cru ?

La déception se déverse sur lui comme une douche froide. Il n'y a vraiment pas beaucoup de monde dans le club et les rares personnes présentes ont plutôt l'air d'attendre que le temps passe, que la soirée prenne fin.

Rasmus commande une bière, la seule qu'il aura les moyens de se payer. Il emporte son verre, surtout histoire de bouger un peu : ça devient gênant de rester seul au bar, dans une solitude aussi flagrante, sans personne qui essaie de nouer le contact avec lui. Il va dans une pièce plus au fond, où des tables de café entourées de chaises et de banquettes sont disposées le long des murs. Sur les murs blancs sont placardées des affiches pour la Semaine de la Libération homosexuelle, à côté de miroirs bizarroïdes avec leurs cadres noirs brillants.

Au demeurant, le local dans son ensemble est lumineux et bien éclairé et fait plus penser au local de réunion d'une association qu'à un club destiné aux pédés, du moins dans l'idée que Rasmus s'en faisait. Les devantures vitrées et les pièces claires ont peut-être pour fonction de montrer qu'il ne se passe ici rien de scabreux, même si des homosexuels occupent les lieux.

Attablé devant un grand verre de bière, tout seul dans un coin, un monsieur replet en costume et gilet tricoté adresse à Rasmus un hochement de tête pour l'inviter à venir. Avec ce même air timide qu'ont les hommes de l'Église pentecôtiste à Koppom. Le voyant hésiter, le vieux lui lance, avec une extrême gentillesse :

– N'aie pas peur, viens !

Rasmus ne connaît pas les règles. Est-ce qu'il doit ignorer ce bonhomme sympathique, ou est-ce que ça ne se fait pas ? Si ce vieux est ici, ça signifie que lui aussi est membre de la RFSL, donc il est pédé, donc ils sont du même bord. En plus, personne à part lui n'a l'air de vouloir l'accoster.

Peu rassuré, Rasmus accepte de s'asseoir. Pas trop loin, mais pas trop près non plus. Il avale une gorgée de bière. Il regarde droit devant lui. Puisqu'il ne sait pas où regarder. Il toussote.

L'homme âgé se rapproche. Capte son attention. Lui adresse un nouveau hochement de tête. Sourit, doucement, gentiment.

Rasmus sent la panique le gagner. Non, c'est pas possible… Ça ne peut pas se passer comme ça !

Soudain le vieux vient s'asseoir tout près de lui et, sans un regard, sans un mot, pose la main en haut de sa cuisse. À deux doigts de sa braguette.

Rasmus se fige. Il lance au vieux un coup d'œil effrayé et le découvre, un sourire enjôleur sous des cils qui papillonnent. Rasmus a du mal à respirer. Il serre les paupières. Il résiste de tout son corps. Mais il ne bouge pas, il reste collé à sa chaise. Et il ne repousse pas la main du vieux qui se faufile jusqu'à sa bosse et la tâte.

Rasmus est au bord des larmes. Elle ne devait pas du tout se passer comme ça, sa première fois, maintenant qu'un homme a enfin envie de lui.

Il revoit Henrik dans les vestiaires du gymnase. Comme un dieu, tout près de lui. Il voit sa peau nue, le duvet sur son dos, son ventre. Rasmus serre encore plus fermement les paupières. Il sent les doigts de Henrik frôler les siens à la cafèt' du Domus, un effleurement involontaire d'un fragment de seconde. Une vague de chaleur se diffuse dans tout son corps. Il revoit Henrik, il voit ses yeux marron. Il voit Henrik l'observer, d'un regard toujours amusé, toujours fureteur mais jamais méchant. Et tout ce dont Rasmus a envie, c'est d'être vu par ces yeux-là, d'être touché par ces mains-là.

Et maintenant : ça. La réalité crasse.

Un papy qui pourrait être son grand-père, en costume et gilet tricoté, qui sans un mot lui palpe les parties comme s'il tâtait un fruit pour vérifier qu'il est bien mûr.

Or Rasmus ne repousse pas la main du vieux. Il la laisse posée.

Et cette main qui lui malaxe le paquet est chaude. Rasmus est en train de bander, il le sait, et le papy le sait également. Raison de plus pour qu'il se remette à lui sourire, un sourire toujours aussi gentil, toujours aussi encourageant, si doux, si aimable. Le papy lui serre la bite, la pétrit à travers le tissu du pantalon.

Et, résigné, Rasmus se dit : Tant pis, je n'ai qu'à me laisser faire après tout.

Pile au même moment, deux hommes déboulent avec leur bière. Le vieux retire immédiatement sa main et fait comme si de rien n'était. Il n'en faut pas plus pour que Rasmus sorte de sa torpeur. Il se lève et décampe en vitesse. Il jette quand même un regard derrière lui et constate que le vieux n'a pas bougé de place. Toujours aussi timide, toujours aussi aimable, il adresse à Rasmus un hochement de tête, lui sourit, cligne des yeux.

Ses paupières clignotent vers lui, avec une infinie gentillesse.

Rasmus descend l'escalier en colimaçon. La cave se révèle être une discothèque. Carrelage au sol, murs en béton gris clair, çà et là quelques spots. Une cabine de DJ vide, et la voix de Shirley Bassey qui résonne tristement dans les haut-parleurs. *This is my life.* Sur ce qui fait office de piste de danse, Rasmus découvre le jeune homme qui est passé devant lui tout à l'heure, celui qui marchait d'un pas si léger qu'il semblait flotter au-dessus du sol. Il fait à peine semblant de remarquer son arrivée.

Rasmus se rend compte que lui aussi est un peu trop bien habillé.

Et dire qu'ils étaient tous deux promis à un autre destin que celui d'échouer dans une cave laide et grise au son du disco. Leur vie devrait être plus heureuse que ça.

Le garçon mime les paroles de la chanson, perdu en lui-même, propulsé dans un autre endroit que cette cave vide. Ses lèvres bougent, mais aucun son ne sort de sa bouche.

Si ça se trouve il n'est même pas là. Mais à New York, Los Angeles ou Paris, ailleurs, dans une ville cosmopolite. À moins que la cave ne soit une scène de Las Vegas. Une chose est sûre : il *est* Shirley Bassey. Il est cette femme forte et courageuse, belle et désespérée, et noire.

Seul sur le carrelage d'une cave où personne hormis Rasmus ne peut le voir, il articule les mots avec des lèvres soigneusement peintes, il se coule dans la voix de Shirley Bassey pour crier haut et fort au monde entier qui il est.

Funny how I often seem to think
I'll never find another dream
In my life
Till I look around and see
This great big world is part of me
And my life...

La voix de Shirley Bassey rebondit entre les murs de la cave, dans ce lieu de rencontre gay qui à peine quelques années plus tôt n'était encore qu'une crémerie.

C'est un jour d'automne sombre et froid en cette année 1982 à Stockholm, et la très relative libération homosexuelle tâtonne pour se frayer un chemin dans la capitale suédoise.

Chez les Témoins de Jéhovah, la majorité des familles partout dans le monde consacre un soir par semaine à ce que l'on nomme le culte familial. Celle de Benjamin n'échappe pas à cette règle.

Il s'agit d'une soirée où on examine certaines questions religieuses, mais aussi où on parle de ce qui concerne les membres de la famille. On effectue notamment de petits exercices pratiques pour préparer les enfants à ce qu'ils peuvent répondre si par exemple quelqu'un leur offre une cigarette, comment ils peuvent expliquer à leurs camarades pourquoi ils ne fêtent ni les anniversaires ni Noël, ce qu'ils doivent faire s'ils deviennent des souffre-douleur à l'école sous prétexte qu'ils sont Témoins.

Car il faut endurcir les enfants, les armer contre ces menaces omniprésentes. Et cela relève aussi de ces choses du quotidien que les personnes temporelles trouvent tout à fait inoffensives, voire carrément bénéfiques à leurs enfants. Ceux-ci pourraient par exemple vouloir – comme Margareta en ce moment – s'inscrire à une association sportive ou participer à des compétitions organisées par l'école. Et de telles pratiques sont la porte ouverte aux mauvaises fréquentations.

Chez Benjamin, le culte familial se déroule depuis toujours le vendredi soir. Aussi, dès que Benjamin a fini de manger, sa mère met sur la table café et petits gâteaux, puis invite Ingmar et Margareta à les rejoindre. Ils passent d'abord en revue les thèmes et passages de la Bible qui seront abordés le lendemain dans la Salle du

Royaume, Ingmar demande ensuite aux enfants s'ils souhaitent parler d'un sujet particulier.

Benjamin sait qu'il devrait prendre la parole, mais il n'y arrive pas. Il pense que c'est écrit sur sa figure, qu'il suffit de le regarder pour voir que des pensées impudiques et des désirs condamnables l'habitent entièrement, lui, la fierté de la famille, leur Pionnier.

C'est maintenant qu'il devrait dire quelque chose, maintenant qu'il devrait les appeler à l'aide, leur demander de prier pour lui. Or il ne dit rien de tout ça : il garde les yeux rivés sur sa bible, il se tait, il attend que son père le fouille du regard, voie clair dans son jeu et lui ordonne de se justifier.

Au lieu de quoi Britta se tourne vers sa fille et lui lance une remarque désobligeante au sujet de sa nouvelle coiffure. Dans la semaine, Margareta s'est en effet décoloré la frange. Sa mère demande s'il est vraiment convenable de s'afficher avec une… tignasse pareille.

Tous entendent le dégoût et l'inquiétude vibrer à parts égales dans ses paroles.

Margareta, cramoisie, tente de protester.

– Oui, oui, oui, s'empresse d'ajouter la mère. Il revient à chacun de déterminer si c'est convenable ou pas. Dans le fond, c'est *ta* relation avec Dieu…

Il n'y a aucune obligation à vouloir être dans le vrai. Il n'y a que la liberté. La liberté de vouloir être dans le vrai.

Le chef de famille vient à la rescousse de son épouse :

– … mais il ne faut pas amener ses sœurs à trébucher et tomber, Margareta. Penses-y !

Et dès lors, la question est pour ainsi dire tranchée.

Minée par la honte, Margareta plaque ses mains devant la frange peroxydée.

– Pardon, murmure-t-elle.

La mère passe un bras autour de ses épaules, la serre contre elle et la console.

– C'est bien, ma chérie. Si tu admets toi-même que *cette chose, là,* n'est pas chrétienne…

Elle désigne d'un mouvement de tête les cheveux de Margareta.

– Tu dois comprendre qu'en tant que parents nous avons une responsabilité envers vous, nous devons vous guider, poursuit la mère tout en massant avec la main l'épaule de sa fille.

Margareta acquiesce, repentante.

Le lendemain matin, avec l'aide de sa mère, elle va couper sa frange peroxydée. Au moment où elle aura décidé, par elle-même, en exerçant son libre arbitre, que cette touffe décolorée n'est décidément pas conciliable avec ce que Dieu veut de sa vie.

La folle solitaire danse, mime et gesticule, enfermée en elle-même. La voix de Shirley Bassey se répercute des haut-parleurs jusque dans les mouvements de ses lèvres.

This is my life
Today, tomorrow love will come and find me
But that's the way that I was born to be
This is me, this is me...

Les lampes multicolores clignotent et projettent l'ombre dansante du jeune homme sur le mur en béton.

Des fragments de souvenirs fusent en Rasmus.

La route qui traverse Koppom, les garçons dans la cour de récréation à l'école primaire, le froid de la vitre quand il y colle son front, sa maman dans la cuisine avec un café et des mots croisés, l'inquiétude de sa mère, l'inquiétude de son père, le trajet absurde en pick-up le jour du bac sur sa chaise décorée de verdure, et lui, comme un roi bouffon sur son trône, qui s'y cramponne pour ne pas se casser la figure.

Rasmus regarde le garçon solitaire chanter en play-back sur la piste de danse, il observe sa mimique minutieusement apprise. Et, au fur et à mesure que les paroles de Shirley Bassey s'insinuent en lui, il comprend que dans un sens elles sont vraies : Shirley Bassey chante sa vie à lui, elle chante la vie du garçon, leur vie à tous les deux – elle chante ceux qu'ils ont été et, comme l'élan de leur cœur le leur promet, ceux qu'ils seront un jour.

... This is my life
And I don't give a damn for lost emotions
I've such a lot of love I've got to give
Let me live, let me live...

Rasmus frissonne et remonte dans le bar. Le club commence à se remplir. À ses yeux, tout le monde semble se connaître. Il n'y a que lui qui ne connaît personne. Dans quelques minutes il sera minuit. Le Timmy ferme à une heure.

Il jette un coup d'œil dans l'autre pièce. Le papy est toujours à la même table, seul. Comme tout à l'heure il capte son regard, hoche la tête, lève sa chope de bière vers lui, comme tout à l'heure lui fait signe de venir s'asseoir. Rasmus est gêné. Il ne voudrait surtout pas qu'on croie qu'ils sont ensemble. Et pourtant il va s'asseoir à côté de lui.

Il n'a personne à part lui.

Les yeux baissés sur la table, il rougit, il a honte. Il sent la main du vieux se remettre à le palper et, c'est plus fort que lui, il n'y peut rien, il sent sa queue durcir sous le tissu du jean.

Ça ne devait pas se passer comme ça.

Sauf que c'est justement comme ça que ça s'est passé.

Il sent les basses vibrer à travers le sol, il entend le chant atténué de Shirley Bassey.

This is my life.

Le Stockholm d'il y a trente ans était une tout autre ville que celle d'aujourd'hui. C'était une capitale petite, sombre, provinciale.

Les pédés n'avaient guère le choix quand ils voulaient sortir. Il y avait certes des boîtes de nuit comme l'After Dark rue David Bagares gata, le Venice derrière la place Medborgarplatsen, le Bogart du côté de celle d'Odenplan, le Divine dans la Fleminggatan. Mais l'ouverture de telle discothèque rimait souvent avec la fermeture de telle autre, si bien qu'il ne leur restait qu'un seul endroit où aller.

Les gouines n'avaient même pas ça. Elles devaient se contenter des jeudis au Timmy réservés aux lesbiennes et, une seule fois par an, de la fête des femmes organisée au dancing du restaurant Berzelii Terrassen, dans le cadre de la Semaine de la Libération homosexuelle.

En 1973, le Timmy est devenu un club mixte, destiné tant aux lesbiennes qu'aux gays. Auparavant, ils avaient leurs associations respectives : Diana et Le Cercle. Plus ou moins à la même période, la RFSL s'est radicalisée. C'était dans l'air du temps. Il y avait le féminisme et la lutte pour les droits des femmes, il y avait le Black Power et les panthères noires, il y avait les mouvements des droits civiques, et il y avait le mouvement de libération des homosexuels.

Des forces plus jeunes ont repris les rênes de la RFSL. C'est à ce moment qu'a eu lieu le fameux fiasco des rideaux.

La règle voulait jusque-là que, dès que la fréquentation du local associatif frémissait un chouïa, vite, les rideaux étaient tirés devant les grandes fenêtres donnant sur la rue. Pour les éléments les plus radicaux du groupe, la dissimulation et les cachotteries faisaient croire aux gens qu'on y tenait une sorte de «club d'orgies sexuelles». En restant ouverts sur l'extérieur, ils pourraient prouver à l'entourage qu'ils étaient des gens ordinaires, des quidams. «Autant leur montrer que nous ne faisons que boire des bières et du café.»

Beaucoup ont été choqués. Outrés, même. Quelqu'un s'est d'ailleurs rendu compte qu'on pouvait, depuis la résidence pour personnes âgées située juste en face (enfin, à condition que les résidents sortent sur leur balcon), voir à l'intérieur du Timmy. Ce qui aurait été une catastrophe.

Il faut comprendre.

En 1944, l'homosexualité avait été dépénalisée dans le pays. Le 21 octobre 1950, trente-six personnes, trente-cinq hommes et une femme, fondaient la RFSL, *Riksförbundet för sexuellt likaberättigande,* littéralement : la Fédération suédoise pour l'égalité sexuelle.

Un certain docteur Gunnar Nycander, à qui le journal *Aftonbladet* sollicitait un commentaire sur la création de l'organisation, estimait que ce n'était pas plus étrange de voir des homosexuels s'organiser en association que de voir des tuberculeux ou des aveugles le faire – et il faut considérer ce médecin, avec sa vision progressiste, comme un radical.

Selon le compte rendu, ils se réunissaient chez «*l'ami G.-A. Petersson, à Solna [...] Dès que tout le monde eut pris place, on servit le café avec des petits gâteaux + en prenant le café, G.-A. souhaita la bienvenue à tous dans une brève allocution*».

Le plus remarquable dans ce compte rendu, c'est l'absence de mention sur la particularité de la fédération : nulle part ne figure qu'il s'agit d'une association pour les homosexuels. La plupart du temps, le rédacteur a uniquement recours à des prénoms ou des initiales. Cette discrétion va caractériser leur activité pendant des décennies.

Et ce n'est peut-être pas si étrange que ça, au demeurant.

Le professeur Gösta Rylander, membre du conseil scientifique de la Direction nationale de la Santé et des Affaires sociales écrit ceci à leur sujet, *eux* les homosexuels :

> Pour finir, il convient de souligner que les actes homosexuels constituent un symptôme derrière lequel peut se nicher une multitude d'états anormaux d'origine organique ou causés par l'environnement. On se contentera à cet égard, et en résumé, de citer les différents degrés pathologiques de l'homosexualité vraie, l'hébétude, les lésions cérébrales de nature mécanique ou infectieuse ainsi que les états d'intoxication chronique.

Les rideaux tirés, la discrétion, la mention exclusive du prénom et des initiales : autant de conditions sine qua non pour qu'ils osent – et encore, il leur a sans doute fallu un sacré courage !

Mais les radicaux ont gagné. Les rideaux ont disparu. Et le Timmy est en quelque sorte devenu une vitrine.

D'autres jeunes hommes et femmes se sont tenus avant Rasmus sur le trottoir d'en face, les yeux scrutant l'intérieur avec hantise, désir et angoisse, le cœur cognant violemment dans leur poitrine.

(L'homme âgé et timide que Rasmus a rencontré s'appelait d'ailleurs monsieur Åke. Autrefois choriste dans une église et engagé au sein de l'Armée du Salut, il était aussi gentil que son allure le laissait paraître et souffrait en outre d'une très mauvaise vue – même s'il voyait nettement mieux qu'il ne voulait le faire croire.)

Pour les gays aussi, le local de la RFSL dans la Timmermansgatan constituait par périodes le seul point de chute possible. À mesure que la section de Stockholm constatait une augmentation du nombre de ses adhérents, le lieu exigu grouillait de monde les vendredis et samedis.

Si on cherchait à tirer son coup sans risquer de se faire tabasser par les bandes de jeunes qui arpentaient les parcs pour casser du pédé, il existait ce qu'on appelait les boîtes à cul, ou les bordels. Le plus grand n'étant autre que le Viking Sauna, situé dans la Sigtunagatan. Un complexe impressionnant aménagé dans une cave, avec café, sauna, hammam, backroom et enfin des cabines en veux-tu en voilà, équipées d'un verrou et surtout de grands récipients de lubrifiant, de Sopalin et d'une banquette en skaï sur laquelle on pouvait baiser.

Mais pour les hommes qui n'osaient pas se rendre dans cette multitude d'endroits, qu'il s'agisse d'établissements dits convenables ou de bouges dits indécents. Pour ceux qui osaient à peine exister. Pour eux, il y avait les squares et les tasses.

Les seconds désignaient les pissotières. Et les premiers les parcs. Dont, parmi les plus connus : Skinnarviksparken, Humlegården, Kronobergsparken, Långholmen, Frescati près du lac Brunnsviken, Stadshusparken. En fait, ça draguouillait pratiquement à tous les endroits plongés dans l'obscurité et plantés de buissons.

C'est là qu'on se retrouvait, en coup de vent, sans se regarder dans les yeux, presque comme des singes. Et ça se passait dans cet ordre : baisser la braguette, sortir la bite, branler, gémir, se vider – puis, la honte martelant les tempes, partir à toutes jambes et promettre à Dieu, la gorge serrée, que plus jamais jamais jamais on ne recommencerait.

Un divertissement du soir pour un homosexuel consistait notamment à faire la «Tournée des crémeries» : la gare centrale, la Klara pornorra, l'hôtel de ville et les quelques tasses du centre-ville (il y avait par exemple en dessous de la Kungsgatan, dans la première Tour du roi à gauche direction place Stureplan, des chiottes publiques très agréablement passantes). Ensuite on se rendait via le parc Humlegården au merveilleux tasse d'ÖP, diminutif de la place Östermalmstorg toute proche et de Pissotière, situé dans l'escalier qui descendait au grand hall d'entrée du métro. Des toilettes d'excellente qualité puisqu'on pouvait tirer un coup comme on met une lettre à la poste. Mais Dieu du ciel ce que ça puait !

Quoi qu'il en soit, de toutes, celles de la gare centrale étaient la Rolls Royce des pissotières. Dans la pièce au carrelage blanc empestant l'urine, les hommes majoritairement d'âge moyen, leur pauvre pénis sorti de la braguette, faisaient le pied de grue devant la rigole en lorgnant à droite et à gauche pour espérer apercevoir les organes sexuels de leurs voisins.

Mais attention : il fallait distinguer le mec présent pour draguer du type entré pour vraiment vider sa vessie. Les rares hommes venus à cause d'une réelle envie pressante faisaient pipi avec frayeur puis disparaissaient aussi sec, tandis que les autres restaient plantés là à les mater. De temps en temps, une main tendue tâtait le sexe d'un autre, le plus discrètement possible, comme si les doigts s'y aventuraient par le plus pur des hasards.

Au fond devant le mur se tenait souvent un homme plus âgé qui se masturbait sans vergogne – ou plutôt : qui tentait, car il avait beau allonger et malaxer son pénis, celui-ci refusait de durcir.

Ah, la pissotière de la gare centrale…

C'est là que Benjamin a fait, comment dire… ses débuts.

Enfin… Y entrer comme ça, sans façon, il n'a pas osé, bien entendu. Il lui fallait absolument un prétexte.

Il s'est donc acheté un litre de jus d'orange, qu'il a bu assis sur l'un des bancs devant les toilettes pour messieurs, dans le grand hall de la gare centrale.

Toute sa vie il se rappellera à quel point il était nerveux, il avait presque envie de vomir. Il prenait quelques gorgées, avalait, en buvait encore un peu.

Il jetait par-dessus son épaule de longues œillades discrètes mais régulières en direction des hommes postés devant le rond, cette fameuse Rondelle. Il observait ceux qui guettaient, attendaient, zieutaient, surveillaient, se jaugeaient. De temps en temps certains allaient faire un tour aux toilettes et en ressortaient au bout d'un moment, puis ils se replaçaient devant la Rondelle et se remettaient à patienter.

Les fesses collées à son banc, Benjamin se forçait à ingurgiter le jus d'orange, gorgée par gorgée, tout en faisant semblant d'attendre un train. À deux reprises, il s'est même levé pour aller consulter le grand panneau des départs, comme s'il cherchait son train.

Il serait infichu de dire pour qui il exécutait cette pantomime. Pour les voyageurs ? Pour les autres personnes présentes dans l'enceinte de la gare ? À moins qu'il ait ni plus ni moins essayé de tromper Jéhovah.

Ou bien lui-même.

Deux bonnes heures se sont écoulées avant que, en fin de compte, il sente qu'il n'allait plus pouvoir retenir sa vessie très longtemps. Là, il a rassemblé son courage, il s'est redressé, et il a pris la direction des toilettes.

Benjamin n'était qu'un jeune homme qui venait d'un seul coup d'avoir une envie pressante pendant qu'il attendait, peut-être, probablement, vraisemblablement, un train. Et, comme par le plus heureux des hasards, un endroit adéquat lui tendait les bras, là, juste à côté de lui. Dès lors, ça n'avait rien d'étrange, c'était au contraire on ne peut plus naturel qu'il y entre pour satisfaire, comme qui dirait, ses *besoins*.

Les mains moites, il a poussé la vieille porte en bois et pénétré à l'intérieur.

En face des cabines, à droite, la pièce carrelée avec la rigole pour pisser.

La rigole pour pisser et : les hommes.

Des hommes, d'âge moyen et plus vieux, hideux et rebutants. Des hommes qui l'ont immédiatement cloué et dévoré du regard comme les mouches sucent une friandise.

Les relents d'urine. Le sol sale et détrempé. Des mains cherchant à tâter des entrejambes. Des organes sexuels exhibés, des grands, des épais, des tumescents. Et, dans cette cour des miracles phalliques, un jeune homme terrorisé, tout droit sorti de chez les Témoins de Jéhovah.

Benjamin a eu peur que ces hommes l'agressent, qu'ils soient incapables de se retenir. S'évertuant à se dire qu'il était là pour faire pipi, rien d'autre, qu'il voulait uniquement se soulager, il s'est placé sur la grille métallique devant la rigole en tôle, entre un homme ventripotent vêtu d'un pantalon de gabardine marron et un homme un peu plus jeune avec une veste en jean. Il a baissé sa braguette et extrait du slip sa malheureuse verge pour tenter de faire pipi.

Affolé, il jetait des coups d'œil les plus furtifs possible à droite et à gauche.

L'homme adipeux tenait un petit machin qu'il secouait pour le débarrasser des dernières gouttes d'urine, sans prêter le moindre intérêt à Benjamin.

Le mec au blouson en jean, en revanche, cachait son sexe de la main gauche pour que lui seul puisse le voir. Brusquement il lui a souri et adressé un clin d'œil. Puis, serrant du pouce et l'index la racine de son engin, il a tiré dessus, d'abord discrètement, puis de plus en plus ostensiblement.

Les autres se sont aussitôt précipités, comme sous l'effet irrépressible d'un aimant. Un homme âgé a même eu l'audace de se pencher par-dessus l'épaule du mec. Un autre vieux s'est carrément mis à se masturber devant tout le monde, avec un ricanement qui lui était destiné. Tous donnaient l'impression d'attendre sa réaction.

Benjamin était invité à une sorte de jeu, là devant la rigole : le mec au blouson en jean venait d'abattre ses cartes et escomptait maintenant qu'il montre les siennes. Il avait une bite énorme, mais vilaine. Moche et en même temps fantastique.

Il fallait que Benjamin agisse, qu'il fasse quelque chose, n'importe quoi. Rougissant et paniqué, il a préféré regarder la tôle d'aluminium devant lui, penser que l'autre était l'un de ces sales pervers. Il a fermé les yeux et s'est forcé à uriner.

Il se disait que si seulement il y arrivait, il montrerait alors (à qui ? à eux ? à lui-même ? à Dieu ?) qu'il n'était pas comme eux. Là il ne serait pas déchu. Là il ne serait pas perdu.

Son cœur battait fort. Les autres attendaient toujours. Le mec au blouson en jean le scrutait, en exposant sa queue comme une offre.

Et enfin Benjamin a réussi. Ça a coulé tout seul pendant qu'il gardait les yeux fermés. L'instant lui a paru durer une éternité.

Il leur a fait voir ! Ha, il leur a bien fait voir ! Il n'était pas comme eux !

Quand il a eu terminé, il a secoué sa verge le plus calmement du monde et l'a rentrée dans son slip. Impassible en apparence, il a quitté sa place devant la rigole et fait mine de quitter la pièce pestilentielle. Or, comme la femme de Loth, il n'a pu s'empêcher de se retourner une dernière fois. Juste à ce moment-là, l'homme âgé tout au fond, celui qui se masturbait ouvertement, a posé son regard sur lui. Il l'a transpercé du regard, ils se sont fixés du regard, et Benjamin a pensé : C'est bien moi ? C'est *ça*, mon avenir ? C'est *ça*, ce que la vie me réserve ?

Bouleversé, Benjamin a tourné les talons.

Le Stockholm d'il y a trente ans était une tout autre ville que celle d'aujourd'hui. C'était une capitale petite, sombre, provinciale. Alors, être homosexuel à cette époque-là... Le seul miroir qu'ait trouvé Benjamin n'a été autre que cet homme malheureux dans la pissotière de la gare centrale.

En aucun cas, Benjamin ne voulait devenir comme lui.

Mais qu'il le veuille ou non, il savait qu'il l'était déjà.

Les lieux de rencontre homosexuels à Stockholm étaient presque exclusivement destinés aux hommes. Les gays et les lesbiennes composaient avec des situations individuelles aux antipodes les unes des autres. Il suffit pour s'en convaincre de regarder la parité lors des réunions de la RFSL, à l'époque de sa création : trente-cinq hommes pour une seule femme.

Dans l'espace social, les femmes ont traditionnellement été associées à la vie privée : le foyer, la famille, le ménage, la constance. À l'inverse, le terrain de jeu des hommes s'est toujours déployé au sein même de l'espace public : dans l'apparence et l'éphémère. Ce statu quo correspondait aussi aux possibilités et aux conditions dont disposaient tant les hommes homosexuels que les femmes homosexuelles pour vivre pleinement leur sexualité.

Les femmes pouvaient habiter et voyager ensemble, entretenir de longues relations sans que quiconque en remette en question la normalité. L'imagination des observateurs extérieurs n'était sans doute pas assez débridée pour se représenter une relation entre demoiselles qui soit passionnelle et sexuelle.

On peut prendre comme exemple Selma Lagerlöf, qui jusqu'au bout, jusqu'à aujourd'hui, a été cataloguée de pauvre vieille fille boiteuse qui n'a jamais pu goûter à l'amour – alors que dans sa vie elle a connu deux longues relations compliquées et pour partie simultanées, avec Sophie Elkan et Valborg Olander, des relations où le corps ne semble certainement pas avoir été oublié. Ou : «*nous allons faire l'amour embrasées*», comme Selma elle-même l'exprime dans une de ses lettres à Sophie Elkan.

Il est peu probable, ni guère vraisemblable, que ces femmes se soient définies elles-mêmes comme lesbiennes ou homosexuelles. Peut-être pourrait-on dire : même pas souhaitable.

Tant qu'on gérait la dimension érotique chez soi, dans la sphère privée, on pouvait conserver sa relation intacte. Le silence, le manque d'une identité exprimée, sont devenus une condition sine qua non, un espace intime qui rendait la sexualité possible.

Les hommes, en revanche, avaient l'espace public pour arène.

Les hommes avaient dans la ville une tout autre liberté de mouvement, surtout le soir et la nuit, et cette réalité est devenue en soi un paramètre incontournable pour qu'ils puissent vivre pleinement leur homosexualité.

Ils se rencontraient dans les parcs, dans les établissements de bains, au milieu d'autres hommes – et la nature occasionnelle de ces relations, l'aspect bref, aléatoire, éphémère et anonyme de ces rencontres érotiques, permettaient de satisfaire leurs besoins sexuels sans nécessairement avoir à se définir en tant qu'homosexuels. Bien au contraire.

Tout comme pour les femmes homosexuelles, c'était précisément le silence et le manque d'une identité proclamée qui souvent permettaient d'avoir une sexualité tout court.

Dans un essai sur l'espace social, la vie et l'identité, la docteure en sociologie Margareta Lindholm et le chercheur en études de genre Arne Nilsson écrivent :

> Le sentiment de protection que l'on
> pouvait éprouver face aux regards de

l'entourage reposait sur le fait que l'on se trouvait dans des lieux *où les femmes et les hommes étaient supposés être,* qu'on n'attirait donc pas l'attention en se trouvant dans le lieu en question. Le silence qui entourait la vie homosexuelle pouvait être vécu comme une oppression, empêcher les gens d'entrer en contact avec leurs pairs et ainsi créer de grandes souffrances personnelles. Néanmoins, conjugué à une existence vécue dans la dissimulation, ce silence pouvait aussi offrir aux femmes et aux hommes âgés un espace d'expression pour des actes et des relations désirés. En ce sens, il n'était pas expressément une oppression. Il faut attendre les années 1970 et le développement du coming out en tant qu'idéal pour que le silence ou la volonté de vivre dans la dissimulation deviennent des phénomènes qui réclament explication.

Les premières apparitions du «club gay» dans les années 1960 répondaient au besoin de se retrouver avec d'autres personnes dans une situation intime. On voulait avoir le droit de se rencontrer, de danser et de peut-être s'embrasser sans crainte d'être jugé et condamné par des observateurs extérieurs. Avoir la permission, pendant un instant, pendant un petit laps de temps, d'être comme tout le monde.

Les clubs gays n'étaient donc pas en premier ressort des lieux destinés à la pratique de l'hédonisme ou à la copulation bestiale, mais bien le contraire. On buvait un café, on prenait une bière, on parlait, on dansait.

À cette différence près, majeure et déterminante, qu'on buvait son café *en tant qu'homosexuel,* on prenait sa bière *en tant qu'homosexuel,* on parlait *en tant qu'homosexuel*, on dansait *en tant qu'homosexuel*.

Le club gay correspondait en effet à un besoin d'être soi également dans les moments où on était vu par autrui. En limitant son contexte social à ses semblables, on atteint à la normalité.

Cela peut certes présenter un danger de mort, mais aussi constituer une nécessité vitale. N'importe qui éprouve le besoin de se sentir normal, ne serait-ce qu'à certains moments.

Avec l'avènement du club gay, on se rendait pour la première fois dans un lieu, un établissement, en *qualité* d'homosexuel, en raison de son identité homosexuelle.

À l'inverse notamment de la piscine, l'espace par excellence que fréquentaient et où se mélangeaient *tous* les hommes. Les activités érotiques qui s'y déroulaient entre certains d'entre eux n'exigeaient nullement de définir qui on était – outre un corps nu et transpirant heurtant par hasard un autre corps nu et transpirant.

Le club gay, en revanche, on le fréquentait *en tant qu'homosexuel* ; un phénomène nouveau et extraordinaire mais aussi, parfois, repoussant et menaçant pour de nombreux gays et lesbiennes âgés qui avaient jusque-là organisé leur existence en fonction des principes de vie selon lesquels «*ta seule chance réside dans le silence**».

D'où la querelle déchirante entre ces adhérents âgés et les plus jeunes, au sein de la RFSL, concernant les rideaux en vitrine du local.

Quand on limite son contexte social, la normalité émerge.

---

* Détournement d'un cantique célèbre, écrit en 1972 par Britt G. Hallqvist, qui se conclut par la phrase : «Ta seule chance réside dans la franchise.» (N.d.T.)

Mais que se passe-t-il si la personne anormale, l'homme ou la femme qui à l'occasion a eu la permission de vivre son individualité en tant que personne normale, s'y habitue et commence à exiger d'être en effet normale, et de l'être également hors du contexte social limité, de l'être également lorsqu'il ou elle quitte la salle abritée derrière les rideaux ?

Que Dieu nous vienne en aide pour ce qui risque alors d'arriver.

Le culte familial du vendredi est terminé. Benjamin enfile son blouson en jean fourré et un châle acheté chez Indiska. Ce sont les vêtements les plus «ordinaires» qu'il possède. Il pointe la tête dans le salon où ses parents regardent la télé. Il se racle la gorge, essaie de paraître le plus normal possible.

– Je sors faire un tour.

Ingmar grogne une désapprobation.

– Pour aller où ?

– Me balader, rien de plus. Prendre un peu l'air.

Ses parents savent que Benjamin va parfois se promener. Bien sûr, ils ne peuvent pas l'en empêcher, il fait ce qu'il veut, on peut difficilement reprocher à une promenade digestive de ne pas être une activité chrétienne. N'empêche, ces sorties nocturnes ne leur plaisent qu'à moitié.

Leur responsabilité de parents les oblige à conseiller et à guider leurs enfants. Mais cette histoire de balades solitaires qu'aime faire Benjamin, à la nuit tombée qui plus est, ressemble davantage pour eux à une question de conscience – et là, même les anciens ne peuvent distinguer le bien du mal : on est son propre juge, il s'agit en définitive de la relation personnelle que Benjamin entretient avec Dieu. Il n'en demeure pas moins que les tentations et les sollicitations pullulent dans une grande ville comme Stockholm, surtout la nuit.

Benjamin est parfaitement au courant, aussi les parents se contentent-ils de lui dire de faire attention. Ingmar se fend malgré tout d'un petit commentaire au sujet du châle, un peu olé olé à son goût. Mais, entendant Britta répliquer que le fond de l'air est frais ce soir, il cède.

– Alors bonne nuit, dit Benjamin, au cas où vous seriez couchés quand je rentrerai.

Il franchit la porte d'entrée à toute vitesse et dévale les escaliers avant que la honte ne le rattrape et le terrasse.

C'est la dernière fois, se promet-il. La toute dernière fois. Juste cette fois, puis plus jamais.

À part les parcs, la gare centrale et les pissotières, il y avait la rue Klara norra kyrkogata. Ou la Klara pornorra, comme on la surnommait donc.

Chaque ville européenne possède en général sa rue, souvent située non loin de la gare centrale, où s'alignent sex-shops, boîtes de strip-tease, cinémas porno, et où les prostitués en tout genre tapinent sur leur bout de trottoir. Hambourg a la Reeperbahn, Copenhague a l'Istedgade – et à l'époque Stockholm avait la Klara pornorra.

Dans la section comprise entre les rues Gamla Brogatan et Bryggargatan, les sex-shops bordaient les deux côtés de la chaussée. Au début des années 1980, la presse érotique et pornographique tenait encore le haut du pavé, la vidéo n'avait pas tout à fait percé. Un sex-shop voyait donc la majeure partie de sa surface occupée par des magazines répondant à toutes les préférences sexuelles : hétéro, homo, zoophile, SM, pisse, scat, avec des femmes enceintes, avec des nains, avec des mutilés, avec des enfants.

Les cabines des stripteaseuses étaient retranchées dans le fond de la boutique, divisées en deux parties exiguës uniquement séparées par une vitre : dans la première, un tabouret et un rouleau de papier hygiénique ; dans la seconde, la femme qui posait. Elle disposait d'un espace tellement petit que la seule façon de s'asseoir était jambes écartées.

Les stripteaseuses subissaient cependant une concurrence de plus en plus rude de la part d'établissements d'un genre nouveau où on choisissait une cassette VHS, on payait, puis on allait la visionner sur un petit écran vidéo. Hormis cette particularité, les cabines étaient équipées du même tabouret et du même rouleau de papier hygiénique.

L'intersection suivante, entre la Bryggargatan et la Mäster Samuelsgatan, n'abritait aucune boutique. Ici, la rue pâtissait de l'ombre des grands immeubles de la poste : le bureau de poste central datant de la fin du XIXe siècle, aux allures de palais en grès rouge et briques orange, et son annexe plus récente sur le trottoir d'en face.

Et c'était surtout dans ce coin que les pédés venaient draguer, ce coin surnommé Lyckan, autrement dit le Bonheur. Ici et là des mecs faisaient de la retape, pédés ou pas, michetonneurs sans qu'il soit jamais question de tarif.

Les voitures roulaient au pas. Avec un conducteur aux aguets, toujours seul dans l'habitacle. Il guettait, fouinait, partait, faisait le tour du pâté de maisons, revenait, recommençait son petit manège, et ainsi de suite.

De temps en temps l'un arrêtait sa voiture, baissait sa vitre, et un mec qui poireautait sur le trottoir dans l'attente de se faire lever s'avançait pour négocier. Si on se plaisait, on se mettait d'accord sur ce qu'on aimait faire ou pas, où on irait le faire et, exceptionnellement, combien l'homme dans la voiture serait prêt à payer pour le faire. On se penchait par la vitre baissée, on s'inspectait, parfois on récitait comme une ritournelle ce qu'on imaginait faire : branler, sucer, lécher, enculer…

Les squares, les tasses et la Klara pornorra. Voilà ce qu'ils avaient à leur disposition, les pédés de Stockholm au début des années 1980.

Les promenades du soir de Benjamin suivaient toujours le même trajet : l'hôtel de ville, la Rondelle et les chiottes de la gare centrale, la Klara pornorra, le parc Humlegården, le tasse d'ÖP.

Et il n'y avait pas que lui dans son cas. Il n'était qu'un parmi d'autres dans cette ribambelle d'hommes qui arpentaient les rues, seuls dans la nuit. Qui n'arrivaient pas à dormir. Qui ne trouvaient pas la tranquillité.

Il sortait juste prendre l'air. Les yeux à l'affût. Le cœur battant. Le corps brûlant de désir. Mais il ne faisait rien. Son courage n'allait pas jusque-là. Il marchait, marchait, marchait.

Benjamin n'était pas dupe de ce qui occupait les autres dans les buissons, puisqu'il s'asseyait sur un banc public dans un parc et, à la lumière du lampadaire, observait les déplacements des hommes seuls d'un buisson à l'autre. Leurs va-et-vient.

Mais il se contentait uniquement d'observer. Ne participait pas.

Il pouvait passer une soirée entière sur le trottoir de la Klara pornorra, le désir chevillé au corps, tandis que les hommes draguaient d'autres hommes et que les garçons disparaissaient un par un dans des voitures inconnues vers des lieux inconnus.

Si quelqu'un l'accostait, il était désemparé. En général il rougissait et partait à la hâte. Et pourtant il ne pouvait s'empêcher de revenir.

En ce lieu qui fournissait aux hommes l'impression de former une communauté unie. Une communauté unie dans le péché. Mais qui à son tour leur fournissait une confirmation de leur existence.

Parfois, une décapotable passait avec à son bord des loubards en perfecto qui se penchaient au-dehors pour leur crier des insultes menaçantes.

– Sales pédés de merde !

Les loubards en bagnole savaient qu'il n'en fallait pas plus pour les disperser, pour dissoudre leur communauté.

Les enculés, les lopes, les fiottes. Les sales pédés de merde. Tous se figeaient, instantanément sur leurs gardes, effrayés car conscients qu'ils risquaient de prendre des coups, mais aussi effrayés car ils avaient été vus.

Ils s'étaient rendus coupables de ce dont quelqu'un avait accusé Oscar Wilde : «*l'extrême vulgarité, celle d'être découvert*».

Leur seule chance résidait dans le silence.

Leur seule possibilité d'exister résidait dans l'invisibilité.

Dans la marge.

Dans le pli. Comme la vermine.

Et de tous, Benjamin était le plus terrorisé.

Lui, qui ne disait que la vérité, qui était franc et joyeux : «Bonjour, je m'appelle Benjamin Nilsson, je suis Témoin de Jéhovah.» Lui qui devant les autres disait avec une telle fierté : «Puis-je vous laisser quelques publications ?» Lui qui témoignait : «Avez-vous appris à connaître Jéhovah ?» Il était celui qui décampait le plus vite, qui se réfugiait dans les ruelles, qui se coulait dans les ombres.

En sentant la honte lui souffler son haleine dans la nuque.

Il est presque minuit. La clé est introduite dans la serrure, tournée. Benjamin ouvre la porte avec prudence et se glisse dans l'appartement. Enlève en silence ses chaussures, ôte en silence son blouson en jean fourré. Ses joues sont froides et il a le nez bouché après la marche rapide dans le froid nocturne.

Sans bruit il se faufile dans sa chambre où il enlève son jean et son pull. Sans bruit. Pour ne réveiller personne. Pourtant on frappe aussitôt à sa porte et la voix du père résonne.

– C'est toi, Benjamin ?

Amour et surveillance. Les deux sont indissociables.

Benjamin retient sa respiration avant de répondre.

– Oui. C'est moi.

Le père, immédiatement :

– Elle était longue, ta promenade, dis donc…

Que doit-il ajouter ? Il n'y a absolument rien qu'il puisse ajouter. Il entend cependant la présence de son père, toujours derrière la porte. Il entend sa respiration.

Son père n'ouvre pas pour autant. Il attend seulement une réponse à ce qui était une affirmation et non une question. Elle était longue, sa promenade.

– Bonne nuit, finit par dire Benjamin à voix basse.

Car il ne s'est rien passé qui mérite explication, qui mérite qu'on lui demande des comptes. Et au bout d'un moment le père s'en contente.

– Bonne nuit, s'empresse-t-il de dire, avant de retourner dans la chambre qu'il partage avec sa femme.

Benjamin s'allonge sur son lit, en slip. Il éteint la lumière. Il respire lourdement. Tout son corps se détend comme après un effort intense. Il fixe le plafond. Il se sent parcouru de brûlures et de démangeaisons, signe que le froid a réussi à s'introduire totalement en lui. Son corps frigorifié. Ses mollets épuisés après cette longue errance nocturne.

Il a marché, marché, marché.

Sans arriver au but.

Sara remplit pour la deuxième fois la tasse de Holger et lui tend le plateau de viennoiseries encore chaudes. Puisque, pour fêter ce premier dimanche de l'Avent, elle a confectionné les brioches au safran traditionnelles. Ils ont pris place dans le salon. Quand Sara propose de déguster un petit verre de liqueur en accompagnement, Holger répond que ce ne serait pas de refus. Assis un peu à l'écart dans le fauteuil voltaire, Harald lit le *Nya Wermlands-Tidningen* en fumant.

Dehors, il fait un temps de décembre, gris et humide. Même s'il n'est que trois heures de l'après-midi, le soleil est déjà couché. Au milieu de la table en pin, le bougeoir de l'Avent en fer forgé trône sur un chemin de table rouge acheté à la kermesse d'automne organisée par le Club de gym volontaire de Koppom. La première des quatre bougies est allumée comme il se doit.

En temps normal, Sara trouverait presque bouleversante l'ambiance feutrée ainsi créée. Aujourd'hui, elle trouve juste que ça suinte la solitude et la désolation. Elle est morose car l'absence de Rasmus à la maison lui pèse, c'est dur de s'y habituer. En fait, Sara a passé son automne à broyer du noir.

Elle se ressert un fond de liqueur, frissonne en trempant ses lèvres dans l'alcool. Prenant conscience qu'elle a oublié son invité, elle s'excuse et lui en verse aussitôt une lichette.

Avec le temps, Holger est devenu un ami intime, bien qu'il ait une bonne dizaine d'années de moins que Sara et Harald. Il habite la maison d'à côté, où il vit seul avec sa mère mal fichue qui est sur liste d'attente pour un logement au foyer de personnes âgées d'Arvika ; une situation provisoire qui l'oblige à s'occuper d'elle. Holger étant pharmacien de profession (il travaille à la pharmacie de Koppom) et Sara aide-soignante, ils devraient avoir beaucoup de choses à se dire. Or la conversation patine.

Car en réalité, ce qu'ils ont en commun, c'est Rasmus.

Holger a pris soin de lui comme d'un petit frère, malgré la différence d'âge. Ils ont pêché ensemble, joué au ping-pong, sont même allés se baigner. Comme Rasmus pendant son enfance avait parfois du mal à se faire des petits copains parmi les enfants de Koppom, la présence de Holger était inestimable. Holger était son protecteur. Et peut-être Rasmus a-t-il à son tour, d'une certaine manière, joué ce rôle envers Holger.

Maintenant que le garçon est parti, aussi bien Holger que Sara éprouvent le besoin imperceptible de se rapprocher. Seulement voilà, avec la disparition du lien qui cimentait leur relation, celle-ci est d'un coup devenue empesée, bancale, bien qu'ils se connaissent depuis longtemps.

Dans la période consécutive à son départ, évoquer Rasmus leur semblait tabou, ils avaient l'impression de devoir se montrer mutuellement que même sans lui ils formaient un petit duo qui tenait la route.

Aujourd'hui encore, Holger ne décroche pas un mot : il se racle la gorge, glisse son pouce le long d'une veine dans le bois de la table. Tant et si bien que Sara finit quand même par parler de leur petit chéri.

– Eh bien ça y est, hein, Rasmus a déménagé… dit-elle avec une légère hésitation dans la voix, à croire que Holger n'est toujours pas au courant.

– À peine son bac en poche avec ça…

Une vague déception se lit sur leur visage à tous les deux.

– Oui, comme le temps passe vite, confirme Sara d'une voix soudain plus aiguë, plus enthousiaste – puis elle s'illumine : Oh, tu te souviens ? Tu l'as vu comme moi, il était tellement beau avec sa casquette blanche ! Harald, tu ne veux pas nous sortir l'album photo ?

Harald tourne les feuilles de son journal bruyamment, pour bien souligner qu'il ne participe pas à leur conversation.

– Il a choisi Karlstad, non ? Ou est-ce que je me trompe ? demande Holger poliment, bien qu'il sache parfaitement ce qu'il en est.

– Stockholm, rectifie Sara.

Holger sirote sa liqueur.

– Stockholm… rien que ça, dis donc ! Pour suivre des études à la fac, j'imagine ?

– Oui, non, enfin… si. Oui, c'est ça.

C'est le premier dimanche de l'Avent. Le crépuscule commence à tomber dans la Klara norra kyrkogata. Rasmus voit la vitrine du sex-shop lui renvoyer son visage. Ainsi que les voitures qui roulent au pas dans la rue. Dans le reflet, il perçoit soudain que l'une d'elles vient de s'arrêter à sa hauteur. Il se retourne, son regard croise celui du conducteur. Celui-ci baisse sa vitre. Le cœur de Rasmus se met à palpiter. L'homme a des yeux marron chaleureux, une barbe naissante foncée, un sourire qui révèle de belles dents. Rasmus sent en lui quelque chose s'assouplir, abandonner toute résistance. Et si ça allait se passer maintenant, tout de suite ?

L'homme se penche pour ouvrir la portière côté passager.

Sans réfléchir – oui, sans même le vouloir –, autrement que de la manière dont un cœur veut battre ou des poumons veulent respirer, Rasmus fait le tour de la voiture et grimpe à l'intérieur. Ils se regardent, hochent la tête. Et confirment leur attrait réciproque.

Puis l'homme lâche la pédale de frein et repart à petite vitesse.

– Pff ! Comme s'il n'y avait pas de facs plus près…

Harald semble en proie à une colère aussi sourde qu'étrange derrière son journal. Dès que Rasmus leur a annoncé son intention de partir, la discorde a éclaté entre Sara et lui. Et ils n'ont cessé de se disputer depuis parce qu'ils l'ont laissé s'en aller.

– Harald !

Sara crache son prénom, agacée.

– Oui, bon… marmonne son mari. Mais j'ai raison, et tu le sais.

Pour Harald, l'installation de Rasmus à Stockholm a laissé un vide sans nul doute encore plus grand que pour Sara. Peut-être parce qu'il n'a jamais compris comment fonctionnait son fils.

Rasmus lui est toujours apparu comme un garçon fuyant, voire comme une créature fragile. Une présence constante auprès d'eux, qui n'a cependant jamais fait partie d'eux. Une plante rare qu'on aurait fait pousser dans un climat qu'elle ne pouvait en réalité pas supporter. Pour laquelle Harald s'est donc toujours rongé les sangs, face à laquelle il s'est toujours senti désarmé.

Et cette inquiétude, cette sensation d'insuffisance, se sont installées en lui en prenant la forme d'un amour si profond et si désespéré que les mots lui manquent pour l'exprimer.

Durant toute l'enfance de Rasmus, Harald s'est attendri sur son fils singulier. Il l'a protégé, soutenu, défendu – mais il a aussi, au plus fort de son inquiétude, essayé de l'endurcir. Car il fallait absolument l'aguerrir.

Rasmus a dès son plus jeune âge été un être à part. Alors que l'existence ne fait pas de cadeaux aux individus qui sortent du lot. En tant que chasseur, Harald sait que la nature éradique les plus faibles, ceux qui ne savent pas faire valoir leurs droits. La nature sélectionne, élimine et ratiboise, elle purifie sans considération pour ce que voit Harald : cet être à part, leur fils, une pure merveille, d'une infinie beauté.

On n'a pas besoin de comprendre pour aimer d'un amour inconditionnel.

Et cet amour, ce tourment de chaque instant dévorent Harald. Sara et lui ont autorisé Rasmus à se soustraire à leur protection, leur surveillance – il ne se le pardonne pas. Si jamais quelque chose lui arrivait…

– Et dire que vous l'avez laissé partir. À Stockholm, en plus. Il en fallait du courage.

Holger ne se doute pas qu'il vient de remuer le couteau dans la plaie.

Sara prend tout de suite la défense de Rasmus.

– Mais qu'est-ce que tu veux qu'on fasse à la fin ? Après tout, il a dix-neuf ans. Et puis il habite chez ma sœur. Je suis sûre que tout va bien se passer.

Holger hoche la tête d'un air pensif, les yeux sur son verre de liqueur.

– C'est juste que… répond-il, hésitant. Rasmus a toujours été un peu, comment dire… un peu spécial.

Harald et Sara l'interrompent sur-le-champ, par réflexe, de concert.

– Rasmus est très bien comme il est !

Le conducteur gare la voiture derrière une remise au bord de l'eau. Il coupe le moteur. Le silence se fait aussitôt. Ils sont arrivés au port de Hammarby, mais Rasmus ne le sait pas.

Il ne sait pas où il est.

Il a à peine osé regarder l'homme pendant le trajet, sinon à la dérobée. Alors, quand il se tourne vers lui, Rasmus constate immédiatement que cet inconnu ne correspond pas non plus au type d'homme qu'il espérait rencontrer. Certes il a des yeux marron et une barbe naissante, mais il est plus âgé qu'au premier coup d'œil, en plus il a le ventre bedonnant.

Tant pis. Rasmus va enfin avoir une relation sexuelle avec un homme. Impossible de faire marche arrière.

Le type se penche pour l'embrasser. Il force sa langue dans sa bouche. Il a une haleine de tabac, s'y mêle aussi une saveur indéfinie. En même temps, il cherche d'une main maladroite la braguette de Rasmus.

Et Rasmus le laisse faire.

L'homme qui a fait monter Rasmus dans sa voiture ouvre son pantalon, se penche sur son sexe et commence à le sucer frénétiquement.

Rasmus écarquille les yeux, suffoque.

Jamais personne ne lui a fait ça. Jamais.

Il veut et ne veut pas. Il met les mains autour de la tête du type, un geste qui à la fois caresse et repousse.

Mais l'homme est plus fort que lui. Il se colle au sexe de Rasmus comme un bébé affamé s'accroche au sein de sa mère.

Et Rasmus perd pied. Tandis que la panique l'envahit, il se dit que ça n'aurait pas dû se passer comme ça. Or au même moment un flot jaillit en lui, il ne peut l'empêcher, ça vient tout seul.

Désemparé, il gave de son sperme la bouche avide de l'étranger.

– D'ailleurs, il sera bientôt de retour chez nous. La queue entre les jambes.

– Harald !

– Oui, bon… Enfin, tu sais que j'ai raison.

– Il n'avait pas sa place ici à Koppom. Tu n'es pas d'accord avec moi, Holger ?

Harald souffle de mépris. Sara glisse encore un peu plus dans la détresse.

– Mais qu'est-ce qu'il serait devenu ici ? Harald ? Tu peux me l'expliquer, s'il te plaît ?

Irritée, elle ressert du café à Holger sans lui demander s'il en veut.

– Mais je ne m'inquiète pas. Absolument pas. Je le connais, mon Rasmus. Il ne prendrait jamais de risques.

Plus tard le même soir, Rasmus est allongé sur un lit inconnu, dans un appartement inconnu, avec un homme inconnu rencontré après que le premier l'a ramené à la Klara pornorra.

Ils sont nus.

Cet homme est lui aussi plus âgé, dans la quarantaine, poilu, des épaules larges et un peu d'embonpoint. Et lui non plus ne correspond pas au type de mec que Rasmus aurait espéré rencontrer, mais il fait avec.

Il éprouve un plaisir immense à sentir que quelqu'un prend soin de lui.

L'inconnu emprunte l'appartement à un vague ami parti en voyage. Les draps sont sales, il fait froid dans la pièce. Rasmus a la chair de poule. Malgré les lampes éteintes, la lumière de la rue se diffuse par la porte du balcon. L'ombre du chambranle forme une croix allongée qui s'étire sur le plancher et jusque sur le lit.

Le type pèse de tout son poids sur Rasmus. Il essaie de le prendre par-derrière, en procédant lentement. Rasmus n'ose pas dire que c'est sa première fois, qu'il n'a jamais couché avec quelqu'un, encore moins avec un homme. Il a peur d'avoir mal.

– Fais attention ! supplie-t-il. Fais attention !

– Mais je fais attention, putain ! insiste l'autre, alors qu'il pousse impitoyablement. T'es pas mon premier mec, j'en ai déjà enculé des tonnes.

Rasmus a honte d'être puceau. Angoissé, il implore son partenaire.

– Tu comprends, je n'ai jamais…

Et soudain il sent l'homme le pénétrer, le remplir totalement. Au début, la douleur est atroce. Comme un jour, chez le dentiste, lorsque celui-ci s'apprêtait à lui dévitaliser une dent sans l'avoir suffisamment anesthésié, qu'il avait touché un nerf avec la roulette et que la douleur avait fait bondir Rasmus dans son fauteuil.

Mais maintenant il se retient. Il griffe l'homme pour l'écarter, pour le forcer à ressortir, mais l'autre emploie toute sa force pour rester en lui.

– Chuuut… fait-il pour étouffer sa résistance, en posant sa main sur sa bouche. Ça y est je suis dedans. Ouais, chuis bien dedans, là.

Rasmus suffoque, il a l'impression d'avoir éclaté de l'intérieur tellement ça fait mal. Et pourtant il est rempli d'un étrange bonheur. De fierté, presque.

Il a réussi. Il n'est plus seul. Il est à son tour un mec qui se fait enculer.

Une frénésie soudaine s'empare de lui.

– Embrasse-moi, demande-t-il.

Ils s'embrassent.

L'homme commence à bouger entre ses reins. D'abord en douceur. Puis à un rythme de plus en plus soutenu.

C'est douloureux mais contrôlable. Et cette sensation lui rappelle les récréations à l'école, quand il se préparait à la douleur, juste avant que ses camarades le frappent. Ce tabassage en règle avait un rythme bien particulier. Il suffisait de caler sa respiration dessus pour atténuer la souffrance. Et c'est pareil maintenant. Il caresse le dos du type, anticipe ses mouvements, succombe attendri à son poids.

Et tout du long il ne cesse de penser : Ce n'est pas toi en ce moment.

Pourtant il le laisse continuer.

Car il est comme ça, Rasmus. Un garçon poli.

– J'ai entendu dire qu'ils injectent de la drogue dans les oranges pour rendre les gens dépendants.

L'air gêné, Holger s'empresse de répondre :

– Oh, tu sais, les on-dit…

– À Stockholm ?

Par le ton qu'il adopte, Harald semble indiquer qu'il n'exclut pas tout à fait la véracité de ces propos. D'un geste résolu, Sara ressert Holger en café sans manquer de l'envoyer sur les roses :

– Rasmus est la prudence incarnée. Il ne ferait jamais de bêtises.

Rasmus inspire l'odeur des draps qui eux-mêmes prolongent celle des inconnus qui l'ont précédé. La pièce haute de plafond est plongée dans la pénombre. Dehors, une voiture démarre sur les chapeaux de roue.

Il caresse le dos de son partenaire. Sa main parcourt les omoplates. Et s'arrête sur une parcelle de peau à la texture différente. Ses doigts viennent de découvrir ce qui ressemble au toucher à une éruption d'eczéma ou à une tache de naissance.

Les gros grains de beauté et les verrues lui ont toujours donné des frissons. En seconde, des verrues lui avaient poussé sur la main, qu'il devait badigeonner avec un produit qu'on aurait pris pour du vernis à ongles, rapporté par Holger de sa pharmacie. À le voir faire tout un pataquès d'un machin aussi bénin, Harald trouvait qu'il se comportait en grand dadais. N'empêche, elles étaient vraiment immondes !

C'est plus fort que lui, il ne peut pas s'empêcher de demander :

– C'est quoi ?

– Dans mon dos ? dit le type avec insouciance, qui suspend un instant ses va-et-vient avant d'ajouter : J'en ai une autre ici !

Il se redresse sur les coudes et montre une tache violette sous le sein.

– Aucune idée de ce que c'est. Une allergie, p'têt. Ça te dérange ?

Rasmus secoue la tête, bien qu'en réalité ça le dérange. Ils s'embrassent. L'étranger reprend de plus belle ses coups de queue. Ses coups de boutoir profonds.

Comme quelqu'un ou quelque chose qui frappe à une porte et veut entrer.

Les premiers nuages légers en une journée d'été limpide. La première brise frisquette de l'après-midi qu'il suffit d'expédier comme si de rien n'était. Les premiers signes d'une tempête à venir. Un coucher de soleil plus rouge que d'habitude. Un trait sombre qui parcourt la surface de l'eau. Les oiseaux qui volent plus bas.

Comment aurait-on pu deviner ?

Les premiers signes d'une anomalie.

Ils filaient à la vitesse de l'éclair dans *Revolt* sous les yeux des lecteurs qui pour la plupart ne s'y attardaient pas. Un entrefilet en février 1983, par exemple, évoquait le sort de quatre Danois morts d'un cancer ; un entrefilet parmi tant d'autres qui, sinon, abordaient des sujets aussi variés qu'une exposition d'art homo-érotique à La Haye ou un prêtre catholique condamné à une peine de prison pour avoir couché avec un jeune homme.

Un article de la taille d'un timbre-poste, si facile à louper. Quoi de plus compréhensible qu'on le rate dès lors, ou carrément qu'on ne le voie pas.

Pourtant, si on prenait la peine de le lire, on constatait qu'il traitait principalement du poppers, une substance vasodilatatrice qui, inhalée, procure un flash euphorisant, bref et fugace. Cet effet l'avait rendu populaire dans les boîtes de nuit, aussi bien lorsqu'on dansait que pendant une relation sexuelle. Au début de l'épidémie de sida, une des premières théories prétendait que la maladie était causée par le poppers, justement.

Le poppers peut provoquer le cancer, selon l'Institut de chimie de l'université d'Århus. On y mène actuellement des recherches pour trouver les origines du sarcome de Kaposi, un cancer qui frappe principalement les hommes homosexuels. Au Danemark, quatre hommes ont contracté la maladie qui résulterait, soupçonne-t-on, de l'utilisation du poppers.

Le tout premier signe, la toute première mention, même si l'auteur lui-même ne le sait pas, apparaissent dans un article intitulé *Temps durs aux USA*, publié dans le numéro de janvier 1982 du magazine gay *Revolt*.

L'article revient en réalité sur le climat qui s'est fortement dégradé pour les homosexuels depuis l'élection de Ronald Reagan à la présidence des États-Unis. Il évoque les fanatiques religieux de l'organisation *Moral Majority*, à l'avant-poste dans la lutte contre la libération homosexuelle : ils organisent des autodafés de leurs disques, épurent les rayonnages des bibliothèques de leurs livres dits «*pervers*». Washington DC ou l'État du Texas, pour ne citer qu'eux, interdisent toute autre forme de sexualité que celle entre mari et femme, pratiquée face à face, c'est-à-dire en position du missionnaire ; un sénateur va même jusqu'à proposer d'appliquer la peine de mort aux homosexuels – c'est écrit dans l'article.

Au milieu du reportage figure cependant cette phrase surprenante par rapport au contexte, comme si elle avait été ajoutée : «*De plus, les autorités sont désormais aux prises avec une mystérieuse pneumonie qui ne touche que les homosexuels.*»

C'est tout.

Une seule phrase.

Une ride sur la surface de l'eau avant que le lac ne redevienne un miroir. Tout lecteur minutieux apprend ainsi que des homosexuels américains ont contracté une pneumonie, ce qui est bien malheureux pour eux – d'un autre côté, comment retenir une telle information ? Il est bien entendu impossible d'imaginer que cette pneumonie mystérieuse, mais dans le fond banale, va radicalement faire basculer la vie de tant de personnes.

Le texte est signé par un certain «Micke» qui, dans le cadre de ses voyages fréquents aux États-Unis, propose dans plusieurs numéros de *Revolt* des reportages sur la situation des homosexuels américains.

«Micke» se trouvant aussi être médecin, il publie dans le numéro d'avril 1982 un long article intitulé *LES MALADIES QUI NOUS FRAPPENT.* Dès l'introduction, il explique que la presse s'est intéressée dernièrement à l'émergence d'une série d'affections qui semblent frapper les homosexuels, pour l'instant surtout aux États-Unis, et qui prennent une ampleur disproportionnée. Il s'agit même dans certains cas de maladies potentiellement mortelles.

Sans doute pour égayer ce triste sujet, le magazine l'illustre d'un dessin satirique représentant un médecin qui prend le pouls d'un homme en lui glissant un doigt dans le derrière.

«Micke» passe ensuite en revue différentes maladies comme la syphilis et l'amibiase, mais décrit également trois nouveaux syndromes insolites qui frappent les gays outre-Atlantique : «... *pire encore, le sarcome de Kaposi : une forme assez rare de cancer, diagnostiquée récemment chez des hommes homosexuels de la côte est américaine...*»

Ensuite «Micke» fait état d'une pneumonie elle aussi apparue «*ces derniers temps*» et qui engendre une mortalité chez plus de 60 % des personnes atteintes. Elle débute sous la forme d'une infection inoffensive, accompagnée d'une fatigue et d'une fièvre passagères qui réapparaissent au bout de quelque temps, elles-mêmes associées à d'autres symptômes tels que l'amaigrissement puis l'affaiblissement général du patient.

Après le sarcome de Kaposi et l'étrange pneumonie, l'auteur de l'article décrit un herpès aux manifestations inhabituelles, marqué par «*des symptômes similaires à ceux de la pneumonie*» et ayant provoqué la mort dans trois cas sur quatre. «*Il est important de souligner qu'il s'agit d'une forme très atypique d'herpès, qui s'observe quasi exclusivement chez des personnes atteintes de leucémie ou ayant une défense immunitaire fortement déprimée.*»

Sarcome de Kaposi. Pneumonie. Forme agressive d'herpès. Défense immunitaire fortement déprimée.

Ce que «Micke» ne sait pas, c'est qu'il vient de décrire ce qui dans quelques mois sera qualifié de «*cancer gay*» ou de «*nouvelle peste*».

Au moment de taper le code et d'ouvrir la porte de l'immeuble, il tente encore de se persuader qu'il est venu ici pour le service du champ. Qu'il effectue uniquement une nouvelle visite, comme on l'attend de tout bon proclamateur. Il a emporté sa serviette, ses publications, sa bible, ses petites notes.

Délaissant l'ascenseur, il monte par l'escalier. Il grimpe les volées de marches avec un peu trop d'empressement, et non avec la dignité et la discrétion dont il est censé faire preuve. Sans tarder, il sonne à la porte. Ce n'est qu'ensuite qu'il hésite et regrette son geste. Pourtant il ne bouge pas. Il respire par le nez, il ravale sa salive. Il est sur le point de se dire qu'il n'y a personne lorsqu'il entend des pas dans le vestibule.

Un bref instant, il envisage de rebrousser chemin et de s'enfuir. Mais il reste. Il respire par le nez, il ferme les yeux.

Bientôt ce sera trop tard. Bientôt il tombera. Un centre de gravité qui se déplace, l'énergie potentielle de pesanteur qui se convertit en énergie cinétique – puis le corps tombe en chute libre.

Il a sept ans, la famille vient d'arriver à la maison en bord de mer – leur tour de garde à eux –, il a grimpé sur la balustrade de la véranda et se penche par-dessus. Il demande à son père :

– Est-ce qu'on meurt si on tombe d'ici ?

Tomber est un péché.

Le soleil brille. Les mouettes crient. La mère fredonne en mettant la table. Ils vont manger du hareng de la Baltique. Peut-être iront-ils se baigner.

Benjamin sent ses muscles se tendre, son corps se préparer à la chute. En bas, l'abîme. Son père l'entoure de ses bras. Doucement, mais fermement. Les bras chauds, protecteurs du père. Son papa adoré, ce père qu'il aime par-dessus tout.

– Je pense, Benjamin, que nous allons nous abstenir de le vérifier.

Certaines choses, on ne doit pas les savoir, on ne doit pas essayer de les connaître. Certains chemins, on ne doit pas les emprunter. Certaines portes, on ne doit pas y frapper.

Pourtant Benjamin ne bouge pas. La clé tourne dans la serrure, l'homme aux cheveux décolorés ouvre.

Paul a d'abord l'air surpris, comme s'il ne le reconnaissait pas immédiatement. Puis un grand sourire illumine son visage.

Benjamin ne parvient pas à lui rendre la pareille avec son sourire mesuré au millimètre près, acquis grâce à des heures et des heures de prédication. Il se tient devant lui, comme pris en flagrant délit, le bonnet à la main. Il rougit, il piétine.

Depuis sa plus tendre enfance, il a vécu cette situation, un nombre incalculable de fois. Mais aujourd'hui c'est complètement différent.

– Bonjour.

Et il ne dit rien de plus. Il se tait. Il jette un regard désemparé vers le palier en songeant qu'il n'aurait jamais dû revenir ici.

– Je… euh…

Il est à court de mots, il est intimidé.

Benjamin a été entraîné à contrer les questions, les objections, même les insultes – or là il reste pétrifié et silencieux, son entraînement ne lui sert strictement à rien.

– Tu n'es pas supposé dire «blablabla, je m'appelle Benjamin, blablabla, je voudrais te parler de Jésus»?

L'homme le taquine.

Benjamin lui lance un bref coup d'œil suppliant et chuchote misérablement :

– Puis-je entrer ?

L'autre retrouve son sérieux et ouvre la porte en grand.

– Bien sûr. Pardon. Je t'attendais.

Benjamin entre sans croiser son regard. Il n'enlève même pas ses chaussures, ce qui d'habitude est un geste évident pendant les mois d'hiver quand les trottoirs sont pleins de neige fondue. (Le seul moment qui rend toujours Benjamin mal à l'aise, c'est quand il doit remettre ses chaussures une fois la visite terminée. Il a fait ce pour quoi il était venu, il a dit au revoir, il s'est éventuellement mis d'accord avec la personne sur une nouvelle visite, et ensuite il faut pratiquement cinq minutes pour remettre et lacer ses chaussures dans un vestibule exigu, une fois le manteau enfilé. Il ne sait pas pourquoi, mais il a toujours trouvé ces minutes-là franchement pénibles.)

Toujours chaussé, il file droit dans le séjour qui croule désormais sous les décorations de Noël. Il s'assied sur le canapé. L'autre s'assied à côté de lui.

Ils ne parlent pas. L'autre croise ses mains sur ses genoux, attendant patiemment que Benjamin daigne dire ou faire quelque chose. Au bout d'un moment, Paul demande poliment :

– Tu ne devais pas me donner une brochure ou quelque chose ?

Benjamin le regarde. Il le fixe presque d'un air accusateur et secoue la tête.

– Comment avez-vous su ?

– Quoi ?

Paul ne comprend pas. Benjamin répète, presque en colère :

– Comment tu as su ?

Alors Paul éclate d'un rire heureux et décrit un large geste de la main.

– Ah… *ça* ? Mais enfin, tu le portes sur la figure, sur ton corps, partout.

Benjamin cache son visage dans ses mains.

– Oh mon Dieu ! Une épine dans la chair !

Paul ne semble pas apprécier outre mesure.

– Qu'est-ce que tu viens de dire ?

– Ce n'est pas moi mais saint Paul qui le dit. C'est l'épreuve que Dieu m'a réservée.

L'autre ne fait pas d'objections, se contente de hausser les épaules.

– Ah bon, il dit ça, lui ? Je suppose que ça doit être vrai, dans ce cas.

Il se glisse un peu plus près de Benjamin, si bien qu'ils se retrouvent côte à côte sans que leurs corps se touchent pour autant. Paul n'ajoute rien, il attend de nouveau que le jeune homme poursuive. Ils gardent le silence pendant plusieurs minutes.

Le regard de Benjamin erre comme s'il cherchait quelque chose qu'il ne trouve pas. Il a l'air malheureux. Il finit par prendre la parole. Et il parle lentement, comme s'il avait lutté mais abandonné. Chacun de ses mots est tout à la fois un aveu et une conviction. Dès que les mots ont franchi la barrière de ses lèvres, ils sont comme gravés en lui sous la forme d'une vérité indélébile, un tatouage sur sa peau.

– Je… veux dans ma vie… pouvoir aimer quelqu'un… qui m'aime.

Prononcer ces mots, l'indicible, lui demande un effort tel que les larmes se mettent à couler.

Paul attend patiemment, il le laisse lutter, le laisse dire ce qu'il a à dire. Quand Benjamin a terminé, les deux hommes restent de nouveau plongés dans un long silence, ils écoutent en quelque sorte l'écho de ces mots et de leur prodigieuse revendication. Puis Paul tapote la cuisse de Benjamin.

– Tu sais quoi, mon bel et jeune ami ? Je crois qu'il est grand temps pour toi de fêter ton premier Noël.

«If happy little blue birds fly beyond the rainbow
why oh why can't I ?»

En fait, tout a commencé une journée d'été à New York par les funérailles de Judy Garland.

L'existence de la chanteuse bénie des dieux avait été jalonnée d'abus d'alcool et de drogues. Lorsque son petit corps n'a plus eu la force de continuer à vivre, elle a été accompagnée à son dernier repos par des dizaines de milliers de gays et de trans qui la vénéraient depuis que, enfant star, elle avait percé à l'écran en tant que Dorothy dans la comédie musicale *Le Magicien d'Oz*.

S'il n'y avait pas eu cette émotion, cette sensation de manque, de deuil, cette impression d'avoir été privés de quelqu'un qui était comme eux, qui avait souffert comme eux, les clients du Stonewall Inn n'auraient peut-être pas réagi comme ils l'ont fait le même soir lors de la descente de police dans ce petit bar gay situé Christopher Street, au cœur de Greenwich Village, le vendredi 27 juin 1969.

Bon an mal an, ils s'étaient habitués aux harcèlements incessants des homosexuels et des trans par les forces de l'ordre. Les bars que fréquentaient les gays devaient à tout moment s'attendre à voir la police débarquer pour une razzia, sous prétexte que l'établissement avait enfreint la loi sur la vente d'alcool.

Mais cette fois ils se sont défendus.

Et la riposte n'a pas été déclenchée, comme on aurait pu le croire, par les clones en cuir et autres *macho men* ni par les gays ayant une conscience politique. Non, ce sont les pédés efféminés, les plus méprisés, à savoir les trans et les folles qui soudain et de manière improvisée, sous des cris stridents et une rage insondable, se sont mis à bombarder les policiers de pièces de monnaie, de bouteilles, de chaussures, bref, de tout ce qui pouvait leur servir de projectile. Ces derniers, qui n'escomptaient pas une quelconque contestation, ont dû battre en retraite et appeler des renforts. Or, le temps qu'arrivent leurs collègues, la nouvelle de la révolte, de cette résistance subite, s'est répandue comme une traînée de poudre, si bien que des milliers d'hommes et de femmes n'ont pas tardé à rejoindre les rangs.

Ce jour a constitué un tournant. Dès lors, il n'y a plus eu de retour en arrière possible.

La bataille du Stonewall Inn a duré quatre jours et modifié pour toujours l'image que les homosexuels avaient d'eux-mêmes. Pas seulement à New York mais dans tous les États-Unis et, par extension, dans le monde entier.

Les homosexuels n'étaient plus ces individus qui fatalement subissaient l'humiliation, des êtres fuyant la lumière, qui couraient se mettre à l'abri à la moindre menace, qui courbaient l'échine, qui s'excusaient d'exister et imploraient l'indulgence. En s'inspirant du mouvement des droits civiques, des Black Panthers et du mouvement féministe, les organisations homosexuelles sont devenues plus agressives et moins défensives.

Il leur fallait juste un petit peu de fierté. Un tout petit peu de dignité.

Et la capacité de se battre perchés sur des talons d'une hauteur vertigineuse.

Pendant longtemps, les rideaux restaient soigneusement fermés dans le seul local dont les gays disposaient à Stockholm. Les membres du club n'avaient pas besoin de décliner leur véritable identité. Si leurs préférences sexuelles venaient à filtrer, cela pouvait engendrer une réelle catastrophe personnelle. Mais, avec la nouvelle lutte américaine de libération sexuelle comme modèle, le mouvement gay suédois s'est lui aussi radicalisé.

Deux ans après les funérailles de Judy Garland et les émeutes de Stonewall à New York, les cercles concentriques à la surface de l'eau avaient atteint les côtes suédoises. 1971 marque la toute première organisation d'une Gay Pride sur le territoire – et, tenez-vous bien, nulle part ailleurs que dans la petite ville d'Örebro ! Quelques mois plus tard, à Stockholm, seize personnes ont osé se rassembler sur la place Sergels torg pour réclamer des droits.

Seize personnes.

La libération était si nouvelle, si fragile.

En 1978, le ministère de la Santé lançait sa fameuse «*enquête sur l'état de l'homosexualité*», avec pour directives d'une part de vérifier si les homosexuels étaient victimes de discriminations dans la société, auquel cas comment, et d'autre part de proposer des mesures concrètes pour les combattre.

Si, et auquel cas comment.

Et ce, dans un pays qui classait encore à cette époque l'homosexualité parmi les maladies mentales et ne permettait pas aux partenaires d'un couple homosexuel de se définir comme concubins. Quel que soit le nombre d'années pendant lesquelles on avait formé un couple, on était quand même obligé de cocher la case «*célibataire vivant seul*» dès qu'on avait affaire aux autorités.

Mais le silence, l'invisibilité qui à bien des égards avait été une condition sine qua non pour pouvoir vivre sa sexualité, était en train de se rompre pour toujours.

À San Francisco, en juin 1978, au jour anniversaire des émeutes de Stonewall, Harvey Milk, le premier Américain ouvertement homosexuel élu à un mandat politique, prononçait un discours où il incitait, demandait, exigeait, suppliait tous les homosexuels à lutter pour eux-mêmes et pour leur liberté. Il disait :

> Nous n'allons pas gagner nos droits en restant silencieux dans nos placards... Nous en sortons pour combattre les mensonges, les mythes, les entorses à la vérité. Nous en sortons pour dire la vérité sur les homosexuels, car j'en ai assez de ce silence tacite sur lequel tout le monde s'accorde. Alors, moi, je vais en parler. Et je veux que vous aussi en parliez. Vous devez faire votre coming out. Faites votre coming out à vos parents, aux membres de votre famille.

Milk avait pris ses fonctions en janvier 1978. En novembre de la même année, il était abattu de cinq balles de revolver.

À Stockholm, une marche pour la Libération homosexuelle était organisée au mois d'août, qui par la suite, d'année en année, allait doubler son nombre de participants.

La lutte gay, associée à la gauche de la gauche politique, voyait la création de groupes tels que les Pédés rouges et les Homosexuels révolutionnaires (le seul parti du Parlement à mener une action qui ressemble un tant soit peu à une politique homosexuelle était le petit parti communiste VPK). En 1981, la première librairie homo ouvrait ses portes : *Rosa Rummet*, La Chambre rose – c'est sa vitrine que Rasmus a regardée le premier soir où il est allé au Timmy.

Dans le magazine *Revolt*, des articles de politique sexuelle, des entrefilets d'actualité ainsi que des sujets culturels côtoyaient des nouvelles pornographiques et des photos d'hommes nus. Sur chaque page, on tentait d'insuffler du courage aux lecteurs. Une double page proclamait : «*Nous sommes partout !*» La suivante : «*Ne te renie jamais toi-même !*» suivi de : «*Luttons pour la dignité humaine !*» et plus loin trois photos d'un certain Antonio, rehaussées de la légende : «*Un mec fier !*»

La libération sexuelle était si nouvelle et si fragile. Oser, en tant qu'homme, aimer ouvertement et sans honte un autre homme, était une chose tellement inouïe qu'elle aurait été impensable ne serait-ce qu'une dizaine d'années plus tôt.

Les premiers pas chancelants étaient si hésitants, si mal assurés, à chaque instant on avait besoin du soutien et d'un encouragement réciproque : Nous sommes partout ! Ne te renie jamais toi-même ! Ensemble, nous sommes irrésistibles ! Se fier à ces slogans, comment y arriver ?

Cela ressemblait au dégel après un hiver qui aurait duré depuis toujours. Cela ressemblait au premier jour de printemps, celui auquel on ose à peine croire, celui dont on doute qu'il arrive jamais.

Je veux dans ma vie pouvoir aimer quelqu'un qui m'aime.

Cette revendication d'amour inouïe et inconcevable.

Vendredi soir au Timmy, dans l'attente que quelque chose arrive, que le club se remplisse, que quelqu'un vienne, un mec qu'on n'a jamais croisé, un mec qu'on ne s'est pas encore tapé, un mec avec qui on n'a ni baisé ni petit-déjeuné.

Car elles ont cela de singulier, les associations pour les déviances sexuelles : on ne s'y rend pas pour pratiquer la déviance en tant que telle, on s'y rend pour faire des choses on ne peut plus ordinaires, des choses du quotidien : boire un café, une bière, échanger des potins, peut-être danser. On s'y rend pour pouvoir, l'espace d'un instant, derrière des portes closes, ne pas être déviant, mais au contraire parfaitement normal.

C'est pourquoi Reine et Paul sont penchés tête contre tête et papotent comme deux adolescentes au sujet de mecs installés à une autre table. Reine est amoureux de l'un d'eux.

Reine tombe toujours amoureux. À chaque nouveau coup de foudre il en va de sa vie, chaque fois il est d'une certitude absolue – et chaque fois il se fait plaquer, ressort en lambeaux de son coup de foudre, se soûle la gueule, ne veut qu'une chose : mourir.

Au sein de leur petit groupe d'amis, ils se sont tous occupés de lui à un moment ou un autre quand, affalé sur le matelas de son studio en sous-location, il tremblait de cuite et de désespoir et ne sortait du lit que pour aller pisser ou vomir. Autrefois, lorsqu'il vivait avec eux dans le collectif gay, c'était plus commode : il suffisait d'aller le voir dans sa chambre de bonne et de s'allonger à côté de lui. Aujourd'hui, ils sont obligés d'écouter ses sanglots au téléphone puis de parcourir en bus de nuit la moitié de la ville.

Et quelques semaines plus tard, rebelote, Reine file d'un pas rapide et les yeux grands ouverts droit vers la catastrophe suivante.

Ce coup-ci, l'objet de son amour est un jeune garçon hautain qui laisse Reine lui offrir des bières, du vin, des cocktails et des cigarettes et ne donne strictement rien en échange.

Et Reine feint de ne pas remarquer qu'il est exploité jusqu'à la moelle.

Seppo lit *Revolt* en sirotant un café. Il interrompt brusquement le caquetage de ses amis et lit l'extrait d'un article à voix haute :

– Écoutez ça : « *Un autre point préoccupe cependant bien des esprits, et pas seulement à San Francisco mais dans tous les États-Unis : le sarcome de Kaposi, le soi-disant cancer gay...* »

Reine relève la tête.

– Sar quoi ?

– Sarcome de Kaposi.

– Mais c'est imprononçable !

– « *Les premiers symptômes se manifestent par des taches foncées ou violacées ou par des nodules sur les jambes. La maladie peut ensuite se propager à d'autres parties du corps.* »

Paul soupire.

– Mais arrête à la fin ! Tout ça, c'est un truc inventé par les militants de *Moral Majority* pour nous forcer à retourner dans le placard. Cancer gay... pff ! C'est quoi ces conneries ?

Seppo continue quand même sa lecture :

– Tiens, ils parlent aussi du poppers... Ils cherchent à établir un lien éventuel entre le poppers et un déficit immunitaire prononcé, ce qui correspond à... voyons voir... « *au stade clinique précédant l'apparition d'autres maladies graves* ».

Paul lève les yeux au ciel.

– Et puis quoi encore ? Ils vont nous interdire de sniffer du poppers, maintenant ?

– Mais écoute, plutôt !

Paul souffle de mépris.

– Le poppers… Nan mais j'hallucine, là ! Tu parles d'un sujet d'article !

– Le problème, c'est qu'ils sont tous morts. Tous. Il y a eu 220 décès jusqu'à présent.

– Mais elles nous emmeeerdent, les grognasses ! Ça, c'est les drama queens tout craché ! Reine, tu veux une autre bière, mon cœur ?

Reine s'est tu, il est plongé dans ses pensées.

La mort lui a toujours fait peur.

Peut-être parce qu'il vit avec une culpabilité chevillée au corps et la certitude qu'en réalité on ne s'en sort jamais. Peut-être parce qu'une part de lui-même donne raison aux autres, à ceux qui condamnent.

Sois fier de toi ! lui rappellent souvent ses amis avec insistance. Mais de quoi pourrait-il bien être fier ?

Il sursaute et fixe Paul.

– D'accord, répond-il, le souffle court. Une autre bière, je veux bien, merci !

– Moi, ensuite, je file à la Klara pornorra voir ce qui s'y passe, poursuit Paul qui choisit d'ignorer l'inquiétude de Reine.

Il se lève et se dirige vers le comptoir.

Seppo repose le magazine sur la table puis, par-dessus, sa tasse de café. La couverture est agrémentée d'un homme mal rasé à moitié nu, déguisé en pirate, qui rayonne d'assurance et de confiance en soi.

Nous sommes partout.

Ne te renie jamais toi-même !

Un mec fier.

Reine est un homme doux et discret, timide, mutique et un peu gauche, avec un grand chagrin dans le regard. Personne dans sa famille, sur la petite île de la côte ouest du Bohuslän, ne sait qui il est ni ce qu'il fait ici à Stockholm. Ils n'auront jamais l'occasion de l'apprendre.

C'est le mois de décembre en cette année de grâce 1982, l'année d'une liberté fraîchement gagnée.

À l'intérieur de Reine, l'ennemi s'est déjà fait un nid. Tel un cheval de Troie, celui qu'on nomme le HTLV-3 et qui s'appellera plus tard le VIH s'est introduit dans son corps. Mais pour l'heure l'ennemi demeure un inconnu, un occupant secret et inopportun. En silence il peut par conséquent accomplir sa besogne sans être dérangé, causer des dégâts irréparables à son hôte en ayant tout le temps devant lui.

Si on avait fait une prise de sang à Reine, le résultat de l'analyse aurait montré qu'il lui manque un type très particulier de globules blancs, les cellules auxiliaires, qu'on appelle lymphocytes T, censés aider le corps à combattre les infections.

Le virus ayant établi sa demeure en lui est en train, patiemment mais impitoyablement, d'empêcher son corps de fabriquer de nouveaux globules blancs. Quand le niveau de lymphocytes dans son sang sera descendu en dessous d'un certain niveau, Reine sera totalement sans défenses contre les germes, bactéries et mycoses que son corps en temps normal aurait su combattre. À l'égal d'une ville dont les murailles seraient tombées, d'un blocus au dénouement mortel.

En général (on s'en apercevra par la suite), ce processus est lent. Souvent, il faut de nombreuses années depuis la contamination avant que tout s'écroule et que les maladies, les unes après les autres, furieusement, presque avec jouissance, attaquent le corps qui héberge le virus et n'est plus en mesure de se défendre.

Pneumonies, diarrhées, mycoses, cancers, démence.

Et, au bout du compte, comme une délivrance ou comme la défaite ultime : la mort.

Mais le plus diabolique, c'est sans doute ça : ce côté insidieux, cette entrée imperceptible dans l'organisme qui tout au plus se manifeste par le biais d'une affection si bénigne qu'on la balaie d'un revers de main, puisqu'elle prend la forme d'un simple rhume ou d'une grippe. Cela permet au virus de se propager à de nouveaux hôtes, de contaminer de nombreuses personnes, avant de se rendre visible.

Chaque fois que Reine rencontre un mec et qu'ils rentrent ensemble, il risque malgré lui de transmettre le virus qui vit en lui à son insu, et si les hommes à qui il le transmet ont d'autres partenaires et que ceux-ci à leur tour en ont d'autres, il n'y a à la fin aucune limite au mal que peut causer ce virus.

La seule chose qui pourrait les protéger serait d'utiliser un préservatif, mais pourquoi le feraient-ils ? Ils n'ont pas à s'inquiéter de tomber enceintes. Au contraire, c'est souvent l'un des arguments avancés pour vanter les avantages de la sexualité homosexuelle : on peut se dispenser du triste morceau de caoutchouc.

La destruction des défenses immunitaires par le virus est une opération souvent lente, elle peut durer jusqu'à une dizaine d'années. Mais dans le cas de Reine, elle va à toute vitesse.

Car ça peut aussi se passer ainsi.

Paul revient avec la bière. Il en a acheté une deuxième que Reine va pouvoir aller offrir au jeune enfoiré dont il s'est entiché.

Tandis que Paul file au Bonheur à la Klara pornorra plus tard dans la soirée, Reine va continuer à séduire l'homme avec des bières et des cigarettes, jusqu'à la fermeture, lorsque la jeune beauté partira malgré tout avec un autre et que Reine, malheureux et ivre mort, finira sa soirée au Viking Sauna où, à poil sur une banquette de skaï, il se fera enculer par une ribambelle d'hommes, les uns à la suite des autres, à peine conscient de ce qui lui arrive.

Reine mourra huit mois plus tard, dans une solitude totale, en chambre d'isolement, à l'hôpital des maladies infectieuses de Roslagstull.

En serrant les dents sur ses larmes.

Comme une punition que l'on doit endurer, il n'ouvrira pas la bouche.

Paul descend la Klarabergsgatan, comme d'habitude avec une Blend jaune à la main gauche. Minuit vient de sonner. Il passe devant les vitrines de Noël du grand magasin Åhléns, tourne dans la Klara norra kyrkogata, jette un rapide coup d'œil aux deux adolescents qui se réchauffent devant la bouche d'aération en face, les estime inoffensifs, poursuit son chemin.

Paul marche toujours vite, avec une drôle d'allure, un peu comme s'il rebondissait. Il dit souvent que toutes les pédales marchent vite («C'est l'instinct de conservation, ma chérie»), le regard toujours fixe, droit devant, mais tout en ayant une vision périphérique parfaitement entraînée, afin de pouvoir accélérer le pas si une menace impromptue surgissait.

– Et dans les endroits où les gens se *mélangent*, tu vois ce que je veux dire : le soir, sur les quais du métro, dans des lieux comme ça, bref, là, c'est *zéro* contact visuel ! Tu regardes où tu veux, droit devant toi, en direction du carrelage, du plafond. Mais surtout, surtout tu ne regardes pas *trop* longtemps les mecs dans les yeux. Avec leur cœur d'artichaut, ils pourraient nous faire un caca nerveux. Et tu gardes la tête haute, ma chérie. Tu m'entends ? La tête haute ! Il faut bien avoir un peu de fierté, bordel.

Rasmus a décidé de passer sa soirée dans la Klara pornorra. Il est en ce moment à l'angle de la Bryggargatan. Il poireaute, il caille, il bâille. En fait, il est à deux doigts d'abandonner et de rentrer. D'autant qu'il a déjà fait à plusieurs reprises la tournée des sex-shops pour ne pas finir en glaçon.

Allez, encore dix minutes. Puis il laissera tomber. Il n'y a pas beaucoup de circulation ce soir.

La même Saab bleue n'en finit pas de passer et de repasser. Rien qu'à voir le conducteur, Rasmus en a des frissons. Pour une fois, il a pris soin de signaler clairement qu'il n'est pas intéressé. Ce qui n'empêche nullement la voiture de ralentir à chacun de ses passages, comme si un grand changement était intervenu entre-temps, comme si de nouvelles possibilités excitantes s'étaient ouvertes en l'espace de ce bref instant.

Lorsque Paul aperçoit Rasmus, il lâche immédiatement sa cigarette. Elle tombe de sa main plus ou moins toute seule. Machinalement, il en sort une nouvelle et s'approche du jeune homme. Demander du feu ou une clope a toujours été un moyen imparable d'engager le dialogue.

– Salut, mon cœur. T'as du feu ?

Rasmus, qui a vu Paul s'approcher, l'a reconnu de loin. C'est l'homme de la Rondelle.

Comme la première fois il allume la cigarette de Paul, qui protège la flamme avec ses mains en les plaquant autour de celle de Rasmus. Comme la première fois il le regarde en même temps droit dans les yeux, sauf qu'aujourd'hui Rasmus ne se sent ni intimidé ni embarrassé.

Paul lui propose une cigarette que Rasmus accepte.

Ils fument. La Saab bleue repasse encore, ralentit, le type se penche pour nouer le contact. Tant Rasmus que Paul lèvent les yeux au ciel et lui tournent le dos pour montrer qu'ils ne sont pas intéressés. La voiture partie, ils éclatent de rire.

– Je t'ai déjà vu, dit Paul. À la Rondelle. À la gare centrale.

– Moi aussi je me souviens de toi, répond Rasmus.

– Je le sais.

Rasmus rit.

– Tu étais même le premier que j'ai vu quand je suis descendu du train.

Paul s'illumine.

– Oh oh, j'entends que tu nous viens du Värmland, toi. Juste débarqué ici, je présume ? Et sitôt arrivée, la chair fraîche file droit à la Rondelle !

– Je veux, ouais !

Rasmus rit encore, un rire heureux. Paul hoche la tête, il apprécie.

– T'as pas traîné, dis donc. Et en plus tu as trouvé le chemin du Bonheur à la Klara pornorra ? On fait pas partie du club des feignasses à ce que je vois !

Rasmus hausse les épaules d'un geste qui se veut nonchalant.

– Ça faisait quand même dix-neuf ans que j'attendais.

Il pouffe, cache sa bouche avec la main.

– Je veux dire : il était temps, non ?

– Absolument ! répond Paul, en lui donnant une tape rassurante sur l'épaule. Il faut rattraper la baise perdue ! J'adhère com-plè-tement !

Il aspire profondément la fumée avant de la laisser s'échapper par le nez.

– Mais… mon pauvre chéri ! Si je compte bien, ça ne fait que quelques semaines que tu es à Stockholm. Tu vis où ?

– Chez ma tante.

Rasmus rougit.

– Pourtant je t'ai vu nulle part, poursuit Paul.

– Je ne connais encore personne… Mais je suis allé au Timmy. Et je suis membre de la RFSL.

– Quoi ? Tu ne connais personne ? Quelle chance alors de rencontrer Paul. Tu vas voir, il va te chouchouter dans cette horrible grande ville.

– Quel Paul ?

Paul souffle, froissé.

– Comment ça, quel Paul ? Ben moi, tiens ! Qui tu croyais ? Bon, comme tu es un petit poussin divin du Värmland, je te pardonne. Mais maintenant tu es au courant. Je suis Paul. *Le* Paul ! La mère Teresa des pédés, si tu préfères. Et nettement mieux maquillée que l'originale !

Une voiture ralentit près d'eux, mais pas la Saab de tout à l'heure. Le chauffeur les scrute d'un regard qui révèle un intérêt.

– Pour commencer, tu vas passer le réveillon de Noël chez moi.

Rasmus est distrait par la voiture stationnée à côté d'eux.

– Le réveillon ? Tu ne le fêtes pas en famille ? demande-t-il, hésitant, en essayant de croiser le regard de l'homme au volant, qui se penche et entrouvre sa portière.

– Deux secondes, s'te plaît ! fait Paul.

Irrité, il s'approche de lui et ouvre grande la portière.

– Nan mais j'hallucine ! Il va se calmer dans sa bagnole, ouais ? On cause de choses sérieuses, nous. Je suis à toi dans un instant !

Il claque la portière et revient vers Rasmus en marmonnant.

– Putain, mais il a le feu au cul, çui-là ! On parlait de quoi ? Ah oui : le réveillon en famille. Bien sûr que je vais le faire. Il faut toujours fêter Noël en famille. Le tout, c'est de définir la notion de famille. Tu ne crois pas ?

Le conducteur les interrompt de nouveau, cette fois en klaxonnant avec impatience.

– Putain, mais il nous les broute, lui !

Paul s'avance vers la voiture, ouvre violemment la portière, demande du papier et un stylo.

Le conducteur lui sort un Bic de sa poche intérieure, Paul arrache sans demander la permission
un bout du journal posé sur le siège passager,
note son numéro de téléphone et fait signe à
Rasmus d'approcher.

– Tiens. Tu m'appelles, hein !

Il lui tend son numéro puis se tourne vers
l'homme au volant. Il s'apprête à s'asseoir quand
subitement lui vient à l'esprit qu'il devrait poser
la question, ne serait-ce que par politesse.

– Au fait, c'est moi que tu dragues, ou c'est
lui ?

Du menton, l'homme désigne Rasmus.

– Lui.

– Classique. Pff, j'ai le cul bordé uniquement
de nouilles, ce soir !

Vexé, Paul souffle, sort de la voiture et rend la
place à Rasmus.

– Il faut toujours qu'ils choisissent le jeune
bellâtre plutôt qu'une vieille tante qui a de la
classe et de l'expérience.

Il fait un geste ample et, avec une petite cour-
bette, tient la portière à Rasmus.

– Tiens, prends-le, ce vieux tromblon, il est
à toi !

Paul jauge le vieux en question d'un regard
rapide.

– Alooors… Moi je dirais : trente-cinq quarante
ans. Père de trois enfants. Genre hétéroflexible,
avec l'accent sur flexible. Surtout n'oublie pas de
m'appeler, ma crotte. Et amuse-toi bien !

Rasmus monte. Paul claque la portière. La
voiture démarre.

Le type genre hétéroflexible (avec l'accent
sur flexible) avance sa main droite et caresse la
cuisse de Rasmus qui incline la tête en arrière,
ferme les yeux, sourit.

Paul reste planté sur le trottoir. La Saab bleue
repasse pour la énième fois, ralentit devant lui.

Il soupire, hausse les épaules, écrase sa cigarette et va s'asseoir sur le siège passager. Il regarde à peine le conducteur d'un certain âge.

– T'aimes quoi ? veut savoir l'inconnu en dévisageant Paul d'un œil gourmand.

– T'inquiète, on va trouver. Allez, roule ma poule ! répond Paul sans lui rendre son regard.

L'autre s'en contente et accélère.

La vie est simple. Si on n'obtient pas celui qu'on veut, on n'a qu'à se contenter de celui qu'on obtient.

Dehors, l'automne glisse dans l'hiver.

Sara décore la maison pour Noël, tandis que Harald regarde le journal télévisé. Bengt Öste, le présentateur de *Rapport*, annonce les titres, en fixant la caméra d'un air sérieux à travers ses grosses lunettes : «*La famine guette le Ghana après l'expulsion par le Nigeria d'un million de Ghanéens. L'aide alimentaire est en cours d'acheminement. Un reportage de nos envoyés spéciaux en Afrique...*»

Sara dispose un tas de pères Noël de tailles et de formes différentes dans le salon, la cuisine et le vestibule. «*Un pas en arrière considérable, tel est le jugement des fonctionnaires à la suite de la proposition d'augmenter les salaires de 0,1 %...*» Sur les appuis de fenêtre, elle compose de petits paysages à l'aide de mousse, de cailloux et de coton censé représenter la neige. «*Le satellite soviétique Cosmos 1402 s'est désintégré lors de son entrée dans l'atmosphère. La Suède exige d'interdire l'exploitation de l'énergie nucléaire dans l'espace...*» Elle plante ensuite ses pères Noël dans les paysages. Certains discutent, un autre se cache derrière une pierre, un quatuor muni de partitions (sa nouvelle acquisition) donne l'impression d'entonner des chants de Noël.

– Regarde, Harald ! lance-t-elle après avoir disposé sa chorale. Ils ne sont pas mignons ?

Harald lève un instant la tête de la télé pour jeter un regard poli sur les pères Noël de Sara. Il grogne un commentaire caustique auquel elle riposte instantanément, si bien que ni l'un ni l'autre n'entendent Bengt Öste lire le dernier titre des informations : *« Une maladie mortelle nous arrive des États-Unis. Elle frappe surtout les homosexuels qui craignent maintenant qu'elle ne se propage...»* Un petit Père Noël tient une bouteille de vin chaud. C'est le petit voyou de la bande ! se dit Sara. D'un geste tendre elle l'enfonce dans la mousse pour qu'il s'y tienne solidement. Elle sourit.

Le visage et la voix de Bengt Öste font l'effet de bouées rassurantes dans un monde toujours ravagé par des tempêtes locales. Mais pas chez eux. Pas à Koppom. Aucune tempête ne souffle à Koppom. À Koppom, la voix de Bengt Öste résonne dans la pièce, mais Sara n'écoute pas ce qu'il raconte : la voix du présentateur a l'effet d'une berceuse grâce à laquelle elle se sent bien.

Le journal démarre par le reportage sur la famine au Ghana. Vient ensuite l'actualité internationale, suivie de l'actualité nationale. Sara collectionne les pères Noël depuis que Rasmus est petit. «On vit dans le Värmland et ici on croit au Père Noël. Du coup on en met partout. On en a même un au plafond !» plaisante-t-elle souvent quand ils ont des invités. Puis, sur le même mode, elle ajoute que c'est sûrement parce que, tous autant qu'ils sont dans leur famille, ils ont une araignée dans le plafond.

Elle apporte un grand soin à sa décoration. Elle le fait pour Rasmus, qui va bientôt rentrer pour fêter Noël en famille. Ses deux sœurs viennent aussi mais elle pourrait se passer d'elles sans problème, elle n'a pas honte de le dire. Oui, c'est pour son Rasmousse au chocolat qu'elle déploie tous ces efforts.

Elle dépose dans ces paysages de Noël toute sa nostalgie et son inquiétude, chaque personnage ramène Rasmus plus près d'elle et la calme un petit peu.

Et, lorsque le téléphone sonne et qu'elle décroche, c'est tout naturel d'entendre à l'autre bout du fil la voix de Rasmus qui se diffuse aussitôt en elle, pareille à une onde de chaleur. Sara gazouille un «Bonjour, mon petit chéri!» comme si son fils chéri ne l'avait jamais quittée. Une sorte de contraction se relâche, elle se détend.

Tout en parlant, elle farfouille dans le carton des décorations de Noël qu'elle a remonté de la cave. Jetant un œil dans le salon, elle éprouve un amour soudain pour tout ce que l'existence lui a donné. Leur maison douillette, Harald, la télé allumée, la convivialité. Elle se dit qu'elle n'a pas raté sa vie, en fin de compte.

Cette distraction l'empêche tout d'abord de saisir les paroles de Rasmus quand il lui annonce son intention de rester à Stockholm pour passer les fêtes avec ses nouveaux amis. Elle continue à tripatouiller ses pères Noël, à arranger ici et là un bout de mousse avant de prendre conscience brusquement de ce que son fils vient de lui dire.

Elle pousse un cri dans le combiné, un peu trop fort, qui oblige Harald à quitter l'écran des yeux et à la regarder, intrigué.

– Comment ça, tu ne viens pas? Bien sûr que si, tu vas venir. C'est Noël!

Elle aurait presque envie d'envoyer valdinguer tous ces foutus pères Noël, de les piétiner jusqu'au dernier. C'est comme ça qu'il lui dit merci?

Irrité, Harald lève la tête.

– Arrête de crier, s'il te plaît. Je n'entends pas ce qu'ils disent...

«Cette mystérieuse maladie mortelle qu'on appelle le S.I.D.A. a aussi fait son apparition chez nous, en Suède...»

Sara poursuit sur un ton agité qui couvre la voix de Bengt Öste.

– Tu ne vas quand même pas...

Elle est interrompue.

– … je ne crie pas ! Je dis simplement que…

Elle est interrompue de nouveau.

– … mais tu peux bien voir tes amis tous les autres jours de l'année, non ?

Harald se lève et s'approche de Sara qui secoue la tête et se détourne de lui.

– Tu peux m'expliquer ce qui se passe, à la fin ? marmotte-t-il.

Sara l'ignore.

– En plus, ils viennent tous. Holger et Christina et Kjerstin et… Je veux dire : en tout cas *eux*, ils viennent.

Harald s'impatiente et tire sur le fil du téléphone pour savoir de quoi ils parlent. Sara couvre de sa paume le combiné et lui siffle :

– C'est Rasmus, il ne veut pas rentrer pour le réveillon !

Harald secoue la tête comme si elle venait de s'exprimer dans une langue étrangère incompréhensible.

– Il ne veut pas rentrer pour le réveillon ? Mais évidemment qu'il va rentrer pour Noël. Passe-le-moi, je vais lui parler !

Il tend résolument la main pour attraper le combiné. Sara s'y cramponne tout aussi résolument.

– Tu entends, Rasmus ? dit-elle sur un ton de reproche. Même papa est dans tous ses états à cause de toi !

Tant Harald que Sara sont furieux de l'annonce de leur fils, de sa menace (c'est le seul mot qui leur vient à l'esprit) de ne pas rentrer fêter Noël avec eux. Sara parle soudain avec une voix de crécelle. Harald ressaie de lui arracher l'appareil des mains pour raisonner lui-même Rasmus.

Aussi n'entendent-ils pas Bengt Öste expliquer qu'aux États-Unis la nouvelle maladie, «*le S.I.D.A.*», frappe surtout les hommes homo-sexuels et que l'inquiétude grandit parmi les gays suédois.

Ils n'entendent ni les propos d'un certain Sten Pettersson, porte-parole de la RFSL, l'organi-sation de ces *homos,* ni les commentaires de l'épidémiologiste Margareta Böttiger. Ils sont trop occupés à essayer de convaincre leur fils de dix-neuf ans, parti récemment s'installer à la capitale, de prendre le train pour rentrer à la maison la veille du réveillon comme prévu. Ils n'entendent pas non plus le reporter demander à l'épidémiologiste : «*Y a-t-il un remède ?*» Ils ne voient pas non plus Margareta Böttiger secouer légèrement la tête et répondre : «*Non, il n'y a aucun remède à cette maladie.*»

Car ce dont parle Bengt Öste dans *Rapport* à la télévision ne les concerne pas, pas vraiment, pas dans leur vie à Koppom, pas dans leur petite réalité si éloignée du grand monde. Aussi, quand Rasmus a raccroché, ils restent plantés devant le téléphone, désespérés par son appel, avec la voix pontifiante de Bengt Öste qui se déverse sur les pères Noël, sur la mousse et le coton et les cailloux, sans que l'un ou l'autre l'écoutent.

«*En résumé : Le Ghana menacé par une famine catastrophique. La nourriture vient à manquer au moment même où plus d'un mil-lion de réfugiés affluent dans le pays. Rupture attendue demain des négociations salariales touchant un million et demi de personnes. Les fonctionnaires n'acceptent pas les propositions de l'État. Chute aujourd'hui dans l'océan Indien de Cosmos 1402. Les restes du satellite soviétique se sont éparpillés sur une vaste zone au large de Madagascar. Nouvelle maladie mortelle en Suède. Deux cas de S.I.D.A. répertoriés pour cette affection qui détruit le système de défense de l'organisme contre les maladies. Pas de tirs d'avertissement mais un recours direct aux armes lourdes. C'est ce que préconise la commission d'enquête sur les sous-marins étrangers.*»

Tel un titre parmi d'autres, dans un journal télévisé parmi d'autres, la maladie se glisse en Suède.

La famine catastrophique au Ghana et l'affaire des sous-marins étrangers, les négociations salariales qui capotent et le satellite Cosmos. Et le sida.

Comment pourraient-ils savoir, comment pourraient-ils un seul instant deviner que cette nouvelle maladie mortelle, qui semble maintenant avoir atteint la Suède mais ne frappe pour l'instant que «*les homos*», va changer leur existence de fond en comble, même dans leur petit monde, même à Koppom, que cette maladie très précise va emporter dans son sillage bonheur, vie et avenir – et que leurs décorations de Noël fiévreusement installées ne leur seront d'aucune protection ?

Ce soir-là aussi on regarde *Rapport* chez Britta et Ingmar Nilsson.

Mais chez eux, aucune décoration de Noël. En tant que Témoins de Jéhovah, ils ne fêtent pas Noël. Pourquoi le feraient-ils ? Premièrement, Jésus n'est pas du tout né à Noël. Deuxièmement, il ne leur a jamais imposé de se souvenir de sa naissance. D'ailleurs, ils ne fêtent aucune espèce d'anniversaire. Pourquoi le feraient-ils ? En revanche, ils regardent *Rapport*.

Britta, qui tricote des chaussettes pour Benjamin, jette de temps à autre un œil sur Bengt Öste quand il parle de la famine au Ghana et des négociations salariales avortées pour les fonctionnaires. Lors de cette information, elle écoute plus attentivement puisque Ingmar est employé municipal ; ils sont donc concernés, pour ainsi dire.

Puis, à mi-chemin de l'émission, vient le sujet sur cette nouvelle maladie effrayante.

Britta et Ingmar lèvent la tête. Toutes ces misères qui frappent l'humanité, maladies, tremblements de terre, famines et souffrances, elles étaient déjà prédites. Le journal télévisé ne fait que confirmer ce qu'eux savent déjà.

Dans le reportage on voit des images de Greenwich Village, à New York, ainsi que des photos de personnes atteintes du sarcome de Kaposi.

Ingmar secoue la tête et soupire.

– Oh là là là là. Pauvres gens !

Britta, non sans un petit souffle d'exaspération, fait cliqueter un peu plus fort ses aiguilles à tricoter.

– Enfin bon, après tout nous vivons la fin des temps. Avec des épidémies et des maladies.

Elle adresse un hochement de tête furieux à la télévision.

– Ceux-là, avec leur vie immorale, ça leur pendait au nez !

Britta a entièrement raison. Ingmar le sait. Voilà ce qui pend au nez des gens qui vivent dans la dépravation et l'immoralité. N'importe qui peut le lire dans la Bible où c'est très clairement écrit. Pourtant, il ne peut s'empêcher de frémir.

– Mais quand même, tente-t-il. Pauvres gens !

Il pousse un nouveau soupir.

Sur ce, Britta se lève pour éteindre la télé.

– Et toc ! On en a assez vu ! dit-elle, avant de retourner à son tricot.

Le même jour, leur fils Benjamin fait les cent pas devant le grand magasin NK. Il regarde les vitrines de Noël, hésite. Et finit par entrer. Au rez-de-chaussée, il achète une cravate et demande un paquet cadeau. Pour Noël.

Il tressaille en prononçant ces mots. Un paquet cadeau pour Noël. Le voici sur le point de commettre un grand et grave péché.

La vendeuse emballe la cravate dans du papier violet qu'elle entoure d'un ruban doré puis, avec un sourire, tend le cadeau à Benjamin.

– Et voici ! dit-elle. Je vous souhaite un joyeux Noël.

Benjamin sursaute, confus. Il comprend qu'il est censé répondre quelque chose.

– Euh… joyeux Noël à vous aussi, murmure-t-il, puis il quitte le magasin sans se presser.

Chaque pas en avant, aussi petit soit-il, n'en reste pas moins un pas. Avec cette cravate joliment empaquetée, Benjamin est en route pour une vie diamétralement opposée à tout ce qu'il a vécu.

A posteriori, il sera étonné de constater qu'il a pris sa décision en parfaite connaissance de cause, dans une cohérence claire. Comme si, une fois les mots prononcés, ces mots interdits, le reste devenait tout de suite plus simple.

Je veux dans ma vie pouvoir aimer quelqu'un qui m'aime.

Le même soir, à seulement quelques pâtés de maisons, les gens sortent du cinéma Astoria.

Les affiches dans les vitrines lumineuses du cinéma montrent ce qui sera, dit-on, le dernier long-métrage d'Ingmar Bergman : *Fanny et Alexandre*, d'une durée de trois heures et demie. Grâce aux critiques dithyrambiques qu'il a obtenues depuis sa sortie, à peine quelques jours plus tôt, toutes les séances sont prises d'assaut.

La séance est terminée. Interprétant le rôle de Gustav Adolf, Jarl Kulle vient de résumer la philosophie de la famille Ekdahl par un discours qui, dans les années à venir, pourra presque paraître prophétique : «*Subitement la mort frappe, subitement l'abîme s'ouvre, subitement la tempête fait rage et la catastrophe s'abat sur nous, nous savons tout cela. Mais nous ne voulons pas penser à ces choses désagréables. Nous aimons ce qui est compréhensible. Nous, les Ekdahl, aimons bien nos faux-fuyants…*»

La lumière s'allume. Le public quitte la salle pleine à craquer et se disperse dans la nuit de décembre. Parmi eux, Paul et Seppo. Une fois dans la rue, ils mettent leurs gants et écharpes puis se dirigent vers la place Östermalmstorg, après que Paul s'est allumé une Blend jaune.

La soirée est humide, froide et moche, en totale opposition avec le film grandiose. Quand dans l'après-midi ils sont arrivés au cinéma, une pluie mêlée de neige tombait. L'éclairage de Noël se reflète à présent sur l'asphalte détrempé. Les deux amis parlent du film. Ils sont secoués. Ils s'accordent pour affirmer, comme l'exprime Paul, que «cette vieille tête de nœud revêche est quand même arrivée à nous pondre un truc chiadé».

– Et Christina Schollin était merveilleuse ! ajoute Seppo. Qui aurait cru que cette grue serait capable de prendre aussi bien l'accent allemand ? ·

Il reste deux jours avant le solstice d'hiver, cinq jours avant le réveillon de Noël, douze jours avant qu'une nouvelle année commence. Leur vie n'est pas forcément simple, mais elle n'en reste pas moins agréable. Et c'est surtout une vie qu'ils ont choisie et conquise eux-mêmes, fût-ce au prix fort.

Ils ne sont pas stupides. Ils savent dans quoi ils se sont lancés. Ils savent que le monde tel que Gustav Adolf le décrit dans le film est un repaire de brigands, et ils savent aussi que la nuit ne tardera sans doute pas à venir.

Mais ce qu'ils ne savent pas, c'est que ça sera bien pire que ce qu'aucun d'eux n'aurait jamais pu imaginer.

Ils ne savent pas que ces moments sont les derniers avant la tempête, lorsque le mal va rompre ses chaînes et fondre sur le monde comme un chien enragé.

Venir avec une boîte de chocolats, c'est maladroit, il le sait, mais c'est comme ça qu'on fait chez lui. On apporte une boîte d'Aladdin ou de Wienernougat ou de Noblesse. Personnellement, il préfère les Noblesse, mais la boîte d'Aladdin est plus classe. Et tant pis si les Wienernougat sont sans doute les meilleurs, lui les trouve dégueulasses. Il finit par opter pour Aladdin. Il faut bien apporter quelque chose.

Jusque-là, ce 24 décembre a été très étonnant. Tante Christina, qui n'achète jamais de sapin, a décoré le yucca de la cuisine avec des boules rouges et des guirlandes argentées. Rasmus a dormi jusqu'à onze heures, depuis il traîne dans l'appartement en slip et en chaussettes. Vers quinze heures il a allumé la télé pour regarder seul la traditionnelle *Disney Parade*.

S'il était chez lui à Koppom, papa aurait préparé du riz au lait pour le petit déjeuner, ils auraient bu du chocolat chaud avec de la crème fouettée, maman aurait allumé des bougies partout. Comme d'habitude, elle se serait disputée avec papa à propos des petites bougies placées trop près des pères Noël sur les appuis de fenêtres : risque d'incendie ou pas ?

Ensuite, papa et lui seraient partis faire une balade à ski avant de s'accorder un petit sauna au sous-sol. Un sauna de Noël, comme ils l'appelaient : messieurs et dames séparés. Même si en l'occurrence les seuls «messieurs» n'étaient autres que le père et le fils.

Après le déjeuner, autre rituel, ils auraient joué à des jeux de société avec les tantes : Le diamant disparu ou Memory, Rasmus décidait. Puis, à l'heure de *Disney Parade*, Harald serait sans arrêt allé trifouiller le poste pour régler l'image, et Sara lui aurait crié qu'ils ne voyaient rien à cause de lui.

Ils auraient continué ce programme bien rodé jusqu'à ce qu'ils se lèvent de table et que Harald leur propose de danser, une suggestion toujours aussi ridicule puisque les invités ne variaient jamais : eux trois, les tantes Christina et Kjerstin, Stig le mari de celle-ci, et bien entendu Holger. Comme personne n'aurait voulu danser, ils auraient allumé la télé et sorti les boîtes de chocolats divers et variés ainsi que des noix (elles étaient toujours de sortie alors que personne n'en mangeait), puis ils auraient regardé la télé le reste de la soirée.

Comme il était le seul enfant («Et Noël, c'est la fête des enfants», répétait chaque année Harald), tout tournait autour de lui, tout était organisé pour lui. C'était à cause de lui que ses parents consentaient à autant d'efforts.

– Oui, c'est certain, tu es le but et la raison de ma vie, avait un jour déclaré Sara tandis qu'elle accrochait les rideaux rouges de Noël. Alors tu peux tout aussi bien être le but de Noël.

Et il a maintenant saisi la première occasion venue pour les laisser tomber. Pour pouvoir fêter Noël avec des gens qu'il ne connaît pas, chez un mec qu'il a à peine croisé.

Il n'y a même pas pensé quand Paul l'a invité, il a accepté sans réfléchir. En partie sans doute pour avoir une occasion en or de les trahir. Et, ce faisant, de clarifier la situation. Aux yeux de ses parents comme aux siens. De leur montrer à eux trois qu'il n'est plus le même et qu'il n'a aucune intention de retourner dans son village natal.

Il n'est plus un enfant. C'est magique. Il est désormais chez lui à Stockholm. Il est stockholmois, quoi que puisse révéler son accent qu'il n'a pas encore réussi à atténuer.

Quand on lui demande l'endroit du Värmland dont il est originaire, il lui arrive de hausser les épaules et de répondre : «Quelle importance ?» Pourquoi doit-il se rappeler ce Koppom de merde et ce putain de Värmland de merde ? Pourquoi doit-il se rappeler tous ceux qui ne lui ont jamais voulu du bien ? Et surtout : pourquoi doit-il se revendiquer d'un endroit où il ne retournera jamais ?

Koppom n'existe plus.

Quelques maisons le long d'une route qui mène dans un sens à Årjäng et dans un autre à Åmotfors, un de ces innombrables endroits inutiles où on doit ralentir pour rouler à cinquante avant que la route à quatre-vingt-dix reprenne.

De quoi peut-on être fier, là-bas ? De Chez Tor – Dépannage de tracteurs ? Du Salon de coiffure Astrid et du Café Philippines ? La bonne blague !

Il s'apprête à fêter son premier Noël rien qu'à lui dans la peau du nouveau Rasmus.

Le Rasmus de la capitale. Le gros pédé de Rasmus. Le Rasmus qu'il peut enfin être.

Christina étant partie comme chaque année à Koppom, il a l'appartement à lui tout seul pour la première fois depuis qu'il y a emménagé, ce qu'il a fêté en se branlant dans la salle de bains, porte ouverte, puis dans la cuisine, devant l'évier.

Durant ces trois mois passés à Stockholm, il ne s'est pas encore fait de vrais amis. Il a pris un café avec deux ou trois étudiants de la fac, en histoire de l'art comme lui, il a bavardé avec quelques mecs au Timmy, mais il a surtout traîné dans la Klara pornorra et au Viking Sauna qui, heureux hasard, se situe à quelques pâtés de maisons seulement de l'appartement de sa tante.

Les contacts qu'il a eus ont donc été occasionnels, du genre où on ne se parle pas, du genre où on ne dit pas son prénom, où on demande encore moins celui de l'autre. Des relations sans lendemain. On fait demi-tour puis on s'en va – et c'est tout. Des relations où on partage le plus intime, sans rien savoir de l'autre, ni dans l'instant ni plus tard.

Voilà pourquoi Rasmus s'inquiète un peu de la tournure que prendra ce réveillon avec de parfaits inconnus. Il éprouve la même tension que lorsqu'il est entré au lycée d'Arvika ou a pris le train pour Stockholm : il a la sensation que, pour lui, ça commence maintenant.

Il est dévoré par le désir que ça commence enfin pour lui.

Et peut-être cette soirée à venir n'est-elle que le dernier cap à franchir. Ces inconnus vont savoir comment il s'appelle, qui il est, ils vont apprendre à le connaître, à l'aimer, et dès lors il se fera de nouveaux amis.

Ou plutôt : il *aura* des amis.

Pour la première fois de sa vie.

Trois fois il change de vêtements, jamais il n'est satisfait du résultat. Il se lave les dents entre chaque cigarette. Il se décide finalement pour un tee-shirt sans manches et un jean blanc, un Lee.

Ne pas trop se distinguer du lot. Ne pas se faire disqualifier d'emblée à cause de ses fringues. Et surtout : ne pas s'habiller ou se comporter comme une folle.

Les folles occupent un rang inférieur parmi les pédés. Il l'a très vite saisi pendant ses premières semaines à Stockholm : les pédés sont comme tout le monde, eux aussi méprisent les pédés ! Les mecs efféminés ne se font pas draguer aussi facilement que les mecs virils. Ils finissent leur soirée en mimant les paroles de *This is my life* sur une piste de danse vide, perdus dans leur immense solitude merdique.

Ce n'est pourtant pas compliqué ! Ces mecs inconnus avec qui il va fêter Noël, ils vont l'aimer pour ce qu'il *est*, donc celui qu'il *est* doit valoir le coup d'être aimé.

Il est fin prêt, il peut y aller. Il se contemple dans le miroir.

Rasmus de Stockholm.

Ses cheveux entre-temps coupés court ne portent plus aucune trace de sa teinte bordeaux. À l'oreille gauche, un simple anneau en or. Sinon : tee-shirt noir sans manches, jean blanc, chaussettes en laine, baskets aux lacets défaits. Ses bras sont devenus magnifiques, lui qui fait cent pompes tous les matins. Il a des yeux d'un bleu intense.

Il s'observe dans la glace, hoquette, dit soudain à voix haute, à quelqu'un, au miroir, à lui-même, au monde entier :

– Je m'appelle Rasmus Ståhl, et je *veux* que vous m'aimiez !

Dix-huit heures, a dit Paul au téléphone. Mais comme Rasmus trouve ça gênant d'arriver pile à l'heure, il traîne dans l'appartement vide place Sankt Eriksplan. À moins le quart, il est non seulement à la bourre mais il prend conscience qu'il n'a pas la moindre idée de l'état de la circulation du métro un soir de réveillon. Si tant est qu'il circule.

Et effectivement, il doit attendre un long moment sur un quai désert avant qu'une rame daigne arriver. Il est déjà sept heures et demie quand il descend à Mariatorget. Il monte en vitesse l'escalator et sort dans la Swedenborgs-gatan, côté place Mariatorget. L'immeuble de

Paul est censé se trouver quelque part sur la gauche.

L'air est humide et froid, mais il n'y a pas encore de neige. Christina appelle ça «l'hiver de Stockholm» car la neige qui tombe se transforme aussitôt en bouillasse. Le ciel est couvert. Il a l'air violet.

Paul habite dans la Sankt Paulsgatan, Rasmus découvre que c'est tout près du Timmy. Le fait est qu'il est passé devant l'immeuble la première fois qu'il allait au club. Il reconnaît l'affiche du POE sur l'armoire électrique juste à côté de la porte d'entrée. La caricature de Palme.

En sortant de l'ascenseur au deuxième étage, il entend de la musique et un brouhaha dans l'appartement où une petite plaque en laiton indique GOLDBERG. Paul ouvre presque immédiatement après que Rasmus a sonné, le visage rouge et luisant d'alcool et de chaleur.

– Rasmus, nan mais j'hal-lu-cine ! Tu as pu venir, ça me fait tellemeeent plaisir ! Entre ! Entre ! Ne reste pas là à faire le pied de grue, mon canard.

Embarrassé, Rasmus lui tend la boîte d'Aladdin pendant que Paul le tire dans le vestibule et lui plante d'office une bise mouillée et alcoolisée sur la bouche.

– Et tu as aussi apporté des chocolats, mon cœur… Comme c'est mignon !

Paul le libère de la boîte, Rasmus enlève ses chaussures et se débarrasse de son blouson.

– Oui pardon, je ne savais pas…

Mais Paul est déjà passé dans le séjour. Il agite la boîte de chocolats.

– Ne te bile pas ! Aladdin, c'est formidable ! For-mi-dable ! Moi je commence systématiquement par la noisette triplée. Tu comprends, elle est tellement compliquée à fabriquer qu'elle donne des tendinites à ces pauvres ouvrières.

Et il faut toujours montrer un peu de reconnais-sance envers les camarades de lutte. Mais viens, viens, suis-moi ! Les autres sont déjà arrivés.

Peu rassuré, Rasmus lui emboîte le pas. Il se jette un rapide coup d'œil dans le miroir, passe la main sur ses cheveux ras, puis s'immobilise devant le seuil, étrangement mal à l'aise.

Le séjour est décoré de grandes guirlandes vertes qui tombent du lustre au milieu de la pièce. De longs fils dorés et scintillants pendent aux fenêtres. Une multitude de petits pères Noël kitsch, dont plusieurs entièrement nus (hormis le bonnet), croisent des anges petits ou grands ou nus eux aussi et, dans tous les coins, des chèvres de Noël en paille de toutes les tailles. Au fond de la pièce trône un gigantesque sapin en plastique argenté dans lequel clignotent des centaines de loupiotes rouges, bleues et jaunes. Quatre inconnus sont assis ou à moitié allongés sur le canapé et les fauteuils autour d'une table basse.

Paul frappe dans ses mains.

– Mes amis, s'il vous plaît… Je vous présente Rasmus, qui nous vient directement du Vär-mland. Et il a apporté des chocolats, *lui*. N'est-ce pas, Bengt ? Espèce de grosse vache. Rasmus n'est pas arrivé les mains vides, *lui*. Rasmus, voici Bengt. Ici, Reine. Et enfin Lars-Åke et Seppo…

Un « salut » est lancé à l'unisson. Celui qui répond au prénom de Reine se lève même pour lui donner une poignée de main chaleureuse et polie. Il n'est pas très grand. Les pommettes hautes et des cheveux noir corbeau, il a des yeux sombres et amicaux, un peu bridés. En le voyant, Rasmus pense spontanément à une race de chien dont le nom lui échappe néanmoins.

L'espèce de grosse vache de Bengt est à moi-tié étendu, la tête sur les genoux du dénommé Seppo. Il a tout du seigneur qui se considère comme le centre du monde, avec une attitude à l'avenant. Il semble en effet marquer un droit de propriété et lancer implicitement à Rasmus : «Et que tu te le tiennes pour dit !»

Seppo, pour sa part, a passé un bras autour des épaules de Lars-Åke. Si le premier est un peu replet, en plus d'avoir une calvitie naissante, le second porte une chemise de maçon, une moustache et des lunettes. Ils sont les plus âgés du groupe (peut-être la trentaine, carrément). Ne sachant trop quoi penser de leur relation, Rasmus décide qu'ils forment un couple.

Bengt, en revanche, n'a l'air d'avoir qu'un an de plus que Rasmus. Allongé comme ça sur les genoux de Seppo, il est d'une beauté presque provocante. Rasmus le surprend à l'observer, de cette manière qui lui est devenue familière depuis son arrivée à Stockholm : Bengt le jauge, l'évalue, le déshabille du regard. Voyant Rasmus rougir et se dérober, il esquisse un sourire de satisfaction et dévie aussitôt son attention. Il le plante là, seul avec l'illusion (ou l'espoir inavouable) qu'il sera l'heureux élu et qu'ils baiseront ensemble cette nuit.

Tournant la tête, Paul s'exclame :

– Aaah... Le voici enfin : Benjamin !

Benjamin revient de la cuisine où il est allé chercher du Sopalin pour éponger du champagne renversé. Il est vêtu de ses plus beaux vêtements, son costume de service si naturel pour lui mais qui le différencie des autres et le rend singulier au sein de cette assemblée déjà singulière.

Il se rend compte, quand Paul s'illumine et prononce avec nonchalance son «Aaah... Le voici enfin : Benjamin !», qu'un invité non seulement vient d'arriver mais se retourne pour le regarder.

À la seconde même où Benjamin aperçoit le nouveau venu, il s'arrête net. Immobile un instant, il acquiert la certitude que c'est vers cet endroit, cet instant, cette rencontre, vers ce garçon que tous ses déplacements ont tendu.

Il prend conscience que cet endroit n'a jamais cessé d'être sa destination. Peut-être croyait-il réellement faire du porte-à-porte pour apporter le témoignage de Jéhovah. En réalité, il cherchait uniquement ce garçon.

– Est-ce qu'on meurt si on tombe d'ici ? demandait-il à son père.

– Je pense, Benjamin, qu'on va s'abstenir de le vérifier ! répondait celui-ci – et il renonçait alors à tomber.

Maintenant, il sait qu'il n'y a pas d'autre choix possible. Il doit se pencher encore un peu plus en avant, basculer par-dessus bord – et se laisser tomber.

C'est un soir de début d'été, ils sont descendus sur la petite plage près du ponton. La mer est encore fraîche après le long hiver, mais le soleil réchauffe. Sa sœur et lui sont nus tous les deux. Il court dans l'eau en hurlant, s'y enfonce à toute vitesse, rejoint la plage tout aussi vite. Son père l'attend avec une serviette dépliée dont il l'entoure. Il emmitoufle son fils dans une étreinte protectrice.

La chute et l'étreinte.

Les deux reviennent au même.

Il tombe dans une étreinte. Il est étreint dans la chute.

C'est à la fois un retour à la maison et un saut dans l'inconnu.

– Benjamin ! lance soudain Paul avec un rire. Ne reste pas planté là, on dirait un crétin. Viens plutôt dire bonjour à Rasmus !

Benjamin se ressaisit, retrouve son sourire Témoin-de-Jéhovah mesuré au millimètre près et serre la main de Rasmus.

Rasmus se sent un peu mal à l'aise face à ce drôle de mec en costard. Sa tenue, son sourire, sa poignée de main – on croirait qu'il veut lui vendre quelque chose. Et on lui donnerait facilement dix ans de plus, alors qu'en réalité ils doivent avoir le même âge.

– Nan mais j'hallucine ! Il te drague, Rasmus ! s'écrie Paul. Tu es le trophée de la soirée !

Bengt lui donne un coup de pied.

– Ah bon ? Je croyais que c'était moi...

– Oh, je t'en prie, Bengt ! rétorque Paul en l'expédiant d'un revers de main. La coupe itinérante de la soirée, c'est moi !

Il éclate d'un rire libérateur, les autres rient à leur tour, la soirée reprend son cours.

Benjamin enjambe Bengt et commence à essuyer le champagne renversé. Reine se pousse dans le grand fauteuil pour faire de la place à Rasmus.

– Dis-moi, mon petit Värmlandais, est-ce que tu veux du vin chaud ? demande Paul en allumant une Blend jaune.

– Euh... oui. Oui, je veux bien, réussit à articuler Rasmus.

– Eh bien on n'en a pas, de vin chaud ! réplique Paul aussitôt. On n'a que du champagne. Bengt ! Tu peux aller chercher un verre pour le poussin divin du Värmland ?

Malgré un soupir, Bengt va chercher un verre que Paul remplit de champagne, ça déborde et ça dégouline, il le tend à Rasmus tout en continuant son bavardage :

– Du vin chaud... Laisse-moi rire ! De la pisse de bourrique tiédasse où ils ont ajouté des raisins secs. Et après, soi-disant que c'est *nous* les pervers !

Il secoue la tête de consternation.

– Allez, tchin-tchin, les filles !

Les hommes lèvent leur verre et trinquent.

Benjamin et Margareta font des ricochets sur la plage à côté du ponton. Ils s'amusent depuis un petit moment et n'ont bientôt plus de galets adaptés. Pourtant ils n'ont pas envie que ça s'arrête. Ils ne s'en lassent pas. Britta met finalement un terme à leur jeu.

– C'est l'heure d'aller au lit, les enfants.

– Oh, juste encore un peu ! supplie Margareta, qui se penche pour ramasser d'autres cailloux.

– Il ne fait pas encore nuit, tente Benjamin en continuant de lancer.

– Certes, mais c'est quand même le soir. Tu sais qu'en été la nuit tombe tard.

Benjamin se racle la gorge et cherche fébrilement quelque chose à dire à Rasmus.

– Alors comme ça tu viens du Värmland ?

Il regrette aussitôt sa question : Rasmus a un accent si prononcé qu'il a l'air d'être tout juste débarqué de sa province. Paul intervient avant que Rasmus n'ait le temps de répondre.

– Oh, tu sais, il y en a pour tous les goûts ici. Reine est fils de pêcheur et vient du Bohuslän. Bengt vient lui du Jämtland et va devenir acteur. S'il vous plaît ! Genre, future grande star si tu vois ce que je veux dire…

Il adresse un clin d'œil provocateur à Bengt qui, un peu gêné, se tourne vers Rasmus.

– Mais non… Je viens juste d'entrer à la Scenskolan, j'ai encore trois ans à faire avant d'avoir terminé.

– Nan mais j'hallucine ! Mademoiselle fait sa modeste maintenant…

– Lâche-moi la grappe, tu veux !

– Enfin bref. Comme je disais, une grande star en devenir. Ensuite nous avons Seppo, qui est finlandais. Et à côté Lars-Åke, qui est en couple avec ce Finlandais. Quant à moi je suis juif. Et enfin Benjamin. Alors lui, il décroche carrément le pompon puisqu'il est Témoin de Jéhovah !

Médusés, ils tournent la tête comme un seul homme sur Benjamin qui rougit malgré lui. Paul jubile. Avec l'air de celui qui exhibe l'échantillon d'une espèce en voie d'extinction.

– C'est vrai ? demande Rasmus, incrédule.

– Je vous jure ! *La Tour de Garde* et tout le tralala ! lance Paul sans égard pour Benjamin qui cherche désespérément une répartie.

– Attendez, je vais vous montrer. Il m'a donné une brochure…

Il se lève à moitié pour aller chercher le tract que Benjamin lui a laissé lors de sa première visite. Benjamin le supplie du regard. Qu'est-ce qu'il a fait pour être ainsi donné en spectacle ? Pourquoi Paul lui impose ça ?

Il voit Rasmus l'observer avec cette mine sceptique qu'ont les gens qui s'apprêtent à l'envoyer balader et à lui claquer la porte au nez quand il fait son service du champ.

– On pourrait peut-être regarder ça une autre fois… lance-t-il presque désespérément dans le dos Paul, qui se retourne aussitôt, hausse les épaules et se rassoit.

– Oui oui t'as raison, on s'en fout ! Quoi qu'il en soit, Benjamin vient lui aussi de rejoindre la famille. C'est dingue ! Ce réveillon, je vous jure, on dirait un bal des débutantes !

Paul éclate de rire. Mais il est pris au même moment d'une quinte de toux, le champagne éclabousse partout.

Benjamin sent une chaleur monter en lui. Mon Dieu, il est en plein reniement… Il a pris peur quand Paul a voulu montrer la brochure qu'en temps normal il distribue avec tant de fierté et dont il s'inspire si souvent. Pourquoi, maintenant, cette fierté s'est-elle envolée ?

Il sait qu'il devrait se lever pour défendre sa foi et porter le témoignage de Jéhovah. C'est pour faire face à des situations comme celle-ci qu'il a été entraîné des heures et des heures à l'École du ministère théocratique. Or il se tait. Les autres ne voient pas qu'il est en train de déraper, inéluctablement.

La famille.

Paul affirme que Benjamin fait partie de la famille.

Le soleil est presque couché. Britta et Ingmar se sont installés sur la véranda après avoir mis les enfants au lit. Ils étudient la Bible, comme souvent le soir quand ils ont terminé leurs tâches ménagères. Britta lit à haute voix l'une des épîtres de saint Paul.

– «*À cause de cela je plie les genoux devant le Père...*»

Soudain elle aperçoit Benjamin dans l'ouverture de la porte, en pyjama.

– Mais qu'est-ce qui se passe, mon canard ? Tu n'arrives pas à dormir ? demande-t-elle affectueusement. Allez, viens sur mes genoux !

Benjamin grimpe sur les genoux de sa mère, elle pose une couverture sur lui et continue sa lecture.

– «*... à qui toute famille au ciel et sur la terre doit son nom.*»

Benjamin s'endort pendant que ses parents lisent à tour de rôle. Au bout d'un moment Ingmar se lève. Avec délicatesse, il prend son garçon et le porte dans ses bras pour le mettre au lit. Benjamin pousse un petit gémissement.

– Dors, mon chéri, chuchote Ingmar. C'est papa.

Il sent toujours la chaleur de son père. De ces bras qui le portaient. Les bras paternels. Et avec autant de gratitude que d'horreur, il songe : Pendant toute ma vie j'ai été porté.

Or voilà qu'il se retrouve chez un pédéraste, à boire du champagne avec d'autres pédérastes, tout aussi profanes et frivoles. En plus, ce même pédéraste affirme que non seulement sa vraie famille ce sont eux, mais aussi qu'il *est* comme eux – eux, les pédérastes, qui incarnent toutes les valeurs de Satan en personne, ainsi que le lui a enseigné son père ! Et par-dessus le marché ils fêtent le réveillon de Noël.

Le réveillon de Noël !

En un éclair, son monde vient d'être complètement chamboulé.

Chez lui, c'est un jour comme un autre : il n'y a pas de sapin, pas de décorations, pas de bougies, pas de réveillon. Le 24 décembre est même encore plus terne et ordinaire que les autres jours, puisque tout ce qui pourrait ressembler à un embryon de célébration est condamnable. À l'extrême rigueur, ils jouent à un jeu de société ou se retrouvent à la veillée avec une autre famille de la congrégation – après tout, ils sont en congé. Il est essentiel de faire comme si de rien n'était, comme s'ils n'avaient pas conscience que tout le monde à part eux fête Noël.

Et pourtant cette soirée a quelque chose de spécial... Tout est chamboulé, certes, et en même temps pas. Benjamin a l'impression de se déplacer le long d'une frontière qui irait d'un extrême à l'autre – mais en se tenant toujours au bord, sans tomber encore dans la marge, raison pour laquelle il se reconnaît malgré tout, du moins pour l'instant.

Comme dans une... famille.

Que son appartenance aux Témoins de Jéhovah fasse réagir les autres relève pour lui du quotidien. Il a l'habitude de se heurter à la curiosité des gens, voire à leur méfiance.

Tous les jours, il porte le témoignage de Jéhovah sans perdre patience face aux questions les plus indiscrètes et souvent agressives sur sa foi et sa façon de vivre. Il sait comment répondre. Avec simplicité et sincérité. Tant que les réponses simples et sincères voudront bien exister.

Et c'est le beau Bengt qui ouvre le bal.

– Mais… être Témoin de Jéhovah et homo, c'est compatible ?

Benjamin entend suinter le sarcasme dans la question de Bengt, mais le sarcasme ne le touche jamais.

– Non, ce n'est sans doute pas compatible, reconnaît Benjamin volontiers.

Il les fixe chacun à tour de rôle pour bien leur faire comprendre qu'il a baissé la garde et qu'ils peuvent poser toutes les questions du monde, ça ne le dérange pas.

Rasmus plisse le front.

– Mais comment tu fais alors ?

Benjamin le regarde droit dans les yeux et avale sa salive avant de répondre.

– Il faut choisir.

La réponse simple et sincère.

Et c'est maintenant qu'il devrait se lever et s'en aller et ne plus jamais revenir.

Chercher le salut tant qu'il existe encore.

Il se réveille quand son père le pose doucement dans le lit. Il ouvre les yeux et regarde droit dans ceux de son père. Il n'y lit que de l'amour.

Il tend la main, son père la prend, lui caresse les cheveux.

– Tu veux que je te chante une chanson avant de te laisser ? demande Ingmar tendrement.

Benjamin hoche la tête et serre fort la main de son père qui chante à voix basse tout en lui caressant les cheveux et la joue.

– «*J'ai ouvert grand les yeux, pour voir si je voyais mieux. Et j'ai vu, parbleu : je ne peux vivre heureux...*»

Benjamin l'accompagne sur les derniers mots.

– «*... sans toi !*»

Il ferme les yeux, frémit. Il doit choisir. Il le sait. Mais pas ce soir.

Il décide de s'octroyer un sursis. Il décroche son sourire de proclamateur, professionnel et gagnant, et dit de sa voix la plus affirmée :

– On en parlera une autre fois, si vous voulez bien. Le plus important, c'est que je sois là pour réveillonner avec vous. Vous savez, en tant que Témoin, je ne suis même pas censé fêter Noël...

– C'est vrai ? s'écrie Lars-Åke, ravi. Au niveau de Noël tu es puceau !

Benjamin s'illumine.

– Ouaip. «*Voyez ! Je fais quelque chose de nouveau.*» Ça, c'est une parole du Seigneur.

– Et l'alcool ? veut savoir Bengt, toujours perplexe, mais Benjamin le rassure.

– J'ai le droit de boire de l'alcool.

– Ouf ! Tout va bien, alors ! s'exclame Seppo qui ni une ni deux remplit les verres.

Ils trinquent de nouveau. Mais, juste après avoir bu, une ombre semble s'abattre sur le visage de Paul qui perd ses couleurs un instant. Il pose son verre. Il écarquille un peu les yeux, se tâte les tempes. Seul Seppo s'en rend compte.

– Qu'est-ce qu'il y a ? Tu te sens pas bien ?

Paul balaie l'inquiétude de Seppo par un rire et répond :

– C'est rien, je dois couver un rhume. On s'en fout. Et maintenant, à table !

Dix ans plus tard, Paul, amaigri, vêtu de sa chemise d'hôpital ouverte dans le dos, sera assis

sur la cuvette des W.-C., pris d'une crise de diar-
rhée aiguë.

Chier, crier, crier, chier.

Ses paumes moites vont tâter les murs à la
recherche d'un soutien, quelque chose à quoi se
cramponner, il va serrer les poings à en faire blan-
chir les jointures, il va frapper les murs, il va inter-
peller Dieu et il va appeler la mort de ses vœux.

Mais de tout cela, il ne sait pour l'instant rien.

Pour l'instant ils vivent des jours heureux, des
années heureuses.

La liberté n'est pas encore entièrement gagnée,
peut-être, n'empêche qu'on a commencé à tenir
tête à la peur, et Paul vient de prier ses hôtes de
passer à la cuisine et de faire honneur à sa table
de Noël qui croule sous les plats.

Pendant qu'ils prennent place, Lars-Åke saisit
l'occasion pour demander à Benjamin pourquoi les Témoins de Jéhovah ne fêtent pas Noël.
Rompu à l'exercice, Benjamin répond gentiment :

– Le 25 décembre n'est pas la véritable date
de naissance de Jésus qui ne nous a d'ailleurs
jamais imposé de fêter son anniversaire. De
toute façon, nous ne fêtons aucun anniversaire.

Rasmus lui demandant si ça ne lui manque
pas, Benjamin rit et répond qu'on ne peut pas
éprouver le manque de ce qu'on n'a jamais
eu – et, pour une raison indéterminée, tout le
monde valide son argument bien qu'il soit totalement erroné.

Car évidemment qu'on peut éprouver le
manque de ce qu'on n'a jamais eu, on peut
éprouver le manque de quelqu'un qu'on n'a
jamais rencontré ou de quelque chose qu'on n'a
encore jamais vu.

Toute votre vie vous pouvez éprouver ce
manque et savoir que quelque chose vous est
passé sous le nez.

Et c'est Rasmus qui est passé sous le nez de Benjamin. C'est Rasmus qui lui a manqué.

Benjamin le sait déjà. C'est peut-être pour ça que la décision lui est soudain si facile à prendre.

«Je plie les genoux devant le Père, à qui toute famille au ciel et sur la terre doit son nom.»

Lorsque Benjamin s'installe à la table de Noël interdite, lorsqu'il accomplit le geste parfaitement ordinaire de prendre place sur la banquette en plaisantant gaiement avec Reine et Seppo, il fait en même temps un choix nouveau et bouleversant, le choix d'une nouvelle famille, d'un nouveau foyer et d'une nouvelle exclusion.

Il est sans doute comme le disciple Pierre, quand celui-ci voit *«une grande toile descendre du ciel, et dessus il y a toutes sortes d'animaux impurs que Pierre n'aurait jamais l'idée de manger, puis il entend une voix du ciel qui lui dit "Mange !", et après avoir essayé de résister, après avoir même argumenté avec la voix divine, il accepte tous les animaux impurs sur la toile comme purs»*.

Les règles en vigueur au sein de la congrégation et de la famille n'ont jamais posé de problèmes particuliers à Benjamin. Savoir qu'ils se différenciaient tant des profanes l'a toujours laissé de marbre. Il s'est toujours senti à l'aise avec la différence, d'autant plus qu'il a toujours été persuadé d'avoir raison.

Pour Margareta, sa petite sœur, ça a été une autre paire de manches, Benjamin le sait. Le regret de ce qu'ils n'ont jamais eu. Le désir de tout ce qu'ils n'ont jamais obtenu. Petite, avec ses camarades de classe, elle inventait des cadeaux de Noël et d'anniversaire, elle fabulait sur un sapin de Noël et un calendrier de l'Avent et prétendait prendre part elle aussi aux festivités. Si leurs parents l'avaient appris, ils auraient été mortifiés. Benjamin n'en a jamais rien dit, bien qu'il soit parfaitement au courant. Ils n'auraient pas seulement été mortifiés, ils auraient surtout *discuté* du problème avec elle jusqu'à ce qu'elle soit incapable de ressentir le moindre manque, d'avoir le moindre désir.

Et si cela n'avait pas suffi, ils auraient demandé à un membre de la congrégation, peut-être le surveillant de district, de *parler* avec Margareta, ou alors elle aurait pu être convoquée devant le conseil, devant tous les anciens qui tous lui auraient *parlé*, de façon convaincante et sage, en citant maintes et maintes fois la Bible, jusqu'à ce qu'elle ne ressente plus ce qu'elle ressent, qu'elle ne soit plus en manque de ce qui lui manque, jusqu'à ce qu'elle ne veuille plus ce qu'elle veut. Tout ça à cause d'un désir puéril de ressembler à ses camarades profanes, de réveillonner à Noël, de fêter son anniversaire.

Tandis que Benjamin, leur Pionnier, lui, il côtoie en ce moment même des pédérastes qui vivent dans la dépravation et l'immoralité – comme s'il était l'un d'eux !

Benjamin répond à d'autres questions sur la façon de vivre des Témoins de Jéhovah et, entendant la voix divine lui dire : «*Mange !*», il choisit d'accepter toutes ces choses impures placées devant lui sur la table.

Un bref instant il y réfléchit. Il se dit que c'est étrange d'être ici, de répondre à des questions sur sa vie de Témoin alors qu'il en connaît les conséquences : le fait d'être ici lui interdira désormais de se considérer comme membre de la congrégation.

Paul les interrompt. Il a entre-temps retrouvé ses couleurs et noie toutes les pensées et réflexions de Benjamin dans un baragouinage lumineux où son patois d'Eskilstuna alterne avec sa tchatche de folle perdue.

– Nan mais j'halluciiine ! Quelles pipelettes, celles-là ! Servez-vous, à la fin !

Il fait un grand geste au-dessus de la table dont chaque millimètre est recouvert d'un plat, d'un saladier, d'une assiette ou d'un verre.

– Il y a, aaalors… : des langoustines, du jambon, du saumon, du homard, des huîtres, des boulettes de viande, des crevettes, des saucisses cocktail. Je sais, mes petits chéris, je sais, c'est un mélange de très mauvais goût. Mais que voulez-vous, le mauvais goût c'est l'histoire de ma vie.

Il éclate de rire et fait main basse sur le plus gros des homards, raflant au passage quelques langoustines.

– Hum, pas très casher pour un Juif, fait remarquer Seppo.

Imperturbable, Paul s'empare d'une langoustine.

– Oui oui oui… Mais faut pas croire, hein. De toute façon, quoi que je fasse, les orthodoxes me lapideraient…

Il casse une pince et en aspire bruyamment le jus.

– Tiens, en parlant de ça. Un jour, j'ai baisé avec un Juif orthodoxe dans un parc de Tel-Aviv.

Seppo lève un sourcil dubitatif.

– Je vous jure ! Un pur jus, si j'ose dire. Avec papillotes et tout le bastringue.

Il joint le geste à la parole, avale de travers tellement il rit.

– Et les papillotes tressautaient dans tous les sens quand il me suçait.

– Pardon ?!

L'exclamation de Benjamin vient du cœur. Elle est sortie toute seule. Il se sent extrêmement gêné. Jamais de sa vie il n'a entendu un langage aussi vulgaire. Il rougit, se bouche les oreilles. Il se force à rire.

Parce qu'il a fait son choix. Désormais, il appartient à cette famille.

Paul ne le prend pas mal. Au contraire, ça l'encourage encore plus à continuer.

– Après je lui ai posé la question. Je lui ai dit : «C'est pas un péché terriiible, ce qu'on vient de faire ? Je veux dire : la Bible interdit formellement à un homme de coucher avec un autre homme comme il couche avec une femme.» Et là le Juif orthodoxe m'a répondu : «Mais absolument ! Sauf que je n'ai pas couché avec toi. Je suis resté tout le temps à genoux !»

Là-dessus, Paul part dans un grand éclat de rire, si contagieux que même Benjamin ne peut s'empêcher de sourire.

– Et le pire, c'est qu'il était totalement sérieux. Il pouvait se taper autant d'hommes qu'il voulait du moment qu'il restait à genoux.

Seppo se penche vers Benjamin et pose sa main sur la sienne d'un geste protecteur.

– Il est comme ça, que veux-tu. On n'est pas non plus obligé de l'écouter.

– Seppo a entièrement raison ! s'écrie Paul, aux anges. Je raconte tellement de conneries !

Installé en bout de table, Rasmus est tout tourneboulé. Mais il est heureux. À sa gauche, sur la banquette, est assis le mec du Bohuslän dont il a oublié le prénom, celui qui s'est levé pour lui serrer la main. Vient ensuite Seppo, puis cet étrange Témoin de Jéhovah en costard, le fameux Benjamin. Rasmus n'arrive toujours pas à comprendre ce qu'il fait chez Paul.

En face de lui, également en bout de table, cette belle gueule de Bengt qui l'allume comme c'est pas permis, avec un peu de chance ils baiseront ensemble ce soir. À côté de lui, Lars-Åke, le moins intéressant de tous après le mec du Bohuslän. Et enfin Paul, l'inénarrable et sidérant Paul. Il réussit, tout en mangeant et en buvant, à disposer d'une main libre pour caresser le dos de Rasmus, sa nuque ou l'intérieur de sa cuisse. Comme ça, en passant, pendant qu'il divertit les autres.

Personne ne réagit. Ils croient peut-être que Rasmus est l'amant de Paul, qu'il est invité à ce titre. Qui sait, c'est peut-être vrai. Peut-être que Paul compte le baiser ce soir. Pourquoi pas, se dit-il.

Pendant une seconde il se demande s'il ne devrait pas lui aussi, par politesse, caresser Paul. Il passe une main hésitante dans son dos et sur sa cuisse. C'est sans doute considéré comme un honneur de passer pour le petit copain de celui qui reçoit.

Il n'a pas de sentiments pour Paul. Mais ça n'a pas beaucoup d'importance. Ou plutôt si, ça en a. En fin de compte il n'a pas très envie de l'embrasser. Il trouve que Paul a une drôle d'haleine. Et même temps il sait pertinemment qu'il finira par l'embrasser.

Si c'est ce qu'attend Paul. Si c'est ce qu'il doit faire. Tout se paie, on n'a rien sans rien.

Il se dit que ce sera plus facile s'il arrive à se soûler. Après tout, Bengt ou Paul, que ce soit celui qu'il désire ou celui qu'il ne désire pas… Dès qu'il sera pinté, ça sera du pareil au même.

Pendant qu'il vide son champagne avec détermination, il repense aux mois qu'il vient de passer à Stockholm. Il se voit comme une proie qui *veut* à tout prix être capturée, qui se place sciemment bien en vue, là où le chasseur pourra le viser facilement.

Est-ce de la timidité ou de la lâcheté, ce comportement qui consiste à n'être jamais celui qui choisit mais celui qui est choisi (ou qui n'est pas choisi) ? De ne jamais dire non. D'être toujours plein de gratitude. Même quand le mec le dégoûte.

Cet immonde besoin de tendresse qu'il éprouve malgré lui, ce désir pathétique d'avoir quelqu'un qui après s'être vidé restera un peu avec lui.

Il est à Stockholm depuis trois mois et, au cours des quatre à cinq semaines qui viennent de s'écouler, il s'est tapé tellement de mecs qu'il en a perdu le compte. Il a baisé dans des appartements dont il ne retrouvera jamais le chemin, dans des voitures, des cages d'escalier, des buissons.

Un instant, l'image de ses parents passe furtivement dans sa tête, il a un coup au cœur. Qu'est-ce qu'ils diraient s'ils l'apprenaient ?

Des hommes l'ont tourné et retourné dans tous les sens, ils lui ont écarté les bras et les jambes, ils l'ont mis à quatre pattes, l'ont plié en deux, ils se sont frottés contre lui, ils l'ont pris, l'ont pénétré, sont entrés puis ressortis puis rerentrés, ils l'ont niqué à fond, l'ont bourré et pilonné, ont poussé des geignements et des gémissements, ont joui en lui, lui ont giclé dessus, ont inondé son corps mince et presque glabre.

Certains étaient débordants d'attention, d'autres ne donnaient pas dans la douceur, d'autres encore étaient violents voire carrément méchants ; quelques-uns, rares, étaient beaux, la plupart étaient laids, un ou deux franchement repoussants – mais il a toujours fait avec. De tous les mecs qui l'ont sauté ces trois derniers mois, il y en a peut-être deux, allez, trois tout au plus qu'il a bien aimés. Chaque fois il s'est cru amoureux, chaque fois il s'est enflammé, s'est mis à minauder et à faire le joli cœur, et chaque fois ça a tourné au ridicule et au ratage complet, à tel point qu'il s'est fait honte lui-même.

Et ils l'ont tous rejeté. Tous.

Lui, il se dit que ce n'est pas grave, qu'en attendant il se blinde, qu'il doit seulement se donner un peu de temps pour avoir une carapace assez solide. C'est comme quand on marche pieds nus en été, au début ça fait mal mais ça finit par passer.

Il boit encore un peu de champagne, il sent déferler en lui comme une vague chaude et pétillante cette ivresse qu'il recherchait tant. Il pense que rien n'a d'importance, il caresse le dos de Paul et répond à un nouveau regard provocant que lui lance Bengt.

Tout à coup, il se rend compte que cet étrange Benjamin n'arrête pas de le regarder : le Témoin de Jéhovah en costard, coincé en bout de banquette. Et soudain Rasmus remarque que Benjamin a des yeux bleus magnifiques sous des cils denses et sombres, qu'il a une petite fossette au menton et une barbe naissante foncée, comme si le rasage n'en venait jamais à bout. Rasmus observe les mains de Benjamin et se demande quel effet ça ferait d'être caressé par elles.

Il se met presque à rire. Au secours, pense-t-il, je ne peux quand même pas me les taper tous les trois. Quoique, il sait très bien qu'il le pourrait.

Il comprend aussi qu'il est comme cette roulure qui draguait les loubards, celle qu'il avait vue un soir l'été dernier sur la grande place de Karlstad.

Elle était penchée en avant sur le capot d'une voiture et se faisait prendre par-derrière par un type grassouillet avec un gilet en jean, qui avait posé *sur* son postérieur (véridique !) sa barquette contenant la traditionnelle saucisse accompagnée d'une purée mousseline et de cornichons hachés. Et, pendant qu'il s'empiffrait, il la labourait.

À cause du look Nouveau romantique qu'il avait adopté, Rasmus s'attendait toujours à se faire tabasser. Pourtant, il avait quand même osé s'aventurer un peu plus près, pas trop, mais suffisamment pour voir le visage porcin de la nana constellé de taches de rousseur, ses cheveux jaunasses et secs comme de la paille, le mascara noir qui formait des paquets sur ses cils. Subitement elle avait tourné la tête vers lui et, pendant une brève seconde, leurs regards s'étaient croisés. Elle semblait tellement indifférente à ce qui était en train de lui arriver que Rasmus avait été obligé de regarder ailleurs. Peu après, jetant malgré tout un rapide coup d'œil vers elle, il avait constaté que les petits yeux de la nana étaient toujours fixés sur lui. Là, elle avait ouvert sa bouche qui ne cessait de ruminer un chewing-gum et soufflé une grosse bulle rose, et Rasmus avait eu l'impression de l'entendre dire : «Moi au moins je me fais sauter. Moi au moins quelqu'un veut de moi.» Alors qu'en réalité elle gueulait : «Tu veux ma photo, connard !» Là-dessus, Rasmus avait tourné les talons et s'était sauvé.

Une roulure comme celle de la grande place, voilà ce qu'il est, à la différence majeure près que son mascara à lui ne forme pas de paquets : il est discrètement appliqué.

Il pense : Si je pouvais choisir, avec qui je voudrais être ? Pas avec Paul, c'est clair, même s'il est adorable.

Bengt est en haut de la liste, certes, mais le garçon en costume dégage une persévérance et une sincérité que Rasmus n'a jamais rencontrées auparavant. Benjamin est l'antipode de Bengt. Bengt qui drague Rasmus sans complexe.

Benjamin l'observe d'une tout autre manière. D'une manière, comment dire… pleine d'espoir. Un espoir qui s'étend loin au-delà du visible. Et avec des yeux bleus en plus. Pas avec ces yeux marron sur lesquels il fantasme d'habitude.

Rasmus identifie alors ce qui émane de Benjamin.

Il est novice. Littéralement. Il est débutant en tout. Au commencement de. Exactement comme Rasmus. Lui aussi il ignore totalement comment on fait.

Que se passerait-il si, pour une fois, Rasmus se décidait à choisir au lieu d'être choisi ? S'il disait à quelqu'un : J'aimerais bien te connaître.

En même temps que lui vient cette pensée grisante, il sent à nouveau sur sa cuisse la main de Paul qui cherche, comme par hasard, à atteindre sa braguette. Rasmus pose son verre de champagne, se lève brusquement et dit qu'il va aux toilettes.

Il a la tête qui tourne, il tangue quand il se redresse.

Dans la salle de bains, il se regarde longuement dans la glace. La roulure à loubards, avec ses vilains petits yeux porcins, lui rend son regard.

Bengt, qui vient juste de se verser du champagne, tient toujours la bouteille quand Rasmus revient s'asseoir. Il se lève à moitié et se penche par-dessus la table pour le servir.

– Tu en veux d'autre ?

Décochant à Rasmus son sourire de charme, il le sert d'un geste qui se veut chevaleresque.

– Au fait, je m'appelle Benjamin, l'interrompt celui-ci avec une effronterie qui le surprend lui-même. Tu ne l'as peut-être pas entendu tout à l'heure, dans la confusion générale.

– Alors santé, dit Bengt, dans une tentative d'ignorer Benjamin – il lève son verre et regarde Rasmus droit dans les yeux.

– Santé…

Rasmus répond avec une légère hésitation. Son regard se dérobe et glisse du côté de Benjamin, qui se dépêche de lever son verre lui aussi.

– Oui, santé ! s'exclame-t-il, et il se penche en avant, comme pour cacher Bengt.

– Nan mais j'halluciiine ! Ils sont en train de se le disputer, le Témoin de Jéhovah et l'acteur ! s'amuse Paul.

– Mais fous donc la paix à la jeunesse, espèce de vieille mère juive, marmonne Seppo. D'ailleurs, en tant que Juif, toi non plus tu ne devrais pas fêter Noël.

– Je te signale que je fête aussi Hanoukka ! s'écrie Paul, imperturbable. Je fête tout. Je ne suis pas regardant dans mon genre. Tiens, et si on chantait une chanson ? Allez les filles, tout le monde chante ! *« Le fignard trotte sur la glace. Permettez-moi, permettez-moi de chanter la chanson des folles ! »*

Et les voilà partis à parodier la ronde traditionnelle qu'on entonne aussi à Noël : *« Le renard trotte sur la glace. Permettez-moi, permettez-moi de chanter la chanson des filles ! »*

Paul a évidemment compris que Rasmus le caresse par pure politesse, qu'en réalité il n'est pas intéressé. C'est comme ça.

Peut-être que dans le fond Paul n'y croyait pas vraiment non plus. Peut-être que ses attouchements n'étaient qu'un tripotage de routine, tout au plus. Puisque le poussin divin du Värmland le permettait.

Et visiblement la partie est finie. Il y a quand même de quoi halluciner… Enfin, tant pis ! Qu'ils se battent en duel pour le poussin, les jeunes coqs, si ça leur chante.

Il pose les deux coudes sur la table pour bruyamment sucer une pince de homard.

Parfois on fait carton plein. Parfois pas. Et lorsqu'on a quelques années de plus et qu'on a perdu sa beauté de jeune premier, on en est réduit à aller au Viking Sauna et à niquer dans le noir. On s'en satisfait, on ne fait pas sa mijaurée.

Faites passer la merde avec du champagne et vous verrez qu'elle descend sans problème.

Reine, assis en face de lui sur la banquette, n'a pas décroché un mot de la soirée. Bizarre. Il mâche son jambon avec des mouvements de bouche lents et concentrés. Paul, bien sûr, ne peut pas s'abstenir de faire un petit commentaire.

– Qu'est-ce que tu as aujourd'hui, Reine, ma crotte ? Tu ne manges rien, voyons !

Reine mastique, lentement, méticuleusement.

– Chais pas, répond-il en hésitant. J'ai vachement mal dans la bouche quand je mange.

Il fait une grimace en avalant.

– Comme si j'avais chopé une mycose ou une saloperie de ce genre.

Il se façonne un sourire gêné pour s'excuser. Ces deux dernières années, il s'est trimballé tout un tas de maladies. Il a été admis au service de jour de Roslagstull. Une pneumonie dont il a cru qu'elle allait le tuer. Il a même été hospitalisé pendant quelques jours. Il a aussi connu des épisodes de fortes fièvres. Il a perdu pas mal de poids à ce moment-là. Mais entre-temps il s'est requinqué. Il y a aussi eu des périodes où il était en pleine forme. Faudrait pas non plus exagérer.

Il ne comprend pas, il ne veut inquiéter personne. Enfin bon, quand même, ce machin qu'il a dans la bouche, là, qui lui fait mal... Il faudra qu'il appelle le centre médical après les fêtes pour essayer de caler un rendez-vous.

– Nan mais j'hallucine ! bavasse Paul. Ne me dis pas que toi aussi tu vas tomber malade ? Tiens, prends plutôt une petite vodka, mon cœur. L'alcool vient à bout de toutes les bactéries au monde.

Reine, comme plusieurs des tout premiers malades, s'est déjà fait soigner à l'hôpital de jour de Roslagstull, il s'y est rendu pour des infections ordinaires telles qu'hépatite et amibiase.

On ne parle pas de son homosexualité – pourquoi le ferait-on ? Mais le médecin et l'infirmière sont quand même au courant. Alors, petit à petit, au fur et à mesure que des rapports arrivent des États-Unis sur cette nouvelle maladie, un des médecins se met à lire le dossier de certains patients : surtout celui d'un homme, le premier, qui tousse terriblement, à cause de mycobactéries ou d'une tuberculose ou d'une pathologie inconnue ; toujours est-il qu'il tousse à un point incroyable. Et ce médecin, il se dit qu'ils sont peut-être en présence de ce syndrome évoqué dans les articles. Le patient en question finit par être hospitalisé, s'étiole peu à peu et décède en étant le premier de tous ceux qui vont décéder par la suite.

Les chefs de service de l'hôpital ne voudront d'ailleurs pas que ces hommes soient soignés dans le service de jour. L'un d'eux, en tant que croyant et pratiquant, refuse catégoriquement d'avoir des patients homosexuels à Roslagstull. Il le dira sans ambiguïté : «Mieux vaut les envoyer à l'hôpital de Danderyd.»

Les infirmières s'y opposent elles aussi. Par crainte, par préjugés, ou peut-être les deux. Voilà pourquoi une seule infirmière travaille avec les médecins à l'hôpital de jour. Kerttu, elle s'appelle. Et Kerttu fait office d'infirmière, de secrétaire, d'assistante sociale, de psychologue, de tout à la fois. Forcément puisque personne ne se propose à part elle.

Les mecs qu'elle aide, ses garçons, ils vont lui donner un petit nom. «L'Ange de Roslagstull». Ce sera son surnom désormais.

Mais pour le reste. Ça tournera à l'absurde.

Comme quand un médecin rapporte de chez lui des meubles anciens dont il a hérité. Histoire de mettre un peu de gaîté dans le service.

Son chef, toujours le même, le croyant et pratiquant, rapplique séance tenante et décrète qu'il ne faut absolument pas de chaises avec des sièges en tissu – à cause du risque de contagion ! Il faut pouvoir désinfecter le mobilier entre chaque malade !

Et tant pis si Reine et les autres ne font rien d'autre que de s'asseoir dessus, en restant tout habillés. Tant pis s'ils ne peuvent contaminer personne en restant bêtement assis là.

Et pourtant.

On sera obligé de recouvrir les sièges de plastique. Et tout ce que l'infirmière dénichera, ce seront des housses en plastique à fleurs. Ensuite, les mecs malades, on les verra poser leurs fesses sur des meubles anciens protégés par du plastoc fleuri.

Initialement, Reine n'est déjà pas bien grand, en plus il est maigrichon.

Mais quand il finit par mourir à l'hôpital des maladies infectieuses de Roslagstull, en étant l'un des tout premiers de ceux qui vont mourir par la suite, il ne pèse plus qu'une petite trentaine de kilos.

Il ne reste rien de lui.

Lorsqu'il entame la dernière phase de son agonie, qu'il a totalement cessé de boire et de s'alimenter, il lui faudra quand même douze jours pour mourir.

Douze jours avant que son cœur têtu cesse de battre.

24 décembre, soir du réveillon. Sara regarde par la fenêtre. Sous son tablier qu'elle porte encore, elle n'a pas fait d'efforts particuliers pour enfiler une tenue de fête. Ses cheveux sont relevés en un chignon négligé déjà en train de se défaire. Elle ferait mieux de se les couper court, tiens. Vouloir des cheveux longs à son âge, quelle sottise ! Alors qu'on ne lui voit qu'une tignasse grise.

L'étoile de l'Avent se reflète sur la vitre à côté de son visage. Quelques rares voitures passent sur la route qui traverse le village, balayent la chaussée devant elles de leurs cônes de lumière. La nuit d'hiver sera froide. Le thermomètre est déjà à moins douze. À la cave, la chaudière à fuel tourne à plein régime.

Les familles sont à nouveau réunies pour fêter Noël. Pas seulement à Koppom et dans le Värmland, mais dans tout le pays. Les personnes parties autrefois vivre ailleurs ont rejoint ce soir leur lieu de naissance ; à l'instar de Joseph et Marie, chacun est revenu chez lui.

Car c'est ce qu'on fait pour Noël. On rentre à la maison. En réalité, c'est ça qu'on célèbre, songe Sara : le retour à la maison. La terre à laquelle on appartient. La quiétude descend sur le royaume. Tout le monde a regagné l'endroit où il est censé être. Tout a retrouvé pour quelques jours sa place naturelle.

Sara pousse un lourd soupir et imite le geste de Rasmus qui consiste à appuyer le front contre le carreau froid. De la main gauche elle déplace quelques petits pères Noël sur le rebord de la fenêtre. À quoi bon, tout ça ? Rien n'est à sa place. Elle pourrait tout aussi bien aller se coucher sous une vieille couverture.

Elle éclate d'un petit rire qui ressemble davantage à une expiration bruyante. Elle pourrait tout aussi bien se cacher sous une vieille couverture, c'était une expression de leur mère. Elle et ses sœurs s'étaient toujours demandé pourquoi il fallait absolument que la couverture soit vieille. Une couverture ordinaire n'aurait-elle pas tout aussi bien fait l'affaire ?

– Tu ne viens pas nous rejoindre ? On est déjà passés à table…

Depuis la porte du salon, Harald lui parle d'une voix douce, presque suppliante. Sara se retourne lentement et regarde son mari d'un air infiniment triste. Il porte son cardigan en laine sur sa chemise mais a fait preuve de bonne volonté en passant une cravate.

– Oh, tu as mis ta cravate de Noël.

– Ben, il faut bien essayer de se mettre dans l'ambiance, répond Harald.

Il s'agit d'une large cravate décorée d'un Père Noël, très vilaine en fait. Harald considère que c'est l'une des choses les plus précieuses qu'il possède. Rasmus la lui a offerte quand il avait dix ou onze ans, c'était la première fois qu'il achetait des cadeaux de Noël avec son argent à lui. Depuis, la tradition familiale veut que Harald l'arbore à chaque réveillon (bien que Rasmus lui-même ait exigé, passé le cap des quinze ans, qu'elle soit jetée à la poubelle tant elle lui faisait honte).

Sara s'approche de Harald pour arranger le nœud puis caresse le Père Noël du bout des doigts.

– Oui, sans doute, soupire-t-elle.

Elle suit à contrecœur son mari dans la cuisine où les attendent Kjerstin, Stig et Christina en compagnie de leur voisin Holger. C'est étrange, en fait, que des trois sœurs, elle soit la seule à avoir eu un enfant, à presque quarante ans en plus.

À l'époque, elles s'étaient mises à en rigoler, se comparant aux dames du conte inventé par Elsa Beskow : tante Brune, tante Verte et tante Violette – puis est arrivé monsieur Bleu, alias Harald, qui s'est marié avec tante Brune.

Elle lâche un nouveau rire. Un rire sans joie, comme si elle s'ébrouait. Aujourd'hui elle n'a le cœur à rien.

Par-dessus le marché, cette pie de Christina n'arrête pas de jacasser à propos de sa cohabitation avec Rasmus à Stockholm : elle se pavane, une cigarette dans une main et un verre de vin rouge dans l'autre, dont le bord est taché de rouge à lèvres. Sara la tuerait.

– … non, je vous assure, ça se passe vraiment bien, minaude-t-elle devant Holger, toujours aussi poli. Je ne pense pas que Rasmus me considère comme une vieille tante, mais plutôt comme une… oui, voilà : comme une *copine*, je dirais.

– C'est quand même courageux de sa part. Quitter Koppom pour aller jusqu'à Stockholm… glisse Holger, tout de suite interrompu par Sara avant que Christina n'ait le temps de repartir de plus belle dans ses bavasseries.

– Bon, eh bien… Vous savez quoi ? On n'a qu'à commencer, hein.

Le silence se fait. Sara s'assied en bout la table, près de la cuisinière pour pouvoir se lever facilement. La tradition veut en effet que le repas du réveillon de Noël se prenne dans la cuisine. Encore une marotte qu'elles tiennent de leur mère.

Comme le 24 décembre n'est pas férié, on réveillonne dans la cuisine. Le 25 et le 26 l'étant en revanche, les véritables jours de fête peuvent commencer et les repas se prennent dès lors dans le salon, à la table de la salle à manger (qu'ils ont, pour une raison insondable, surnommée ainsi alors qu'ils n'ont pas de salle à manger).

Ils se sont donc repliés à la cuisine : trois vieilles peaux accompagnées de Stig, Harald et Holger. Sans enfants. Sans Rasmus. Quelle assemblée déprimante !

Sa cigarette écrasée, Christina va ni vu ni connu poser le cendrier ailleurs. Harald fait un tour de table pour remplir les verres à schnaps d'aquavit aux bourgeons de bouleau. Il brûle d'envie de dire que ces bourgeons transparents qui parfument si bien l'alcool, Rasmus et lui les cueillent au printemps. Il préfère ravaler ses paroles. Le moment est comme qui dirait mal venu.

Sara se tait. Elle tourne son alliance, se mord l'intérieur des joues en prenant soin que ça se voie. Kjerstin s'éclaircit la voix, elle essaie de démarrer une conversation :

– Hmm, il a l'air bon, ton jambon...

– Pff, je suis sûre qu'il est trop sec, la coupe Sara.

Le chapitre du jambon est clos.

Vient le tour de Christina de chercher à engager une discussion. Elle se tourne vers Holger :

– Holger... commence-t-elle, puis elle marque une petite pause, comme si elle ne savait plus quelle question poser en premier parmi toutes celles qui lui trottent dans la tête. Tu ne t'es jamais marié ?

À ces mots elle appuie son menton sur ses mains pour montrer à quel point elle est attentive et curieuse de sa réponse.

Gêné, Holger se racle la gorge et fixe ses genoux.

– Non, ça ne s'est jamais fait.

Le silence se réinstalle et se cale à côté de la question et de la réponse qui flottent toujours au-dessus de la table du réveillon, à savoir pourquoi la vie n'a pour ainsi dire jamais souri à Holger. Harald court à la rescousse de son voisin : il balaie ce sujet de conversation en levant son verre.

– Bah ! Le Värmland est rempli de vieux garçons, allons ! lance-t-il sur un ton léger.

Et encore une chose de réglée.

– Bon, écoutez, poursuit-il en toussotant, d'une voix soudain un peu solennelle. Avant de trinquer, j'aimerais dire quelques mots. Je me rappelle qu'il y a quelques années, une poignée d'étudiants est venue collecter des données pour leur thèse. Vous vous en souvenez, ils prétendaient qu'avec la fermeture de la papeterie, Koppom tout entier était condamné. Condamné, qu'ils disaient ! Ha ! Regardez à quel point ils se sont trompés ! Nous avons, voyons voir... Qu'est-ce que nous avons déjà ? Ah oui. Nous avons les ateliers de Töckfors... Nous avons...

– ... Antiphon... ajoute Holger.

– Exactement ! Ils ont tout fait pour arrêter les trains de marchandises, mais ils ont été obligés de les remettre en service. Sans oublier que l'année dernière ils ont construit, combien déjà... ? Dix ! Oui, dix logements locatifs ils ont construits. Ici même, à Koppom ! Alors si ça ce n'est pas avoir foi en l'avenir, je ne sais pas ce que c'est. Bon, joyeux Noël à tous, buvons à la santé de Koppom où il fait bon vivre pour les jeunes !

Harald sait pertinemment que Rasmus n'habitera jamais dans l'un de ces dix nouveaux logements. Il sait pertinemment que Rasmus ne travaillera jamais chez Antiphon, et encore moins aux ateliers de Töckfors. Mais il est bien obligé de défendre sa région. Il est obligé !

Sa petite allocution terminée, il perd le fil de sa pensée pendant quelques secondes, avant de se rendre compte que tous ont leur verre levé dans l'attente du toast.

– Voilà, mes amis. Et maintenant, on va chanter *« Salut, les petits lutins, remplissez nos verres et soyons tous joyeux… »*

Et Harald de pousser la chansonnette, seul, de sa voix de baryton. Jusqu'à ce que Sara pose sa main sur son bras pour l'interrompre.

– Non, Harald, dit-elle à voix basse, on ne va pas chanter ce soir !

Harald se tait et repose son verre.

Dans la cuisine d'un deux pièces du quartier de Söder, à Stockholm, sept hommes sont en train de chanter à tue-tête. Ils miment les gestes des folles et non plus des filles quand elles marchent, quand elles s'assoient puis se relèvent. Il y a Paul originaire du Södermanland, Bengt du Jämtland, Reine du Bohuslän, Benjamin de Stockholm, Rasmus du Värmland, Lars-Åke d'une banlieue nord et enfin Seppo, expatrié de sa Finlande natale, de l'autre côté de la mer Baltique.

Tous ont coupé les ponts avec leurs lieux d'origine et entamé un long périple pour arriver ici. Ils se sont tenus au pied de la capitale, en lambeaux, avec pour seul bagage la promesse de cette ville : elle va les rendre entiers.

Ils ont bravé leur peur et leur haine de soi, ils ont laissé la capitale les étreindre, les porter, les consoler. Les transformer. La Transfiguration.

«Devenir celui qu'on est tout au fond. Jésus monte sur une montagne avec Pierre, Jacques et le frère de celui-ci, Jean, et il est transfiguré devant eux, et son visage brille comme le soleil et ses vêtements de dessus deviennent éclatants comme la lumière.»

Mais peut-être en va-t-il ainsi de tout ce qui brille : ça demande des efforts.

Benjamin se fera souvent la réflexion, dans quelques années seulement : si ça se trouve, on ne peut être que des feux follets, voués à s'enflammer, à brûler un bref instant et à s'éteindre.

Ces années. Elles les avaient certainement illuminés. Ses amis sans doute plus que lui-même.

Trois petites années plus tôt, ils étaient encore officiellement considérés comme des malades mentaux par les autorités, la Direction nationale de la Santé et des Affaires sociales n'ayant supprimé l'estampille «maladie mentale» qu'en 1979 – et encore, après une occupation de ses locaux par des militants gays.

Seppo avait participé à cette occupation déjà entrée dans la légende. Il avait bloqué le chemin à des fonctionnaires dans le grand escalier en pierre et chanté : «*Il nous faut de l'amour, n'en fût-il plus au monde*», jusqu'à ce que la directrice générale Barbro Westerholm descende les trouver et leur promette d'agir personnellement en leur faveur sur cette question.

Et cet air d'Offenbach aussi ils le chantent, embrayent sur des chants de Noël et des chansons à boire, entament *Brille sur lac et rivage* de Viktor Rydberg, sous la direction d'un Paul fin soûl qui couvre la voix des autres en criant que Rydberg était pédé, puis en déroulant à intervalles réguliers son chapelet mondain : Shakespeare, Michel-Ange, les rois Gustav III et Gustav V, James Dean et Marlon Brando, tous des gros pédés ! Sans oublier la reine Christine. Quoique… Elle évidemment, elle était gouine. Mais bon, c'est kif-kif bourricot !

Les sept hommes dans l'appartement chantent, rient, exultent, applaudissent. Pour finir, ils chantent à gorge déployée *Minuit, chrétiens*, Paul ouvre alors les fenêtres du séjour, y traîne une des baffles de la chaîne hi-fi et laisse Jussi Björling les assister dans le chant qui résonne à plein volume sur la place Mariatorget : «*Peuple, à genoux attends ta délivrance. Noël ! Noël ! Voici le Rédempteur.*»

C'est le mois de décembre en cette année de grâce 1982, l'année d'une liberté fraîchement gagnée.

– Mesdames et messieurs, le Baileys sera servi dans le salon, fait savoir Harald. Si vous voulez bien vous donner la peine de venir vous asseoir dans le canapé…

Il est dans les vignes du Seigneur (son expression préférée) et par conséquent d'une humeur radieuse. Il renverse presque sa chaise en se levant et décrète :

– Et on se met où on veut, hein, dans le canapé !

Il pouffe. Kjerstin et Christina caquettent et coquettent comme deux vieilles poules quand il leur fait son numéro du chevalier servant. Voyant cela, Sara se lève sans un mot et quitte la cuisine. Ses sœurs s'arrêtent net pour la regarder partir.

– Qu'est-ce qui lui prend ?

Harald essaie de minimiser.

– Ben, vous savez ce que c'est.

Quand il arrive dans le salon, il trouve Sara devant la fenêtre, elle regarde dehors comme elle l'a fait tout au long de la journée. Comme si elle imaginait qu'il lui suffit de rester ici le temps nécessaire, fidèle au poste, pour voir apparaître quelqu'un.

– Sara ! soupire Harald, plein de tendresse.

– Mais pourquoi est-ce qu'il n'appelle même pas ? murmure-t-elle, désespérée – elle tourne la tête et pose un regard angoissé sur son mari pour qu'il lui réponde.

Or il est à court de réponse.

Elle offre de nouveau son visage à la nuit et à l'hiver. Son pied gauche piétine nerveusement le plancher, pareil aux battements d'ailes d'un oiseau.

– C'est Noël et il ne nous appelle même pas !

Il est près de deux heures du matin. Dans le vestibule de Paul, Rasmus vient d'enfiler son blouson. Il s'apprête à partir. Il serre Paul dans ses bras et le remercie de l'avoir invité. Ce dernier, lui plantant une grosse bise mouillée sur la bouche, fait semblant de ne pas remarquer qu'il s'essuie les lèvres de la main gauche.

Quand Benjamin s'aperçoit que Rasmus est sur le départ, il n'hésite pas une seconde : il se dépêche de mettre lui aussi son manteau.

– Tu t'en vas ? Je pars avec toi, alors. Comme ça on se tiendra compagnie.

Il n'a aucune intention de laisser le choix à Rasmus.

Amusé, Paul regarde son empressement et ne peut s'empêcher de le mettre en boîte.

– Oh oh, le missionnaire reprend du service, à ce que je vois…

Benjamin fait comme s'il n'avait pas entendu.

– De quel côté tu vas ? demande Rasmus.

Ébahi lui aussi, il regarde Benjamin fouiller presque désespérément le tas de chaussures pour trouver les siennes. Celui-ci se redresse triomphalement quand il les a trouvées. Il les brandit, prêt à partir.

– On s'en fiche ! répond-il. Je vais là où tu vas.

Rasmus sort de l'immeuble, suivi comme son ombre par Benjamin. La température paraît plus douce qu'en début de soirée. Ils s'arrêtent et lèvent les yeux. Il s'est mis à neiger. Le ciel est encore violet, des flocons lents et majestueux emplissent l'air. Tout autour d'eux, des étoiles de l'Avent et des bougeoirs électriques éclairent les fenêtres des appartements. Une fine couche blanche recouvre déjà le sol.

– La station de métro est par là, indique Rasmus avec un hochement de tête vers la droite.

Benjamin rit.

– Les métros ne circulent pas les nuits de jour férié.

Rasmus a l'air consterné. Il aurait dû le savoir. Comment ils vont faire, maintenant, pour rentrer ?

– Ah bon… Va falloir qu'on marche, je suppose, répond-il au hasard – il prend aussitôt conscience qu'il ne sait pas quel chemin suivre.

Leur haleine forme un petit nuage de fumée en sortant de leur bouche. La neige est encore intacte. Il n'y a pas une trace sur le trottoir.

Rasmus regarde à droite puis à gauche, perplexe. Pour ne pas paraître trop paumé, il décide de prendre à gauche vers la Timmermansgatan où se trouve le Timmy. Les vitrines des magasins sont éteintes. Les trottoirs, déserts.

Si ses souvenirs sont exacts, ils devraient aboutir à une grande rue, située à quelques blocs de là. Il décide de s'y rendre, du moins pour commencer.

Benjamin marche à côté de lui sans contester la direction qu'ils empruntent. Ils bavardent de choses et d'autres. Rasmus refuse d'admettre ouvertement qu'il est perdu dans la ville dès qu'il ne s'en tient plus au métro. Il marche avec détermination, comme un piéton sûr de son parcours.

Ils arrivent à un carrefour avec des feux tricolores. Un homme avec un chien noir en laisse se tient devant les clous. Malgré l'absence de circulation, ils attendent eux aussi que le feu passe au vert.

Rasmus essaie de regarder en douce le nom des rues pour voir s'il peut s'orienter. Hornsgatan, lit-il sur la plaque. Ce qui ne lui dit rien de plus, sinon qu'il se rappelle avoir fait demi-tour ici la première fois qu'il cherchait le Timmy, alors qu'il était allé trop loin.

La rue s'étend à perte de vue dans les deux sens et ne révèle rien de l'endroit où elle mène.

Deux directions aussi prometteuses, aussi probables l'une que l'autre.

Rasmus observe Benjamin du coin de l'œil, qui a l'air totalement insouciant. S'il remarque son hésitation, il n'en montre rien. Il se tient simplement à côté de lui, plisse les yeux vers le ciel. Il semble heureux.

– Il neige vraiment beaucoup !

– Oui, énormément, répond Rasmus, qui entend un soupçon de panique vibrer dans sa voix.

Il regarde d'un côté puis de l'autre pour essayer de comprendre où il doit aller, comment *diriger* Benjamin.

– Tu arrives à te repérer dans Stockholm maintenant ?

Benjamin pose cette question en réussissant à paraître à la fois sincère et innocent, bien que ça crève les yeux que Rasmus n'a aucune idée de l'endroit où ils se trouvent, ni où ils vont.

Et là, Rasmus éclate enfin d'un rire libérateur.

– Absolument pas ! reconnaît-il.

Sara s'attarde devant la fenêtre du salon et appuie son front contre le verre. Elle regarde le jardin, la clôture, la route. Ils ont fini de dîner. Et ils ont bien mangé. Enfin, comme d'habitude. Comme d'habitude, Kjerstin a apporté son hareng mariné au vinaigre. Comme d'habitude, Christina s'est contentée d'offrir une boîte d'Aladdin. Mais bon, on ne se refait pas. Tout le monde a vanté son jambon. Et tant pis si, de son propre avis, il n'était pas terrible – qu'importe, ce n'est qu'un jambon.

Pour le reste, c'était sympa. Tranquille. Sobre. Le réveillon qu'on s'attendait à passer. Harald a péroré sur l'avenir de Koppom, Dieu seul sait ce qu'il voulait prouver. Au bout d'un moment, quand il s'est lancé dans ses traditionnelles chansons à boire, elle s'est démenée pour paraître plus joyeuse. Elle a même chanté avec les autres. *Salut, les petits lutins* et *Je n'ai jamais été pompette.*

On ne peut décemment pas inviter des gens à réveillonner pour ensuite faire la tête pendant le repas.

Non, globalement, ils ont passé une bonne soirée. On ne peut pas le nier.

Elle et ses sœurs ne s'entendent pas si mal, tout bien considéré. Et puis, en dernier ressort, elles peuvent toujours casser du sucre sur le dos de leur mère. Un prêté pour un rendu vu qu'elle n'arrête pas de les culpabiliser. Elle passe désormais ses hivers en Espagne sur la Costa del Sol avec son nouveau mari, un homme d'affaires finlandais à la retraite. De lui aussi, elles adorent dire du mal.

Harald et Holger ayant en commun leur passion pour la chasse, Harald aime bien ressortir ses vieilles histoires du terroir, toujours aussi incompréhensibles parce qu'il les raconte en patois du coin. Holger est le seul à le comprendre, en fait.

Pourtant.

Tout s'est passé comme d'habitude, tout s'est déroulé comme le veulent leurs petites coutumes – mais Rasmus n'était pas là.

Les pères Noël étaient à leur place attitrée – mais Rasmus n'était pas là. Les biscuits au gingembre ont été préparés selon la recette de sa grand-mère – mais Rasmus n'était pas là. Le caramel mou de maman n'a pas été oublié lui non plus – mais Rasmus n'était pas là. Ils ont mangé l'incontournable jambon, bu l'incontournable soda de Noël, chanté les incontournables chants de Noël – mais Rasmus n'était pas là.

Tout s'est passé comme d'habitude, tout s'est déroulé comme le veulent leurs petites coutumes. Pourtant rien ne s'est passé comme d'habitude, rien ne s'est déroulé comme le veulent leurs petites coutumes. À plusieurs reprises, elle a cessé de résister et s'est laissée couler dans son mal-être râpeux. Comme un mantra qu'elle a répété mentalement sans arrêt, un disque rayé : Il n'est pas là, il n'est pas là, il n'est pas là, il n'est pas là.

Les conversations, les claquements de langues, le mâchouillage, le chant autour d'elle – tout s'est estompé et son inquiétude s'est manifestée pour lui ricaner au visage.

Il n'était pas là. Il n'est plus là, il n'est plus à elle, elle ne peut plus lui donner ce dont il a besoin et envie.

Et maintenant qu'on s'est levé de table, que Harald a déclaré «Et on se met où on veut, hein, dans le canapé !», elle a repris sa place devant la fenêtre où Rasmus se tenait toujours. C'est le seul endroit où son angoisse lui permette de rester. Elle appuie son front contre la vitre, elle a envie de pleurer et se fiche éperdument de ce que les autres pourraient penser.

C'est son inquiétude. C'est son Rasmus qui est perdu pour elle.

Maintenant que le repas est terminé, elle se sent libérée de son devoir de maîtresse de maison. Elle sait qu'ils la trouvent pisse-vinaigre mais ça aussi ça lui est égal. Elle se dit que ses sœurs sont aussi soûles l'une que l'autre et qu'elles sont alors assez bruyantes et braillardes pour trois.

De toute façon Harald s'occupe d'elles, les abreuve de Baileys et de Grand Marnier, les suit en plastronnant et en faisant le beau. Quant à Holger, il sirote sa liqueur dans le canapé et ne décroche pas un mot, ou presque. Inutile de se faire du mauvais sang pour lui.

– Et maintenant mesdames, on danse ! s'exclame soudain Harald.

Il sort un disque de Frank Sinatra, essuie avec soin le 33 tours à l'aide d'une brosse censée «enlever l'électricité statique», précise-t-il à Holger, vise minutieusement pour poser le bras du pick-up dans le bon sillon, et *Strangers in the night* dégouline des haut-parleurs. Harald fait quelques pas de danse – rumba ou cha-cha-cha ? – jusqu'au canapé et invite les deux sœurs en même temps.

Kjerstin rit et frappe dans ses mains.

– Regardez-le, comme il est en forme, le coq de la basse-cour !

Harald le prend manifestement pour un compliment. Il ondule un peu plus des hanches tout en forçant Kjerstin à se lever. Stig invite Christina à danser. Même Holger ose quelques pas maladroits et oscille tout seul à côté d'eux.

Après un regard fatigué en direction de son mari, Sara se tourne à nouveau vers la nuit, vers son visage reflété sur la vitre. C'est allumé chez les Svensson, en face. Les lampadaires placés à intervalles réguliers sont éclairés, ils éloignent le bourg et leur convivialité de l'obscurité, de la forêt et de la nuit tout proches.

C'est alors qu'elle le voit.

Un miracle, voilà ce que c'est. Un cadeau.

Elle se redresse, tout à coup complètement lucide, les idées claires, les sens en alerte.

On dirait que c'est… ? Non, ce n'est pas possible…

Elle peut à peine respirer.

Juste derrière leur clôture, sur la route qui traverse Koppom : l'élan blanc !

Là, juste sous le lampadaire. Avec son pelage blanc qui scintille.

– Harald ! Viens voir ! appelle Sara, le soufflé court, sans quitter l'élan des yeux.

L'animal s'arrête dans le cône de lumière. Il balance sa tête d'un côté à l'autre, d'un mouvement indolent.

Harald ne saisit pas l'urgence qui anime Sara, il continue de danser. L'élan commence déjà à bouger, sans se presser, en direction de l'ouest.

– Mais viens, je te dis ! siffle Sara avec impatience, qui fait également signe aux autres.

Ils s'approchent de la fenêtre et regardent dehors. Harald se fige.

– Ça alors, je n'en reviens pas ! dit-il dans un halètement.

– Quoi ? Je ne vois rien, s'écrie Christina, fébrile, en sondant la nuit du regard.

– Là ! s'impatiente Sara. Un élan blanc !

– Ici ? Dans le village ? s'étonne Holger, qui accourt à la fenêtre, lui aussi.

Sans répondre, Sara quitte son poste de guet devant la vitre et se précipite dehors. Il faut qu'elle voie l'élan de plus près.

La nuit est glaciale. Sara ne se donne pas la peine d'enfiler un manteau. En arrivant dans le jardin, plus par réflexe qu'autre chose, elle croise les bras sur sa poitrine pour se protéger du froid. Elle court sur le gazon gelé, couvert d'un petit centimètre de neige. Ça crépite sous ses chaussures.

Le clair de lune colore leur petit village d'une teinte argentée. Une mince couche de neige escamote l'herbe gelée, du givre enduit les toits, une fine pellicule de glace étincelle sur les balançoires, sur les meubles de jardin, sur l'étendoir et le cadran solaire.

L'élan fait une nouvelle halte pour la regarder, comme s'il voulait l'observer. L'examiner à la loupe.

Harald, Holger et les sœurs la rejoignent. Ils sont tous réunis dans le froid, sans manteau.

L'herbe rêche craque, le lampadaire souffle et crépite. Au-dessus d'eux, le firmament et des myriades d'étoiles. Par la porte ouverte leur parvient la mélodie du disque qui tourne toujours sur la platine, dans le salon chaud et douillet où leurs verres de grog à moitié bus les attendent.

Muets, ils regardent l'élan blanc qui, peut-être dérangé par ces spectateurs, commence à s'en aller, de cette même démarche indolente.

Majestueux, il longe la route qui traverse Koppom. C'est comme une grâce. Il est tout près d'eux, et en même temps totalement inaccessible.

Chez les Svensson aussi, dans la maison en face des Ståhl, on a remarqué l'élan. De l'autre côté de la route, une femme crie à une enfant qu'elle ne doit pas sortir sans mettre sa doudoune.

Le fils Svensson, Erik, celui-là même qui a été le camarade de Rasmus, celui-là même qui lui a jeté une pomme à la figure le jour où il a décroché son bac, celui-là même qui lui a crié ces paroles que Sara a feint de ne pas avoir entendues, se précipite dehors avec son appareil photo.

Un flash illumine la nuit du Värmland, l'élan blanc détale.

Leur petite maison se dressait tout en haut d'un rocher qui descendait à pic dans la mer. De ce sommet ils contemplaient le monde comme depuis un nid.

– Notre tour de garde rien qu'à nous ! plaisantait souvent leur père, et tous avaient alors l'air heureux, mais de tous Benjamin était le plus heureux et le plus fier.

Ceci était leur tour de garde.

Depuis cette tour de garde ils voyaient à quel point le monde créé par le Seigneur Jéhovah était d'une merveilleuse beauté, sans cesser d'avoir conscience de la catastrophe qui approchait (qui pouvait approcher, allait approcher, approcherait forcément), de ce qui était en passe d'arriver : *« la guerre qui se préparait, au grand jour de Dieu le Tout-Puissant »*.

Sur toutes les illustrations des revues *Réveillez-vous !* et *La Tour de Garde*, dans tous les tracts et dans tous les livres, n'importe qui pouvait voir combien ce serait terrible : des tremblements de terre et des incendies, du feu qui tomberait du ciel, des bâtiments qui s'effondreraient, des villes entières qui s'enfonceraient dans le sol.

Toute cette beauté, ce monde merveilleux et éblouissant – la mer, le soleil, le ciel, les mouettes, la plage –, tout pourrait donc en un clin d'œil être perdu à jamais.

Pendant sa jeunesse, Benjamin pouvait passer des heures à s'imprégner du moindre détail de ces images et à frémir devant elles. Des gens qui hurlaient, qui priaient pour leur vie (trop tard) ou essayaient de fuir et de se sauver (en vain).

Il est facile de s'imaginer la terreur qu'induirait la guerre au grand jour de Dieu le Tout-Puissant, ainsi que le promettait le *Livre de la Révélation*, dont ils faisaient si souvent la lecture à voix haute pendant le culte familial hebdomadaire.

Pour être sauvés, il leur fallait être spirituellement vivants. Leur mission consistait aussi à réveiller le plus grand nombre, à donner au plus grand nombre la même possibilité d'échapper au feu. Benjamin avait été le plus zélé au sein des nombreux serviteurs de Jéhovah : spirituellement vivant, sûr de sa foi dans un monde et une vie qui, malgré l'épreuve à venir et le jour de la colère de Dieu, étaient sources de sécurité et renfermaient une explication à tous points de vue.

Il y avait une réponse à chaque question. Une réponse bien étayée, pourvue d'une profusion de références bibliques, formulée par mesure de précaution par le Collège central du siège à Brooklyn, validée, copiée, traduite et envoyée à toutes les congrégations partout dans le monde.

Dieu était un Dieu aimant et plein d'amour, mais Il était aussi un Dieu qui veillait et surveillait.

Ils étaient aimés et surveillés.

Associées, ces deux notions constituaient la sécurité et la certitude dans lesquelles il avait grandi.

Le soleil qui se couchait derrière la cime des arbres assombris, la baie lisse et immobile, le ciel limpide et encore bleu – le monde entier se reflétait dans les fenêtres de leur maison de vacances. Il avait sept ans et l'été allait juste commencer, ils venaient de rouvrir la maison pour la saison et de prendre leur premier repas sur la véranda.

Soudain il s'était vu lui-même sur la fenêtre. La mer, le ciel et le soleil s'étaient reflétés dans la vitre. Et lui aussi s'y trouvait. Il s'était levé et, intrigué, s'était mis à s'observer dans le reflet, comme s'il venait de faire une découverte que lui-même ne parviendrait pas encore à formuler.

Puis, sans savoir pourquoi, il avait tendu les deux mains, encore graisseuses après le repas, et les avait appliquées sur le verre qui venait d'être nettoyé.

Le voyant faire, son père l'avait grondé et Benjamin avait aussitôt retiré ses mains. Mais il restait sur le carreau les deux marques nettes laissées par ses mains.

Comme une sorte de confirmation qu'il existait réellement, comme si ce qu'il avait vu dans le miroir – ce qui n'était autre que lui-même – existait pour de vrai.

Suivant l'injonction de son père, il était allé chercher un chiffon. Néanmoins, il n'avait pas obéi jusqu'au bout. Il n'avait pas enlevé les empreintes de ses mains. Elles étaient restées sur le verre.

Quelque chose le distinguait des autres, quelque chose était lui – lui et seulement lui.

Comme ce serait terrible au jour de la colère de Jéhovah ! Des tremblements de terre et des incendies, du feu qui tomberait du ciel, des bâtiments qui s'effondreraient, des villes entières qui s'enfonceraient dans le sol.

Toute cette beauté, ce monde merveilleux et éblouissant – la mer, le soleil, le ciel, les mouettes, la plage –, tout serait perdu en un clin d'œil et à jamais.

Benjamin se tient à côté de Rasmus dans la neige. Son corps est chaud sous ses vêtements. Il sent les battements de son cœur. En cet instant, il n'y a aucune hésitation.

Il est sûr de ce qu'il fait.
Alors, soit.
Et quoi qu'il arrive.

La chambre blanche. Les murs nus. L'air renfermé. L'odeur douceâtre, légèrement écoeurante.

À côté du lit, la table avec les cotons-tiges, le sérum physiologique, les médicaments, peut-être des tulipes rouges dans un vase (toujours des tulipes rouges, il fallait que ce soit uniquement des tulipes rouges), des journaux de la veille, un verre qui contient une boisson énergétique, une paille.

À la tête du lit, le goutte-à-goutte avec la morphine, les antibiotiques et l'alimentation parentérale.

Dans le lit, l'homme qu'il aime. Tellement loin déjà.

Si inconcevable.

Le mauvais rêve.

Aurait-il fait un autre choix cette nuit-là s'il avait su ?

Comment aurait-il pu choisir, faire, vouloir autre chose ?

Il est assis à côté du lit, sur une chaise. Il lit un poème de Karin Boye.

« Autrefois notre été s'étirait en éternité. Nous flânions sans fin sous le soleil autrefois. »

Dehors, l'hiver persiste malgré le printemps. De toute façon on ne peut pas ouvrir la fenêtre.

Tout ici est fermé. Barricadé. Isolé.

Dans la chambre, une odeur de désinfectant et puis ces effluves indéfinissables, acidulés et écoeurants, qui seront toujours associés aux heures, aux jours, aux semaines.

Dans cette chambre.

Mais ce n'est pas encore.

Pas pour l'instant.

Pour l'instant il est trois heures du matin, le 25 décembre 1982, et toute sa vie se soulève et tremble. Il ressemble à un nouveau-né, il porte une longue robe blanche. « *Qui pourra monter à la montagne de Jéhovah ? Qui pourra se lever en son lieu saint ? Celui qui a les mains innocentes et le cœur pur.* »

C'est le premier matin. Tout a été recréé.

La neige tombe plus dru. Benjamin attend à côté de Rasmus devant le passage piéton à l'intersection des rues Hornsgatan et de Timmermansgatan.

L'homme sorti promener son chien dans la nuit de Noël se tient à un mètre d'eux.

À l'exception de lui ils sont entièrement seuls.

Comme si dans toute la ville silencieuse il n'existait plus qu'eux, comme si la ville était une part d'héritage qui n'appartiendrait qu'à eux.

La plaque indique à Rasmus qu'ils se trouvent dans la Hornsgatan, il voit que la rue file en ligne droite dans les deux sens.

– Tu viens d'arriver à Stockholm, c'est bien ça ? demande Benjamin.

– C'est exactement ça ! répond Rasmus avec un rire.

– En fait tu ne sais pas où tu es en ce moment ?

Rasmus rit de nouveau.

– Non. En fait, non.

La neige qui ne cesse de tomber amplifie leurs voix ainsi que le tic-tac du feu tricolore.

Mais sinon elle se pose comme une isolation acoustique entre eux et le reste du monde.

– Mais tu sais où tu vas ? demande Benjamin, toujours aussi doucement.

– Non plus, non, reconnaît Rasmus, et Benjamin a soudain l'air satisfait.

Il ne semble pas avoir désiré une autre réponse.

– Dans ce cas… dit-il avec un grand sourire. Parce que tu vois, moi non plus. On n'a qu'à y aller ensemble !

Au même moment le signal passe au vert et le rythme du tic-tac s'accélère. Rasmus ne sait pas où aller mais, peut-être parce que le bonhomme est vert, il traverse la rue et Benjamin le suit.

À mi-chemin, Benjamin lui prend la main. Rasmus ne proteste pas.

Ils continuent ainsi, main dans la main.

Curieusement, l'homme avec le chien reste devant le passage piéton. Peut-être que l'animal fait ses besoins, allez savoir. L'homme les regarde longuement.

Une fois la rue traversée, ils tournent à gauche et prennent la direction de la large avenue commerçante. Est-ce Benjamin qui suit Rasmus ou Rasmus qui suit Benjamin ? Difficile à dire.

Quelques rares taxis passent, lumineux éteint. Hormis leurs déplacements, la ville est inanimée. D'une blancheur éclatante.

Ils continuent de marcher. Main dans la main. Il neige.

Ils ne savent pas vers où ils marchent ni où les mènent leurs pas.

En cet instant cela n'a aucune espèce d'importance.

Car chaque pas qu'ils font dans quelque direction que ce soit est un nouveau pas dans une nouvelle direction.

Et la neige tombe sur la ville.

Le 22 janvier 1983, l'Association des conseils de comté repousse la proposition de débattre de la maladie appelée «*cancer gay*» ou «*maladie des homos*», estimant qu'elle est un phénomène américain qui ne frappera jamais la Suède.

Le 9 août de cette même année, le premier homme suédois décède du sida à l'hôpital des maladies infectieuses de Roslagstull.

Quand les médias relaient l'information, Sara appelle Rasmus et le réveille à sept heures du matin, parce qu'elle s'inquiète tellement pour lui, comme elle dit.

– Comment ça, tu t'inquiètes ? l'interrompt Rasmus, irrité.

Il s'attend à entendre encore l'un des sempiternels sermons comme quoi il doit faire attention. Mais elle le surprend.

– Je me suis dit que tu le connaissais peut-être et que tu es triste, dit-elle.

– Rassure-toi, lui répond Rasmus, ce n'est pas quelqu'un qu'on connaît.

Une fois la conversation terminée, Rasmus retourne au lit, se glisse sous la couette, passe son bras autour de Benjamin qui ne s'est pas réveillé, et se rendort.

Ce qu'il ne sait pas, c'est que dans une autre chambre d'isolement de Roslagstull, avec entrée directement par la cour, Reine attend la mort. Il est le premier de leurs amis qui va mourir.

Lui qui, il y a quelques mois seulement, partageait la table de Noël, riait et trinquait avec eux.

Ils le reconnaîtraient à peine s'ils le voyaient dans son lit.

Son corps est si mince, presque transparent. Décharné par les diarrhées persistantes. Et cette mycose qui n'a jamais guéri lui a fait perdre l'appétit.

Reine est seul, il ne reçoit jamais de visites. Il n'en accepte pas non plus. Paul est le seul à savoir qu'il est hospitalisé ici. Mais ces dernières semaines Reine a refusé de le recevoir, lui comme les autres.

Il a lui-même choisi l'isolement et la solitude pour que ses amis, sa famille, ne soient pas au courant.

Ça a été important pour lui. Oui, primordial, même.

En plus, depuis quelque temps il a presque cessé de parler.

Il reste apathique, mutique. Il lutte.

Parfois il pleure.

De douleur ou de chagrin, personne ne le sait.

À une occasion, une jeune aide-soignante a avancé sa main, sans réfléchir, alors qu'elle ne portait pas de gants – elle a essuyé ses larmes.

Peu après, elle s'est fait vertement réprimander par l'infirmière plus âgée et plus expérimentée qui se trouvait, elle aussi, dans la chambre.

En aucune circonstance elle ne devait agir ainsi.

Quelques mois plus tard, le 12 octobre, Lennart Rinder, conseiller à la Direction nationale de la Santé et des Affaires sociales, rassure la délégation de la RFSL venue le solliciter en affirmant qu'on a «*suffisamment de lits dans les hôpitaux et de tombes dans les cimetières pour prendre en charge ceux qui vont tomber malades et mourir*».

II

LA
MALADIE

Milieu des années 1980, aux États-Unis. Un hôpital, quelque part dans le pays. Un enfant en train de mourir de la maladie infectieuse qu'on appelle le sida.

Abandonné par sa famille, l'enfant est donc seul.

Au pied de son lit, un écriteau.

Ne pas toucher au malade.

La journée est d'un gris désespérant. Le ciel, les immeubles, la lumière, le lino qui dans toutes les pièces hormis le séjour recouvre les sols de leur petit trois pièces : gris, partout. Un gris diffus.

C'est l'une de ces journées où tout semble immuable. Même les mouettes du mobile en bois qui pend au plafond dans un coin du séjour ne bougent pas d'un millimètre. Si les restes de neige ont été déblayés des trottoirs et des rues, le sable et le gravier d'un hiver entier tapissent encore le bitume et le béton. La lumière printanière laisse apparaître la saleté aux fenêtres des appartements. Ce n'est que maintenant, avec des températures redevenues positives, qu'il sera possible de les nettoyer.

Et cela aussi a quelque chose de désespérant.

Dans la cuisine, Britta fait la vaisselle de la veille. Hier soir, ils ont invité deux familles de la congrégation pour une étude biblique collective. Après un repas frugal, ils se sont penchés sur les saintes Écritures selon les directives données dans le dernier numéro de *Réveillez-vous !* L'intitulé de l'étude était : *Sachez apprécier votre place dans la communauté chrétienne !*

Les notes de Margareta sont restées sur la table. Ah, on la reconnaît bien là, à toujours laisser traîner ses affaires ! Ils sont beaucoup trop laxistes. Mais après ce qui est arrivé, ils n'ont pas eu la force de la rappeler sérieusement à l'ordre. Pas avec la sévérité et l'intransigeance qu'exigerait la situation.

Ils ont déjà assez à faire comme ça, à essayer de préserver un semblant d'équilibre. Avec ce qui subsiste.

Britta a l'impression de se trouver sur un plan incliné où elle verrait sa vie entière glisser hors de sa portée. Elle est débordée rien que de rester debout et de maintenir les choses en place.

En place, exactement. Alors que tout ne cesse de s'effondrer.

Un effondrement permanent tandis qu'elle, avec son corps et dans l'étreinte de ses mains, tente de tout conserver intact.

Sachez apprécier votre place dans la communauté chrétienne !

Comme si le sujet de l'étude était un avertissement destiné à nuls autres qu'eux, Ingmar et elle.

Sachez apprécier votre place !

Pour être sûrs de la garder. Pour ne pas être exclus. Pour ne pas vous tromper de chemin, vous aussi.

Par moments elle trouve ça terriblement injuste.

Comme si elle et son mari n'avaient pas été à la hauteur de ce qu'on était en droit d'attendre d'eux, à savoir dévoués, fidèles, pleins d'abnégation. «*Si ta main droite te fait trébucher, coupe-la et jette-la loin de toi.*» Comme s'ils avaient manqué à leurs devoirs, à savoir rester loyaux envers Jéhovah et se maintenir dans la congrégation en dignes et fidèles serviteurs.

Ne valent-ils pas autant que les autres ?

Et pourtant c'est eux, Ingmar et elle, qui ont dû vivre non seulement avec le chagrin et le manque, pour ne pas dire le désespoir, ce désespoir qui ne la quitte jamais vraiment, et qui donne au monde entier et à tout ce qu'elle entreprend un goût amer de découragement – mais aussi avec la honte, les regards, les reproches, les chuchotements dans leur dos, les lèvres pincées et la pitié.

Cela a fait d'eux des êtres incomplets, des individus à moitié humains.

Le pire, c'est de voir à quel point Ingmar est humilié. Son bel époux, si grand, si sévère, si dévoué. Un modèle pour beaucoup, un des hommes de confiance de la congrégation, à juste titre un guide pour eux, comme Pierre dans la toute première congrégation. Un roc !

Et regardez-le maintenant !

Un homme brisé. Qui marche courbé alors qu'il est encore au mitan de sa vie et devrait briller au zénith.

Sachez apprécier votre place dans la communauté chrétienne !

Il n'a pas prononcé un mot de toute l'étude. Il n'a pas présidé comme d'habitude, en bout de table, pour guider ses compagnons. Non, il est resté retranché dans son coin, affaissé, à noter minutieusement, à écouter attentivement, comme s'il devait encore et encore prouver sa servilité, montrer qu'il sait où se trouve sa place désormais.

Ils ont lu le verset 17 du dernier chapitre de l'épître aux Hébreux : « *Obéissez à ceux qui vous dirigent et soyez dociles, car ils veillent constamment sur vos âmes, en hommes qui rendront compte ; pour qu'ils le fassent avec joie et non en soupirant, car cela vous serait préjudiciable.* » Une note en bas de page précisait que «*soyez dociles*» signifiait littéralement «*soumettez-vous en permanence*».

Et c'est ce qu'il est dorénavant, son mari : docile. Docile et soumis. Il n'est plus du tout cet homme sûr de lui, sévère et grand. Il n'est plus un phare.

Il est docile, à présent. Il se soumet en permanence. Il n'a pas le choix, il doit serrer les dents.

Comme Ingmar commençait son travail à cinq heures du matin, ils ont repoussé la vaisselle au lendemain. Ils se sont pourtant couchés tard.

Britta fait la vaisselle en silence. L'évier est rempli d'une eau gris sale.

Soudain le clapet à courrier claque, lettres et journaux dégringolent sur le sol devant la porte d'entrée.

Britta interrompt la monotonie de ses tâches ménagères, s'essuie les mains sur son tablier et va ramasser le courrier dans le vestibule.

Elle n'est pas très concentrée au moment de trier les lettres, donc pas du tout vigilante – une faiblesse, là encore. Elle sait qu'elle devrait être sans relâche attentive, sans relâche sur ses gardes, ils en ont parlé hier pendant l'étude – or elle n'est pas préparée quand tout à coup elle la voit.

La lettre.

Il n'y a que lui pour utiliser une enveloppe pareille. Rectangulaire, d'une texture un peu épaisse. Blanc cassé. Et cette écriture qu'elle reconnaît si bien. Régulière, nette, soignée.

Son cœur s'emballe malgré elle. Instinctivement, elle jette un œil par-dessus son épaule pour vérifier si quelqu'un la regarde, alors qu'elle est seule à la maison. Elle sait cependant très bien que quelqu'un la regarde, et elle sait que c'est une épreuve.

Ingmar et Britta Nilsson
Hornsbruksgatan 15
117 34 Stockholm

Sa main serre fort l'enveloppe parfaitement rédigée – mais pourquoi ne le serait-elle pas ? Elle est si irréprochable que c'est une souffrance.

Pour Britta qui dépense en permanence une énergie folle à maintenir son fils éloigné de sa conscience, voir qu'il a écrit leur nom et leur adresse complète l'empêcherait presque de respirer. Voir que son écriture ne tremble pas, qu'elle est inchangée. La même qu'avant.

Garder l'équilibre lui est infiniment difficile. Elle pourrait chanceler et tomber à la moindre secousse. Avec un halètement incontrôlable, elle retourne l'enveloppe bien qu'elle sache qu'elle ne le devrait pas, elle lit le nom de l'expéditeur bien qu'elle sache qu'elle n'en a pas le droit.

Benjamin Nilsson, Svarvargatan 8, 1er étage, 112 49 Stockholm.

Un tressaillement parcourt son corps. Elle ferme les yeux. Donc il existe toujours. Et en plus il existe à un endroit scrupuleusement indiqué.

Le soleil chauffe ses paupières. C'est l'été. Ils sont dans la barque équipée d'un petit moteur hors-bord, ils ont trouvé un abri dans la baie d'un îlot. Margareta s'est endormie sur le ventre d'Ingmar. Benjamin s'entraîne avec la vieille canne à pêche du frère de Britta.

– Maman, regarde ! crie-t-il et se retourne vers elle pour montrer un petit bâton pourri qu'il vient de pêcher.

Le bonheur irradie son visage. Le scintillement de ses yeux bleu ciel, ses cheveux châtains, sa peau hâlée par le bronzage estival. Elle l'aime avec tant de force que ça lui fait mal.

Elle hésite. Ferme les yeux. Serre fort les paupières. Et pousse un soupir. Elle inspire profondément et va dans la chambre où se trouve la table de travail d'Ingmar. Elle déverrouille un tiroir et y dépose la lettre. Sans l'avoir ouverte.

Elle s'oblige à adopter une expression neutre, qui ne révèle pas ses sentiments, bien qu'elle soit seule, bien qu'il n'y ait personne d'autre, car elle sait qu'elle n'est jamais seule pour de vrai. Elle sait qu'elle doit subir une épreuve, elle sait qu'elle peut perdre sa place dans la communauté chrétienne si elle ne se montre pas à la hauteur.

Dans le tiroir où elle dépose la lettre non décachetée de son fils s'en trouve déjà un certain nombre, toutes rédigées avec la même écriture belle et régulière, adressées à tous les deux.

Ingmar et Britta Nilsson
Hornsbruksgatan 15
117 34 Stockholm

Aucune n'a été ouverte. Britta referme le tiroir et tourne la clé.

Elle n'a pas flanché face à l'épreuve.

L'année dernière, il est tombé un jour quatre-vingt-dix millimètres de pluie en trois heures. Bon sang, on se serait cru au Déluge ! Le ciel a ouvert ses vannes pour déverser des trombes d'eau. Il semble que le Seigneur en ait eu assez de ces pauvres Koppomois et ait voulu tous les noyer. Du côté de Skönnerud, le talus de la voie ferrée a été emporté. On a pu faire une croix définitive sur une reprise du trafic ferroviaire. Déjà que le transport de personnes avait été abandonné en 1985.

Et les choses déclinent, pas de doute. Si l'ancienne localité métallurgique avait entrevu des perspectives d'avenir (en 1981, pas moins de dix nouveaux logements locatifs avaient été construits à Koppom – dix !), cette fin de décennie dégage une ambiance de résignation.

Ces dernières années ont épuisé le pays. Plusieurs commerces ont jeté l'éponge. Le Koppom-shop qui vendait des jeans de marque et des vêtements pour enfants n'existe plus, idem pour le Coin de la Chaussure, le Magasin de Haute-Fidélité et la Papeterie de Valdemar.

C'est en partie leur faute, les Koppomois n'ont à s'en prendre qu'à eux-mêmes. Au lieu d'acheter leurs vêtements au Koppom-shop ou leurs chaussures au Coin de la Chaussure, ils ont préféré se rendre au grand magasin Domus à Arvika, ou carrément à Karlstad, la ville où pullulent des boutiques en tout genre. Et le troquet du village a encore changé de propriétaire – et de nom. Il y a quelques semaines de cela, l'exotique Café Philippines a été troqué contre le plus robuste et plus suédois *Hjärnebagaren* – le Boulanger de Hjärne. On verra bien combien de temps ça va durer.

C'est un matin à Koppom au mois de mai, l'année 1989. Le givre recouvre les champs et les jardins. Le givre recouvre les pierres tombales et les tombes du cimetière. Le Centre communal. Chez Tor – Dépannage de tracteurs, les stations-service Uno-X et Shell. Quand Astrid ouvrira son salon de coiffure vers dix heures, elle va encore frissonner dans son petit blouson en jean trop léger.

En robe de chambre, pieds nus dans ses sabots, Sara traverse le jardin pour aller chercher le *Nya Wermlands* dans la boîte aux lettres. L'herbe est givrée, l'air froid et piquant, on dirait presque un jour d'automne. Elle hâte le pas. Les bras croisés sur sa poitrine. Le long de l'allée gravillonnée, les anthémis récemment plantées ont crevé.

Pff, c'est toujours pareil ! Elle donne un petit coup de pied dans l'une des plantes qui semble avoir coulé sur le sol, comme si elle s'était dégonflée. Elle soupire et regagne la maison.

Harald prend son petit déjeuner. Tant qu'il était en activité, il se levait tôt, même le weekend. Il buvait son premier café à six heures au plus tard. Alors que maintenant il fait la grasse matinée. Il lui arrive même de rester au lit jusqu'à sept heures, voire sept heures et demie. Ensuite il prend son temps pour petit-déjeuner. Il fait durer le plaisir. C'est comme ça, on n'y peut rien.

Enfin, Sara ne sait pas exactement comment ça se passe en semaine, quand elle est au travail, mais le samedi il peut facilement rester près de deux heures avec son café.

Elle lui tend le journal.

La veille, il y a eu un accident d'avion à Oskarshamn, dans lequel John-Olle Persson, homme politique social-démocrate de Stockholm, a péri avec seize autres personnes. Pendant la phase de descente, l'avion a soudain perdu de la vitesse et s'est précipité vers le sol. Lors de l'impact, il a explosé et pris feu. Les passagers et le personnel de bord sont tous morts sur le coup. Tant les émissions *Rapport* qu'*Aktuellt* ont diffusé des flashs d'informations tout au long de la journée, Harald n'a pas décollé du poste.

Le mardi 9 mai, le terrible accident recouvre presque entièrement la première page du *Nya Wermlands-Tidningen*. UN CRASH D'AVION FAIT SEIZE MORTS, martèle le titre. Incrusté dans la photo de l'épave de l'avion, le visage de Hans Rosengren, quarante-sept ans, parlementaire de Karlstad et homme politique d'envergure au Värmland.

Installée en bout de table, Sara beurre une tartine de pain grillé après avoir gratté le brûlé puis y étale de la confiture.

– Ah, au fait, dit-elle d'une voix sèche. Je tiens à te signaler que les anthémis ont crevé.

Harald ne répond pas. Sara poursuit, un peu plus agacée.

– Je t'avais pourtant averti que c'était trop tôt pour les planter. Mais tu ne veux jamais m'écouter, alors…

Harald marmonne des paroles inaudibles.

– Je t'avais prévenu qu'il fallait attendre. «Non, pas la peine», tu m'as répondu. Pourtant, je t'avais bien dit qu'elles sont fragiles comme tout, les anthémis. Mais non, pas moyen, il fallait absolument que tu les plantes. Et maintenant, voilà le résultat : le gel les a emportées. Enfin, je te dis ça juste histoire que tu le saches.

Harald lève les yeux de son journal.

– Seize morts ! s'exclame-t-il. Seize ! Ils écrivent que le lieu de l'accident ressemblait à une scène de guerre. Un enfer de fumée et de flammes ! C'est ahurissant. Ces choses-là ne peuvent pas arriver chez nous ! On est en Suède, quand même. Ici on est censés être, comment dire… en sécurité.

Il tourne la page pour sortir de cette misère. Le sujet suivant est quant à lui intitulé : HOMO-SEXUELS DISCRIMINÉS. SÉROPOSITIFS HARCELÉS.

Un voile de désespoir apparaît dans le regard de Harald. Il serre les paupières pour échapper au titre et change rapidement de page tout en répétant ses paroles consternées :

– Ces choses-là ne peuvent pas arriver chez nous !

Sara mâche sa tartine grillée.

– Quoique, d'un autre côté, des gelées en mai… poursuit-elle sur sa lancée, sans même remarquer Harald. C'est quoi encore, ces âne-ries ? Normalement, il ne gèle plus au mois de mai, voyons !

La gelée blanche recouvre le jardin de Sara et Harald. Les anthémis ont crevé.

Seize passagers sont morts dans un crash d'avion à Oskarshamn, dont le parlementaire Hans Rosengren du Värmland et John-Olle Pers-son, l'illustre homme politique de Stockholm.

La gelée blanche recouvre Koppom. Ses champs et jardins, ses ateliers, ses petites indus-tries et ses commerces, ceux qui ont fermé bou-tique et ceux qui sont encore en activité.

C'est le début du joli mois de mai. Quand l'hiver est supposé être terminé, quand la nature présente son plus beau visage.

Au même moment, à Stockholm, à plusieurs centaines de kilomètres de là, leur fils unique, leur Rasmus adoré, est étendu sur un lit d'hôpi-tal, dans le service 53 de l'hôpital Söder.

Son corps est criblé de tuyaux qui l'alimentent et de perfusions qui l'aident à lutter contre la douleur.

Il ne reste presque rien de lui. Il a vingt-six ans et il va mourir.

Normalement il ne gèle plus au mois de mai.

Une heure plus tard, Britta s'est suffisamment ressaisie pour pouvoir s'installer devant le bureau. La vaisselle terminée, la cuisine nettoyée, les sols balayés, les notes de Margareta rangées dans sa chambre, elle a épuisé toutes ses ressources.

Ce beau bureau en acajou leur a été offert par le père d'Ingmar, médecin aujourd'hui à la retraite. Le meuble trônait dans son cabinet de consultation.

Depuis qu'il a rejoint les Témoins de Jéhovah, ses parents et lui n'entretiennent que des relations polies et sporadiques.

Il s'est démené pour qu'ils rejoignent la congrégation, mais ils sont restés de glace – déçus que leur fils n'ait jamais «rien fait» de sa vie. Selon eux, il l'a «gaspillée» en épousant Britta et la congrégation : un enfant de médecin devrait tout de même avoir d'autres perspectives d'avenir que de travailler comme homme de ménage – et, au fil des ans, les beaux-parents se sont détachés d'eux et sont presque devenus des étrangers.

C'est regrettable, mais ce sont des choses qui arrivent. Britta et Ingmar ne sont pas les seuls au sein de la congrégation à avoir fait un tel sacrifice.

Elle ouvre le tiroir du milieu et en sort du papier à lettres et un stylo.

Elle se force à conserver la maîtrise de soi, à ne ressentir que le calme qui en découle.

Bien qu'elle soit complètement seule, son visage ne révèle aucune émotion.

Si quelqu'un l'avait observée, il aurait eu un hochement de tête approbateur.

Il faut raisonner ainsi.

Il faut se dire que ses actions, ses réactions et même ses sentiments doivent à chaque instant être dictés par la seule manière juste et correcte qui soit.

La seule manière qui sied à un chrétien.

Elle écrit.

Stockholm, le 9 mai 1989.
Benjamin, mon fils.
Tu nous as encore écrit.
Je t'avais pourtant demandé de ne plus écrire et je te le redemande.

Le stylo court sur le papier. Elle a une écriture soignée, mais un rien tarabiscotée. Rédiger cette lettre lui prend du temps, bien qu'elle sache ce qu'elle veut exprimer.

Il faut que tu comprennes, poursuit-elle, avant de marquer une petite pause – pause qu'un observateur, un étranger pourrait interpréter comme une hésitation.

Ce n'est pas bien. Pourtant, elle n'arrive pas à empêcher ce bref arrêt du stylo, quelle que soit sa détermination à ne pas exhiber la moindre fissure dans sa conviction.

Elle continue, plus lentement cette fois, comme pour étirer les mots, pour prolonger le sentiment.

Je t'aime. J'espère que tu vas bien.

Encore une pause – que Dieu lui pardonne ! Sa main serre fort le stylo-bille, elle remarque qu'il tremble, et elle sait que ce tremblement la trahit. Mais c'est plus fort qu'elle, elle n'y peut rien.

Elle l'aime !

Puis, le visage totalement impassible, elle termine sa lettre tel qu'on lui a sommé de le faire, avec cette loyauté et cette fermeté qu'on lui a enjoint d'adopter.

Elle l'aime.

Mais je fais comme si tu n'existais pas.

Le ciel est d'un bleu prodigieux, irréel. En quelques jours seulement, le printemps a mué pour se transformer en début d'été. Le mois de juin 1986 vient à peine de commencer, il fait déjà vingt-cinq degrés, la nature et les gens rayonnent, le lilas comme le merisier à grappes sont en fleurs et, en attendant que Seppo et Lars-Åke le rattrapent, Paul s'extasie :

– Mes chéries, moi je vous le dis : on est à l'ombre des jeunes folles en fleurs.

Il trépigne sur place au sommet de l'escalier en pierre qui mène de la rue Götgatan au quartier de Helgalunden où se trouve l'École supérieure de Théâtre. Il tient dans sa main une magnifique composition florale entourée de cellophane, avec laquelle il tapote d'impatience la rambarde. S'adressant à Seppo et Lars-Åke qui sont encore en train de gravir les marches, il lance :

– Mais magnez-vous le popotin à la fin, ça va commencer !

Seppo reste indifférent aux piques que leur envoie Paul. Comme toujours elles lui passent au-dessus.

Lars-Åke gravit péniblement l'escalier, marche par marche, en s'appuyant sur une canne. Avec une patience infinie, Seppo monte à côté de son amoureux, lui aussi une marche à la fois, prêt à soutenir Lars-Åke si nécessaire.

– Ça nous prendra le temps qu'il faut.

À bout de souffle, Lars-Åke doit s'arrêter un instant pour se reposer. Il esquisse un petit sourire gêné, comme pour s'excuser. Son front est couvert de fines gouttelettes de sueur.

– Ce que tu peux être chochotte, Lars-Åke ! crie Paul sans pitié du haut de l'escalier, en levant les yeux au ciel. Et toi, Seppo, arrête de jouer les mères poules pour une fois !

Un couple dépasse les deux hommes. Ils font semblant de n'avoir ni vu ni entendu ni remarqué le caractère insolite de la situation. Mais leur façon de fixer les marches ne trompe pas : ils ont parfaitement vu et entendu et remarqué. Cette façon qu'ils ont, aussi, en se faisant presque mutuellement tomber, de se serrer sur la droite pour maintenir une distance de sécurité avec Lars-Åke et Seppo, et surtout avec le premier, d'une maigreur anormale, à la transpiration anormale, obligé de marcher avec une canne.

Cette façon, leur attitude, elle est reconnaissable entre mille.

Leur peur et leur réprobation sont visibles, palpables.

C'est une autre réprobation que l'habituelle : «Oh putain, des pédés... Ils me donnent envie de dégueuler !» Celle-ci est davantage sur l'air de : «T'as vu comment il était ? J'espère que c'est pas contagieux au moins ! Tu crois qu'ils ont touché la rambarde ? Faudra pas oublier de bien se laver les mains en rentrant.»

C'est plutôt ce genre de réprobation.

Seppo dit à Paul :

– Elles sont belles, ces fleurs. Elles sont pour Bengt ?

Paul contemple son bouquet d'un air satisfait.

– Au départ, oui. Mais elles me vont tellement bien au teint que je vais les garder pour moi, tiens.

Lars-Åke a repris son ascension.

– Il est où, Rasmus ? demande-t-il, comme pour masquer son effort derrière une banalité.

Paul hausse les épaules.

– Ben… soit il est à Göteborg, soit il est mort. L'un ou l'autre. Je ne sais pas.

Il consulte sa montre.

– Bon, c'est pour aujourd'hui ou pour demain ? Putain, Lars-Åke… Tu as droit aux bons de transport. Utilise-les la prochaine fois !

Ils arrivent enfin en haut de l'escalier. Lars-Åke est hors d'haleine.

– Eh bien non, figure-toi. Je n'y ai pas droit. Ils ne veulent pas m'en accorder.

Il plisse les yeux vers le soleil. Une brise exquise leur apporte un parfum d'été.

– Et puis il fait tellement beau aujourd'hui !

Paul renifle de mépris et dit, en surjouant la folle :

– Écoute, ma crotte. Aujourd'hui, on va voir Bengt qui a fini son école de théâtre et on va assister à sa pièce de fin d'études. Alors, qu'il fasse beau ou pas, on s'en tape comme de notre premier gode ! Tu auras tout ton temps pour profiter du soleil un autre jour.

Lars-Åke semble réfléchir un instant. Comme s'il méditait les paroles de Paul.

– Oui… répond-il en hochant lentement la tête – puis il regarde Paul droit dans les yeux et termine sa phrase : … mais peut-être que je ne l'ai pas justement, tout mon temps.

La vérité est que Rasmus n'est ni mort ni à Göteborg. Partis à vélo de l'appartement qu'ils sous-louent sur l'île de Kungsholmen, son Benjamin adoré et lui font la course. Ils foncent sur le pont Västerbron, leurs serviettes accrochées au porte-bagages volettent au vent. Un coup c'est l'un qui mène, un coup c'est l'autre. Ils rient et s'encouragent, ont presque des crampes aux mollets et aux cuisses à force de pédaler aussi vite.

C'est le reflet exact de leur relation.

Comme une lutte, un corps à corps qui oscillerait en permanence entre effort et repos, badinage et sérieux, amour et agressivité.

– Ces deux-là, je leur donne deux semaines, maxi ! avait décrété Paul avec une moue quand ils s'étaient mis ensemble – puis, en crachant ses poumons à cause de sa toux de gros fumeur, il avait sorti une énième Blend jaune de son paquet.

Cela fait maintenant trois ans et demi que Paul a fait cette moue en expédiant la viabilité de leur relation dans une quinte de toux. Or il se trouve que Rasmus et Benjamin ne se sont pratiquement pas quittés durant ces années, sinon pour aller travailler – et encore, parfois même pas.

À droite après le pont, ils passent devant Lasse i Parken, le café où Rasmus est serveur chaque été depuis trois ans.

Quand lui-même a terminé sa journée à la quincaillerie, Benjamin s'installe souvent dans le jardin du café juste avant la fermeture, profitant de la chaleur estivale qui s'attarde. Il attend que Rasmus, en débardeur blanc moulant et tablier noir, ait fini de débarrasser.

Pouvoir être près de lui, c'est tout ce que Benjamin demande. Le regarder circuler entre les tables. Admirer son corps jeune et puissant, sa peau souple qui brille après une journée étouffante. Le voir comme un fils des dieux, éternellement jeune. Savoir que le temps, que le monde leur appartiennent.

Puis le fils des dieux et lui-même mangent des restes de sandwiches aux boulettes de viande avant d'aller se baigner.

Aujourd'hui, Rasmus et Benjamin roulent sur le sentier en direction de la pointe ouest de Långholmen. Une des pédales du vélo de Benjamin racle contre la protection de chaîne.

Un frottement régulier, bruyant, rythmé. Crr. Crr. Crr. Arrivés au bout de l'île, ils jettent leur vélo, se ruent vers les rochers au bord de l'eau et font la course pour se déshabiller.

Toujours cette compétition.

Fidèle à son habitude, Benjamin commence cependant par plier avec soin sa chemise et son pantalon tandis que Rasmus balance ses vêtements en vrac. Alors, forcément, lorsqu'il est nu, Benjamin n'est qu'à moitié déshabillé.

D'ailleurs, ils n'ont pas vraiment le temps de se baigner aujourd'hui. Ils sont censés retrouver Paul et toute la clique à l'École supérieure de Théâtre pour assister à la représentation de fin d'études de Bengt, ils devraient même déjà y être. Mais, avec un temps pareil, impossible de faire autrement.

C'est leur première baignade de l'été.

Rasmus bondit sur un rocher qui pointe tel un pain de sucre à un mètre du bord, puis il disparaît dans l'eau avec un gros plouf.

– Oh putain ! s'ébroue-t-il en remontant à la surface. Elle est glacée ! Bon, tu viens, espèce de trouillard ?

– Deux secondes, j'arrive.

Benjamin a formé une pile proprette de vêtements pour être sûr de ne pas les mouiller. D'un pied instable, il saute doucement sur la pierre où il s'accroupit. Il hésite. N'aime pas l'eau froide. Sourit, indécis. Glisse dedans malgré tout. Et profère le sans doute peu viril :

– Aoutche !

Rasmus éclate de rire, le rejoint à la nage et l'embrasse.

– On a le droit de dire des gros mots, tu sais. Arrête de faire ton cul-bénit en permanence !

– Ça va, ne t'en fais pas pour moi, répond Benjamin en grelottant, avant de se lancer dans quelques brasses prudentes. Il vaudrait quand même mieux qu'on y aille si on ne veut pas louper la représentation de Bengt.

– T'es qu'une poule mouillée ! Mais, d'accord, on y va.

– On est déjà en retard…

– J'ai dit d'accord.

Cette impatience. Ils traversent l'existence à la hâte, comme s'ils savaient que le temps presse.

Un jour, pourtant pas si éloigné en termes d'années, Benjamin va doucement peigner les cheveux de plus en plus clairsemés de Rasmus. Ce ne sera pas un mauvais jour. Ce sera un jour où Rasmus peut rester assis. Son fauteuil roulant sera devant la fenêtre. Il donnera l'impression de regarder la baie d'Årstaviken. Il plissera le front, profondément concentré, ses yeux aveugles fixés droit devant lui, les mains croisées sur les genoux. Ce sera bon de se faire coiffer.

– Ça donne quoi ? demandera-t-il.

– Ils vont être très beaux, répondra Benjamin.

– Épais et brillants ?

– Épais et brillants !

Rasmus sourira alors, et son sourire ressemblera à une grimace.

Il saura évidemment que Benjamin ment.

Mais il aimera que Benjamin lui mente.

Tout comme Benjamin saura que Rasmus ment.

Et il aimera que Rasmus lui mente.

Paul, Seppo et Lars-Åke prennent place avec le reste du public sur les gradins en bois noir.

– Donne-moi le coussin ! demande Lars-Åke, et Seppo lui tend le coussin qu'ils ont apporté.

Lars-Åke marmonne, agacé :

– Ras le bol d'être un sac d'os. Je peux même plus rester assis…

– Tu t'es mis sur ton trente et un, à ce que je vois, note Paul, toujours aussi sarcastique.

Lars-Åke, vêtu d'un pantalon de jogging en coton bleu marine, s'illumine et tapote le tissu râpé.

– Tu parles de mon pantalon confort ? C'est le seul qui ne me fasse pas mal. C'est mon préféré. Je me suis même dit que ça ferait une splendide tenue funéraire.

– Après tout pourquoi pas ? l'interrompt Paul. Sten a bien demandé à être enterré avec un porno de Jeff Stryker.

Ils rient. Paul continue sur sa lancée.

– Ce qui d'un autre côté était complètement crétin, vu que cette greluche avait oublié de mentionner qu'il fallait mettre aussi le lecteur vidéo.

– Quoi qu'il en soit, conclut Lars-Åke avec une moue, j'ai finalement opté pour mon costume Armani.

– Tu possèdes un Armani, toi ? demande Paul, impressionné, avec une surprise sincère.

– Eh bien oui, figure-toi ! Même que si je le porte dans mon cercueil, ma putain de famille ne se disputera pas avec Seppo pour le récupérer ! Saloperies de chacals !

Toujours juchés sur leurs vélos, Benjamin et Rasmus passent devant un marchand de journaux. Les tabloïds exposés en devanture hurlent leurs gros titres en lettres majuscules noires bien grasses.

Rasmus s'arrête net en voyant *Aftonbladet*.

Benjamin, qui a pris un peu d'avance, lui crie qu'ils sont pressés. Rasmus ne répondant pas, il revient en arrière pour voir ce qui l'accapare. Au moment où lui aussi aperçoit la une d'*Aftonbladet*, il comprend.

Et c'est dommage, dans le fond, car leur journée était uniquement placée sous le signe du bonheur. Ils méritaient de la vivre jusqu'au bout.

Or la haine est là, toujours aussi inconcevable. La haine non dissimulée, qui se réjouit du malheur des autres.

Et plus que jamais par une journée placée sous le signe du bonheur, quand le ciel est d'un bleu prodigieux, irréel, et que les senteurs de l'été vous inondent.

Mais le journal clame cette haine. Il la proclame en lettres majuscules noires bien grasses. Pour que personne ne passe à côté, pour que chacun la ressente.

« *TANT MIEUX S'ILS ATTRAPENT LE SIDA !* » *Voilà ce que déclare un pasteur au sujet des homosexuels.*

Quelques minutes plus tard, Rasmus et Benjamin viennent s'asseoir à côté de Paul, Seppo et Lars-Åke.

– Ça y est, on est au complet ! constate Paul. Il ne manque que Reine !

Bien que le spectacle n'ait pas encore commencé, la chaleur dans le local dépourvu de fenêtres est déjà suffocante. On respire l'air expiré par les autres. Quelqu'un tousse, quelqu'un se racle la gorge, quelqu'un éternue.

De fines gouttelettes de salive. De la sueur.

La salle est pleine, on s'entasse comme on peut, on se serre sur les bancs étroits. Les corps s'agglutinent, collés les uns aux autres. Bras contre bras, genou contre genou.

Les bancs en bois des gradins sont durs et inconfortables, certains spectateurs ont déjà commencé à étirer le dos pour trouver une position moins pénible.

Le brouhaha baisse d'un cran. L'attention se focalise sur les planches, dont le décor représente lui-même un plateau de théâtre en modèle réduit, rideau tiré. Le public se compose d'habitués, qu'ils aient été invités ou aient trouvé tout seuls le chemin du spectacle ; tous savent que l'acte I de *La Mouette* de Tchekhov parle d'une pièce écrite par le jeune Constantin pour sa Nina adorée.

À voix basse, Lars-Åke reproche à Rasmus et Benjamin d'être arrivés en retard. Benjamin s'en excuse en murmurant qu'ils sont allés se baigner.

– Vous avez balancé le manteau d'hiver ? chuchote Seppo. C'est ce qu'on dit en Finlande pour désigner la première baignade de l'année.

– Dans ce cas c'est effectivement ce qu'on a fait, chuchote Benjamin.

– Pourquoi est-ce qu'on chuchote comme ça ? chuchote Lars-Åke en pouffant.

– Au fait, en parlant de Reine… Vous avez lu l'*Aftonbladet* d'aujourd'hui ? demande Rasmus soudain d'une voix délibérément forte qui fait sursauter leurs voisins. « *Tant mieux s'ils attrapent le sida !* » *Voilà ce que déclare un pasteur au sujet des homosexuels.*

Un silence s'abat sur les rangées. Rasmus agite le journal.

Les paroles du pasteur restent suspendues dans l'air étouffant.

Tant mieux s'ils attrapent le sida.

Quelqu'un se retourne et le dévisage. Par peur, pour prendre ses distances ? Ou uniquement par curiosité ?

Agacé, Rasmus le dévisage à son tour. Puis il ouvre le journal et lit à haute voix :

– Écoutez ça ! « *Le sida peut aussi avoir de bons côtés. S'il frappe les homosexuels et les pousse à revenir dans le droit chemin, tant mieux.* » *C'est avec ce message que Bengt Birgersson, un pasteur de 41 ans officiant à Göteborg, souhaite apporter sa pierre au débat sur l'épidémie. "Si on est atteint du sida et qu'on réalise que vivre dans l'homosexualité était une erreur, dès lors, la maladie aura été utile. Il en ressortira au moins quelque chose de bon."* »

La voix indignée de Rasmus résonne dans la salle silencieuse. Telle une ombre qui se dépose sur le public.

Lars-Åke blêmit. Il semble soudain avoir du mal à respirer.

— Tu parles d'un message d'amour ! C'est qui ce pasteur de merde ? chuchote-t-il au comble du désespoir.

Rasmus continue de citer le pasteur.

— Il dit aussi : «*Mieux vaut tomber malade que de vivre en tant qu'homosexuel.*»

Un monsieur âgé apostrophe alors Rasmus :

— Mais taisez-vous, à la fin ! Nous ne sommes pas venus ici pour vous écouter parler de ça. Ce n'est quand même pas compliqué à comprendre.

Par provocation, Rasmus continue de lire, d'une voix encore plus forte et acérée :

— Le journaliste demande : «*Si vous aviez un fils homosexuel, vous auriez le même raisonnement ?*» Et le pasteur répond : «*Si le sida était la seule voie pour lui d'atteindre la vie éternelle, je préférerais ça plutôt que de le voir vivre son homosexualité. Car alors il serait perdu pour l'éternité.*»

Rasmus n'a pas le temps d'en lire davantage car les lumières de la salle déclinent et s'éteignent.

Pendant quelques secondes, le noir complet se fait. Puis des projecteurs s'allument et une chaude lumière jaune éclaire doucement le petit plateau en bois qui a été dressé sur le plancher noir et usé de la vraie scène. On voit un jeune homme et une jeune femme marcher en devisant. Elle porte une robe noire début-de-siècle. La tension et la nervosité les font trembler.

L'acteur qui interprète Medvedenko ouvre le jeu par une question :

— « *D'où vient que vous soyez toujours en noir ?* »

Et l'actrice qui interprète Macha de répondre :
– « *Je porte le deuil, je pleure ma vie perdue.* »
Le spectacle a commencé.

Il n'est pas seul puisqu'il a Gert auprès de lui.

Il a eu Gert, puis il a eu Paul, il a eu Seppo et Lars-Åke. Et sans parler des autres – comment ils s'appelaient, déjà ?

Le temps n'est rien. Il s'écoule. Il s'évapore.

Comme la rosée du matin sur l'herbe.

Dans le fond, elle n'a rien d'extraordinaire, cette histoire d'isolement, se dit Reine.

Ça a toujours été pareil. Il est toujours resté à l'écart.

Déjà, quand il était petit, il s'isolait. Il était solitaire, en retrait, mettant entre lui et les autres une distance *mesurée* : ni trop courte, ni trop importante.

C'était pareil à la maison, avec maman, avec son beau-père et ses fils, ses presque demi-frères.

C'était pareil à l'école. Il passait ses récrés tout seul, il mangeait à la cantine tout seul – on aurait presque pu affirmer qu'il n'était plus là.

Reine a très tôt remarqué que s'il se concentre intensément, même si c'est difficile, il peut se rendre invisible au point de ne pratiquement plus exister.

Il devient alors un esprit qui voyage, qui voyage n'importe où dans l'univers. Et, alors, quand il n'entend plus rien, quand il ne voit plus rien, quand nul ne l'entend, quand nul ne le voit – alors, il est totalement libre. Le garçon qui se tient dans la cour de l'école n'est qu'une coquille vide, une enveloppe sans personne à l'intérieur.

Ils peuvent le traiter de tous les noms s'ils le veulent, ils peuvent lui crier qu'il ne vaut rien autant qu'ils le veulent. Lui, il ne les entend plus car il est déjà parti, loin, dans un autre univers. Il ferme les yeux ou regarde dans le vague, sans bouger, dès que les autres sont méchants avec lui. Il appuie la tête contre le battant lisse et frais de son pupitre qui dégage une odeur de détergent ou regarde par la fenêtre pendant que la maîtresse rabâche et ressasse.

C'est pareil à la maison. Là aussi on peut s'esquiver. On peut monter dans sa chambre. On peut éviter d'exister. Ce n'est qu'une question de concentration.

Mais c'est étrange cette odeur de détergent qui monte du pupitre. Elle le suit dans la cour, elle l'attend à la maison où elle s'est transformée en odeur de désinfectant, elle vient de son couvre-lit quand il est allongé le visage tourné contre le mur, elle sort de l'évier de la cuisine. Elle est omniprésente, elle est envahissante.

Tout à coup il ouvre les yeux. La terreur, puis la douleur, s'emparent de lui.

Son regard erre, inquiet. Il essaie de comprendre où il se trouve. Des murs blancs, un plafond blanc. Une fenêtre fermée. L'odeur de désinfectant lui irrite les narines. Il pousse un gémissement. Il se souvient.

Il veut crier. Aucun cri ne sort. Il prend sur lui.

De toute façon, personne n'entendrait ses cris.

Et si on crie et que personne n'entend, est-ce qu'on a alors vraiment crié ?

Il doit se concentrer. S'éloigner de la douleur. S'éloigner de la terreur. S'éloigner de cette pièce effroyable.

Mais c'est si compliqué. Tout a tendance à se mélanger. Tout est partout à la fois. Toutes les phases de son existence. Sa vie à Stockholm, puis sa vie sur l'île de Resö, puis à nouveau sa vie à Stockholm, et maintenant, en bout de course, sa vie dans la chambre blanche.

La chambre d'isolement numéro 2.

Il a vérifié dans l'*Encyclopédie nordique*. L'hôpital où il a été admis date du siècle dernier. Inauguré en 1893, il est d'emblée baptisé Hôpital des maladies infectieuses de Stockholm – Reine l'a bien lu dans l'encyclopédie. Il est situé à Roslagstull, un quartier des faubourgs nord de la capitale, à 2,7 km de la place Gustaf-Adolf et à 30 m au-dessus du niveau de la mer («Aie pitié, doux Seigneur! Et espérons que ce sera suffisant!»). Il est bâti sur un plateau rocheux, entre deux versants escarpés, isolé de part et d'autre des habitations.

D'anciens petits pavillons en bois, peints en jaune, accueillent les chambres d'isolement accessibles individuellement par un sas, certaines possédant aussi une entrée directe par l'extérieur. De l'autre côté de la cour, un bâtiment en pierre jaune abrite notamment la salle de repos réservée au personnel. Le complexe hospitalier compte aussi une chapelle, naturellement, ainsi qu'un crématorium.

C'est comme un petit monde à part.

La ville en contrebas ne peut pénétrer jusqu'ici. Ni les bruits, ni les mouvements, ni la vie.

L'hôpital existe en parallèle au monde d'en bas, le monde d'en bas continue de suivre son cours tandis qu'ici tout s'arrête d'une certaine manière. Comme si la vie retenait son souffle dès qu'elle arrive dans ces parages. Pour à la fin bloquer complètement sa respiration.

À 30 m au-dessus du niveau de la mer, à 2,7 km de la place Gustaf-Adolf.

La distance *mesurée*, mise entre un Reine adulte en chambre d'isolement et la vie du monde d'en bas.

À maints égards, l'histoire de Reine est celle d'un petit garçon banal, un gamin tout ce qu'il y a de plus ordinaire mais qui finit par devenir si extraordinaire qu'il se singularise totalement.

Il se distingue par sa mort absolument effrayante et menaçante, puni par là où il a péché.

Reine est né dans un pays et à une époque où la télévision n'est qu'en noir et blanc. Plus tard, elle sera évidemment en couleur, elle comme le reste. Mais à l'époque de sa naissance, les programmes sont en noir et blanc ; de même que son enfance, aussi loin qu'il s'en souvienne, se déroule dans un monde gris et en noir et blanc.

Le pays en noir et blanc est silencieux et on le traverse en train.

Les gares s'appellent Flen. Elles s'appellent aussi Katrineholm, Laxå, parfois même Herrljunga. Dans ce cas, on descend du train pour prendre l'omnibus.

Un omnibus n'a rien à voir avec un bus ni avec un car, c'est un train comme un autre, on le qualifie d'omnibus uniquement pour que ce soit plus compliqué à comprendre. Comme tant d'autres choses, l'omnibus n'est pas ce qu'on pouvait imaginer et, faisant cette constatation, l'humanité aurait dû en dégager une morale – en tout cas cette partie de l'humanité qui peuple la région du Västergötland desservie par les omnibus.

Si l'omnibus évoque un bus bien qu'il soit un train, c'est peut-être seulement pour aider l'homme à se rendre compte que l'existence renferme une dimension plus profonde et plus mystique, que Dieu est prodigieux et insondable, que Sa création est inouïe et sans pareille, que Ses intentions sont cachées.

La réalité de Dieu et l'abondance de Ses variations se manifestent en toutes choses – et donc dans le choix opéré par les chemins de fer suédois pour dénommer ses trains – c'est une partie de Son mystère.

Ou bien c'est une partie de la morphine.

Ou alors les deux.

On peut s'entraîner à ne pas comprendre Dieu.

On peut se dire par exemple : Dieu n'est pas pas-bon, puis immédiatement après se dire qu'il n'est pas pas pas-bon, pour ne pas amoindrir son importance et le rendre plus compréhensible.

On peut aussi se dire qu'il n'est pas pas-sage, mais on doit alors tout de suite élargir son raisonnement et se dire : naturellement, on ne peut pas non plus le décrire comme un dieu pas pas-sage, cela pour ne pas amoindrir son importance, pour ne pas le déposséder d'une de ses innombrables formes, apparences et possibilités.

Des exercices de ce type ouvrent nos cerveaux et nos consciences et créent en nous un espace sombre et vide où Dieu peut grandir encore davantage, dans de nouvelles formes et apparences, dans une multitude d'autres possibilités, comme un dieu en perpétuelles création et recréation pour qui, dit-on, rien n'est impossible.

Il est peut-être utile de penser qu'un train n'est pas un train, qu'un bus n'est pas un bus, que les choses ne sont pas ce qu'elles semblent être, que chaque création est nouvelle et n'a pas encore fait ses preuves, qu'elle devrait avoir le droit d'évoluer en toute autonomie, de s'épanouir dans un spectre infini de variétés et de possibilités.

Quoi qu'il en soit, on change encore de train à la gare d'Uddevalla.

Quantité de petites gares jalonnent le trajet entre Uddevalla et le terminus Strömstad, qui se caractérisent par leur petit bâtiment en briques orangées, toujours le même, équipé d'une salle d'attente, d'un guichet au rez-de-chaussée et d'un logement à l'étage pour le chef de gare. Sur la façade de chaque bâtiment, un panneau indique la position géographique de la gare sous forme de distance par rapport à Göteborg et par rapport à Strömstad, ainsi que son exacte hauteur au-dessus du niveau de la mer.

Ils descendent à la gare en briques orangées de Kragenäs, Reine et sa mère, et chaque année ce voyage a lieu au début du mois de juin, tout peut alors démarrer.

C'est le commencement.

Les petits villages du nord du Bohuslän sont tous conçus pour à la fois s'éloigner de la mer et en être proches. Cette mer qui, au fil des siècles, a donné et pris, qui a engendré et tué avec la même indifférence grandiose.

Dans leur dos, les villages sur le continent bénéficient de la présence des montagnes – des falaises abruptes, boisées, qui les empêchent de grandir et empêchent leurs habitants de fuir. Le littoral, cette étroite bande de terre plate où les hommes ont construit leurs maisons, protégé uniquement lorsque souffle le vent d'est ; sinon il est exposé et vulnérable, coincé entre la hauteur vertigineuse de la montagne et la profondeur dévorante de la mer.

L'indication de la distance par rapport à Göteborg et à Strömstad, ainsi que de la hauteur au-dessus du niveau de la mer, relèvent peut-être de la conjuration, font office de prière de grâce : regardez comme nous sommes loin de la civilisation rassurante, de Strömstad et de Göteborg, et pourtant nous sommes situés à plusieurs mètres au-dessus du niveau de la mer, aie pitié, doux Seigneur, et espérons que ce sera suffisant !

Mais quel secours cela lui apporte-t-il en définitive ? À combien de mètres au-dessus du niveau de la mer faut-il qu'il soit ? Entre les quatre murs de sa chambre, dans le pavillon, sur la montagne, en surplomb de tout.

Il s'agit peut-être du mystère des nombres. Depuis Pythagore, on considère les nombres et leur rapport entre eux comme la clé pour comprendre les lois harmonieuses qui régissent l'univers et symbolisent, en d'autres termes, le système divin du monde – loué soit le Seigneur, comme la maman de Reine pouvait le lui raconter en riant : Un est Dieu, qui a créé le grand Tout. L'univers est bâti sur la dualité : le yin et le yang, le féminin et le masculin, le divin et le terrestre, le jour et la nuit, le corps et l'esprit. *Omne trium perfectum*, tout ce qui vient par trois est parfait ; les bonnes fées exaucent trois vœux, la trinité est divine : le Père, le Fils et le Saint-Esprit. Il y a quatre éléments, tout comme il y a quatre points cardinaux et quatre coins de la terre. Dans le symbole du pentagramme nous trouvons le cinq, tandis que le six s'exprime dans l'hexagramme, tels l'étoile de David et le sceau de Salomon. Sept est le nombre sacré de Dieu (loué soit-Il !). Le jour de Pâques, quand le Christ a ressuscité, est considéré comme le huitième jour de la création et l'installation de l'ère nouvelle. Les sphères cosmiques sont au nombre de neuf, et dix est le nombre parfait pour tous ceux qui savent compter sur leurs doigts. Dieu a imposé un décalogue, dix commandements sur lesquels s'appuie l'ensemble la loi – et on peut continuer ainsi *ad libitum*.

On considère que certains édifices, les pyramides d'Égypte notamment, sont construits de telle façon que leurs longueurs, profondeurs, volumes, dimensions et distances prophétisent et prédisent l'avenir.

Voilà ce qu'apprend Reine, et voilà pourquoi il songe que cela vaut peut-être aussi pour les gares orangées du Bohuslän.

Oui, les gares dans le nord du Bohuslän étaient peut-être elles aussi une prophétie.

Une prophétie qui portait sur lui, sur sa maman, sur sa vie, son désir, ses souffrances et sa mort.

Dans un service d'isolement, on est évidemment isolé.

C'est le but. Le nom lui-même le sous-entend. On est séparé de. Expulsé de.

Comme quand il était petit et solitaire, il s'isolait, il restait en retrait, mettant entre lui et les autres une distance mesurée.

La ville se situe en bas de la longue côte qui mène ici. C'est là-bas que les autres se trouvent, que la danse se poursuit, que la vie se déroule – comme si rien ne s'était produit.

Comme si personne n'avait été séparé de. Expulsé de.

De même que, dans les Nombres, Dieu ordonne aux Israélites «… *de renvoyer du camp tout lépreux, et quiconque a une gonorrhée ou est souillé par un mort. Hommes ou femmes, vous les renverrez, vous les renverrez hors du camp, afin qu'ils ne souillent pas le camp au milieu duquel j'ai ma demeure*».

C'était comme ça à l'époque, c'est pareil aujourd'hui.

La mission de la société a toujours été de protéger l'individu, mais aussi de se protéger *de* l'individu.

C'est ici qu'il s'est réfugié.

Ici qu'il subit son châtiment.

Et ici, il est seul. Ici, dans le service d'isolement, à l'hôpital des maladies infectieuses, sur la montagne, en périphérie de la ville. Il est si seul et esseulé que sa solitude finit par l'envelopper comme un drap.

À l'exception des aides-soignantes, des infirmières et des médecins qui le soignent, munis de vêtements de protection, de gants, de masques,

Reine ne voit absolument personne. Si, Paul est venu une fois ou deux. Mais sinon, rien ni personne. Il a même décliné la proposition d'être veillé.

Il va mourir sans la moindre présence à ses côtés.

Il a scrupuleusement pris soin de n'informer personne de l'endroit où il se trouve.

Ni sa famille, ni ses amis.

Personne ne sait.

De cette manière, il est déjà mort.

Le tout, c'est de supporter les derniers moments.

Cette douleur indicible.

Avant de pouvoir devenir un esprit qui voyage n'importe où dans l'univers.

Un esprit qui n'entend rien et qui ne voit rien, que nul n'entend et que nul ne voit, et qui alors est peut-être enfin libre.

Sa maman est psychologue scolaire et son papa est pêcheur. Enfin… ce n'est pas son papa, c'est le père avec qui il grandit, son beau-père en fait, un homme qui s'appelle Tord.

Qu'il appelle tonton Tord.

Au début, sa maman et lui viennent en vacances chez Tord à Resö. Ils louent l'étage de la maison. Enfin… il n'y a qu'une pièce puisque le reste sert de grenier.

Un escalier raide en bois mène à leur chambre située tout de suite à droite. Elle est meublée de deux lits superposés, d'une petite table avec des tabourets et d'une paillasse équipée d'un évier et d'une plaque de cuisson.

Ils vont chercher l'eau au puits. L'eau courante est certes installée au rez-de-chaussée mais, pour une raison mystérieuse, ils n'ont pas le droit d'utiliser ce robinet : ils doivent aller au puits qui se trouve à trente mètres de la maison, en bas d'un talus. Sa maman est obligée de porter plusieurs fois par jour des seaux d'eau de dix litres.

Parfois, tonton Tord et ses deux fils, assis à la table de cuisine, regardent sans se gêner à travers la porte ouverte du vestibule la maman de Reine qui passe avec ses seaux d'eau en soufflant comme un bœuf.

Dès qu'elle les voit, elle sourit courageusement et tente de dissimuler son effort par un petit hochement de tête. Tonton Tord reste alors de marbre. L'un des fils s'approche avec effronterie du robinet pour remplir un verre, il tient le doigt sous l'eau qui coule jusque ce qu'elle soit bien fraîche.

Tord et ses fils habitent à l'ouest de l'île, la partie pauvre qu'on surnomme «les confins». C'est là que vivent la plupart des pêcheurs, tant ceux qui partent pêcher le maquereau à la ligne seuls dans une petite barque, que ceux qui pratiquent la pêche à la crevette dans des chalutiers.

La partie est de l'île, appelée «l'intérieur», comporte davantage de terres cultivées, et c'est là que sont installés les paysans plus prospères.

Malgré sa petite superficie, et bien qu'elle compte à peine deux cents résidents permanents, l'île représente le centre du monde.

Les «confinés» ne quittent qu'à contrecœur la partie ouest pour se rendre à l'est, et ceux de «l'intérieur» vont de très mauvaise grâce à l'ouest.

Allez savoir pourquoi, mais c'est comme ça.

Tonton Tord possède un chalutier. Jusqu'à présent, Ole lui donnait un coup de main sur le bateau. Mais Gert, qui vient d'avoir treize ans, est désormais suffisamment grand pour les accompagner pendant les mois d'été – quand il aura fini le collège il remplacera Ole.

Reine n'a qu'un an le premier été où sa maman loue la chambre chez tonton Tord. Par la suite, tous les ans, ils partent pour Resö dès la fin de l'année scolaire et ne rentrent à Stockholm qu'en août, au moment de la rentrée des classes. Ils passent près de deux mois dans la petite chambre meublée où il n'y a que les tabourets en bois pour s'asseoir et les petits lits superposés pour s'allonger.

Tonton Tord a décoré les murs de tapisseries aux motifs religieux. Au-dessus de la paillasse, un petit écriteau claironne : «*Jésus est le maître de cette maison, l'invité invisible de chaque repas, le témoin silencieux de chaque conversation !*»

Jésus veille sur eux à l'étage, et tonton Tord veille sur eux au rez-de-chaussée. Jésus et tonton Tord voient tous leurs actes et entendent toutes leurs paroles. Par conséquent, Reine se met à chuchoter dès qu'il ouvre la bouche.

Reine chuchotera toute sa vie.

De loin, on pourrait croire qu'il ne fait que bouger les lèvres, tout seul dans son coin. On est obligé de s'approcher de lui pour entendre ce qu'il dit.

Mais ça, c'est plus tard.

Avant d'y être arrivé, il faut reprendre au début. Et au commencement, il y avait les étés sur l'île de Resö.

Les étés sur Resö. Reine et sa maman. Eux deux.

Comme un système solaire autonome, clos, parfait, constitué d'une seule planète qui tourne autour du soleil.

Les jours de grand beau temps, ils passent leur journée sur un îlot ou un écueil dans la mer, en emportant les sandwiches au fromage et à la confiture d'abricot que sa maman leur a préparés. Ils grimpent dans les crevasses des rochers, attrapent des crevettes grises avec les mains et ramassent des crabes verts.

Les jours de pluie, Reine lit *Picsou Magazine* allongé sur la couchette supérieure des lits superposés, ou joue au Memory avec sa maman en écoutant la radio norvégienne.

Tous les ans, dès la fin de l'année scolaire, ils quittent Stockholm et prennent le train jusqu'à Herrljunga ; arrivés là, changement, ils prennent l'omnibus jusqu'à Uddevalla ; arrivés là, changement, ils prennent le train jusqu'à Kragenäs, situé à 63 km de Strömstad, à 138 km de Göteborg et à 27 m au-dessus du niveau de la mer. À la gare, ils sont accueillis par monsieur Allan qui emmène les estivants dans sa grosse auto qu'il s'est achetée lorsque sa sœur et lui ont ouvert une pension de famille.

D'ailleurs, Kragenäs n'est même pas un village, juste une gare, un arrêt de train pour faciliter la vie aux habitants des îles, qu'ils vivent à Resö, Långsjö, Västbacken, et même à Lindö, Kalvö ou Hällsö qui à elles trois comptent une trentaine, voire une quarantaine de résidents permanents.

Mais c'est surtout aux vacanciers que la gare de Kragenäs est destinée. En été elle est très fréquentée, en hiver pratiquement morte.

Monsieur Allan conduit ses passagers à Galtö, puis il emprunte la longue et étroite jetée de pierre carrossable qui relie Galtö à Resö. Il dépose Reine et sa maman à la maison de tonton Tord, où les fils les attendent pour porter leurs valises. Tord sort les saluer, donner les consignes concernant le ménage et encaisser l'acompte du loyer.

Reine ne remarque pas vraiment que sa maman et tonton Tord se parlent, mais certains après-midi, quand tonton Tord n'est pas parti en mer, il grimpe le raide escalier en bois et vient s'asseoir à la table des locataires. Il est ivre.

Il pousse de profonds soupirs et coule des regards langoureux vers la maman de Reine. Quand il a bu, ses yeux s'attendrissent et se mouillent, il se met presque toujours à pleurer.

Chaque fois, Reine s'attend à ce que sa maman envoie tonton Tord aux pelotes, qu'elle lui demande de sa voix la plus ferme de redescendre chez lui. Il trouve qu'elle ne devrait pas prendre de gants et lui signaler au passage qu'il ne les aide jamais à porter les seaux d'eau, et que du coup ce n'est pas la peine de venir pleurnicher pour se faire consoler.

Or elle ne dit rien. Elle l'autorise à rester avec eux, lui et son air de chien battu. Alors qu'il les envahit. Alors qu'il les dérange !

Reine sait parfaitement que sa maman est psychologue scolaire et que son travail, quand ils sont à Stockholm, consiste à écouter les enfants qui sont tristes et qui ont des problèmes. Maman se dit peut-être qu'elle est psychologue scolaire pour tonton Tord, parce qu'elle le laisse parler, lui qui d'habitude ne décroche pas un mot. Elle écoute gravement ce qu'il dit alors que même Reine, bien qu'il soit haut comme trois pommes, comprend qu'il parle comme ça uniquement parce qu'il est soûl.

Puis tonton Tord allume sa pipe, fume et la tapote contre une soucoupe : il en sort une bouillie noirâtre de tabac mouillé. Il jette alors un coup d'œil sur Reine avec ses yeux humides. Celui-ci tente de devenir invisible, ou bien il glisse au bas du lit superposé et file dehors.

Parfois, c'est maman qui lui suggère de sortir jouer quand tonton Tord leur rend visite. Dans ces moments-là, elle a l'air absente, comme si elle n'était plus sa maman pour de vrai mais quelqu'un que Reine connaît à peine.

Il ne montre pas ses sentiments, mais ça le blesse profondément. Il a l'impression qu'on vient de le fendre en deux d'un coup d'épée, comme lorsque le roi Salomon avait décidé qu'un bébé serait coupé par le milieu parce que deux femmes n'arrivaient pas à se décider de qui en était la mère (sur une illustration de sa bible pour enfants, il a vu un soldat brandir d'une main un bébé par une jambe et, de l'autre, s'apprêter à le trancher). C'est exactement comme ça qu'il se sent, Reine, quand sa maman le fiche à la porte : un gamin qu'on a fendu en deux.

Il descend sur les rochers et souhaite la mort aussi bien à sa mère qu'à tonton Tord.

Reine a peur de tonton Tord. Il a peur de ses deux enfants qui mesurent au moins vingt centimètres de plus que lui, bien qu'ils aient pratiquement le même âge que lui.

En fait, Reine a peur de tout si sa maman n'est pas avec lui.

Il a peur des adultes et des enfants.

Il a peur du noir et des ombres, de tout ce qui bouge et de tout ce qui est immobile.

Il a peur des monstres cachés dans le placard, sous le lit, derrière les portes.

Il a peur du monstre qu'il voit habiter au fond de ses yeux quand il se regarde dans la glace.

Sa maman est comme une lampe qui éclaire tout et crée une atmosphère de sécurité autour de lui.

Dans la lumière de sa maman, le monde est accueillant et ne représente plus aucun danger. Quand sa maman est avec lui, Reine arrive à maîtriser sa peur.

Elle est la lumière qui se faufile dans sa chambre d'enfant à Stockholm. Elle est le son assourdi de la télé dans le séjour quand il est sur le point de s'endormir. Elle est le parfum discret de crème hydratante qui s'attarde sur sa joue quand elle l'a caressé avec la main.

Reine vivra tant et tant d'années avec la peur chevillée au corps, sans autre protection que celle de sa maman, une protection qui doit rester intacte, qui ne doit surtout pas être endommagée. Et c'est peut-être pour ça qu'il ira aussi loin pour à son tour la protéger. Mais ce sera plus tard, quand il sera entré dans l'âge adulte.

Là encore, il anticipe. Il doit se concentrer, une seule chose à la fois. Il doit revenir à Resö, à tonton Tord ivre et assis sur un tabouret en bois dans la chambre qu'ils lui louent, à sa maman qui soudain n'est plus tout à fait sa maman.

Il n'est encore qu'au tout début.

Au début de sa vie, au début de sa nuit, au début de son rêve, avant que ce rêve ne devienne le cauchemar qu'il deviendra fatalement.

Il est bientôt minuit, c'est la nuit où il veille.

Personne d'autre ne veille. Juste lui.

Tonton Tord et maman et la chambre louée à l'étage.

Maman.

L'image de sa mère se dissout, il ne la voit plus du tout, la douleur prend le dessus. Sa gorge est si sèche. Ça lui fait si mal quand il avale. C'est si difficile de respirer. Il étouffe.

Il veut crier, mais il en est incapable.

On ne peut plus dire : Il porte sa souffrance avec vaillance. De toute façon il n'a plus le choix.

Vaillance ou pas.

Il ne peut plus crier.

Il attend ceux qui à l'aube vont l'emporter.

Vers quoi ? La délivrance ou le jugement ?

Il l'ignore.

Il est couché dans le lit, il pleure, il respire, il veille.

Il attend les pas. Il a si peur des pas.

Il attend les coups frappés contre la porte. Il a si peur des coups qui seront frappés contre la porte.

La porte blanche avec la fenêtre de surveillance.

La porte blanche qui mène à un petit sas, puis à une autre porte. Elles ne doivent jamais être ouvertes en même temps. Ils vont s'y laver, dans le petit sas, enfiler des vêtements de protection avant d'entrer dans sa chambre.

Ils vont protéger ce qui doit l'être.

Il est couché dans le lit et attend qu'ils forcent la porte, son esprit est brouillé par la morphine, il ne sait pas comment ils comptent s'y prendre pour la porte, s'ils vont la défoncer à la hache, s'ils vont dévisser les gonds pour la décrocher, il ne le sait vraiment pas.

Mais il sait qu'ils vont entrer de force dans sa chambre et qu'ils vont le trouver.

Il les attend.

Toute sa vie il les a attendus, eux et l'instant où il leur sera livré.

Il a été puni pour son péché, il a supporté la punition, ou plutôt : il ne l'a pas supportée – mais bientôt la délivrance viendra à lui, sa longue pénitence sera terminée, Dieu l'accueillera et le serrera dans ses bras qui pardonnent ou qui condamnent.

Les années passent, les hivers et les étés s'écoulent, Reine grandit. Il a dix ans, il vient de terminer sa quatrième année d'école. Il est un garçon merveilleux, heureux, aimable.

Sa maman vient juste de téléphoner à monsieur Allan pour lui annoncer l'heure d'arrivée du train.

Le réseau téléphonique ne couvre pas encore toute l'île, les communications passent par le standard de Lisa. Si la pension de famille de monsieur Allan et quelques fermiers aisés sont équipés du téléphone, les gens doivent aller chez Lisa s'ils veulent téléphoner ou prendre un appel.

Son standard est ouvert de neuf heures à treize heures, puis de dix-sept heures à vingt heures. Si on a une communication à passer ou à recevoir, non seulement on doit se plier à ces horaires mais on peut être sûr que Lisa ne perdra pas une miette de ce qui se dira – exactement comme Jésus au-dessus de la paillasse, elle est *le témoin silencieux de chaque conversation*.

Au premier jour des grandes vacances, comme chaque année, ils partent à Resö. Or, cette fois, et sans dire pourquoi, sa maman demande à

Reine de mettre dans ses valises plus d'affaires que d'habitude : tous ses vêtements, y compris les combinaisons d'hiver, les bonnets et les gants. Il y fourre aussi ses livres et sa grande boîte de Lego.

Ils transbahutent tellement de valises qu'ils ne peuvent pas toutes les porter. Au matin du départ, ils doivent se lever aux aurores pour avoir le temps de les enregistrer à la gare.

Ça s'appelle «bagages accompagnés», lui explique sa maman, et Reine se demande qui va accompagner leurs valises. A priori c'est personne, lui explique-t-elle aussi : elles vont voyager toutes seules et les retrouver à l'arrivée. Reine se réjouit d'avoir appris une nouvelle expression. Il prononce les mots à haute voix, plusieurs fois de suite, les note même dans son cahier ; il faut que je m'en souvienne, se dit-il, c'est le genre d'expression qui pourrait être un sujet de composition.

Après avoir déposé et enregistré leurs bagages, ils montent dans le train comme d'habitude voie numéro 10. Reine sort son cahier pour écrire. Sa maman le regarde et, quand le wagon-restaurant ouvre après l'arrêt à Södertälje, elle lui offre des crêpes avec une boule de glace et lui annonce que, cette année, ils ne vont pas revenir à Stockholm pour la rentrée des classes : ils vont rester à Resö pour y vivre à demeure.

Au début, Reine est drôlement content, parce qu'il n'a pas bien compris ce qu'elle veut dire par «à demeure». Quand il comprend enfin, il se met à pleurer.

Reine pleure. Il pleure devant tout le monde, alors qu'il se trouve au wagon-restaurant où il mange des crêpes, son plat préféré. Le chagrin se coince dans sa gorge, dans sa bouche, dans son nez, dans ses yeux, à tel point que les crêpes n'ont plus de goût. Et ça rend sa tristesse encore plus grande : être en train de manger des crêpes avec de la glace, son plat préféré, pendant que sa vie s'écroule.

Les crêpes grandissent dans sa bouche, maman a l'air malheureuse, il n'arrive pas à s'arrêter d'être triste.

Le train fonce à travers le pays, tonne contre les rails, des barrières défilent dans un tintement métallique. Flen. Katrineholm. Laxå.

Dehors, c'est le début de l'été. Reine regarde par la fenêtre et voit des vaches, des champs de colza en fleur, des fermes et des forêts profondes. Il baisse ensuite la tête sur ses crêpes et pose enfin les yeux sur sa maman. Soudain, il comprend qu'elle l'a trompé. Et là, il la hait.

Reine hait sa maman car elle l'a trompé. Elle essaie de l'éclairer avec sa lampe, mais il s'esquive et regarde l'ombre – désormais elle ne l'atteint plus avec sa lumière.

Pauvre conne ! pense-t-il bien qu'il sache que c'est la pire des injures, même s'il ne la profère qu'en pensée. Ma mère est une conne, une sale conne, une pauvre conne. Pauv' conne, pauv' conne, pauv' conne !

Il le répète pendant si longtemps dans sa tête que sa maman finit par l'entendre. Elle fond en larmes à son tour, la voyant pleurer il regrette, alors qu'il n'a pas envie de regretter.

– Et moi alors ? chuchote-t-elle. Qu'est-ce que je vais devenir ?

Il voudrait la prendre dans ses bras, la serrer fort contre lui, la consoler pour qu'elle ne soit plus jamais triste ; il voudrait aller vers elle, accueillir à nouveau la lumière de sa lampe. Mais ils sont dans le wagon-restaurant d'un train, l'un en face de l'autre, ils ne peuvent rien faire, le train tonne contre les rails et tout le monde les regarde. Tant et si bien qu'il ne fait strictement rien et maman tourne son visage en pleurant, maman se détourne de lui.

Elle tient son verre de bière entre les mains, comme pour l'empêcher de se renverser au cas où le train ferait une embardée, comme si elle n'avait plus dans l'existence que ce verre de bière auquel se raccrocher. De sa voix la plus mince elle chuchote, tellement bas que Reine comprend qu'il n'est pas censé l'entendre. Elle chuchote pour elle-même.

– Je n'en peux plus d'être seule.

Reine se remet à pleurer, puisque apparemment il ne vaut rien.

– Mais je suis là, moi ! chuchote-t-il lui aussi. Je suis là pour toi !

Elle ne répond pas, et comme elle ne répond pas Reine se sent devenir froid jusque dans son âme. Comme lorsque le fils Ésaü interpellait son père Isaac : «*Bénis-moi aussi, mon père !*» et que le père n'avait plus de bénédiction à donner.

– Je suis là, maman ! répète Reine, et il se dépose tout entier dans la balance.

Sa mère regarde par la fenêtre, renifle et, d'une voix redevenue adulte, comme si elle en avait assez de chuchoter et de jouer les petites filles, elle déclare :

– Je n'en peux plus d'être seule !

Voilà, c'est dit.

Puis ils se taisent.

Et même s'ils sanglotent encore un peu, il n'y a rien à ajouter.

La vie de Reine vient de s'écrouler, la vie de sa maman vient de s'écrouler – que dire ?

L'enseignement que tire Reine de cet incident dans le wagon-restaurant, c'est qu'il a sans doute trahi sa mère, d'une façon ou d'une autre. Il est médiocre, comme enfant. Il n'est pas à la hauteur.

Il le comprend maintenant.

Il ne fait pas l'affaire. Son amour n'est pas assez grand. C'est pourquoi il est éliminé, quoi de plus compréhensible. C'est pourquoi, en silence, il se referme en lui-même.

À bord d'un wagon-restaurant de Stockholm, ils étaient assis et ils pleuraient.

Quelque chose s'est terminé, autre chose a commencé.

Comme si le soleil s'était détourné de l'unique planète de leur système solaire clos et parfait, comme si cette unique planète avait été repoussée dans une nouvelle orbite, inconnue, effrayante.

Monsieur Allan les attend comme d'habitude à la gare de Kragenäs, lors de leur arrivée tard dans l'après-midi. Mais cette fois il n'est pas seul. Tonton Tord l'accompagne, qui a enfilé son costume sombre du dimanche. Il a un air solennel.

La maman de Reine et tonton Tord fêtent leurs retrouvailles en se prenant dans les bras. Une étreinte balourde qui trahit leur manque d'habitude. Il est difficile de dire quelle présence les gêne le plus, celle de Reine ou celle de monsieur Allan. Ils s'enlacent de façon rapide et maladroite pour que personne ne les voie, et personne ne les voit, en tout cas pas Reine – quoique, ce n'est pas vrai, il ment.

Tonton Tord regarde Reine ensuite avec ses petits yeux ronds de porcelet et ses iris bleu pâle. Il prononce une phrase incompréhensible dans son vilain parler du Bohuslän.

Reine ne comprend rien. Forcément car il n'est plus là. Il est devenu une coquille vide.

Pendant sa jeunesse, Reine ne comprendra jamais vraiment ce que lui dit tonton Tord. Il n'essaiera même pas. Ce sera comme une résistance. N'empêche, ce jour-là, il a parfaitement entendu, il est bien obligé de le reconnaître après coup, mais sur le moment les mots étaient incompréhensibles puisque inconcevables.

Tonton Tord lui a dit :

– Bon, ben... dorénavant tu vas pouvoir m'appeler papa.

Puis Reine a été contraint de grimper sur le plateau de la camionnette, de s'asseoir entre maman et Tord, et monsieur Allan a démarré. Sur ses genoux, il serrait son petit sac rouge. Celui que Tord qualifiait de sac de fille. Sauf que ce n'était pas un sac de fille. C'était le sac de Reine.

Quant au garçon assis sur le plateau, il n'était qu'une coquille vide. Reine, lui, était un esprit qui voyageait à travers l'univers.

Ils étaient terrorisés.

Comment aurait-il pu en être autrement ?

Non qu'ils n'aient pas entendu parler de la maladie, mais à l'époque elle frappait encore si peu de gens, et elle frappait si loin. Elle leur apparaissait dans les journaux sous la forme d'entrefilets parmi d'autres.

Elle était aussi lointaine que le grondement sourd d'un orage d'été apporté par le vent alors que le ciel est toujours bleu.

Et surtout, la nouvelle était tellement grotesque qu'il était difficile de se l'approprier et de la prendre au sérieux.

Un cancer gay.

Un jour de juin 1983, revenant de la côte ouest où il était allé voir des amis, Paul avait apporté un exemplaire du *Göteborgs-Posten*.

La Suède frappée à son tour, scandait le gros titre du quotidien. Et les pages du journal continuaient de marteler : «*Depuis la découverte en 1981 de ce qui est communément appelé la maladie des homos – ou le S.I.D.A. (syndrome de l'immunodéficience acquise) –, 1 552 personnes ont été touchées rien qu'aux États-Unis. 600 ont trouvé la mort. Personne n'a guéri. Tous les décès sont intervenus dans un laps de temps allant de six mois à deux ans après la déclaration de la maladie.*»

600 morts.

Personne n'a guéri.

Deux ans à vivre, tout au plus, après la déclaration de la maladie.

Une série de coups envoyés droit dans le plexus solaire.

Les intertitres de l'article retentissaient comme les sonneries de trompette des anges de l'Apocalypse. Le premier annonçait : *Punition de Dieu*, le deuxième : *Terreur*, le troisième : *Hystérie* et le quatrième : *Aucun remède*.

Benjamin se rappellera qu'ils se trouvaient dans un bar du Vasaparken, à l'intérieur parce qu'il pleuvait. Paul leur faisait la lecture, d'une voix de plus en plus indignée tandis que le café refroidissait dans leurs tasses.

« *Certains comparent la maladie à la lèpre. D'autres sont d'avis que les individus contaminés n'ont que ce qu'ils méritent : "Bien fait pour eux !" déclarent-ils. Les cercles conservateurs aux États-Unis estiment que le S.I.D.A. est une punition infligée par Dieu aux homosexuels.* »

À ce stade de l'article, Paul avait relevé la tête et fixé Benjamin d'un regard sévère, comme si, en tant qu'ancien Témoin de Jéhovah, il était responsable de l'opinion de tous les chrétiens de droite de l'Amérique. Baissant les yeux sur le journal, Paul avait poursuivi sa lecture.

« *Une chose est sûre : la peste semble avoir fait sa réapparition. Les voisins se haïssent entre eux. Les hôpitaux refusent de soigner les malades, quelle que soit la somme qu'ils sont prêts à débourser. Des mères de famille appellent un directeur d'école, inquiètes d'envoyer leurs enfants en classe sous prétexte que l'instituteur est gay. Une femme de Denver s'est renseignée auprès de la police sur la meilleure façon de désinfecter son appartement où a vécu avant elle un homosexuel…* »

Benjamin se souviendra de la tristesse qui s'est emparée d'eux. Ses amis et lui n'avaient pas de mots pour l'exprimer. Au cours de cet après-midi pluvieux dans le bar du Vasaparken, la réalité venait de les rattraper.

Impossible de l'esquiver.

Punition de Dieu. Terreur. Hystérie. Aucun remède.

Comme si soudain l'air respirable se raréfiait dans l'établissement. Comme s'ils étaient brusquement privés d'oxygène. Un cauchemar, le pire, le plus horrible, le plus désolant qu'on puisse imaginer se matérialisait sans pitié devant eux – et ils comprenaient qu'ils n'en réchapperaient pas.

Leur liberté, leur fierté, leurs luttes et leurs combats, tout se brisait d'un seul coup.

Paul continuait de lire d'un ton monocorde, l'horreur semblait sans fin.

« ... *Des homosexuels sont licenciés de leur travail, expulsés de leur appartement, abandonnés par leurs proches... La peur et l'inquiétude aveugle se répandent tel un feu de prairie... La science médicale n'a aucune solution... Personne ne sait comment guérir cette maladie...* »

La voix de Paul psalmodiait les mots. Les autres gardaient le silence. Et le plus silencieux de tous, le plus affaissé dans un coin de la banquette de velours rouge, n'était autre que Reine.

Le petit Reine, timide, romantique, gauche, toujours brûlant d'un amour malheureux, que Rasmus et Benjamin ne connaissaient que depuis quelques mois brefs et intenses. Il était renfoncé sur la banquette, osant à peine respirer, sans défense.

Les mots le pénétraient comme un poison. Punition de Dieu. Lèpre. Aucun remède. Bien fait pour eux.

Il le savait. Il savait que l'ennemi s'était déjà emparé de lui, qu'il se multipliait déjà en lui, sans trêve ni repos, le détruisant méthodiquement, patiemment, sournoisement.

Les prières ne lui seraient d'aucun secours. Aucun médicament ne pourrait l'aider. Son médecin ne pouvait rien pour lui. Il avait déjà été infecté. Et le journal avait raison : c'était bien fait pour sa gueule.

Ne rien révéler à personne, continuer à se taire. Il ne voyait pas d'autre résistance à opposer.

Cet après-midi-là, au bar du Vasaparken, à seulement un jet de pierre du Viking Sauna, Benjamin se rappellera qu'il tombait une pluie démoralisante, comme si le ciel se joignait à leur peine, s'affligeait lui aussi de la menace qu'ils affrontaient.

Cet après-midi-là, ils retrouvaient Reine pour la dernière fois.

Reine disparaîtrait ensuite.

Comme s'il n'avait jamais existé.

Plus tard dans son désespoir, Benjamin essaiera de se dire : si seulement ils avaient su. Si seulement ils avaient compris. Si seulement ils avaient pu deviner que le cauchemar que Paul leur lisait dans le bar était déjà une réalité pour l'un d'entre eux, alors ils auraient… ils auraient – Benjamin ne sait pas ce qu'ils auraient fait. Mais ils auraient été là pour Reine. Ils se seraient mobilisés. Ils auraient répondu présents !

Ou auraient-ils pris peur ?

Ce devait être la dernière fois qu'ils voyaient Reine, lui qui si souvent était silencieux. Cet après-midi-là, il l'était plus que jamais.

Et la maladie, cette maladie impitoyable, injuste, infidèle, immonde, cruelle, avait déjà élu domicile dans le corps de l'un d'entre eux.

La Suède était frappée à son tour.

Reine et sa maman restent vivre sur l'île de Resö. Ils n'habitent cependant plus à l'étage – ou plus exactement, Reine y loge pendant les mois d'hiver, mais dès l'été suivant la chambre est louée à une famille de Göteborg.

C'est au tour de ces gens d'aller chercher l'eau au puits, de ployer sous le poids des seaux de dix litres et d'ahaner dans l'escalier raide.

Reine et sa maman peuvent à tout moment, quand l'envie leur en prend, ouvrir le robinet pour faire couler l'eau.

Tout ceci est bel et bon mais ne compense pas le fait que la vie de Reine est brisée.

La première année est la pire.

Au mois d'août, à l'approche de la rentrée des classes, l'île se vide d'un coup. L'été, qui s'étirait en éternité, dégringole dans un ravin. Il s'écoule comme dans un sablier, il fuit comme dans une passoire.

Cela se voit à la verdure autour d'eux, qui s'assombrit et devient plus profonde, comme si elle changeait de sexe et se faisait homme après avoir été femme. Cela se voit au soleil qui prend son temps le matin pour se lever derrière la montagne. Cela se voit à une nouvelle limpidité de l'air qui au début paraît frais et encourageant, mais qui bientôt se révèle uniquement malveillant.

Dans les prés et les landes, la bruyère flamboie, violette. Tonton Tord explique qu'elle est un présage de mort. Du coup, même elle perd sa beauté. Elle n'incarne plus que la tristesse, à cause de ce salaud de tonton Tord.

Les maisonnettes, cabanes de pêcheur et chambres chez l'habitant se vident de leurs vacanciers ; elles sont nettoyées et fermées ou bien reprennent leur identité initiale de chambre d'enfants, de remise, ou quelle que soit leur fonction.

Le kiosque ferme pour la saison. Tina, la gérante, fixe les contrevents aux fenêtres.

Le seul commerce à maintenir l'île en vie pendant l'hiver se résume à la Kopra, une coopérative de consommateurs au centre du village, qui reste ouverte du lundi au vendredi.

Tout à coup, il n'y a nulle part où aller, il n'y a plus rien à faire.

Les estivants ont plié bagage et sont rentrés à Göteborg, à Stockholm, à Oslo. Ils ont emporté palmes, matelas gonflables et draps de bain, ils ont fourré dans leurs valises la chaleur, le soleil et la douce brise, ils ont décampé avec cette même insouciance qui les animait à leur arrivée.

L'eau rieuse et scintillante s'est éteinte immédiatement après leur départ, comme si ceux qui restaient sur Resö n'étaient pas dignes de son effort.

Et Reine est de ceux-là. Il est contraint de composer avec les jours qui raccourcissent et les nuits qui rallongent.

Des pluies d'automne glacées fouettent l'île et les font grelotter de la tête aux pieds. Un matin, à leur réveil, un vent mauvais a chassé le vent bienveillant. Avec colère et jalousie, il arrache les pétales des fleurs et les feuilles des arbres, comme les petits voyous à l'école arrachent la joie et le bonheur des enfants qui ne savent pas se défendre. Ce vent mauvais les oblige à marcher courbés et à baisser la tête vers le sol.

Le monde rétrécit. Reine et sa maman ne peuvent plus aller se promener sur les rochers car la pluie les a rendus glissants, descendre au bord de l'eau ne sert à rien car il fait trop froid pour se baigner, leur petit bateau est remonté sur la terre ferme et retourné sous une bâche.

Sa maman ne veut plus être seule, c'est ce qu'elle a dit. Apparemment, elle l'était avec Reine.

Il sait très bien qu'il n'est pas seulement question de tonton Tord. C'est toute l'île qui fait rêver maman. Elle veut y avoir sa place en propre. Elle n'a jamais voulu vivre ailleurs qu'ici.

Ici où elle n'est pas heureuse. Puisqu'elle ne l'est manifestement pas, elle ne peut pas l'être, quoi qu'elle dise. Il lui suffit de la regarder pour voir combien elle lutte.

C'est pour la misérable lutte de sa maman, celle qu'elle ne pourra jamais remporter, que Reine se plie aux circonstances.

Si jusque-là elle l'a protégé, son tour à lui est désormais venu de la protéger.

Le souvenir le plus vivace que Reine conservera des longs hivers dans le Bohuslän, c'est qu'il avait toujours froid – il le racontera bien des années plus tard à ses colocataires et amis du collectif gay avenue Sveavägen.

Il est frigorifié. L'humidité et le froid de la mer s'insinuent à travers les murs, forcent les isolations. On a eu beau habiller les vieilles maisons en bois d'un revêtement, les hideuses plaques d'Eternit ont une efficacité d'autant plus limitée qu'elles finissent gondolées par l'eau et noircies par les moisissures.

Tonton Tord chauffe a minima. Il estime qu'on dort mieux dans des chambres fraîches. En réalité, il est radin. Un fourneau à bois dégèle la cuisine, un poêle en faïence le séjour.

– Mets un gilet si tu as froid, lui conseille sa maman, et Reine d'enfiler tous les pulls qu'il possède, mais il n'a pas plus chaud pour autant.

Il y aurait bien les radiateurs électriques, mais on ne les allume que pendant les périodes de très grand froid.

Tonton Tord marmonne à tout bout de champ que Reine est une chochotte et que sa maman ferait mieux de ne pas le dorloter, sans quoi il ne deviendra jamais un homme.

Reine est mince, très mince.

La mer et l'hiver s'engouffrent sans le moindre effort. Il suffit aux embruns et aux frimas de souffler sur lui, et le voici transformé en glaçon.

– Mes fils ne se plaignent pas, eux, lui reproche souvent tonton Tord d'un ton geignard.

Il a raison. Il ne viendrait jamais à l'idée de Gert et Jan de se plaindre du froid. Mais, primo, ils ne desserrent pas beaucoup les dents ; secundo, ce sont des grands gaillards bien bâtis, alors que ce gringalet de Reine n'a que la peau sur les os.

C'est ce que lui dit parfois Gert, l'aîné de ses frères d'adoption. À ces mots, il serre Reine dans ses bras, frotte ses bras et son dos pour le réchauffer.

Car cette histoire n'est pas le récit de deux vilains frères méchants envers le nouveau venu. Au contraire. Même si Gert et Jan ne comprennent sans doute pas Reine, ils le défendent toujours en cas de besoin. Et comme dans tout ce qu'ils entreprennent, ils le font avec sérieux et détermination.

Ils s'assoient à côté de lui dans le car de ramassage scolaire. Ils encaissent les insultes à cause de lui. Ils se précipitent s'il risque de se faire tabasser. Ils rendent les coups avec la puissance de leurs poings fermés. C'est peut-être tonton Tord qui l'a exigé d'eux :

— Ne laissez personne s'en prendre au petit dernier sous prétexte qu'il est une chochotte de la ville.

Un jour, au semestre d'automne, alors que Reine vient d'entrer à l'école de Tanum, Jan finit même par pleurer dans la salle de classe à cause de lui. Pendant la récréation, des camarades de classe de Jan s'en sont pris à Reine. Jan s'est interposé avec tout ce qu'il pouvait mobiliser d'autorité et de prestige, il a joué le tout pour le tout dans le seul but de protéger son frère adoptif. Revenu en classe, il est tellement révolté, tellement furieux, qu'il pleure devant tout le monde, obligeant la maîtresse à demander ce qui lui arrive.

— Ils ont qu'à laisser mon frangin tranquille ! réussit-il à articuler entre deux sanglots.

Reine l'apprend plus tard : c'est exactement ce qu'il a dit.

Il a dit «mon frangin».

Alors, même si Reine déteste vivre chez tonton Tord à Resö, il n'arrive pas à détester ses frères.

Jan, le cadet, veut toujours plaire à son père.

Il réveille son grand frère en pleine nuit quand ils doivent se lever pour aller pêcher le maquereau à la ligne et poser des filets pour rapporter du flet et d'autres poissons plats. Il tire le bras de son frère, un peu inquiet, comme si ne pas décevoir papa était une question de vie ou de mort.

Parfois, on devinerait presque que Jan maudit la délicatesse de son jeune âge. Il voudrait avoir les mains calleuses et le visage buriné de l'adulte, ne pas être un garçon faible mais un homme mûr, un mâle, lourd, poilu, aux bras épais et à la barbe sombre.

Bien qu'il n'ait que deux ans de plus que Reine, Jan s'efforce de se déplacer avec lenteur, d'une démarche pataude. Il se replie de plus en plus sur lui-même jusqu'à ressembler à une moule dure et fermée, en attendant que la barbe daigne enfin pousser.

Jan copie son père dans tout. Il bouge comme lui et crache comme lui, il imite sa façon de rouspéter et sa façon de manger : il engloutit la nourriture, le coude droit appuyé sur la table et la main plaquée contre l'oreille, puis se renverse sur sa chaise à la fin du repas et croise les mains derrière la nuque.

Il refuse de se baigner, lui qui nageait comme un poisson. Les bains de mer et les bains de soleil, tout ça, c'est des trucs de gonzesses, c'est bon pour les vacanciers.

Tord, lui, ne trempe jamais ne serait-ce qu'un orteil dans l'eau. Reine se demande même s'il sait nager. Il reste toujours tout habillé. En été, sa figure prend l'apparence d'un cuir marron. Mais sous le chandail et la chemise, son corps garde la pâleur de l'hiver.

Jan s'évertue à devenir comme lui.

On ne se mélange pas avec les vacanciers. On prend leur argent (on ne va pas se gêner, non plus !), on secoue la tête de consternation devant leurs accoutrements, leurs expressions, leurs habitudes, leurs façons. Des m'as-tu-vu, tous autant qu'ils sont !

Les estivants sont des citadins et les citadins n'ont en principe aucune utilité sinon celle d'être des vaches à lait. Les citadins sont ces olibrius qui paient des sommes indécentes pour se serrer dans des cabanes de pêcheur humides, des chambres chez l'habitant meublées de bric et de broc ou dans des petits coins de grenier balayés par les courants d'air. Un ramassis de lopettes qui n'ont rien trouvé de mieux que de faire le déplacement depuis Göteborg ou de Stockholm, ou même de Norvège. Des employés de bureau qui passent leurs journées le cul collé au fauteuil, ne connaissent rien à rien, mais se croient importants et supérieurs aux autres.

Jan veut marcher dans les pas de son père et devenir pêcheur comme lui. Travailler avec papa Tord sur le bateau. C'est ainsi que Jan imagine son avenir. Une vie déterminée et scellée à partir de maintenant et pour l'éternité.

Seulement voilà : l'aîné, c'est Gert ; autrement dit, c'est lui qui héritera du chalutier, de la profession et de toute la vie de leur père.

Pas Jan.

Or Gert est différent.

Gert a toujours été différent.

Gert a un grand secret : il est assoiffé de paroles.

Dans une famille comme la leur, on ne parle pas inutilement. Être trop loquace, c'est se mettre en avant et faire son prétentieux, croire qu'on est quelque chose. Ces gens-là, on les neutralise avec le silence. C'est très efficace.

Dans le nord du Bohuslän, on utilise uniquement des mots indispensables, ni plus ni moins. Des mots simples, locaux, assortis au littoral, cette bande de terre plate entre la falaise et la mer, puis aux îles, à ce petit monde à eux qui est le leur et où ils vivent leurs vies.

Trop de mots compliqués, étrangers, inadaptés, pourraient créer de mauvais rêves qui n'iraient pas se fracasser contre les rochers mais qui monteraient comme des ballons, de plus en plus haut, qui devineraient un autre monde situé loin au-delà de la paroi de la montagne.

C'est pareil sur Resö. Les mots étrangers ou compliqués sont comme les requins, marsouins et petites baleines qui de temps en temps remontent la côte du Bohuslän. Comme ils se sont égarés beaucoup trop au nord alors qu'ils sont habitués aux eaux chaudes des latitudes plus méridionales, ils perdent rapidement leurs forces et s'épuisent. L'eau froide du Skagerrak les engourdit. L'oxygénation diffère des eaux dont ils sont coutumiers, raison pour laquelle ils meurent d'une mort lente et très douloureuse.

Le requin longimane offre un spectacle à la fois triste et fascinant quand il gît sur le rivage, en train d'étouffer, lui qui est un monstre capable d'engloutir un être humain.

En même temps, il n'a à s'en prendre qu'à lui-même.

Il n'avait rien à faire ici.

Il n'est pas chez lui, ici.

Il est étranger.

Le langage est même pire que le requin longimane. Le langage n'est pas seulement quelque chose d'étranger, il est aussi quelque chose de menaçant, qui peut vous rendre malade. C'est pourquoi le langage doit impérativement être utilisé avec modération.

Dans leur famille, on utilise les mots pour moucher les gens, pour leur couper la chique, pour les obliger à se taire.

Une maladie et une démangeaison. Voilà ce qu'il est, le langage !

Et, pendant sa dernière année d'école obligatoire, Gert tombe malade.

Ce qui est pour le moins étrange, car Gert n'est pas du tout de constitution fragile. Il est même le plus solide d'entre eux. Il est précoce, fort et musclé, grand pour son âge.

Jamais il n'a reculé devant les corvées, jamais non plus il n'a hésité à donner un coup de collier et à assumer sa part de travail. Jamais au grand jamais il n'a montré de signes comme quoi il s'estimerait trop distingué. Il est au contraire obéissant, il a toujours fait ce qu'on lui a demandé, il ne s'est jamais plaint. Jamais ils ne l'ont entendu beaucoup parler. Il est connu pour être gentil, bien qu'un peu timide. Il n'est pas plus bavard qu'un autre. De tous, Gert est presque celui qui se tait le mieux.

Pourtant, c'est lui qui tombe malade, lui et pas un autre qui est atteint d'une affection aussi grave que le langage.

Il commence par s'emmurer dans le silence. Un silence tel que, même dans une famille comme la leur, on n'entend que lui.

Au printemps, à la fin de l'école obligatoire, Gert a l'air de ruminer quelque chose qui le rend de plus en plus malheureux. Il semble souffrir d'une douleur lancinante, d'un picotement causé par une nouvelle dent qui voudrait percer. Il se retire et s'enferme dans sa chambre, ne quitte plus son lit, fixe le plafond à longueur de journées, sort à peine manger.

Tout le monde essaie de le dérider. Reine va jusqu'à ranger sa chambre dans une tentative malhabile de montrer qu'il l'aime bien. La maman de Reine cuisine ses plats préférés. Jan, pensant que son grand frère est tombé amoureux, le taquine. Tonton Tord affirme que le gamin en a marre de l'école, rien de plus, aussi le console-t-il en lui disant qu'il sera bientôt débarrassé de ce fléau et pourra se consacrer à la pêche à plein temps.

La neige fond, la terre se dégèle. Les vents du sud soufflent sans intention malveillante, le monde niché entre la montagne à l'est et la mer à l'ouest reprend vie après son long sommeil hivernal.

Or Gert reste claquemuré dans l'obscurité de sa chambre.

À contrecœur, il finit par accepter d'aller jouer au football sur le terrain de sport, une simple pelouse avec des buts bricolés, où les jeunes s'amusent tous les soirs au printemps et en été, s'il ne pleut pas. Mais il ne manifeste aucune joie, même quand il marque. Ces matches ne lui procurent aucun plaisir, lui qui d'habitude imitait Roland Sandberg et faisait des galipettes après chaque but pour montrer son euphorie.

En réalité, il rassemble son courage pour avouer.

Et un jour, il franchit le pas. Il avoue.

Le soir, alors que la famille mange de la bouillie de semoule avec une tartine de saucisson, il sort soudain de sa chambre. La maman de Reine se lève pour lui servir une assiette, mais il se campe en bout de table et déclare :

– Ça y est, j'ai pris ma décision.

Papa Tord ne s'arrête pas de manger, ne lève même pas les yeux, il continue d'engloutir sa bouillie, le coude droit sur la table et la main sur l'oreille.

– J'ai pris ma décision, répète-t-il, face au silence.

– Et t'as décidé quoi ? marmonne papa Tord, qui croque un bout de sa tartine tout en se grattant la joue.

– J'ai l'intention d'aller au lycée. À Uddevalla. Je vais faire un bac littéraire. J'en ai pour trois ans. J'ai été admis. Je veux devenir journaliste.

Un ange passe. Tout le monde se fige. Plus personne ne mâche. Jan garde la cuillère dans sa bouche. Personne ne respire. Les regards de Reine, de sa maman et de Jan vont de Gert à Tord et de Tord à Gert.

Une éternité s'écoule avant que Tord réponde :

– Et mon cul c'est du poulet ?

Sur ce, il continue calmement de manger sa bouillie.

Il lui dit plus tard :

– Ce qui me révolte le plus, c'est de voir que tu nous méprises, nous et la vie qu'on mène, qu'elle ne te convienne pas.

– Bien sûr que si, elle me convient ! répond Gert. Simplement, j'ai envie d'autre chose. Je veux faire des études.

– Tu veux être au-dessus de nous, oui ! Les Jonasson, à Galtö, ils ont retiré leur Rolf de l'école quand il a eu treize ans pour qu'il aide son père sur le chalutier. Et il n'a pas moufté, lui.

Gert refuse de céder.

Alors son père le frappe. Lui flanque une bonne raclée.

– Y a belle lurette que j'aurais dû le faire, se justifie-t-il, après. On n'en serait pas là aujourd'hui.

Sauf qu'ils en sont là. Ça s'est produit et ils ne peuvent pas revenir en arrière. Seul Dieu peut incarner à la fois ce qui s'est produit et ce qui ne s'est pas produit. Mais Dieu ne peut arrêter le cours du soleil, ni le forcer à repartir en sens inverse pour remonter dans le temps.

Le temps avance dans le bon sens comme un petit rat têtu, l'école prend fin, Gert rentre avec son bulletin qui ne contient pas de notes mirobolantes, ce qui déclenche des ricanements méchants chez tonton Tord.

– Tu parles d'un génie ! Et dire que ça voulait faire des études…

Gert se tait et file dans sa chambre.

La maman de Reine prépare un festin, mais personne ne vient manger. Tord reste dans la cabane de pêcheur avec ses filets à réparer. Gert part retrouver des copains et ne rentre qu'à l'aube, ivre.

Le petit rat têtu continue d'avancer, farfouillant et gratouillant, jusqu'à ce que les estivants reprennent possession de leurs chambres chez l'habitant, cabanes de pêcheur, greniers, abris et cabanons.

Gert se lie d'amitié avec eux. Il cherche leur compagnie, il est ouvert et d'un abord facile. Il s'acharne à se débarrasser de son accent, s'efforce de parler un suédois standard.

– Courbettes et léchage de bottes, oui ! renifle Tord.

La maman de Reine proteste aussitôt. Elle fait remarquer qu'eux aussi ont été des vacanciers. Elle sait pertinemment qu'il faut trois générations avant d'être considérés comme des habitants de l'île à part entière, mais quand même. Elle essaie de rire en le disant, comme si elle lançait une petite plaisanterie pour détendre l'atmosphère, mais tonton Tord quitte la table sans un mot et s'en va en claquant la porte. Il s'enferme dans sa cabane où il reste jusqu'à l'heure du coucher. À son retour il empeste l'alcool.

C'est la fête de la Saint-Jean. Gert, Jan et Reine ont été invités par une petite bande d'adolescents en vacances sur l'île, dont Gert a cherché à faire partie. Jan refuse de les accompagner.

– J'ai pas envie de lécher les bottes aux citadins, moi ! boude-t-il.

Reine et Gert iront donc seuls.

Gert n'ayant pas encore vingt et un ans, l'âge légal pour acheter de l'alcool, il est allé demander à Kjell, l'ivrogne du coin, de s'en charger pour lui. En échange, il pourra se garder quelques canettes de bière. Gert a caché les siennes sous son lit. Si tonton Tord était tombé dessus, il serait entré dans une colère noire. La maman de Reine donne aux garçons un paquet de saucisses à griller.

Il a plu dans la journée. Alors qu'ils venaient de dresser le mât de la Saint-Jean dans le grand pré, à côté du terrain de foot, les estivants ont courageusement bravé la bruine glaciale pour danser les rondes traditionnelles.

Vers dix-sept heures, le temps change. Les nuages courent dans le ciel. Comme un rideau qu'on retire et qui dévoile le fond d'un bleu éclatant. Quand le ciel s'est éclairci, le vent tombe.

Ils partent avec le petit bateau à moteur, Reine et son frère adoptif beau comme un dieu. Le temps est frais et limpide. L'air est froid et vivifiant, Reine est content d'avoir enfilé deux pulls sous son gilet de sauvetage. L'embarcation fend la surface de l'eau, si lisse, dans laquelle le ciel se reflète tout entier. Les mouettes crient, le soleil brille. Assis à côté du moteur, Gert boit une bière directement à la canette. Il est déjà un peu ivre. À moitié allongé à l'avant, la tête oscillant légèrement sous les vibrations du moteur, Reine regarde le ciel.

Ils vont passer une belle soirée, songe-t-il, sa première fête de la Saint-Jean sans adultes à ses côtés.

Dès leur arrivée sur l'îlot où ils ont rendez-vous, ils montent la tente. Reine installe les sacs de couchage sur les tapis de sol, on dirait des vrais lits. Il est content comme tout, d'autant que Gert et lui vont dormir l'un à côté de l'autre – très près.

Il dépose sodas et paquets de chips dans un coin qu'il imagine être la cuisine. L'autre, où il range gobelet, brosses à dents et dentifrice, fera office de salle de bains. Il adore aménager leur nid de cette manière, il a l'impression de jouer au papa et à la maman. Il se figure un instant qu'ils vont vivre ici pour toujours, Gert et lui.

Son frère a allumé un petit feu. En attendant les autres, il sirote une nouvelle bière. Il propose à Reine d'y goûter. Celui-ci en avale prudemment une petite gorgée, il se demande s'il va être ivre tout de suite.

Gert parle de la rentrée au lycée d'Uddevalla en août, il a déjà trouvé une chambre meublée chez une famille qui passe ses vacances à Resö.

– Du coup ça sera à moi de porter l'eau du puits, dit-il en éclatant de rire.

Reine rit à son tour, ajoute qu'ils ont sûrement l'eau courante sur le continent. Sa remarque redéclenche l'hilarité, bien que ce ne soit pas une blague. Là, Gert lui ébouriffe les cheveux, descend la main le long de sa nuque et garde le bras posé sur son épaule.

Reine n'ose pas bouger. Il n'ose même pas respirer.

Il sent le poids du biceps de son frère adoptif, il sent la chaleur de son avant-bras qui lui frôle presque la joue. C'est merveilleux, tout est merveilleux.

Une minute plus tard, leur parvient le grondement d'un moteur. Gert retire son bras. Il se lève. D'une main, il écrase la canette vide. Il est d'une telle force.

Les autres accostent sur l'îlot voisin, tout près du leur, un petit bras de mer les sépare. Sous prétexte qu'une fille trouve le second plus sympa, le petit groupe choisit de s'y installer.

Reine est embêté. Il n'a pas très envie de démonter leur tente, lui qui l'a si bien aménagée.

Gert décide de les rejoindre à la nage. Et c'est un peu curieux qu'il ne prenne pas le bateau. Comme la plupart des insulaires de l'archipel, il n'est pas très bon nageur. Mais bon, sa décision est prise. Peut-être parce que les autres lui crient de venir, le pressent, le provoquent, peut-être parce qu'il est ainsi galvanisé.

Gert se déshabille. Le jean, la veste, le pull, le tee-shirt. Il fourre le tout dans un sac plastique avec les bières.

Son slip est d'un blanc aveuglant contre son corps hâlé par le soleil. Ses jeunes muscles tendent la peau, on a l'impression qu'ils frétillent de jeunesse et de détermination. Quelques longs poils poussent autour de ses tétons. Ce corps tout en souplesse et en douceur se transformera dans quelques années, il se raidira, se tannera.

Reine a douze ans cet été-là, il voue à Gert une admiration sans bornes. Il scrute comme en transe son corps nu.

Gert le ramène à la réalité en lui demandant s'il veut sa photo. Reine croit qu'il va se prendre une raclée – mais il se trompe. Gert passe un bras autour de son cou et l'étreint tout autant qu'il l'étrangle. Il lui dit :

– T'es un drôle de loulou, toi, dans ton genre !

Il éclate de rire, sa voix est scintillante et chaude, il serre la tête de Reine contre son torse.

Reine sent la peau de Gert caresser sa joue, il jure entendre l'espace d'un instant battre son cœur.

C'est le temps de la jeunesse, l'été de la révolte, la vie que Gert dévore, son cœur qui s'emballe et ses nouveaux copains qui l'appellent sur l'îlot d'en face.

Il lâche Reine, lui dit qu'il sera de retour tout à l'heure. Dans un suédois lisse, il lance aux autres qu'il arrive. Il entre dans l'eau, il tient le sac plastique avec les bières et les vêtements secs en équilibre sur sa tête. Il rit. Il s'écrie :

– Oh putain ce que c'est froid !

Et là il commence à nager.

Les nouveaux copains d'Uddevalla, de Göteborg, de Stockholm l'encouragent et l'interpellent. Ils s'esclaffent, c'est si drôle de le voir nager avec un sac en plastique sur la tête. Il ne va pas vite, forcément, il n'a qu'une main pour avancer.

Et peut-être que Gert trouve la distance plus grande qu'il ne l'avait cru avant d'entrer dans l'eau, quand il se tenait encore sur l'îlot que Reine avait choisi ; Gert censé rejoindre ses nouveaux copains qui en ont préféré un autre.

Il ralentit. À un moment il crie :

– J'ai froid !

Les autres rient toujours.

Quand sa tête disparaît sous l'eau, ils rient encore.

Ce ne sont pas des rires méchants. Ce sont des rires heureux et insouciants, des rires jeunes.

Puis ils se taisent.

La tête de Gert remonte à la surface. Il leur fait des signes de la main. Il semble les implorer. Dans l'autre, il tient toujours le sac avec les vêtements entre-temps imbibés d'eau, lourds.

Une fille, la plus jeune, celle de Göteborg, lui répond en agitant la main à son tour. Elle n'a pas encore compris.

Pourquoi ne lâche-t-il pas le sac ? C'est un poids qui le tire vers le fond. Une autre fille, la blonde d'Uddevalla, crie soudain :

– Mais… il est en train de se noyer !

Et c'est à ce moment-là seulement que Reine semble comprendre ce qui est en train de se produire.

– Il est en train de se noyer ! crie quelqu'un d'autre.

Tous se mettent à crier.

– Il se noie ! Il se noie !

Seul Reine reste muet sur cet îlot où ils s'étaient donné rendez-vous. Il tremble.

Pour le restant de ses jours, Reine se rappellera à quel point il tremble. Il se souviendra qu'il ne peut pas bouger. Qu'il ne peut pas crier. Que tout est sa faute.

Enfin quelqu'un a l'idée de se précipiter vers la barque pour aller secourir Gert. Un autre se jette à l'eau tandis que Gert remonte une fois encore à la surface.

Un son lui échappe. Un cri affolé, comme celui d'un animal pris de panique. Son bras fouette l'eau. Il essaie de rester à la surface en tapant sur l'eau avec le seul bras qu'il ait de libre. L'autre tient toujours le sac contenant les bières et les vêtements.

Lorsque plus tard ils le sortiront de l'eau, sa main serrera tellement fort le sac en plastique qu'ils seront obligés de le déchiqueter pour le lui enlever. Gert aura toujours un morceau de plastique entre ses doigts pliés quand il reposera dans son cercueil.

Étendu sur son lit d'hôpital. Criblé de tuyaux. Une souffrance épouvantable. Pris par une crampe de douleur, il renverse un plateau posé sur la table d'appoint qui dégringole avec fracas. Un verre se brise, l'eau éclabousse partout. Les cotons-tiges, les feuilles volantes et le reste s'éparpillent par terre.

Il crie.

– Aidez-moi ! Je vous en prie, venez m'aider !

Une aide-soignante apeurée le regarde par la fenêtre de la porte. On ne voit que ses yeux effrayés, son nez, son front. Elle se lave les mains à la hâte, coince gauchement le masque derrière le crâne et la charlotte sur la tête, s'empare avec la même maladresse des gants en latex qu'elle n'arrive pas à enfiler.

Le patient crie de nouveau. Elle en pleurerait. Et dire qu'il lui reste à mettre cette maudite blouse.

– Venez m'aider ! Par pitié, venez m'aider !

Une infirmière la rejoint par la porte extérieure. Elle est plus âgée, elle est aussi plus rodée. Il ne lui faut que quelques instants pour en terminer avec l'hygiène et pour revêtir les protections prescrites par le règlement.

Le patient hurle.

Là seulement, elles sont prêtes à entrer dans sa chambre. La deuxième porte peut à présent être ouverte par un personnel de soins couvert de la tête aux pieds de sa tenue protectrice.

Cette journée d'août s'en est allée sans un nuage dans le ciel, mais à travers les fenêtres condamnées du service d'isolement l'été ne pénètre pas.

Reine, le jeune homme dans le lit, est terriblement amaigri et marqué par un sarcome de Kaposi au stade avancé.

Ses bras, sa tête et son cou sont couverts de ces grandes taches violacées caractéristiques de la maladie.

Il a d'abominables escarres aux fesses et au sacrum. On a entouré les plaies de mousse pour protéger la peau afin qu'elle ne frotte pas directement contre le drap et le matelas, mais ce n'est pas d'un grand secours.

Son corps est si mince, presque transparent. Décharné par les diarrhées persistantes. Reine s'est vidé, expulsant jusque ses organes.

Et il est seul. Il n'a jamais de visites.

Depuis quelque temps il a presque cessé de parler. Il reste alité, apathique, mutique. Il lutte. Comme s'il essayait de devenir une coquille vide, une enveloppe sans personne à l'intérieur.

Parfois il pleure. De douleur ou de chagrin, personne ne le sait.

Il a lui-même choisi l'isolement et la solitude. Ni ses amis ni sa famille n'ont été mis au courant.

Car si sa maman et son beau-père venaient le voir, ils comprendraient qu'il est homosexuel, et il doit absolument le leur épargner. Conséquence : il les tient à l'écart. Aujourd'hui comme hier. Il les a toujours tenus à l'écart.

À cause de la honte. Cette honte insoutenable.

Car c'est ça la vérité. Ceux qui n'ont jamais parlé à personne ouvertement, ceux qui n'ont jamais laissé personne découvrir qui ils sont réellement, ceux-là, ils ne peuvent non plus révéler à personne le nom de la maladie dont ils souffrent exactement. Pour eux, c'est encore pire.

Ils sont seuls. Dans leur chambre d'isolement avec sas et sonnette.

Ils souffrent seuls.

Ils meurent seuls.

Ce sont des vies gaspillées.

Il a si peur ! Il implore d'être éclairé par la lumière protectrice de sa maman. Il n'arrive pas à la voir. Il est étendu en silence. En silence, les larmes coulent sur son visage sans personne pour les essuyer.

Souvent, il fixe du regard l'écriteau épinglé au-dessus de la paillasse à l'étage, puisque leur ancienne chambre de location devient en hiver sa chambre à coucher : *«Jésus est le maître de cette maison, l'invité invisible de chaque repas, le témoin silencieux de chaque conversation !»*

Reine songe qu'il va lui falloir être malin. S'il ne dit rien, s'il ne fait rien dans cette maison, ce foutu Jésus ne pourra l'accuser de rien.

Se montrer plus astucieux que lui ne devrait pas être très sorcier.

Reine se couche tout habillé dans le lit du bas. Il songe là encore que s'il reste suffisamment longtemps sans bouger, sans voir et sans écouter, sans penser et sans exister, alors le temps poursuivra quand même son petit bonhomme de chemin, les années s'écouleront malgré tout, et lui, Reine, finira par être adulte : il pourra enfin se lever du lit, descendre l'escalier, quitter la maison, quitter Resö, quitter l'enfance et ne plus jamais jamais jamais revenir.

Il sait ce qu'il fera dès l'instant où il sera adulte. Il montera dans le train avec son petit sac rouge de fille, le train le ramènera *chez lui*, à Stockholm, il aura un billet *à lui*, et personne, personne ne pourra l'empêcher de partir.

Après trois années de lycée à Uddevalla où il a vécu chez l'habitant, il traverse aujourd'hui un pays en couleurs. Les gares défilent en sens inverse : Uddevalla, Herrljunga, Laxå, Katrineholm, Flen, Södertälje et le terminus, Stockholm. Il a été accepté à Poppius, l'école de journalisme. Il va vivre à la capitale.

Reine est enfin rentré chez lui.

Dès son arrivée, il fait la connaissance de Paul au Timmy, le club de la RFSL. Celui-ci lui propose aussitôt d'intégrer la chambre de bonne du grand deux cents mètres carrés dans l'avenue Sveavägen – puisqu'il est réellement possible, pendant la deuxième moitié des années 1970, de trouver ce genre d'appartement au cœur même de la ville. Le contrat de location est au nom de Paul, un garçon adorable si ce n'est qu'il a le chic pour se promener la bite à l'air et qu'on ne peut donc éviter de voir son membre gigantesque et toujours flasque qui pendouille lourdement comme la trompe d'un éléphant. Chef de plateau à la télévision, il fait collection de maquettes de scénographie et de masques de théâtre orientaux. Il s'est réservé la chambre la plus grande tandis que Lars-Åke vit dans celle d'à côté, même s'il va bientôt s'installer chez Seppo, son petit copain finlandais. Une autre pièce, conçue à l'origine comme salle de séjour, est occupée par Gunnar, un bibliothécaire. Bengt les rejoint quelques mois, avant d'emménager dans un appartement en attente de rénovation à Södermalm, rue Lundagatan.

Ensemble, ils forment le collectif gay La Corneille.

Un grand panneau, réalisé par Lars-Åke à la peinture à l'eau, l'annonce d'emblée sur la porte d'entrée : *Bienvenue au collectif gay La Corneille*. Paul a quant à lui traduit de l'anglais les consignes destinées aux visiteurs non homosexuels.

Sur une feuille, les éventuels hétérosexuels de passage sont priés de comprendre que leur sexualité est ici en minorité, que leur comportement n'est pas désiré et qu'il peut choquer les habitants du collectif. Aussi les invite-t-on, amicalement mais fermement, à se montrer aussi discrets que possible et à limiter au strict minimum toute manifestation de leurs penchants naturels (s'embrasser, se tenir la main, etc.) afin de ne pas heurter la majorité homosexuelle de l'appartement.

Son premier amour l'emporte comme une tempête.

C'est un gauchiste du Norrland qui chamboule tout.

En fait, leur histoire est très banale. Ils se rencontrent au dancing Piperska Muren. Reine prend son courage à deux mains et demande au beau jeune homme s'il veut bien lui accorder la dernière danse de la soirée. Puis ils filent à la chambre de bonne pour baiser.

Et, pendant leurs ébats, Reine voit toutes ses défenses s'écrouler et toutes ses digues s'effondrer, ces barrages laborieusement édifiés pour contenir la mer et le chaos qui n'ont cessé de menacer sa vie : l'amour afflue en un flot tumultueux, comme un tourbillon confus et bouleversant.

Voilà ce qui arrive à Reine quand l'amour l'enflamme.

Et il n'enflamme que lui. Pas l'autre.

Reine est touché. Pas l'autre.

Reine ne se lave pas pendant plusieurs jours pour conserver l'odeur de l'autre sur son corps. L'odeur de son sexe, de sa peau, de ses fluides corporels.

L'autre, lui, file sous la douche dès qu'il se réveille.

L'autre n'aura jamais aucun sentiment pour lui, si bien que l'amour de Reine s'assombrit rapidement en une passion – une obsession sourde et malheureuse.

L'autre n'habite même pas Stockholm. Il accomplit son service civil à Gävle et fait de temps en temps un saut à la capitale pour s'amuser ou rencontrer d'autres garçons, sans se soucier de dormir chez Reine, sans se donner la peine de lui faire signe.

Il arrive à Reine de se dire que peut-être, *peut-être*, l'autre s'accordera l'un de ces week-ends clandestins. Gonflé par cet espoir, il se rend à la gare centrale avec un petit cadeau de bienvenue, et là, rempli d'inquiétude et de désir, il entame son attente. Au cas où l'autre débarquerait à l'improviste.

Comme Reine ignore d'où et quand il pourrait arriver, il est obligé de surveiller tous les trains. Inquiet, fiévreux, il guette les différents quais.

Voilà ce que la passion lui fait faire. Elle l'oblige à arpenter la gare comme une bête malheureuse en manque d'amour, à l'affût d'un homme qui ne vient pas.

Quand au contraire l'autre vient réellement – il a alors toujours téléphoné ou envoyé une carte postale pour prévenir –, Reine irradie de bonheur. L'autre dort à côté de lui sur le matelas dans la chambre de bonne, alors que Reine reste éveillé à le dévorer des yeux.

Leur relation est bancale.

Comme c'est le cas quand l'un se considère comme le petit ami de l'autre. Mais pas l'inverse.

En plus, Reine lui obéit au doigt et à l'œil.

L'autre veut qu'ils soient libres de baiser avec qui bon leur semble, c'est tellement courant dans les années soixante-dix que c'est presque une évidence. Alors forcément, Reine accepte.

Quand l'autre ne passe pas la nuit avec lui, Reine se paye tous les garçons qui se présentent, ou quasi, uniquement pour plaire à l'autre qui

a décrété que ce serait comme ça et pas autrement.

Un soir, l'autre l'appelle pour lui demander
s'il peut pieuter chez lui. Mais pas avec lui. Avec
un Norvégien bien gaulé qu'il vient de draguer. Leur problème, c'est qu'ils n'ont nulle
part où aller. Alors forcément, Reine accepte.
D'une petite voix malheureuse, il dit oui. Il se
racle la gorge sans arrêt. Comme s'il était enroué.
Mais il dit oui.

L'autre se ramène, ivre et rayonnant, en
compagnie d'un blond qui n'est pas le canon
annoncé et répond au prénom d'Olav. Ils s'esclaffent, se tripotent, se roulent des pelles. Pendant que Reine les regarde. Et pendant qu'ils
baisent dans la chambre de bonne, Reine dort
dans le lit de Paul, à côté de Paul. Quoique, il ne
dort pas. Il les entend s'envoyer en l'air.

Au matin, les deux tourtereaux n'arrêtent pas
de se faire des mamours. L'autre déborde d'attentions pour son Norvégien, il lui sert le café,
lui prépare des œufs à la coque, lui verse du jus
d'orange.

Reine ne proteste pas. Il joue l'indifférence. Il
fait semblant de trouver ça normal, ce que l'autre
lui impose.

La fois d'après, quand l'autre téléphone, c'est
Paul qui décroche. D'une voix implacable, il lui
interdit de remettre les pieds chez eux.

L'autre feint de ne rien comprendre. Il ne donnera plus jamais de nouvelles.

Reine est désespéré. Pendant deux mois, il ne
mange presque plus. Puis il rencontre Anthony.

Anthony est un Américain qui étudie l'orgue à
Stockholm. Pour la deuxième fois, Reine tombe
fou amoureux. Pour la deuxième fois, il s'éprend
d'un homme qui ne lui rendra jamais son amour.

Ils partent ensemble à San Francisco, la capitale mondiale des gays. À son retour, Reine

ouvre de grands yeux émerveillés pour parler de Castro, un quartier entier où *tout le monde* est homo ! Anthony et lui ont décidé de s'y installer. Anthony y est resté pour leur trouver un appartement, Reine est juste rentré pour boucler les dernières formalités avant d'aller le retrouver.

Deux semaines plus tard, Reine reçoit une lettre de rupture. Il s'avère que dès leur arrivée en Californie, Anthony a rencontré quelqu'un d'autre.

À partir de là, ça se passera systématiquement comme ça : Reine tombera éperdument amoureux, Reine plongera dans un désespoir sans fond.

Chaque fois un peu moins sûr de lui, chaque fois un peu plus transparent.

Reine connaîtra dans le, collectif gay ses années les plus heureuses, en dépit de ses amours perpétuellement malheureuses. Au mois d'août, le petit groupe d'amis participe à la Gay Pride, qui s'appelle encore la marche de la Libération homosexuelle et voit chaque année doubler son nombre de participants. Reine s'engage aussi au sein du groupe des Homosexuels révolutionnaires et travaille comme bénévole au Timmy. Il a pour idoles les chanteurs Jan Hammarlund, Marie Bergman et Turid. Autour du cou, il porte la lettre grecque lambda en pendentif et, sur sa veste, un pin's avec un triangle rose rehaussé de la phrase *les pédés contre l'oppression et le fascisme*. Ces deux symboles seront des signes de reconnaissance pour les homosexuels pendant un certain nombre d'années. On comptera aussi parmi eux l'anneau à l'oreille gauche et la bague au petit doigt gauche. Reine, qui ne laisse rien au hasard, les utilise tous en même temps. Il est, à Stockholm, l'un des pédés qui

affiche le plus ouvertement, le plus courageusement, le plus crânement, son homosexualité. Personne ne scande plus fort que lui dans
les défilés : «*Regardez-nous sur les boulevards,
montrez-vous et sortez du placard !*» Personne
ne chante plus fort que lui : «*Nous ne bougerons
pas, nous ne bougerons pas. Nous combattons
pour notre liberté, nous ne bougerons pas.*»

C'est peut-être grâce à ça qu'il parvient à dissimuler sa maladie, justement parce qu'il est si
ouvertement homosexuel. C'est peut-être grâce
à ça qu'il parvient à dissimuler à ses amis de
Stockholm que personne, dans sa maison d'enfance à Resö, ne sait ni même ne soupçonne
qui il est et ce qu'il fabrique – ou, comme Tord
l'aurait exprimé : ce que la capitale a fait de lui.

Des portes étanches ont séparé ses deux
mondes. Sa double vie a été parfaite.

Peut-être la dissimulation a-t-elle été une
condition *sine qua non* à son courage et à ses
brèves années de bonheur.

L'homme seul et mutique tenu à l'isolement
dans la chambre numéro 2 a évidemment un
nom, même si en général on l'appelle «la Deux».

Il s'appelle Reine.

Sa mère, son beau-père et son frère adoptif
habitent la petite île de Resö, sur la côte nord
du Bohuslän. Ils ne savent rien de sa maladie.
Ils n'en sauront jamais rien. De même qu'ils ne
sauront jamais qu'il est homosexuel.

On pourrait dire qu'il les en a préservés.

Dans quelques heures l'homme seul sera
mort. Celui qu'on appelle «la Deux», celui qui
s'appelle en fait Reine.

Bientôt, il n'aura plus la force de respirer.

Il perçoit, comme un poids sur sa poitrine, la
joue chaude de son frère adoptif. Il sent la main
de Gert.

Maintenant que les battements de son cœur vont bientôt cesser, il entend que ceux du cœur jeune et fort de son frère les remplacent. Il voit son sourire, il voit scintiller ses yeux verts. Gert lui demande d'attendre un petit moment, il va juste rejoindre les autres à la nage, il sera bientôt de retour.

Le jeune homme étendu dans le lit, dont le prénom est en fait Reine et dont la mort est proche, formule une pensée au plus profond de son cerveau qui s'éteint.

Une pensée, ou peut-être une certitude, ou peut-être un soulagement.

Une pensée qui sera sans doute la dernière.

La pensée que son attente est arrivée à son terme – maintenant.

La maladie planait donc au-dessus d'eux.

Lorsqu'en février 1982 le quotidien *Dagens Nyheter* parlait pour la première fois de ce nouveau cancer mystérieux frappant les homosexuels, le journal croyait savoir que, si les jeunes Danois contaminés avaient une défense immunitaire fortement diminuée, cela s'expliquait par le fait que «*les homosexuels attrapent plus facilement des infections graves à cause d'un manque d'hygiène lors des contacts sexuels*».

Au fond, les pédés n'étaient sans doute pas beaucoup plus cradingues que le reste de la population.

En revanche, ils avaient peur.

Peur d'aller consulter un médecin inconnu et de lui demander d'examiner non seulement leur sexe, mais aussi leur bouche et leur rectum – et, ce faisant, d'avouer implicitement (oui, *avouer*, comme on avoue un crime) qu'ils étaient l'un de ces types, là, les pédérastes.

Et ils avaient toutes les raisons du monde d'avoir peur.

Les homosexuels étaient traités avec mépris et moins bien soignés. Parfois, ils n'étaient pas soignés du tout.

Avec cette nouvelle maladie infectieuse, la société aussi se sentait menacée pour de bon.

Plus seulement les homosexuels, mais en fait tout le monde risquait d'être contaminé – si l'on ne parvenait pas à repousser l'épidémie à temps et à la tenir en échec derrière des barricades.

Tant que c'étaient ces sales pédés, ces sales toxicos et ces sales putes qui se contaminaient entre eux, tant que monsieur Tout-le-Monde se sentait à peu près à l'abri, ça pouvait encore aller – mais comme le journal *Expressen* le constatait le 21 mai 1985 : «*Bientôt, vous aussi vous serez menacé !*»

Vous qui lisez.

Vous, le Suédois non pervers, non drogué, non africain – allant à la rigueur aux putes, mais juste une fois de temps en temps.

Or parmi ces Suédois soi-disant honnêtes et non pervers circulaient des foyers infectieux. En plus, ils ne le portaient pas sur la figure ! Du moins, pas avant de tomber sérieusement malades, et là, il était trop tard.

Le *Göteborgs-Posten* du 26 novembre 1985 publiait un reportage sur un policier et une infirmière terrorisés à l'idée d'être contaminés par le HTLV-3 dans l'exercice de leurs fonctions. Le titre de l'article claironnait : *Si nous sommes contaminés, nous ferons placer nos enfants.*

À l'automne 1985 on avait en réalité une assez bonne connaissance des modes de propagation du virus. Néanmoins, le reportage ne précisait nulle part que la crainte du couple était infondée. Au contraire, le journaliste construisait l'image d'une menace terrifiante dirigée contre l'innocente famille suédoise dans son pavillon de banlieue, où Baloo le basset batifole *encore* joyeusement, où le café embaume *encore* la cuisine, où le petit Johan peut *encore* grimper sur les genoux de son papa – *avant que* l'épidémie ne se répande.

Comment pouvait-on savoir ? Comment pouvait-on se protéger ?

Dans son livre *L'œil de la médecine*, l'historienne Karin Johannisson étudie les différentes représentations de la maladie qui se sont obstinément maintenues à travers l'histoire, malgré un savoir accru de l'origine biologique des épidémies.

La représentation la plus répandue est sans doute celle de la maladie comme un châtiment. L'Ancien Testament offre de nombreux récits dans lesquels Dieu sanctionne les réfractaires en envoyant des fléaux, la peste et la lèpre, soit sur un individu isolé, soit sur un peuple entier. Il permet même à la peste de ravager tout Israël pour punir le roi David de son péché individuel.

La collectivité devait repousser l'individu atteint, le malade, le pécheur, l'impur, pour que l'ire de Dieu ne les frappe pas tous. Maladie, péché et impureté étaient étroitement liés. La maladie étant une conséquence du péché, elle rendait l'homme impur. Pour redevenir pur, il fallait guérir ; pour guérir il fallait être pardonné ; pour être pardonné, il fallait rebrousser chemin et faire pénitence.

Ou, comme l'exprime Bengt Birgersson, pasteur suédois à Göteborg, dans l'interview que Rasmus lisait à haute voix avant que ne commence la représentation de fin d'études de Bengt : «*Le sida peut aussi avoir de bons côtés. S'il frappe les homosexuels et les pousse à revenir dans le droit chemin, tant mieux. Si on est atteint du sida et qu'on réalise que vivre dans l'homosexualité était une erreur, dès lors, la maladie aura été utile.*»

Dans le monde sécularisé qui surgissait avec les Lumières, l'idée de la maladie comme une punition de Dieu a connu une reformulation. La maladie était causée par l'individu lui-même. La maladie était une conséquence du comportement de l'individu. Le malade portait par conséquent sa part de responsabilité dans sa propre souffrance. Karin Johannisson ne l'écrit pas autrement : «*La maladie prit une dimension* moralisatrice, elle représentait un échec, une déchéance, une trahison.»

Enfin, la maladie pouvait aussi être considérée comme une manière pour la nature de corriger les erreurs et de rétablir l'ordre.

Tous ces points de vue sont revenus avec l'apparition du sida dans les années 1980.

Par exemple, en tant que chrétien, pouvait-on être contaminé par le calice, ce dont s'inquiétait un lecteur du *Svenska Dagbladet*? L'auteur de l'article posait un titre tendancieux et sans équivoque : *Des chrétiens innocents peuvent attraper le sida*. Il était loin d'être le seul à répartir les contaminés en coupables et innocents. C'était une pratique extrêmement fréquente.

Un des journaux du soir observait, après qu'un enfant eut été contaminé par une transfusion sanguine : «*Maintenant est arrivé ce qui ne devait pas arriver : un innocent est mort du sida !*» Quant au quotidien chrétien *Dagen*, il soutenait mordicus dans un éditorial : «*Si on fait abstraction des personnes contaminées lors d'une transfusion sanguine, d'un rapport sexuel entre époux ou en donnant naissance à un enfant, il y a derrière chaque individu contaminé par le VIH un comportement fautif, coupable.*»

Comment pouvait-on se protéger ? Comment pouvait-on limiter l'épidémie aux autres, à *ces types, là* ?

Ces types qui avaient un comportement fautif, coupable.

Car bientôt, vous aussi vous serez menacé.

Expliquant les modes de transmission de la maladie, le tabloïd *Expressen* représentait l'hétérosexualité par un jeune couple romantique en train de s'embrasser. En légende de la photo : «*Les baisers légers, les baisers sur la joue, les bisous ne représentent aucun danger.*» Il représentait en revanche l'homosexualité par un anonyme entre deux âges aux cheveux clair-semés, vu de dos, regardant un film porno. En légende de la photo cette fois : «*Les soi-disant coups d'un soir, rapides et anonymes, entre homosexuels notoires, constituent un grand risque de contamination.*»

Les soi-disant coups d'un soir, rapides et anonymes, entre homosexuels notoires.

Il s'agissait bien entendu d'empêcher les *soi-disant homosexuels notoires* de s'adonner à leurs *soi-disant coups d'un soir* contre nature !

Il fallait donc – malheureusement – recourir à des mesures drastiques telles que dépistage obligatoire, fichage, surveillance et internement forcé ; des dispositions sans doute contraires à la sécurité juridique, mais malgré tout nécessaires.

Des juristes vedettes, Henning Sjöström et Leif Silbersky en tête, préconisaient un durcissement de la législation et le fichage des séropositifs, bien qu'ils aient conscience que leurs recommandations étaient en rupture avec la conception de la justice qui prévalait au sein de la population. «*Des intérêts incompatibles s'affrontent ici,* déclarait Silbersky, *qui nous obligent à prendre les mesures les moins erronées.*» Et son confrère Sjöström d'estimer que «*dans le cas qui nous préoccupe, nous devons renoncer à la protection du citoyen individuel pour protéger la société de l'épidémie que ce dernier peut répandre*».

Les *homosexuels notoires* avec leurs *soi-disant coups d'un soir* n'étaient pas contaminés – c'étaient eux qui répandaient l'épidémie !

Ils étaient les rats de la peste qui, autorisés à courir en liberté, auraient bientôt infecté la société dans son ensemble. Et non seulement ça, mais on ne pouvait pas leur faire confiance.

«*Pourquoi devons-nous placer en isolement forcé les 5 000 porteurs du virus ?* s'interrogeait un débatteur sur le mode rhétorique. *Eh bien, parce que nous ne pouvons avoir la certitude que ces gens s'abstiendront alors d'avoir de nouvelles relations sexuelles et ne continueront pas à transmettre le virus... Il est vraisemblable que les homosexuels, à l'inverse des hétérosexuels, sont guidés par une dépendance significativement plus complexe à gérer. Difficile de se convaincre que l'activité sexuelle de l'homosexuel soit gouvernée par une quelconque forme d'"amour" quand on sait que l'homosexuel moyen a des dizaines et des dizaines de partenaires chaque année.»*

Il y avait des contaminés coupables et des contaminés innocents.

Il y avait des contaminés et des contaminateurs.

Aftonbladet interviewait le policier Hans Strindlund du commissariat de Norrmalm, à Stockholm, qui lançait une campagne pour fermer les saunas. Le titre est sans équivoque : *Ceux qui répandent le sida sont des assassins.*

Les homosexuels contaminés n'étaient donc pas des victimes.

C'étaient des assassins.

Et les assassins, on ne les ménage pas, on ne les dorlote pas. On s'en protège. C'est on ne peut plus justifié.

Pour citer de nouveau les propos de l'historienne Karin Johannisson : *«L'histoire des épidémies montre premièrement que les mêmes explications aux maladies et le même syndrome de bouc émissaire ont moralement légitimé la contrainte, l'exclusion, l'isolement et la ségrégation.»*

Comme maintenant.

La société était clivée.

Des personnes d'autorité, aussi bien parmi les hommes et femmes politiques que parmi les fonctionnaires, les médecins ou les policiers, exigeaient qu'on emploie la manière forte, qu'on ne bichonne surtout pas les pervers – on devait taper du pied, désigner d'un doigt pointé, protéger les citoyens innocents en recourant au dépistage systématique de la population entière afin, pour ainsi dire, d'éliminer la vermine *par la fumée*. En 1986, les médecins Lita Tibbling et Torbjörn Ledin proposaient dans une tribune du *Svenska Dagbladet* que, par le biais d'un isolement forcé, les séropositifs soient concentrés dans des quartiers réservés au sida, où ils s'occuperaient d'eux-mêmes et mourraient entre eux, concept pas très éloigné des colonies de lépreux d'antan.

Partisan lui aussi du dépistage obligatoire, Jonas Berglund, virologue et chef de service à l'hôpital de Lund, estimait en outre qu'on devait ficher les personnes contaminées et allait même jusqu'à proposer avec le plus grand sérieux qu'elles soient tatouées pour ne pas pouvoir dissimuler leur déshonneur – un peu comme les Juifs contraints dans l'Allemagne nazie de porter une étoile de David sur la poitrine pour se distinguer du reste de la population.

Et ces voix n'étaient pas isolées dans une société d'ordinaire tolérante.

La même année que la tribune rédigée par Tibbling et Ledin, le parti du centre déposait une motion au Parlement, arguant qu'il *«pourrait devenir nécessaire de pratiquer un dépistage du VIH auprès de toute la population suédoise»*.

Une proposition qui intervenait la même année où la boutique gay Alibaba et la société anonyme Postorder voyaient leur demande d'enregistrement refusée par la Direction des Brevets au motif que le mot *gay* ne pouvait être enregistré car contraire aux *«bonnes mœurs et à l'ordre public»*.

Cette même année 1986 où *Dagens Nyheter* publiait une série d'articles de Peter Bratt dans lesquels le journaliste s'autorisait non seulement

à décrire par le détail les «*copulations*» d'homosexuels anonymes, mais aussi à citer «*une source*»
selon laquelle il existait un petit groupe de personnes sans scrupule qui, par vengeance et par
haine contre tout et tout le monde, propageaient
l'épidémie.

Et ainsi de suite.

Ceux qui transmettent le sida sont des assassins !

Les journaux tels que *Expressen* et *Dagens
Nyheter*, qui se considéraient sans doute comme
les défenseurs des libertés individuelles, menaient
des campagnes en bonne et due forme pour plus
de sévérité envers les groupes dits à risque, en
particulier envers «*les homosexuels*».

«*Il faut dorénavant obliger les homosexuels à
prendre leurs responsabilités*», tonnait un éditorial
de *Dagens Nyheter* en 1985. Le 17 août de la même
année, juste après le décès des suites de la maladie du premier Suédois, le quotidien hurlait sur
une affichette : *CHASSE AU SIDA : LES HOMOS AU LABO !* Il
fallait faire une prise de sang à «*tous les homos*».
Ceci prétendument pour calmer une population
terrorisée – et innocente. Une population ayant
besoin de savoir que les gros moyens étaient mis
en œuvre pour se protéger de la contagion, de
l'obscur étranger. Du pas-comme-nous, de l'homo.

Les homos au labo.

«*Après le premier décès en Suède dû à cette mystérieuse maladie qu'on appelle le sida, un dépistage de masse est d'ores et déjà planifié auprès de
tous les homosexuels du pays.*» L'article de *Dagens
Nyheter* ne précisait pas exactement comment on
s'y prendrait pour trouver l'homosexuel en question dans sa cachette, comment on le forcerait à
subir un examen médical complet – qu'importe :
cette année-là, le journal ne reculait devant rien
pour déclencher un sentiment de haine envers
«*l'homosexuel*», «*l'homo*» contaminateur, pour
amener les autorités et les hommes politiques à

adopter la législation répressive que l'organe de presse appelait de ses vœux.

La représentation de la maladie comme moyen pour la nature de rétablir l'ordre se reflétait aussi bien en Suède que dans d'autres pays. Pat Buchanan, le politique américain ultraconservateur, était peut-être celui dont la formulation était la plus nette : *«Les pauvres homosexuels – ils ont déclaré la guerre à la nature, et voilà que la nature leur inflige un terrible châtiment.»*

La même opinion circulait alors en Suède.

Ainsi de ce billet publié dans le courrier des lecteurs du *Smålandsposten* le 29 mai 1985 : *«La nature a ceci de génial qu'elle élève la voix quand un détraquement se produit. À mon avis (partagé par beaucoup de gens), la nature signale à travers le sida que l'homosexualité est un penchant anormal qu'il faut absolument stopper. C'est pourquoi la recherche, en plus de trouver un remède contre le sida, doit aussi élaborer un médicament ou un traitement qui pourra limiter l'homosexualité. Le sida est un avertissement que quelque chose est en train de déraper, lorsque l'anormalité devient normalité et que la normalité se transforme en anormalité.»* Signé, un certain *«Homo Sapiens»*.

Des réflexions similaires se retrouvaient également chez des médecins dits «objectifs» dans leurs tentatives d'expliquer pourquoi l'infection ne touchait que des homosexuels. Deux chercheurs américains lançaient la théorie selon laquelle le corps des hommes ne supportait pas le sperme d'autres hommes, tandis que les femmes possédaient une défense naturelle contre le sperme dans les relations sexuelles ordinaires. Le sperme présentait, chez les hommes, la spécificité de diminuer la défense immunitaire du corps.

Le journal *Arbetet* n'écrivait pas autre chose au printemps 1984 : *«Des femmes ayant eu un rapport anal avec un homme bisexuel ont attrapé le sida. En revanche, il n'est jamais arrivé que des femmes ayant eu un rapport anal avec un hétérosexuel attrapent le sida. Cela peut venir du fait que la défense immunitaire de ces hommes n'est pas perturbée. Par ailleurs, on ne peut exclure que les femmes possèdent une protection naturelle, encore inconnue, contre le sperme, ce qui explique pourquoi ce sont surtout les hommes qui contractent le sida.»*

On a du mal à croire que ce soit vrai.

On a du mal à croire que ça ait pu se produire, ici, en Suède.

Mais c'est vrai.

Et ça s'est produit ici, en Suède.

Médecins, journalistes, rédacteurs en chef, éditorialistes, politiciens, policiers, pasteurs, juristes, personnes d'autorité des deux sexes se sont rendus coupables de cet abus de pouvoir – et aucun d'entre eux n'a une seule fois eu à répondre de la souffrance et du désespoir qu'il a causés à un groupe qui était déjà extrêmement exposé.

Reine a fait un dernier voyage à travers le pays, de la côte est à la côte ouest. Ce pays n'était plus en couleur, il était à nouveau gris – il ne devait plus jamais retrouver ses couleurs.

Dans les journaux, sa mort avait fait les gros titres. La maladie était encore si nouvelle, si choquante, que la presse en rapportait chaque décès ; même si, passés les premiers cas, les articles se sont transformés en entrefilets et, peu après, les morts du sida se sont mélangés aux autres morts.

Reine a été enterré dans le caveau familial sur cette île de Resö qu'il en était venu à tant haïr, mais le pasteur ne l'a pas mentionné dans son discours. Au contraire, il a parlé de l'île qui l'avait accueilli et était devenue son foyer.

L'église est située «au début» de l'île, dans cette partie que les gens appellent «l'intérieur». Le cimetière est séparé de la lande par un muret de pierres. Les tombes les plus anciennes près de l'église remontent au XVIIIe siècle, les stèles récitent un chapelet de noms : des générations de pêcheurs et de paysans reposent là avec leurs épouses et leurs enfants.

Et voilà comment Reine en est venu à être enterré en ce lieu qui lui était étranger et son nom à être gravé dans la pierre pour l'éternité. Mais il en est aussi venu à se retrouver juste à côté de Gert. Si bien que, même après la mort, son frère adoptif adoré tient une main protectrice au-dessus de ce drôle de petit frère différent et pas comme les autres.

La mère de Reine n'allait jamais pleinement comprendre comment son merveilleux petit garçon avait pu mourir si jeune d'une pneumonie et d'un vilain cancer qui ne frappait que les homosexuels, et elle n'allait jamais pleinement comprendre la vérité sur son fils, sur la personne qu'il avait été.

Elle imaginait que quelqu'un avait dû le violenter à Stockholm, lui qui était si fragile et vulnérable. Elle s'est fâchée inutilement contre la ville elle-même, cette ville qui avait osé faire ça à son fils.

Mais ce qui l'a atteinte le plus durement, le coup dont elle n'allait jamais se relever, c'était que Reine n'ait jamais rien dit.

Il avait souffert seul, il ne lui avait pas permis d'être auprès de lui.

Son fils. Son garçon adoré.

Elle a tenté de trouver une consolation dans l'espoir que quelqu'un s'est quand même trouvé à son chevet, que quelqu'un – même quelqu'un qu'elle ne connaissait pas – lui a tenu la main quand il avait peur.

La nuit, elle priait Dieu pour qu'il en ait été ainsi. Dieu savait bien combien son garçon avait peur.

Elle priait ce Dieu qui n'abandonne pas.

Elle priait désespérément ce Dieu miséricordieux pour que son fils ne soit pas mort seul.

Ce qui avait pourtant été le cas.

L'étude biblique étant terminée, ils se contentent de passer le reste de la soirée ensemble. Le culte familial hebdomadaire a été organisé chez Anita et Rolf et leurs enfants, à Alvik, avec une autre famille de quatre enfants. Comme leurs hôtes ont rejoint la congrégation tout récemment, Ingmar trouve important qu'ils se sentent «étreints», comme il dit.

Ingmar a dirigé l'étude avec l'évidence du chef de famille. Ils ont notamment fait d'importants exercices théâtraux où les enfants devaient répondre aux questions que pourraient leur poser des camarades de classe ou d'autres personnes sur la vie d'un Témoin, ce qu'on fait et pourquoi c'est si merveilleux. Les mises en scène étaient à la fois amusantes et instructives, surtout pour les enfants d'Anita et Rolf, des Témoins de fraîche date et donc peu familiarisés, ayant peut-être davantage besoin d'une supervision circonspecte mais déterminée, dispensée par les plus âgés.

Comme à son habitude Benjamin s'est fait remarquer, on ne pouvait guère s'attendre à mieux – tandis que Margareta, comme à son habitude également, n'a pratiquement pas décroché un mot de l'étude.

Ils ont ensuite mangé une succulente tarte au fromage préparée par Anita, suivie en dessert d'oreillons de pêches entourés d'une crème chantilly qui leur donnait l'allure d'œufs sur le plat.

Les adultes discutent dans le séjour tandis que Benjamin et Margareta jouent dans la chambre avec les autres enfants au jeu de l'assassin et du détective.

Britta pointe la tête par la porte entrebâillée pour voir comment ça se passe. Elle allume le plafonnier.

– Je mets la lumière, vous n'y voyez rien.

Les enfants, assis en cercle et trop absorbés par le jeu, ne remarquent même pas sa présence. Leurs regards vont de l'un à l'autre. Tout à coup, Margareta s'effondre.

– Je suis morte, chuchote-t-elle.

Les autres enfants se toisent, terrorisés et émerveillés. Ils savent que l'un d'eux est un assassin. Archi-concentrés, ils continuent de laisser leurs yeux parcourir les visages, les uns à la suite des autres. C'est du sérieux maintenant ! N'importe qui peut être la prochaine victime.

Le jeu veut en effet que l'assassin fasse un clin d'œil à sa victime – dès lors, celle-ci meurt.

Les regards passent de visage en visage. Si on reçoit un clin d'œil, on est mort.

Et on ne sait pas qui est l'assassin ni qui va mourir !

– Oh, je suis mort ! s'écrie l'un des enfants.

– Moi aussi ! crie un autre avant de s'affaisser.

Ils meurent. Les uns après les autres.

Benjamin observe avec inquiétude les deux enfants encore dans le jeu. Un garçon un peu plus grand qu'il ne connaît pas encore très bien, puisque la famille est arrivée récemment dans la congrégation, vrille soudain son regard dans le sien avec un sourire sardonique.

Puis il lui fait un clin d'œil.

À l'approche des douze coups de minuit, Paul ordonne à tous de rejoindre le salon pour chanter *Minuit, chrétiens* ensemble, debout, un verre de champagne à la main. Sur le tourne-disque, Jussi Björling leur donne le *la*. C'est le troisième Noël que Rasmus et Benjamin fêtent ensemble. Les réveillons chez Paul ne sont pas toujours identiques, mais le champagne et Jussi Björling à minuit ne sont pas négociables. Seppo passe le bras autour de Lars-Åke pendant qu'ils chantent. Paul brille d'ivresse et de bonheur. Bengt dirige la chorale. Rasmus entonne à tue-tête :

– « *Minuit ! Chrétiens, c'est l'heure solennelle où l'homme Dieu descendit jusqu'à nous !* »

Benjamin regarde, émerveillé. Il remue doucement les lèvres, mais il ne connaît pas les paroles. Quand ils approchent du registre aigu, Bengt se met presque à sautiller de joie et s'écrie :

– Vous y êtes là, tous ?

Puis tous s'égosillent au point de parvenir à couvrir la voix de Jussi Björling :

– « *Peeeuuuple, à genoux chante ta délivrance ! Noël ! Noël ! Voici le Rédempteur !* »

À la fin du morceau, ils s'applaudissent, rient, exultent et se prennent dans les bras.

Bengt remplit le verre de Benjamin et le sien.

– Tu n'as pas chanté, reproche-t-il à Benjamin.

Benjamin secoue la tête et sourit.

– Je ne connais pas les paroles, c'est tout.

– Ah bon ? Pourtant le chrétien, c'est toi…

Benjamin soupire. Chaque fois qu'il retrouve ses copains, ils lui glissent ces piques plus ou moins moqueuses sur son appartenance à la congrégation.

– Oui, mais nous chantons de tout autres chants chez les Témoins de Jéhovah.

– Je n'arrive toujours pas à le croire, que tu sois Témoin de Jéhovah, dit Seppo.

– Et qui n'a encore rien dit à papa et maman ! ajoute Rasmus.

– Allez, soyez gentilles avec Benjaminou, tempère Paul. Ce n'est pas aussi facile que vous le croyez. C'est comme avec le sida. Le plus difficile n'est pas de le choper mais de faire gober à sa mère qu'on a des origines haïtiennes.

Tous rient, bien qu'ils aient entendu cette blague cynique maintes et maintes fois.

– Attends, deux secondes, là ! s'exclame Lars-Åke, comme s'il se souvenait soudain de quelque chose. Je te rappelle que vous vivez quand même *ensemble* !

– Oh… je ne suis que son… «colocataire», ironise Rasmus.

Ce n'est pas la première fois que le sujet revient sur le tapis, et ce n'est pas la première fois que Rasmus le pousse à agir.

– Je sais, je sais, je sais. On en parlera une autre fois.

– Tu es encore une honteuse ?! s'exclame Seppo, surpris.

Benjamin tente de protester, et il s'adresse maintenant directement à Rasmus, qui, un peu ivre, commence à s'énerver.

– Comme Bengt ! Et j'estime avoir fait pas mal de chemin depuis deux ans, reconnais-le !

– Tu as absolument raison, dit Rasmus, l'air offusqué. Quant à moi, je suis toujours une personne inexistante dans la vie de l'homme que j'aime.

Il tremble un peu en le disant. Cette dernière réplique, un soupçon mélodramatique, semble avoir été apprise par cœur, comme s'il l'avait mise au point à l'avance, s'en était délecté, l'avait tournée et retournée dans sa tête et gardée pour la sortir au moment propice. Il est de toute évidence très content de son petit effet.

– Excuse-moi, mais là tu es ridicule ! dit Benjamin sur un ton boudeur.

Levant les yeux au ciel, Paul balaie leur chamaillerie en agitant son poignet gauche avec une exquise souplesse du poignet.

– Allons, allons, ne vous disputez pas ! les exhorte-t-il, puis il lève son verre de champagne pour changer de sujet. Portons plutôt un toast au Sauveur !

– Tu es juif, Paul ! soupire Seppo.

Paul ne comprend absolument pas l'objection. Il hausse les épaules et renifle.

– Et alors ? Jésus aussi était juif ! Bon, écoutez : à la santé de Jésus… et aux amis absents !

Ils deviennent soudain très sérieux. Ils ont tous conscience de Reine, l'ami absent, celui qui n'est plus parmi eux – une sorte de frisson les parcourt. Mais ils ont beau le chercher des yeux, Reine n'est nulle part parmi eux.

– Aux amis absents !

– À Reine !

Ils trinquent.

– À Reine !

Ils boivent.

Il s'appelle Ragnar. Alors qu'il n'a qu'un an de plus que Benjamin, il le dépasse d'une bonne tête. Il a des cheveux roux bouclés et un visage constellé de taches de rousseur. Benjamin et lui sont maintenant seuls dans la chambre du garçon, aménagée dernier cri : revêtement mural en textile marron, meuble stéréo laqué blanc et pouf en cuir noir dans lequel ils se sont tous deux enfoncés. Sur la petite platine stéréo tourne un 33 tours de Queen, *Sheer Heart Attack*. L'électrophone est équipé d'un couvercle en plexiglas fumé. Assis les épaules serrées l'une contre l'autre, ils regardent la pochette du disque tandis que Benjamin écoute la musique au casque.

Il entend battre son cœur.

Les membres du groupe regardent chacun dans une direction, allongés. Et ruisselants de sueur. L'un d'eux a les ongles laqués de vernis noir.

La musique est sensationnelle. Et pas du tout convenable pour un Témoin, évidemment. Après s'être fait baptiser, les parents de Ragnar se sont débarrassés de tous les objets immoraux qu'ils possédaient, dont la plupart de leurs disques.

Mais Ragnar a sauvé celui-ci en le cachant sous le tapis. Il l'écoute uniquement au casque, la porte de sa chambre strictement fermée à clé. C'est en quelque sorte son dispositif de sécurité, sa ligne de vie vers l'extérieur.

Benjamin sent l'odeur des cheveux du garçon. La chanson résonne dans ses oreilles : *«Leave it in the laps of the gods, what more can you do ?»* *(«Le laisser entre les mains des dieux, que faire de plus ?»)*

Il comprend pleinement la confiance que Ragnar lui a témoignée en l'invitant à partager ce secret. Écouter, ensemble l'un près de l'autre sur le pouf noir, la musique interdite en se passant le casque chacun son tour, cela instaure un lien entre eux, une relation, la promesse silencieuse d'une amitié qui leur appartient en exclusivité.

Ils vivent cet instant avec une certaine solennité. Benjamin sent qu'il aimerait rester tout le temps près de Ragnar. Ils sont presque comme des frères – ou, plus exactement : ils *sont* des frères, des frères dans la congrégation, dans la relation avec Jéhovah. *«Je vous donne un nouveau commandement,* dit Jésus, *aimez-vous l'un l'autre.»*

Benjamin aime Ragnar. Il sent battre son cœur.

Mais pour plaire à Dieu, nous devons également être sincères dans notre discours et notre mode de vie. L'apôtre Paul y exhortait les chrétiens dans la lettre aux Éphésiens : *«Dites la vérité chacun à son prochain.»*

C'est peut-être pour cette raison que Benjamin fait ce qu'il fait. C'est peut-être parce qu'il sait que Paul a aussi écrit dans la lettre aux Hébreux : *«Nous voulons nous conduire d'une manière droite en toutes choses.»*

Benjamin n'a peut-être pas d'autre choix que d'agir de cette manière.

Quand le disque est fini, il tend poliment le casque à Ragnar et, pensif, se lève du pouf.

Ses fesses sont un peu humides à cause de la transpiration. Il dit :

– Deux secondes, je reviens.

La pochette du disque à la main, il déverrouille la porte et va rejoindre les adultes au salon. Il montre l'album à son père et, afin que tous puissent l'entendre, lui demande à voix haute si ce disque que Ragnar garde dans sa chambre n'est pas immoral.

Il connaît très bien la réponse. Son visage est luisant. Il essaie de ne pas montrer à quel point il se sent juste et vertueux.

Benjamin aime Ragnar. Ils sont frères dans la congrégation. C'est pourquoi il est de son devoir de le dénoncer. Les parents de Ragnar, Anita et Rolf, se précipitent dans la chambre de leur fils, arrachent le disque de la platine et le grondent sans mâcher leurs mots : il les a terriblement déçus.

Ragnar n'a même pas l'idée de se lever de son pouf. Benjamin se tient derrière son père, à moitié dissimulé par lui. Ce dernier va s'asseoir sur le lit de Ragnar, tout au bout, et lui parle d'une voix douce mais ferme des tentations, des dangers, de ce qu'on exige d'un être humain s'il veut vivre en relation étroite avec Jéhovah.

Ragnar regarde au-delà du père de Benjamin. Il regarde Benjamin. Benjamin resté dans l'ouverture de la porte.

À moitié dissimulé. Silencieux.

Le regard furieux de Ragnar croise le sien.

Benjamin n'éprouve aucun regret. Il sait qu'il a bien agi. En conformité avec ce que le Seigneur attendait de lui.

La sincérité peut avoir son prix mais elle vaut beaucoup plus que ce qu'elle coûte, puisqu'elle donne bonne conscience. À la longue, la sincérité et l'honnêteté mènent à la plus grande des récompenses. La vérité, c'est qu'une bonne relation avec Jéhovah est inestimable. Pourquoi l'endommager en agissant avec malhonnêteté, pour se sauver la face ou pour obtenir des avantages auxquels on n'a pas droit ?

Il sait qu'un jour Ragnar le remerciera pour ce qu'il a fait ce soir.

Voilà ce qu'il tente de se dire quand il essaie de s'endormir dans son lit ce soir-là, un peu plus tard.

Mais il ne s'endort pas. Et, quand il respire par le nez, il sent encore dans ses narines l'odeur des cheveux de Ragnar.

«*Nous voulons nous conduire d'une manière droite en toutes choses*», écrit Paul dans la lettre aux Hébreux.

Non, Benjamin n'a encore rien dit. Et chaque jour qui passe rend la situation plus difficile, plus insurmontable. Voilà trois ans et demi que Rasmus et lui forment un couple et plus de deux ans qu'ils vivent ensemble.

Tant et si bien qu'à présent il ne doit pas seulement révéler qu'il vit de façon immorale, qu'il est perdu pour le Royaume et que, quotidiennement, à toute heure, à tout instant, il commet le péché de chair – il doit aussi répondre aux questions : Pourquoi n'a-t-il rien dit ? Pourquoi n'est-il pas venu solliciter leur aide pendant qu'il était encore temps ? Comment a-t-il pu les regarder dans les yeux et leur mentir en face ? Et pas qu'une fois en plus, mais un nombre incalculable de fois.

«*Dites la vérité chacun à son prochain.*» Non, Benjamin ne dit pas la vérité, Benjamin ne vit pas dans la vérité.

Qu'a-t-il à répondre pour sa défense ? Qu'il aime sa famille ? Qu'il ne veut pas les perdre ?

C'est sûrement, aussi, une question de fierté. Il connaît la haute opinion qu'ils ont de lui, le modèle pour les jeunes de la congrégation qu'ils voient en lui. Il va entraîner la famille entière dans sa chute. Il l'a déjà vu arriver. Il sait comment ça fonctionne.

«*Pour tout il y a un temps fixé*, écrit le sage roi Salomon dans l'Ecclésiaste, *un temps pour chercher et un temps pour se résigner à la perte ; un temps pour garder et un temps pour jeter, un temps pour déchirer et un temps pour coudre ; un temps pour se taire et un temps pour parler.»*

Quelle est la durée de ce temps pour se taire ? Quant au temps pour parler, à quel moment vient-il ?

Il est également écrit qu'il y a «*un temps pour se lamenter et un temps pour danser*».

Peut-être Benjamin soupçonne-t-il qu'il devra se lamenter pendant un temps atrocement long. Et peut-être est-ce la raison pour laquelle il essaie avec autant d'angoisse et d'imploration de prolonger ce temps, si bref, où il danse.

Les Nilsson sont en pleine étude familiale biblique. Le père développe un raisonnement.

– Dans ce cas, comment reconnaissons-nous la fin des temps ? demande-t-il de façon rhétorique, avant de poursuivre : Nous pouvons par exemple examiner la première épître de Paul aux Thessaloniciens, chapitre 5, versets 2 et 3...

Chacun cherche dans sa bible. Comme d'habitude, Margareta a du mal à trouver le bon endroit. Le père la toise d'un œil sévère et impatient. Pour lui, elle fait uniquement preuve de manque d'application. Selon lui, elle use de ce stratagème pour provoquer ses parents.

Et comme d'habitude, la mère indulgente lui donne un coup de main. Elle se penche discrètement vers sa fille et murmure à son oreille la formule de l'ordre des épîtres dans le Nouveau Testament que chaque adolescent de la congrégation connaît pourtant sur le bout des doigts.

– Rom Cor Gal Eph Phil Col Thess, récite-t-elle doucement – et, dès que Margareta a repéré la bonne épître dans sa bible, elle y pose son doigt. Voilà, tu l'as trouvée !

Margareta tourne quelques pages supplémentaires pour arriver enfin au chapitre 5 de la première épître aux Thessaloniciens.

– Tout le monde y est ?

Le père s'efforce de cacher son irritation – en vain : ajoutée à un sourire injustifié, la douceur presque inquiétante de sa voix maîtrisée le trahit. Il parcourt la table du regard. Seuls sont présents son épouse et ses deux enfants, mais quand il dirige l'étude familiale biblique, il prend toujours le ton de celui qui s'adresse à une grande assemblée.

Il s'aperçoit que Margareta a feuilleté trop loin. De sa voix toujours aussi maîtrisée, sans se départir de son sourire toujours mal à propos, il lâche :

– Mais non ! *Première* aux Thessaloniciens, Margareta ! C'est ça, chapitre 5, versets 2 et 3. Benjamin va lire.

Benjamin sursaute. Attendre sa sœur l'a déconcentré, ses pensées se sont envolées vers un ailleurs lointain.

– Benjamin ! répète le père avec sévérité.

– Pardon, je…

Le père regarde Benjamin en secouant la tête.

– Lis maintenant, la première épître de Paul aux Thessaloniciens…

Benjamin lit.

– « *Car vous savez très bien vous-mêmes que le jour de Jéhovah vient exactement comme un voleur dans la nuit. Quand ils diront : "Paix et sécurité !" alors une destruction subite sera sur eux à l'instant même, comme les douleurs sur une femme enceinte ; et ils n'échapperont en aucune façon.* »

Ingmar relève la tête de la Bible. Il a l'air satisfait de ce passage. De ce qu'ils viennent de lire.

Margareta ose jeter un regard furtif mais nostalgique sur le printemps, dehors. Évidemment, son père le remarque tout de suite.

D'une voix tranchante, il martèle qu'ils vivent donc la fin des temps.

– Margareta, peux-tu nous citer quelques signes annonciateurs de cette fin des temps que nous vivons ?

C'est maintenant que Benjamin pourrait se lever et hurler.

Hurler qu'il est homosexuel.

Hurler qu'il partage sa vie avec Rasmus et qu'il l'aime d'amour. Qu'il a des amis malades de ce cancer gay que les journaux rabâchent à longueur de pages. Qu'ils sont tous terrorisés. Qu'ils ont peur du sang l'un de l'autre, peur du sperme l'un de l'autre, peur de la sueur l'un de l'autre. Peur des baisers, des poignées de main, des étreintes. Peur d'être le prochain sur la liste.

Qu'ils vérifient sans arrêt. Chaque fois qu'ils avalent. Chaque fois qu'ils ont mal quelque part. Chaque fois qu'ils ont trop chaud et peut-être de la fièvre, ou qu'ils trouvent leurs ganglions gonflés.

Le père demande des signes. Les premiers signes sont trompeurs. Comme une petite grippe. Comme une ride passagère sur la surface de l'eau qui ensuite redevient normale en apparence.

Ils forment un cercle et jouent au jeu de l'assassin et du détective. Ils attendent que l'un d'eux, celui qu'ils soupçonnent le moins, les regarde subitement dans les yeux et leur fasse un clin d'œil.

Ils attendent que le verdict tombe, comme un couperet tombe; comme une ombre tombe, comme un crépuscule tombe, comme un ange tombe, comme tout tombe.

Il voudrait secouer ses parents, les malmener, les frapper ! «Vous ne comprenez pas ? Vous ne comprenez pas ?»

Reine est déjà mort. Lars-Åke est très malade. Benjamin soupçonne Paul d'être également contaminé, sans pour autant en avoir la certitude. Lui-même et Rasmus – il n'ose même pas formuler la pensée jusqu'au bout.

«Mes amis meurent ! voudrait-il se lever et crier. Les voilà, vos signes que la fin des temps est arrivée !»

Sauf qu'il y a un temps pour se taire et un temps pour parler. Alors Benjamin se tait. Margareta murmure quelques paroles presque inaudibles en réponse à la question du père et, pendant que celui-ci la corrige et poursuit son enseignement, Benjamin ferme les yeux et convoque mentalement une image de Rasmus et lui en train de danser. Ils dansent, dansent, dansent.

Trois ans plus tard, Benjamin est assis au chevet de Rasmus dans sa chambre du service 53 de l'hôpital Söder. Le visage de Rasmus est détourné. Le cou surmonte un corps décharné. Les yeux semblent trop grands pour sa figure émaciée, comme si le visage s'était enfoncé pour ne laisser que ces orbites, ce regard désormais incapable de voir.

– Euh, qu'est-ce que je voulais dire… Vous avez prévenu les parents de Rasmus ?

La voix douce fait sursauter Benjamin. Il fixe l'infirmière qui vient d'entrer dans la chambre.

– Non, je…

Pour tout il y a un temps fixé. Il y a un temps pour la naissance et un temps pour mourir. Un temps pour se lamenter et un temps pour danser, un temps pour jeter des pierres et un temps pour amasser des pierres, un temps pour étreindre et un temps pour s'abstenir d'étreindre, un temps pour chercher et un temps pour se résigner à la perte…

Il faut qu'il prévienne les parents de Rasmus – maintenant.

Il arrive que Harald et Rasmus se promènent dans la forêt, rien que tous les deux, sans Sara. Le père montre au fils des fleurs, désigne des champignons, lui apprend à repérer ceux qui sont comestibles et ceux dont il faut se méfier ; il les nomme aussi bien en suédois qu'en latin – un petit bonus qui l'émerveille lui-même. Il apprend aussi à Rasmus à reconnaître les oiseaux par leur chant, à déterminer à partir d'excréments quel animal les a précédés sur la mousse.

Parfois ils marchent en silence l'un à côté de l'autre et se contentent de «respirer la forêt», pour reprendre l'expression inventée par un Rasmus précoce. Depuis le jour où il a rebaptisé ainsi ces moments où ils profitent ensemble des odeurs, des sons, de ce qui les entoure, Harald le lui rappelle dès qu'ils s'engagent dans la nature, parfois même devant les autres.

Dans quelques années, Rasmus aura envie de disparaître dans un trou de souris quand son père répétera cette formulation pénible, comme si c'était un petit bijou qu'il faut absolument exhiber. Mais pour l'heure il s'étire et trouve lui-même l'expression ingénieuse. Il trouve aussi qu'il n'existe pas de meilleur papa que le sien.

Ils respirent donc la forêt. Ils entendent le coucou et Harald raconte le vieux dicton populaire suédois qui veut que le point cardinal où chante le coucou prédise l'avenir. Il apprend à Rasmus la comptine :

– Coucou du sud, solitude ; coucou de l'ouest, funeste ; coucou de l'est, céleste ; coucou du nord, trésor.

Rasmus bombarde son père de questions sur le pourquoi et le comment des coucous. En fin de compte, Harald se voit obligé de dire que c'est sans doute uniquement à cause de la rime un peu idiote en suédois, mais Rasmus ne l'entend pas de cette oreille. Et, quand il demande pourquoi ce coucou-ci précisément a chanté comme ça, Harald ment pour ne pas troubler inutilement son fils déjà très sensible ; il répond que c'était un coucou du nord, bien que ce soit un coucou de l'ouest qui annonce le deuil.

– Coucou du nord, trésor ! constate Rasmus avec satisfaction.

– Exactement ! réplique Harald – et il en reste là.

Harald a préparé des sandwiches au fromage et au pâté de foie, qu'il a enveloppés dans du papier sulfurisé. Ils s'assoient sur une pierre dans les buissons de myrtilles et mangent en méditant.

Le soleil filtre entre les hauts pins et sapins. On a l'impression d'être dans une église. Harald se fige pour écouter le martèlement déterminé d'un pivert.

– Rasmus ! Tu entends le pivert ? Ta-ta-ta-ta-ta.

Rasmus lève la tête à son tour et tend l'oreille. Le martèlement retentit de nouveau.

Ils sourient tous les deux.

Le bruit résonne à la fois très loin et tout près.

Harald mâche pensivement son sandwich.

– Tu te souviens que c'était dans cette clairière qu'on a vu l'élan blanc ? dit-il ensuite. L'année dernière, quand on ramassait des myrtilles.

Ils contemplent le grand espace vide où ils avaient vu l'animal atypique l'été dernier.

– Il est où maintenant ? veut savoir Rasmus, comme s'il s'attendait à ce qu'il se montre à tout moment au même endroit.

– Ah mon petit bonhomme, un élan blanc, on en voit peut-être un seul dans sa vie. Ils sont très, très rares.

Rasmus a l'air déçu.

Harald lui tapote le genou.

– On continue encore un peu ?

Ils se relèvent. Rasmus glisse sa main dans celle de son papa, ils reprennent leur randonnée. Harald serre la main de son fils, aussi inexplicablement fier et heureux chaque fois qu'elle cherche la sienne.

– D'un autre côté, ajoute-t-il, sentant que sa bonne humeur déteint sur son bon sens, si on veut croiser un élan blanc, c'est effectivement dans ces parties du Värmland qu'il faut être.

Satisfait, Rasmus continue, sa main reposant en sécurité dans celle de son père.

Le fait que la partie du Värmland où il habite soit si particulière lui plaît énormément.

Le coucou de l'ouest, funeste, chante encore.

– Coucou du nord, trésor ! constate Rasmus, et il rit.

La conversation ne dure peut-être que quelques secondes. Ils ne parlent peut-être qu'une minute, guère plus. Après coup Sara songera, pendant ces jours épouvantables qui ont commencé avec le coup de fil de Stockholm, qu'elle a perdu la notion du temps. Tout s'enchevêtre en quelque sorte.

– … Ah bon, je comprends… je comprends.

Elle enroule nerveusement le fil du téléphone entre ses doigts, elle se tourne et se détourne, elle se retourne avec le corps tout entier.

Aucune direction n'est la bonne. Toutes les directions sont mauvaises.

Un bref instant elle bloque sa respiration et se dit qu'elle ne va jamais expirer l'air accumulé. Elle va rester là où elle est, retenir son souffle et enrouler le fil du téléphone entre ses doigts ; tant qu'elle parviendra à ne pas respirer, le temps restera suspendu, la terre ne tournera pas, tout demeurera en l'état.

Comme si elle pouvait, grâce à sa respiration, préserver la vie de son fils, la dompter, la tenir au creux de sa main.

Elle répète ses «je comprends, je comprends».

Sauf qu'elle ne comprend strictement rien.

Harald entend naturellement à sa voix que quelque chose ne va pas. À ses «je comprends, je comprends». À sa façon de bloquer sa respiration. Alors il s'approche du téléphone, inquiet. Il veut savoir, il veut lui arracher le combiné des mains, il veut comprendre lui aussi.

– Quoi, quoi ? Qu'est-ce que tu comprends ?

– Je comprends.

Sara se dégage de son mari, se secoue pour se libérer de la main qu'il a posée sur son épaule, elle enroule le fil, bloque sa respiration, serre le combiné plus fort contre son oreille, comme pour mieux entendre ce que dit la personne à l'autre bout.

La personne à l'autre bout qui parle et n'en finit pas de parler. Comment peut-on avoir autant de choses à dire, c'est irritant à la fin.

– Je comprends ! répète-t-elle.

– Qu'est-ce que tu comprends ?

Harald crie presque.

La conversation ne dure peut-être que quelques secondes. Sara et Benjamin ne parlent peut-être qu'une minute, guère plus.

– Merci, c'est tout pour l'instant, dit l'autre avant de raccrocher.

Et, dans la cuisine de la maison du village de Koppom de l'ouest du Värmland, une femme d'une soixantaine d'années dit merci.

– Merci.

Comme s'il y avait de quoi dire merci.

Elle raccroche lentement. S'approche de la table d'un pas traînant. Se laisse tomber sur une chaise.

Elle regarde la cuisine, si agréable, si familière, cet univers qui est leur petite vie, qu'ils connaissent si bien. C'est ici qu'ils ont vécu, ici que leur fils a grandi. Le chambranle de la porte garde encore l'empreinte des marques au crayon qui montrent sa taille à trois, à quatre, à cinq, six, sept et huit ans.

Sara ouvre la bouche, comme pour parler, mais garde le silence.

– Quoi ? Qu'est-ce qui s'est passé ?

Ces dernières années, à chaque sonnerie de téléphone, ils ont craint qu'on leur annonce de nouvelles complications, de nouveaux symptômes effroyables, de nouvelles maladies – autant d'annonces qu'ils devront écouter, auxquelles ils devront opiner et, d'une voix faussement calme, répondre qu'ils comprennent. Oui, ils comprennent.

Alors qu'ils ne comprennent rien, absolument rien.

Ces dernières années, à chaque sonnerie de téléphone, l'angoisse s'est vrillée comme un couteau dans leur ventre. Car ce peut être un coup de fil de Stockholm.

Ce peut être «l'ami» de leur fils qui appelle, ou un médecin, ou une infirmière de l'hôpital.

Rien de bon ne peut en découler quand le téléphone se met à sonner.

Désemparée, Sara regarde son mari. Elle se dit qu'elle est en train de se noyer.

— Non, c'était…

Elle ne termine pas sa phrase, elle en commence une autre.

— Il faut qu'on aille à Stockholm. Il semblerait que…

Elle se tortille sur sa chaise, se détourne à nouveau. Elle ne *peut* pas terminer cette phrase. Ne veut pas, ne *peut* pas prononcer ces mots. Les dire à haute voix reviendrait à les accepter, et elle ne les accepte pas, elle les refuse en bloc !

Elle ne comprend rien.

Alors elle termine sa phrase de la seule façon dont elle est capable. Elle dit :

— Ça ne se présente pas très bien.

Une brève seconde ils se regardent dans les yeux, puis son mari pivote et quitte précipitamment la maison.

Terrorisée, Sara crie derrière lui :

— Où tu vas ?

Mais lui non plus ne peut pas répondre, lui non plus n'arrive pas à formuler, à prononcer les mots, à terminer la phrase.

Il dit :

— Je n'arrive pas à…

Il dit :

– Je suffoque.

Derrière la maison, au sommet d'un petit raidillon, la forêt prend la relève. Harald ne sait pas ce qu'il fait. Il marche, c'est tout.

Il sort de la maison, grimpe la côte. Tout ce qu'il sait, c'est qu'il doit rejoindre la forêt.

Il titube, trébuche, ne voit pas où il pose les pieds.

Il pleure, la morve coule. Les larmes ruissellent sur son visage. Il éprouve une détresse insondable.

Une détresse face aux pleurs qui jaillissent tel un déferlement irrépressible.

Une détresse face à la maladie qui emporte son fils – son garçon merveilleux, fantasque, étrange, incompréhensible –, qui l'enfourne dans sa gueule et l'engloutit, l'aspire et l'avale comme on suce une pince de crabe.

Une détresse face à la honte qui exige de lui de ne pas crier, de ne pas partager, de ne chercher aucun soutien, qui exige de lui de porter ce fardeau que nul ne peut porter.

La détresse.

Le verset d'un cantique lui vient à l'esprit quand il titube dans la forêt du Värmland : *«J'étais venu du doute, des profondeurs obscures, de l'impuissance et de la honte. La grâce qui m'a porté jusqu'à aujourd'hui me portera jusqu'au bout...»*

Mais il n'existe aucune grâce qui les a portés, il n'existe aucune grâce qui les portera jusqu'au bout.

Tout n'est que tromperie.

Dieu n'existe pas.

Seule existe la forêt, profonde, humide et sombre, cette forêt qui sent la mousse et la pierre et la putréfaction.

Harald marche. Il marche, marche, marche – et s'arrête subitement. Il ne sait plus où aller. Au-dessus de la cime des sapins le ciel est gris, bouché.

Il secoue la tête, mais ne sait pas à cause de qui il la secoue.

Dieu n'existe pas. La grâce n'existe pas.

Et là, en pleine forêt, à quelques centaines de mètres de sa maison, il entend soudain la jolie voix claire de son petit garçon.

– Pourquoi tu es si triste, papa ?

Rasmus se tient à côté de lui et le regarde, les yeux plissés et la tête inclinée comme il fait toujours. Peiné, Harald contemple son enfant. Quel âge peut-il avoir ? Huit ou neuf ans.

On oublie si vite, pourtant c'était hier.

– Eh bien, je suis triste, c'est tout, dit Harald avec un soupir, en essayant de ne pas paraître trop anéanti.

Il ne veut pas faire peur au petit.

Rasmus fronce les sourcils.

– Tu vois l'élan blanc ?

Harald jette un regard confus autour de lui. Il n'y a alentour que lui, son fils et la forêt.

– Non, je ne le vois pas.

– Non, on ne les voit pas très souvent, constate le garçon objectivement, d'une mine pensive – puis Harald est à nouveau seul dans la forêt.

Benjamin retourne auprès de Rasmus, prend sa main.

– Ils vont venir, dit-il d'une voix douce. Harald et Sara sont en route.

Il n'est plus possible de savoir si Rasmus comprend ou pas ce qu'il dit.

Ils vivent la fin des temps.

«Je veux dans ma vie pouvoir aimer quelqu'un qui m'aime.»

Cette revendication d'amour inouïe.

Rasmus a eu beau insister qu'ils n'avaient pas besoin de venir exprès puisqu'il n'aurait pratiquement pas de bagages, c'était hors de question : il ne manquerait plus que ça, qu'ils n'aillent pas le chercher à la gare, maintenant qu'il rentre *enfin* à la maison. Ils ne vont quand même pas le laisser patauger dans la neige avec des valises alors qu'ils ont une voiture.

Sara et Harald posent tous les deux une journée de congé. Ils sont tellement tendus et excités, compassés presque, qu'ils frisent le ridicule. Harald en plaisante même alors que, arrivés bien trop en avance, guettant le train, ils se tiennent sur le quai de la gare en formant une sorte de délégation baroque.

– Eh oui, nous voilà la tête découverte à attendre l'arrivée du roi ! lance-t-il en riant.

Sara ne voit pas du tout ce que la situation a de comique.

– Enfin Sara, tu t'es lavé les cheveux ce matin, tu ne vas quand même pas me dire que ça n'a rien à voir avec l'arrivée de Rasmus ! ironise Harald en lui donnant un petit coup de coude amoureux.

Sara renifle de mépris. Ses âneries, il peut se les garder.

Pourtant elle s'est *réellement* lavé les cheveux. De même qu'elle a *réellement* cuisiné le plat préféré de Rasmus (croyait-elle savoir), du filet mignon au curry avec des bananes et du lait de coco – assez exotique comme cuisine : on a l'impression de faire un petit saut en Inde ou dans un de ces pays, là-bas. De même qu'elle a *réellement* préparé sa chambre depuis plusieurs jours, qu'elle a *réellement* envoyé Harald au Monopole des Vins et Spiritueux acheter un vin de pays espagnol. Enfin, elle a été irritable et agacée toute la soirée hier et toute la journée aujourd'hui, signe infaillible qu'elle est sur des charbons ardents.

Sara fixe les rails. Si elle ferme les yeux et compte jusqu'à trente, elle va voir le train arriver.

Elle ferme les yeux et compte mais, arrivée à seize, elle est à bout de patience et doit de nouveau fixer les rails avec agacement sans qu'aucun train soit en vue.

Il faut comprendre.

Ils ont fait leurs adieux à Rasmus en septembre quand il est monté à Stockholm pour étudier et, depuis, ils ne l'ont pas revu.

Il n'a même pas daigné rentrer pour Noël, soi-disant qu'il passait le réveillon avec des… «amis». Tant mieux pour lui s'il s'est fait de nouveaux «amis», là-bas, à Stockholm. N'empêche, il s'éloigne d'eux. Voilà la vérité. Il est si loin qu'ils ne parviennent plus à avoir la moindre emprise sur lui. Leur petit chéri, leur pitchounet, leur seul, leur unique, leur tout.

Une nouvelle année vient de commencer, on est en février. Il va fêter ses vingt ans et passer une petite semaine à la maison – enfin. Ils l'auront rien que pour eux et pourront le chouchouter dans les règles pour son anniversaire. Mon Dieu, sa troisième décennie… C'est fou ce que le temps passe vite !

C'était hier. Hier encore, devant la fenêtre du salon, il appuyait le front contre la vitre. Là, il était à eux, rien qu'à eux.

Mécontente, Sara piétine sur place et coule un regard oblique vers l'horloge de la gare qui indique clairement que le train aurait dû être arrivé depuis longtemps. Comme aucun retard n'a été annoncé, il faut sans doute prendre son mal en patience.

Harald en est tout aussi bouleversé. Il n'arrête pas de se racler la gorge, ce qu'il fait uniquement quand il est angoissé. Ça ne lui a pas échappé, à Sara, qu'il n'aille pas croire le contraire !

Lorsque le train entre enfin en gare et que Rasmus en descend, ils le reconnaissent à peine, tellement il a changé.

Disparues les bizarreries, disparu ce qui faisait de lui un être à part : les cheveux teints, la longue frange, les vêtements fabriqués maison qui lui donnaient cet air si singulier.

Il est devenu plus masculin en quelque sorte. Les cheveux courts, presque ras, font ressortir ses pommettes et ses mâchoires. Il porte un jean ordinaire, un gros pull informe sous un vieux trench-coat, des baskets aux lacets défaits sur de grosses chaussettes en laine.

En fait ils devraient être ravis de cette transformation, reconnaissants. Or ils sont embarrassés devant leur fils, intimidés même.

Il est quelqu'un d'autre à présent. Comme un étranger.

Sara finit quand même par se mettre sur la pointe des pieds et le serrer dans ses bras. Quant à Harald, il ne trouve rien de mieux que de lui donner une poignée de main et de marmonner que le train n'était pas à l'heure.

Dès le trajet en voiture, il devient évident que quelque chose cloche. L'ambiance qui aurait dû être gaie et exubérante est plutôt oppressée. Rasmus répond par monosyllabes, parfois pas du tout, comme s'il n'entendait pas Sara sur le siège arrière qui le bombarde de questions.

Ils glissent peu à peu dans le silence, malheureux tous les trois. Les sujets de conversation semblent manquer, alors qu'ils devraient avoir tout à se dire. Tout !

Rasmus ne paraît même pas heureux de les revoir. Il se contente de regarder par la fenêtre d'un air mécontent.

Arrivés devant la maison, Harald coupe le moteur qui s'éteint avec un soupir. Son fils soupire à son tour, prend une grande bouffée d'air, ouvre la portière et descend.

C'est une de ces journées vraiment froides du mois de février, la nuit est déjà tombée. Par des reflets blancs et bleutés, le jardin enneigé réverbère le clair de lune étincelant. Le séchoir à linge, la balançoire de Rasmus installée par Harald des années plus tôt, le portillon en fer de la clôture – tout scintille de givre.

Le froid mord les visages. Une colonne de fumée monte de la bouche de Rasmus lorsque, les bras croisés sur sa poitrine, il rejoint à grandes enjambées la porte d'entrée. La trouvant fermée à clé, il attend, piétine pour garder la chaleur dans ses minces baskets, se retourne, jette un regard impatient à ses parents. Mais qu'ils se dépêchent donc de lui ouvrir la porte, bon sang !

– Tu as fermé à clé ? crache Sara à Harald, comme si cela avait quelque chose d'inhabituel.

– Évidemment que j'ai fermé à clé ! souffle Harald. On ferme toujours à clé quand on s'absente, il me semble. De toute façon Rasmus a ses clés, non ?

Ils se tournent vers leur fils. Réprobateurs.

– Tu n'as pas pris tes clés ?

Rasmus riposte, presque offusqué :

– Non, pourquoi ?

Sara veut intervenir.

– Ben, je pensais que… Non, rien !

Elle se tait, Harald bafouille quelques paroles inaudibles. Tous deux trouvent leurs clés en même temps, Sara repousse presque Harald pour déverrouiller.

Une fois à l'intérieur, Rasmus fait un tour rapide des pièces, comme s'il les inspectait, comme s'il examinait d'un œil critique la petite maison. Il ouvre toutes les portes, fourre son nez partout. Sara ne le quitte pas d'une semelle.

Il s'attendait à quoi ? Qu'ils aient repeint les murs ? Abattu des cloisons ? Que la maison soit différente d'avant ? Sauf qu'elle n'est pas différente, voilà. Il devrait le comprendre, pourtant. Tout est exactement pareil. Même sa chambre est là, intacte. Ça devrait tout de même lui faire plaisir ? Que tout soit comme avant !

Mais il a l'air mécontent. Il plisse le front, serre les poings sur sa poitrine, grogne. Va devant la fenêtre du salon, regarde dehors, grogne. Va d'une pièce à l'autre, grogne.

Harald et Sara le suivent, sur la réserve, de plus en plus inquiets que quelque chose lui déplaise.

Rasmus dit soudain que le voyage en train l'a fatigué, qu'il aimerait dormir un peu avant le dîner. Là-dessus il va dans son ancienne chambre et referme la porte derrière lui.

Laissant Harald et Sara plantés là.

Dépités.

Ils se regardent. Ils ne comprennent rien.

Rasmus est censé rester une semaine. Les premiers jours il ne sort pas de la maison, quitte à peine sa chambre. Il reste allongé sur le lit et, les yeux rivés au plafond, écoute de la musique dans son walkman.

Le dîner de fête de la première soirée a été raté. Rasmus n'a pratiquement pas dit un mot, s'est contenté de picorer dans son assiette.

Du vin, par contre, ça il en a bu. Plusieurs verres, même. Avec une vitesse inquiétante, en plus. Sara ne l'a jamais vu boire avant. Elle n'a pu s'empêcher de mettre sa main devant sa bouche tant ça l'a choquée. Elle n'a pas fait de commentaires mais l'a enregistré.

– Pourquoi il n'a pas l'air content ? demande-t-elle, au désespoir, tandis qu'ils rangent la cuisine après la soirée – Rasmus vient de s'enfermer dans sa chambre, elle chuchote pour qu'il ne puisse pas les entendre. Et tu as vu tout ce qu'il a bu !

– Pas tant que ça, quand même… tente de minimiser Harald. Une bouteille de vin pour trois, il n'y a pas de quoi s'offusquer.

– Écoute, pour ta gouverne, moi, j'en ai à peine bu un verre ! peste-t-elle en fusillant son mari du regard, avant d'essuyer frénétiquement le plan de travail.

Pendant la semaine que Rasmus passe chez eux, Sara et Harald vont travailler comme d'habitude, ils n'y coupent pas. Le soir, ils dînent avec leur fils. Puis ils regardent la télé. Ils ignorent ce qu'il fabrique la journée, sinon qu'il ne sort pas de la maison.

Enfin, un jour, il emprunte la voiture et se rend à Arvika pour voir Gabriella et My, ses meilleures amies du lycée. Vers neuf heures du soir il appelle pour annoncer qu'il dormira chez My.

Sara est désemparée. Rien ne se déroule comme elle l'avait imaginé.

Rasmus ne revient que le lendemain soir, et là non plus il n'est pas très sociable.

Les parents l'interrogent au sujet de Gabriella et My. Laconique et bourru, il explique. My travaille à la cafèt' du Domus où ils traînaient souvent à l'époque. Elle aurait pu trouver mieux, mais bon. Elle bosse là-bas pour se payer un voyage en Amérique du Sud. Elle compte y passer six mois à partir de l'été prochain. Quant à Gabriella, elle voudrait entrer à l'École de journalisme. Si elle est prise, elle s'installera à Stockholm à la rentrée.

Puis la conversation s'essouffle – encore.

Rasmus sort de table, pose son assiette sur le plan de travail et s'installe devant la télé. Harald s'assied à côté de lui dans le canapé. Sara fait la vaisselle.

Brusquement, pour elle, la coupe est pleine. Elle balance la brosse à vaisselle dans l'eau, se précipite dans le salon, éteint la télé et hurle.

– Qu'est-ce que c'est qui ne va pas ?

Rasmus et Harald la regardent, abasourdis.

– Maintenant, tu vas nous dire ce qui te dérange ! Parce qu'il y a bien quelque chose ! Et tu nous le dis maintenant, *sale môme* ! Sinon tu vas avoir affaire à moi et tu ne seras pas près de l'oublier, crois-moi !

Elle serre fort le bras de Rasmus. Elle veut que ça lui fasse mal.

– Mais calme-toi, Sara, voyons ! insiste Harald, inquiet.

– Je n'ai AUCUNE intention de me calmer ! hurle Sara. AUCUNE !

Rasmus se dégage et se lève.

– Mais putain, c'est quoi ce cirque ! s'écrie-t-il.

– Ah là, non ! Non et non ! On ne me la fait pas, celle-là ! poursuit Sara hors d'elle. Tu nous méprises !

Rasmus tente de protester.

– Oui, tu nous méprises ! Tout le temps ! Tes vieux parents, chiants comme la pluie, dans leur putain de baraque hideuse. Parce que c'est ça que tu penses, hein ? Tes parents *de merde* dans ce Koppom *de merde* ! Tes vieux croulants de parents *de merde* qui passent leurs journées à te lécher les bottes et à se casser le cul pour toi, parce qu'ils chient dans leur froc à l'idée que quelque chose ne convienne pas à môssieur, que quelque chose lui déplaise et qu'il ne revienne plus jamais ?

Les jurons sonnent bizarrement dans sa bouche. Elle se met à pleurer et s'effondre sur le canapé.

Rasmus se bouche les oreilles.

– Je t'en prie, Sara ! la supplie Harald.

– Tu peux me prier tant que tu veux ! rugit-elle. Et maintenant Rasmus va nous dire ce qu'il y a !

– Il n'y a rien ! crie Rasmus.

Il se bouche les oreilles, se précipite dans sa chambre et claque la porte.

Sara se dégonfle comme une baudruche. Elle est affalée sur le canapé, bras croisés sur sa poitrine, lèvres serrées. Elle demeurera ainsi le reste de la soirée.

Ils entendent la clé tourner dans la serrure de la chambre de Rasmus.

En silence, Harald va finir la vaisselle.

Un instant plus tard, il va discrètement frapper chez Rasmus, demander en douceur s'il a besoin de quelque chose. Il écoute un moment à la porte. Il va ensuite s'asseoir sur le canapé à côté de Sara qui n'a changé ni de place ni de position.

Ils se taisent, regardent droit devant eux.

Harald dit alors de sa voix la plus posée :

– Je ne sais pas mais… j'ai bien l'impression qu'il pleure, notre garçon.

Le lendemain matin, ils se lèvent afin de préparer le plateau d'anniversaire. En chuchotant, ils se chamaillent pour savoir l'heure à laquelle ils pourront réveiller leur fils. Cette prise de bec, ils l'ont eue chaque matin de l'anniversaire de Rasmus depuis qu'il a deux ans. Doivent-ils le laisser dormir tout son soûl et ne pas le réveiller ? Ou bien l'idée même de fêter l'anniversaire de quelqu'un ne consiste-t-elle pas justement à le réveiller en fanfare, au pied du lit, comme le veut la bonne vieille tradition suédoise ?

Harald lui a acheté une montre, Sara des gants et le nouveau 33 tours de Bette Midler que Rasmus adore depuis sa première année de lycée quand il a vu *The Rose* au cinéma d'Arvika.

Pourvu que tout ne soit pas gâché par cette dispute idiote de la veille. Sara se sent d'autant plus mal à l'aise qu'ils ne se sont pas adressé la parole depuis, Rasmus et elle. Il a gardé sa porte fermée à clé et Sara a dû finir par aller se coucher. Il fallait bien qu'elle dorme, elle aussi.

En fait, elle n'a pas réussi à fermer l'œil, mais bon.

Quoi qu'il en soit, tout est prêt. Le café est chaud, les tartines sont beurrées, les viennoiseries danoises trônent – la tradition veut aussi qu'ils en dégustent à chaque anniversaire. Harald peut enfin entonner avec son baryton autoritaire :

– Joyeux anniversaire, nos vœux les plus sincères !

Sara ouvre la marche munie du plateau, Harald lui emboîte le pas avec les cadeaux. Ils forment rien qu'eux deux la petite procession rituelle : elle en pilote, lui pour couvrir les flancs.

– Joyeux anniversaire, nos vœux les plus sincères ! chantent-ils.

Sara s'arrête devant la porte close et laisse le soin à Harald d'ouvrir. Pas facile pour elle de le faire, les mains chargées du plateau lourd comme tout.

Mais, quand Harald appuie sur la poignée, la porte est toujours fermée à double tour. Rasmus n'a pas dû ouvrir de toute la nuit, obligeant ainsi Harald à frapper à la porte comme un vulgaire larbin.

En attendant, ils chantent de plus belle. Ils se disent qu'il a sûrement oublié dans l'intervalle, qu'il va évidemment se dépêcher d'ouvrir dès qu'il les entendra.

Or non, pas de Rasmus. Ils restent plantés devant la porte fermée. Leur ritournelle se termine, ils n'ont aucune envie de la chanter une énième fois.

Harald frappe un peu plus fort. Sa voix douce, encore :

– Rasmus, mon chéri… ?

Sara essaie de le supplier.

– Le plateau est lourd, Rasmus. S'il te plaît, ouvre la porte maintenant !

Pas un bruit ne résonne dans la chambre. Du coup Harald se fâche, tambourine et crie :

– Maintenant tu ouvres ! C'est quoi ces conneries ? Ouvre la porte, je te dis !

– Ne gâche pas cette journée, alors que papa et moi on s'est fait une telle joie de fêter ton anniversaire avec toi ! sanglote-t-elle.

Et à ce moment-là seulement, alors que Sara est en pleurs, la clé tourne soudain dans la serrure et la porte s'ouvre. Sur un Rasmus en slip, au milieu de sa chambre d'autrefois, le visage gonflé par les larmes et le manque de sommeil, la voix tremblant de peur et de détermination. Il leur coupe l'herbe sous le pied avant qu'ils n'aient le temps d'inspirer assez d'air pour se concentrer et reprendre le chant. Sur un ton bourru, presque accusateur, il leur lance :

– Je suis homosexuel. Voilà. Maintenant vous êtes au courant.

Oui, bien sûr, ils entendent le mot, mais qu'est-ce qu'il *signifie* ? C'est quoi, ce que leur fils a proféré sur lui-même ?

Solitude. Ombres anonymes et malheureuses. Exclusion. Pas d'enfants. Et encore plus de solitude.

Sara connaît le sujet par cœur.

Au début des années 1950, quand elle faisait ses études d'infirmière, un professeur danois était venu faire une conférence sur les déviances et perversions sexuelles. Il avait raconté que la recherche moderne avait pu démontrer combien ces dégénérescences étaient proches des déficiences génétiques en général, de la psychopathie, des tares criminelles, de l'hystérie, de la masturbation – et, surtout, comment on pouvait être précipité dans l'homosexualité par des hommes plus âgés, déjà avilis, désireux d'entraîner dans leur chute tragique de jeunes pousses en pleine santé, des adolescents encore sains et sages.

Secouée, mal à l'aise, Sara avait frémi pendant la conférence en pensant à ces pauvres diables qui n'étaient certes pas responsables de leur situation dramatique mais n'en demeuraient pas moins condamnés à vivre avec cette anomalie.

Toutes ces vies malheureuses, gâchées.

En outre, elle avait plus tard fait la connaissance d'un de ces individus. Elle en était d'ailleurs devenue proche.

Les premières années après son examen, avant de s'installer à Karlstad où elle avait fini par rencontrer Harald, elle avait travaillé comme infirmière dans une école d'Uppsala. Elle y était devenue l'amie intime de l'assistant social – un homme bien sous tous rapports, intelligent, fidèle en amitié, débordant d'humour.

Il s'appelait Egon.

Ils étaient même sortis ensemble quelque temps, bien qu'il ait été beaucoup plus âgé qu'elle.

En plus d'avoir les manières d'un jeune homme, il était toujours poli, prévoyant, retenu, joyeux ; jamais indiscret, jamais brutal ou grossier.

Oui, en effet, ils étaient sortis ensemble. Il lui avait fait la cour – mais sans jamais tenter la moindre approche sexuelle. «C'est un trésor qu'il faut garder pour le mariage», plaisantait-il, avec un clin d'œil appuyé, les rares fois où le sujet était abordé.

Egon. Un des hommes les plus merveilleux qu'elle ait jamais connus.

Puis les scandales homosexuels avaient éclaté à Stockholm, en lien avec l'affaire Haijby – du nom du restaurateur qui aurait eu une relation homosexuelle avec le roi Gustaf V en personne. Les journaux accumulaient les titres choc évoquant une mafia pédéraste, des réseaux et des coteries dont les fils menaient, chuchotait-on, droit à la chancellerie royale. Là, son ami, Egon, était devenu d'une pâleur spectrale.

Effrayé et malheureux, il était venu la voir une nuit pour lui confesser, oui, *confesser* qu'il était justement l'un de ces misérables : un pédéraste. Un des plus vilains de surcroît, travaillant dans un lycée auprès de la jeune et saine relève, auprès des jeunes gens les plus désirables, les plus faciles à séduire. N'est-ce pas ce que tout le monde croirait ? Aussi craignait-il (non sans raison) que son nom se retrouve sur une liste, que quelqu'un le dénonce, qu'il soit licencié, que sa vie soit ruinée.

Il menaçait de se pendre, de se supprimer. Avait-il un autre choix ?

Tremblant de peur dans le petit meublé que louait Sara, Egon avait fondu en larmes et s'était tordu les mains. Elle avait eu tellement pitié de lui, tellement tellement. Pas un instant elle n'aurait cru que son Egon, ce monsieur si distingué et discret, puisse faire du mal à quelqu'un.

– Aide-moi ! l'avait-il implorée, à genoux. Aide-moi, je me noie ! avait-il crié.

Si elle pouvait envisager de l'épouser, il serait sauvé. Si de cette manière elle acceptait de se porter garante de lui. De se dresser comme un mur entre lui et le gouffre.

Elle était sur le point de dire oui. Oh, comme elle avait envie de l'aider dans son malheur ! De le défendre ! De le soutenir !

Mais elle ne pouvait pas sacrifier sa vie pour sauver celle d'Egon. C'était hors de question. Ils ne partageraient pas un mariage, ils partageraient un mensonge. Pire encore : elle nourrissait l'horrible, l'épouvantable pensée que, en se servant d'elle comme façade, il pourrait séduire des jeunes gens sans être soupçonné.

C'est terrible, mais c'est ce qu'elle imaginait. Aussi. Conjointement aux bonnes pensées.

Tant et si bien qu'elle avait refusé. Elle avait dit non.

Egon s'était levé et, avec ses manières polies d'homme du monde, l'avait priée d'excuser ses effusions sentimentales et l'avait remerciée pour ce petit moment de bavardage, comme s'ils venaient de boire un thé en conversant jusqu'à pas d'heure. Puis il avait quitté sa petite chambre et ne l'avait plus jamais importunée.

Peu après, de sa propre initiative, il avait démissionné de son poste et quitté Uppsala. Ce qu'il était devenu, s'il était vivant ou mort, Sara ne l'avait jamais su.

C'est à cet Egon, cher mais trahi, qu'elle pense devant la porte, le plateau d'anniversaire dans ses mains. Ses doigts le serrent de plus en plus fort telles des griffes blanchissantes, pendant qu'elle toise avec consternation son fils à moitié nu qui à l'instant, d'une voix mélodramatique, la figure déformée par les pleurs – tout comme Egon –, vient de *confesser* que lui aussi est l'un de ces homosexuels, l'une de ces ombres anonymes, malheureuses, condamnées à la solitude et à l'exclusion éternelles.

Elle a envie de laisser tomber le plateau par terre. Elle a envie de frapper son fils. De le marteler avec ses poings ! De crier ! De le griffer avec ses ongles ! De l'égratigner ! De hurler : «Tu n'as pas le droit ! Je te l'interdis !»

C'est sans doute pour ça qu'elle oblige ses doigts à serrer encore plus fort le plateau. Justement pour ne pas le faire.

Deux pas derrière elle se tient Harald. Lui aussi l'a entendu.

«Je suis homosexuel.»

Il n'est pas non plus stupide au point de ne pas comprendre instantanément le mot. Il y a de vieux garçons dans les fermes isolées, ce genre de gars qui ne se sont jamais mariés. Peut-être tout bonnement que ça ne s'est jamais fait, peut-être qu'ils étaient trop timides, peut-être qu'ils n'ont pas rencontré en temps voulu de femme qui leur convienne et qu'ensuite c'était trop tard. Quoi qu'il en soit, à propos de certains, la rumeur courait qu'ils étaient... Enfin bon, peut-être qu'on n'utilisait pas ce mot-là, mais d'autres, semblables, qui veulent dire exactement la même chose.

Même si des bruits sont arrivés à ses oreilles, Harald n'a jamais pensé outre mesure à ces vieux garçons. Car alors ça reviendrait à penser du mal d'eux.

C'étaient des gens qui, à leur façon, avaient fait naufrage. Des êtres misérables qui, sûrement comme tout le monde, aspiraient à l'amour et à l'intimité mais n'en ont pas eu. Ils dégageaient quelque chose de ridicule. Ils avaient conservé très peu de dignité. Même qu'on mettait en garde les enfants contre quelques-uns d'entre eux.

Mais que son propre fils soit un... non, il ne pouvait pas y croire.

Différent, oui, Rasmus l'avait toujours été.

Comme une plante rare dont les graines auraient certes germé dans un terreau auquel il n'était peut-être pas destiné, mais une pousse bonne et noble pour autant ; un excellent végétal qu'il s'agissait peut-être simplement de protéger et de soigner un peu plus.

Alors différent, oui. Mais jamais, même dans son imagination la plus débridée, Harald n'aurait pu concevoir que sa différence se situe à *ce* niveau. Jamais il n'aurait imaginé que quelque chose soit aussi sérieusement déréglé. Tel que ça semblait maintenant être le cas.

Au contraire, à tout moment et devant tout le monde, il a défendu son fils. Toujours. «Rasmus est très bien comme il est. Rasmus est un bon garçon.» Il n'a jamais dit autre chose. À moins bien sûr qu'il ait tranché de façon trop catégorique, trop enthousiaste, trop rapide. Comme s'il devait anticiper tout autre remarque ou suggestion. « Rasmus est très bien comme il est ! Rasmus est un bon garçon ! »

Sa première réaction spontanée, là sur le seuil, les bras chargés de cadeaux, tandis que atterré il fixe son fils désormais adulte, au visage gonflé par les larmes, si frêle et vulnérable en slip dans sa chambre d'enfant, affirmant qu'il est cette chose mystérieuse – c'est que ça doit à tout prix être gardé secret. Jamais au grand jamais ça ne doit être divulgué, jamais plus il ne faudra le mentionner, mais plutôt faire comme si ça n'avait jamais été prononcé à voix haute ; surtout qu'à tous les coups, quasiment à tous les coups, ce n'est pas vrai, ce n'est qu'une provocation, un coup de tête, une lubie que son fils a attrapée au vol, là-bas, à Stockholm, et qu'il débite maintenant ici à la maison pour que…

Harald ne parvient pas à terminer sa pensée.

Il faut bien que l'un d'eux réponde. L'un d'eux doit bien montrer qu'ils ont entendu ce que Rasmus vient de leur annoncer. À eux, ses parents, qui pourtant restent campés devant lui, complètement désemparés.

Sara finit par prendre la parole. D'une voix piteuse elle dit :

– Mais on pourrait d'abord prendre un café, quand même.

Rasmus va à la salle de bains et enfile la robe de chambre de Harald en tissu éponge élimé.

Lequel se surprend à avoir aussitôt un léger mouvement de recul en voyant la robe de chambre sur son fils.

Ce corps nu en dessous, il en émane quelque chose dont subitement il se défend.

La peau nue.

Il essaie de se calmer, de se dire qu'il pourra toujours laver la robe de chambre par la suite. Il se voit déjà mettre le vêtement dans le lave-linge, fermer la porte et se détendre en écoutant l'eau affluer puis la machine démarrer.

Confuse, Sara insiste pour refaire du café ; l'autre a refroidi, prétend-elle. D'un geste brusque elle prend leurs tasses et jette le contenu dans l'évier. Elle fait du bruit avec la vaisselle pour couvrir leur malaise et leur silence.

Rasmus est ratatiné frileusement sur sa chaise, comme s'il était malade et venait de vomir. Sans demander la permission, il allume une cigarette. Ses parents le voient sans doute fumer pour la première fois devant eux, chez eux en plus, dans leur cuisine.

En temps normal Sara aurait rué dans les brancards, mais en cet instant son fils lui est tellement étranger qu'elle n'a pas la présence d'esprit de protester. Machinalement, elle sort le vieux cendrier vert qui traîne au fond d'un des placards du bas depuis que Harald et elle ont arrêté de fumer.

Eh oui, il faut regarder les choses en face : un inconnu, un pédéraste, s'est installé dans sa cuisine pour fumer. Un inconnu qui, pour couronner le tout, se trouve être son fils.

Indécis un moment, Harald finit par tendre la main vers le paquet de Prince rouge et par allumer une cigarette, lui aussi.

– Harald ! s'exclame Sara.

Oh, et puis zut. Elle abdique, en prend une à son tour.

Puis ils fument en silence – mère, père, fils.

Harald cogite, tourne et retourne quelque chose dans sa tête. Il dit enfin :

– En tout cas, ce sont de vraies cigarettes !

Il fait tomber la cendre. Rasmus renifle et souffle la fumée par le nez après l'avoir inhalée profondément. Il lâche alors, de son accent värmlandais le plus prononcé :

– Qu'est-ce que tu croyais ? Que je fumerais des Blend jaunes ? Des clopes de gonzesse, c'est ça ?

Là-dessus Rasmus ouvre ses cadeaux : une montre-bracelet, un 33 tours de Bette Midler, des gants. Les essayant, il ne trouve pas gênant qu'ils soient un poil trop grands pour lui. Sara rétorque, agacée, qu'elle a gardé le reçu et peut les échanger.

La montre est lourde, une vraie montre d'homme, Harald aide Rasmus à la mettre. Il tient doucement son avant-bras, comme quand on tient le bras d'une jeune demoiselle. Lorsqu'il prend conscience de sa réflexion, il lâche immédiatement le bras de son fils et s'empresse de bredouiller quelques mots à propos du chronomètre et de l'alarme.

Car ils tentent réellement, tous les trois, de faire semblant un moment. Ils essaient vraiment de prétendre que c'est un anniversaire habituel, que cette chose révélée par Rasmus n'a *pas* été dite, n'a *pas* été prononcée à voix haute.

Sauf que la montre d'homme jure quelque peu sur le poignet si mince de Rasmus et que les gants ne sont pas à la bonne taille.

Ils ont un fils trop petit, pourvu de membres trop délicats.

Et le fait est, une fois qu'a été dite cette chose qu'ils feignent d'ignorer, que ni Harald ni Sara ne doutent qu'elle soit vraie.

Ça, cette histoire de sexualité entre hommes.

Jusque-là, l'idée ne les avait jamais effleurés, reléguée parmi les idées impensables pour la raison simple et précise qu'elle n'existait pas ou ne pouvait pas exister ; elle leur était étrangère, voilà tout.

Pas une seconde ils ne l'envisageaient. Alors que maintenant.

Ils regardent leur fils et ils se désolent. Ils se disent que ça doit être leur faute. Il y a de quoi pleurer. Et ils vont pleurer, mais pas déjà, pas encore.

Avec tristesse Sara regarde son fils ouvrir ses cadeaux. Il disparaît presque dans la grande robe de chambre de Harald. Son pitchounet rien qu'à elle. Son Rasmousse au chocolat.

Soudain l'ambiance change du tout au tout, au moment où, ouvrant le paquet qui contient le disque de Bette Midler, il s'écrie spontanément :

– Super ! Mais Benjamin me l'a déjà offert.

Benjamin ?

Ainsi donc un certain Benjamin existe. Un Benjamin dont ils n'ont jamais entendu parler et qui est mentionné avec une évidence déconcertante. Comme s'il faisait partie de la maison. Comme un ami intime.

– Benjamin...

Harald se racle la gorge, compulse son vocabulaire, ne voudrait surtout pas commettre d'impair, emploie sa voix la plus douce.

– ... C'est quelqu'un qui... c'est donc... c'est, comment dire... ton... *bon* ami ?

– Mon petit ami, oui. Mon copain. Mon mec, quoi.

Harald essaie de ne pas tomber dans le gouffre béant qui s'ouvre devant lui, de ne pas céder au vertige, il s'oblige à parler de sa voix la plus douce. Il sait que s'il ne se cramponne pas à elle, il va s'écrouler comme une masse.

– Ton copain ? Je vois. Alors, dans votre relation, c'est toi qui fais... *la femme*, je suppose ?

Il se racle encore la gorge, rougit.

Ça, au moins, Harald le comprend. Qu'il doit y avoir un homme et une femme. Et que son fils, son petit garçon adoré aux membres délicats...

– Merci, mais j'en ai assez entendu comme ça. C'est on ne peut plus clair, pas la peine d'en rajouter, le sujet est clos ! l'interrompt Sara en se levant. Parlons d'autre chose.

– Papa !

Rasmus semble offusqué.

– Personne n'est homme ou femme dans notre relation.

– Ah bon ? s'étonne Harald. Alors vous êtes quoi ?

Sara demande, avec une voix de crécelle qui couvre les leurs :

– Je ne sais pas vous, mais moi en tout cas, j'ai envie d'un autre café. Quelqu'un en veut ?

Après une matinée interminable où tout le monde marche sur des œufs, suivie d'un déjeuner tardif où rien n'est dit, Rasmus part avec Harald en randonnée à skis. Il glisse silencieusement derrière lui. Comme tant de fois auparavant. Il avance dans les traces de son père, confiant qu'il va les mener à bon port. Son large dos devant lui, ses mouvements rassurants, sa respiration profonde, bouche fermée.

La neige, les arbres, le silence. Aussi loin que remontent ses souvenirs, Rasmus a accompagné son père dans la forêt. Ça s'est toujours passé comme ça, comme maintenant. Rien n'est changé, tout est là comme d'habitude. La forêt a toujours été là. Le papa a toujours été là.

Rasmus n'a pas encore déçu ses parents.

Le ciel ne tarde pas à rosir, il leur faut prendre la direction du village avant qu'il fasse complètement nuit. Sur les derniers kilomètres, les arbres se dressent autour d'eux telles des silhouettes noires – si son papa n'avait pas été là, Rasmus aurait pris peur. Mais pas maintenant : le large dos du père, ses mouvements rassurants, sa respiration. Tant qu'il le suit, rien au monde ne saurait être vraiment dangereux.

Rasmus aperçoit les lampadaires allumés le long de la route qui traverse Koppom.

Il repense à son enfance, il avait peur du noir à cet endroit précis. Les maisons éclairées sont peu nombreuses et les lampadaires épars, l'obscurité entre eux est dense.

Il y a si peu de choses ici, note-t-il avec surprise, si peu de gens. Il éprouve une immense tendresse pour ses parents et pour la vie qu'ils mènent ici.

Il aimerait qu'ils le sachent. Il aimerait les serrer dans ses bras, les remercier, leur dire à quel point il est heureux.

Or, une fois leurs skis retirés puis posés contre le mur de la maison, ils sentent la timidité les envahir à nouveau, tant son père que lui. Maladroits et déconcertés, ils évitent tout contact visuel, leur esprit devient obtus, ils se taisent.

Quand ils entrent et secouent leurs chaussures pour ôter la neige des semelles, Sara les accueille en leur annonçant qu'elle n'a pas allumé le sauna, elle s'est dit qu'ils n'en auraient sans doute pas très envie.

Aussi bien Harald que Rasmus s'appliquent à dissimuler leur soulagement.

Holger participe également au dîner d'anniversaire de Rasmus. Toujours effacé et accommodant, le voisin n'est pas dupe de son rôle : il comprend qu'on l'invite parce qu'il vit seul. Son intégration à la famille est en quelque sorte un acte de miséricorde que Harald et Sara ont décidé d'accomplir. Il en a bien conscience.

Étant donné qu'il n'en a pas, lui, de famille. Enfin, pas comme eux.

Évidemment, on ne remet pas le sujet sur le tapis. C'est comme ça, ce n'est déjà pas tous les jours facile, alors inutile d'insister. «Qui sait ce qui me serait arrivé si je n'avais pas rencontré Sara ?» a dit un jour Harald, comme pour montrer qu'il aurait très bien pu être dans le même bateau. Mais en général, on jette un voile pudique sur la question.

Holger n'a personne. Il vit seul dans sa petite maison avec sa mère qui s'étiole. Il travaille à la pharmacie du village, s'occupe de son jardin, s'engage dans l'association pour la préservation du patrimoine.

Car il a entrepris de rassembler le maximum de documentation sur Koppom et son histoire. Outre qu'il collectionne les articles de journaux, minutieusement rangés dans des classeurs, il conserve dans une armoire une quantité impressionnante de bobines de films en 16 mm tournés par le vieux médecin de campagne puis cédés à la collectivité après sa mort. Des films des années vingt, trente et quarante : chasse à l'élan, travail à l'usine, enfants en train de faire du patin à glace, hommes inconnus en costume sombre buvant un café dans un berceau de verdure, femme en robe noire devant une table et proposant des gâteaux sur une assiette. Des images granuleuses en noir et blanc.

Ce sont Holger et Harald qui, pour ainsi dire, donnent une cohérence au village. Ils ont cette passion commune. Sans oublier la chasse, bien sûr. Alors forcément, pendant le dîner, ils papotent.

Avec Harald, ils causent donc du pays. Et de la chasse. Ça aussi ils en causent. Et tant pis si Holger est un piètre tireur. Avec Sara, il cause du monde de la santé, leur domaine professionnel à tous les deux. Avec Rasmus, il ne cause pas outre mesure. Ce qui ne les a jamais empêchés de s'apprécier. Peut-être pour cette raison précise. Ils sont un peu comme des frères. Mais sinon, justement parce qu'il est extérieur, la mission essentielle de Holger consiste ce soir à entretenir la conversation. Pour que le mutisme ne soit pas plus tangible qu'il ne l'est déjà.

Sara babille, même Harald est exubérant et volubile. Seul Rasmus ne décroche pas un mot.

Jusqu'au moment où il demande à Holger pourquoi en fait il ne s'est jamais marié.

Là, silence total.

Holger rougit. Il balbutie en guise d'explication que, très timide dans sa jeunesse, il s'est laissé dépasser par tout ça ; ensuite il y a eu la maladie de sa mère, puis ceci entraînant cela, et patati et patata, bref, voilà comment ça se termine des fois.

Rasmus le scrute attentivement.

Le regard de Holger se dérobe, ses yeux errent dans la pièce.

Se levant brusquement, Harald lance d'une voix un peu trop énergique :

– Tiens, et si on s'en jetait un petit ? Hein, qu'est-ce que vous en dites ? Après tout, Rasmus a vingt ans aujourd'hui, il faut fêter ça avec une rincette, maintenant qu'il a l'âge légal !

Il faut bien que l'un d'eux commence. Et c'est Harald qui se lance, en chuchotant :

– Ce n'est pas non plus comme s'il avait assassiné quelqu'un…

– Non, vraiment pas ! convient Sara.

Harald tente même un petit rire qui se réduit à un vague reniflement.

Couchés tous les deux, ils fixent le plafond. L'anniversaire est fini. Rasmus les quitte demain pour retourner à Stockholm.

– Ce qui me chagrine peut-être le plus, c'est qu'il n'aura jamais d'enfant, chuchote alors Sara.

– Oui, c'est certain, reconnaît Harald.

Ils se taisent quelques instants pour méditer cette réflexion.

– Pourvu qu'il soit heureux ! murmure Sara.

– Pourvu qu'il soit heureux ! murmure à son tour Harald.

Ils se taisent de nouveau.

Comme s'ils priaient pour le bonheur de Rasmus. Que Dieu fasse l'impossible et rende leur fils heureux.

La maison est plongée dans le silence. Le seul bruit perceptible vient du crépitement de la chaudière à fuel dans la cave. Une brise glaciale filtre par la fenêtre comme d'habitude entrouverte, puisque Harald ne veut pas dormir dans une pièce confinée. Il inspire profondément, remplit ses poumons d'air froid.

– Tu dors ? demande-t-il au bout d'un moment, à voix basse.

Mais Sara ne dort pas. Elle pleure.

Et le voici de nouveau dans le train pour Stockholm. Incapable d'affirmer si ça s'est bien passé. Son séjour lui apparaît plutôt pitoyable, voire un peu sordide, en tout cas à mille lieues de la libération et du soulagement, du triomphe même, qu'il espérait initialement ressentir.

Chaque jour à Koppom, une fois seul à la maison, il s'est empressé de téléphoner à Benjamin. Entendre sa voix, rire avec lui, lui a redonné du baume au cœur et surtout ce courage nécessaire pour aller au bout de sa décision de faire son coming out. Puisque c'était le but de cette visite chez ses parents. L'idée venait en fait de Seppo, qui leur en rabattait les oreilles :

– Mais putain, si on prétend qu'on est partout, il va bien falloir montrer que c'est vrai ! Il faut sortir de chaque placard dans chaque bled paumé de ce foutu pays !

Et de citer sur sa lancée Harvey Milk, le premier pédé élu pour un mandat politique aux États-Unis qui, cinq ans plus tôt en 1978, avait remporté avec succès la lutte acharnée contre la proposition de loi visant à licencier les enseignants homosexuels de Californie ainsi que ceux qui les soutenaient d'une façon ou d'une autre. Son courage et sa conviction les avaient touchés, tous. Aussi était-il devenu après son assassinat, pour employer les mots de Paul, «le Martin Luther King des pédés».

Seppo lisait à haute voix le discours de Harvey Milk publié en traduction suédoise dans *Revolt*. Il en tremblait, même.

– «*Nous n'allons pas gagner nos droits en restant silencieux dans nos placards… Nous en sortons pour combattre les mensonges, les mythes, les entorses à la vérité… Nous en sortons pour dire la vérité sur les homosexuels, car j'en ai assez de ce silence tacite sur lequel tout le monde s'accorde… Alors moi, je vais en parler. Et je veux que vous aussi en parliez … Vous devez faire votre coming out. Faites votre coming out à vos parents, aux membres de votre famille…*»

«Vous devez faire votre coming out.»

Il avait raison.

S'ils voulaient qu'un changement intervienne un jour, ils devraient montrer qu'ils étaient non seulement partout mais dissemblables : des filles, des fils, des médecins, des agents de police, des chauffeurs de bus, des chanteurs d'opéra, des voisins, des grands-mères, des directrices de crèche, des body-builders ; qu'ils existaient au sein de chaque famille, de chaque classe sociale, de chaque lieu de travail, de chaque trou perdu.

– Nous ne sommes pas des extraterrestres ! avait affirmé Seppo, d'une voix chevrotante.

– Pff ! Bien sûr que si, ma chérie. Nous *sommes* des tapettes de l'espace ! avait croassé Paul en allumant une cigarette.

La situation rappelait à Rasmus le parcours obligé de ses camarades de classe pentecôtistes : une fois converti, on est censé se faire baptiser.

Idem quand on est pédé : on est censé faire son coming out.

Mais tout de même, que ce soit si difficile et presque insurmontable de prononcer cette phrase-là devant papa et maman, ça, jamais il ne l'aurait cru.

Déjà à la gare, quand ils sont venus le chercher, quelque chose en lui s'est bloqué.

Il aurait dû le dire dès la descente du train. Le crier sur le quai. Pour qu'on en finisse !

«Je suis pédé !»

Mais on ne peut pas le faire de cette manière. On doit choisir son moment.

Surtout quand on ne s'est pas vus pendant plusieurs mois. Impossible de passer un petit coup de fil, d'annoncer au débotté qu'on est homo et, hop, de raccrocher. Il avait commencé une lettre, mais sans trouver la bonne tournure. Et avait finalement décidé de franchir le pas lors de sa prochaine visite chez eux.

L'angoisse avait grandi au fur et à mesure du trajet. Ce qui, au moment de monter dans le train à Stockholm, paraissait simple et évident, presque une victoire assurée, était devenu de plus en plus difficile, obscur et incompréhensible à l'approche du Värmland.

Et d'ailleurs, pourquoi était-ce si important de le dire ?

Ne pouvait-il pas tout aussi bien épargner ses parents, être leur petit garçon les quelques jours qu'il passerait chez eux ? Être celui qu'ils voulaient, se laisser bichonner pour mieux retourner ensuite à sa vraie vie, à Stockholm, qu'ils n'avaient pas besoin de connaître ?

Pas de chichis : ni contrariétés ni mensonges, et surtout pas la vérité.

Pourquoi les rendre tristes alors qu'ils ne s'étaient pas vus depuis si longtemps ? Pourquoi les décevoir ?

Car ils seraient déçus, Rasmus le savait d'avance.

Du coup, au lieu de parler, il s'est énervé contre eux.

Mais qu'ils s'en prennent à eux-mêmes après tout. C'était leur faute. La faute à leur amour envahissant, à leur façon de lui tourner autour en jappant comme des chiots, prêts à donner des coups de langue. Il a été obligé de se protéger.

Comment leur montrer le jeune homme qu'il était réellement quand, de toute façon, ils n'avaient pas envie de savoir ; quand tout ce qu'ils voulaient, c'est qu'on leur rende l'enfant qui était le centre de leur existence ? Alors pourquoi ne pas le leur offrir pendant ce bref séjour ?

Être le garçon qu'*eux* voulaient voir et avoir.

Conséquence : il n'a rien dit au début.

Et il s'est énervé de plus en plus.

Il est allé voir My, son ancienne copine de lycée, il lui a parlé de son angoisse. En guise de réponse, elle a sorti Agnes von Krusenstjerna de la bibliothèque et, pendant qu'ils prenaient le café en fumant, elle lui a lu un passage des *Demoiselles von Pahlen* qu'ils avaient adoré à l'époque, celui qui parlait de la désagréable institutrice Bell qui «*regardait les femmes comme un homme les regarde : avec passion et désir brûlant. Pour elle il était tout naturel de désirer une jeune femme, son corps suave et florissant. Elle était née avec cette malédiction dans son sang…* ».

Bell, cette créature malheureuse et corrompue qui répandait la mort et la trahison autour d'elle, où qu'elle aille.

«*Elle ressemblait à l'une de ces fleurs rouge pâle qui prospèrent dans les marécages et enfoncent leurs racines gluantes toujours plus en profondeur dans la fange. Elles fleurissent au soleil, la tête hors de la surface lisse de l'eau, tandis qu'elles puisent toute leur subsistance et toute leur vie dans la gangrène sombre et souterraine à laquelle elles sont soudées.* »

Tels étaient les invertis.

Rasmus a eu beau rire et My travestir sa voix en lisant, tous deux savaient que Rasmus se sentait exactement comme ça : la tête hors de l'eau, puisant sa subsistance vitale dans la gangrène sombre et souterraine. Quand My a terminé sa lecture, ils n'ont plus rien dit. Avec un frisson, Rasmus a repensé à la drague autour de la Rondelle, aux vieux schnocks qui arpentent en bagnole la Klara pornorra, à tous les mecs qui l'ont baisé et dont il ne connaît même pas le nom, à ce que ni My ni qui que ce soit ne saura jamais – et enfin à cette fange, à cet immondice : ainsi donc il devrait en puiser sa fierté pour la jeter à la figure de ses parents.

Dans la soirée, Sara a piqué sa crise et hurlé qu'elle exigeait de savoir ce qu'il ruminait. Rasmus a perdu la boule, se précipitant dans sa chambre et fermant la porte à clé.

Il a passé sa nuit en position fœtale, à pleurer. Avec l'impression d'être né trop tôt et sans peau. Avec un désespoir grandissant, avec la certitude croissante d'être incapable de quoi que ce soit.

Comme il avait peur ! Comme il était terrorisé !

Les cloisons de son ancienne chambre se sont soudain abattues sur lui, toute son enfance s'est abattue sur lui : ce Koppom de merde, cette école de merde, cet Erik de merde et ces camarades d'enfance de merde qui d'ailleurs n'étaient pas des camarades mais des démons, voilà ce qu'ils étaient. Ils se sont tous abattus sur lui, alors qu'il était blotti par terre en train de pleurer.

Il savait qu'au matin son père et sa mère viendraient frapper à sa porte, plus anxieux que jamais avec leur foutu plateau d'anniversaire et leurs foutus cadeaux, redoutant de faire la moindre gaffe. Et il savait aussi qu'il allait encore une fois les décevoir – sauf que cette fois ce serait d'une manière définitive et qu'ensuite il ne serait peut-être même plus leur fils.

Quand il a entendu leurs pas furtifs dans la cuisine, leurs chuchotements, le raclement des chaises contre le plancher et le craquement des portes de placard ouvertes puis fermées, il a eu la sensation que le dernier barrage cédait en lui.

Il est resté sans ciller quand ils ont chanté «Joyeux anniversaire, nos vœux les plus sincères», sans ciller quand ils l'ont appelé, quand ils ont frappé et tambouriné à la porte verrouillée.

Il a fini par se lever pour ouvrir.

Il s'est montré tel qu'il était.

Il les a fixés de ses yeux creux.

Un bref instant, un détail des *Demoiselles von Pahlen* est passé dans son esprit. Quand la mère adoptive de Bell meurt, le cœur brisé, en comprenant que Bell a trahi son amour et sa confiance avec sa sexualité déviante et déplacée.

De la même façon, il s'est préparé à trahir l'amour et la confiance de ses parents.

Puis il l'a dit.

Sans fioritures.

Et il les a anéantis, eux qui se tenaient devant lui avec leur plateau ridicule et leurs cadeaux ridicules.

«Je suis homosexuel. Voilà. Maintenant vous êtes au courant.»

Chacun a une histoire particulière liée à son coming out.

Voici celle de Rasmus.

Le train approche de Södertälje.

Sara a fait leurs bagages à la hâte et range maintenant les deux sacs dans le coffre de la voiture. L'angoisse cogne dans son corps. Tout ce qu'elle voudrait dans le fond, c'est crier. Mais, voyant Holger dans son jardin, elle s'abstient. Elle ne doit rien laisser paraître.

Harald verrouille la porte. Il est tout pâle.

– On a vraiment besoin d'emporter tout ça ? demande-t-il, soucieux.

– Il nous faut bien des vêtements de rechange, riposte Sara. J'ai aussi pris de quoi manger, des fruits, du chocolat, des trucs comme ça. Il ne s'agirait pas de manquer.

Holger s'approche de la clôture. Il affiche un sourire amusé en entendant leur chamaillerie familière.

– Tiens, vous repartez en vadrouille ? Il me semble pourtant que Sara est allée à Karlstad pas plus tard qu'hier…

Les convenances veulent que Harald vienne à son tour le saluer devant la clôture un petit instant. Après tout Holger est leur meilleur ami dans le village.

Il rit, sans raison.

– Eh oui, hé hé, on n'arrête pas de bouger…

– Là on va à Stockholm, lance Sara depuis la voiture en s'efforçant d'avoir une voix joyeuse. On va voir Rasmus.

Holger acquiesce, impressionné.

– Voyez-vous ça, la capitale du royaume ! Ben dis donc, on ne se refuse rien !

Retrouvant son sérieux après un rire bref, il reproche à Harald de rater la répétition de la chorale ce soir.

– Oui, bon, vous devrez vous passer de moi, répond Harald, gêné.

– Il va bien, Rasmus, au fait ? Ça fait longtemps qu'on ne l'a pas vu…

Tant Sara que Harald se figent.

– J'ai cru comprendre qu'il partage un appartement avec quelqu'un ? Un autre garçon, à ce qu'il paraît ?

– Benjamin, oui… Un bon garçon ! crie Sara qui surveille étroitement la conversation pour qu'elle ne prenne pas des chemins inopportuns.

Harald tient autant qu'elle à ne pas ouvrir la porte à d'autres questions.

– Tu sais, dit-il en mimant l'indignation, c'est quasiment impossible de trouver un appartement à Stockholm.

Comme si c'était une plaisanterie, il pousse un rire qui ressemble plus à une expiration bruyante.

Holger continue sur sa lancée, sans y prêter attention.

– Eh oui, ça fait pas mal d'années qu'il y vit maintenant, Rasmus. Il y est parti en… 1982, non ? Et dire qu'on change bientôt de décennie. Mon Dieu, le temps passe tellement vite… Il s'appelle Benjamin, c'est ça ? Le copain de Rasmus ?

– Sans parler des loyers ! l'interrompt Harald en éludant la question de Holger. Un F1 dans le centre de Stockholm coûte autant qu'une villa ici. C'est pour ça que… pour partager le loyer…

Harald se tortille et biaise. Holger semble s'en rendre compte, il change poliment de sujet.

– Dis donc, c'est terrible ce crash d'avion à Oskarshamn.

– Oh oui, s'écrie Harald avec ferveur. Tu vois, ce Hans Rosengren, le député du Värmland, je l'ai rencontré plusieurs fois. C'était vraiment quelqu'un de bien.

Installée au volant, Sara a déjà démarré.

– Bon, on y va, Harald ! Sinon on n'arrivera jamais à temps. Si tu veux bien je conduis, tu prendras le relais après.

Il hausse les épaules pour montrer à Holger qu'il est attendu et se dirige d'un pas rapide vers la voiture. Holger, toujours près de la clôture, les regarde partir.

La voiture part. Installés dans la vieille Opel, Harald, Sara et Rasmus.

Sara se retourne et sourit à son fils.

– Tu es bien installé, mon Rasmousse au chocolat ?

Ils ont rempli la voiture. Sara a déplié des couvertures sur le siège arrière pour que ce soit bien confortable. Jetant un coup d'œil dans le rétroviseur, Harald renifle.

– Il ne devrait pas rester assis sur les couvertures. C'est trop mou, il va être malade.

Sara se retourne de nouveau vers Rasmus.

– Je t'ai mis un pot de chambre si tu sens que tu veux vomir. Tu le vois ?

– Enfin ! s'écrie Harald joyeusement. On va à la mer !

Sara aperçoit Holger en train de tondre le gazon de l'autre côté de la clôture.

– Regarde, c'est tonton Holger ! Fais-lui coucou, mon chéri !

Par les vitres ouvertes, Rasmus et Sara agitent la main en direction du voisin qui arrête sa tondeuse pour à son tour faire coucou à la famille heureuse.

C'est une belle matinée de début d'été. Et ce sera une belle journée tout du long.

Les chagrins et les malheurs à venir sont encore très loin.

Inconcevables.

Hans Rosengren, le futur député du Värmland, a presque trente ans et encore de nombreuses années devant lui avant qu'il ne monte dans l'avion qui va s'écraser à l'approche d'Oskarshamn. Sara et Harald ont tout autant de temps devant eux avant qu'ils ne soient priés de se rendre le plus vite possible à Stockholm pour pouvoir faire leurs adieux à leur fils mourant.

La voiture part. La tôle rouge scintille au soleil. Holger les regarde s'éloigner. Il sourit et continue de passer la tondeuse dans son jardin.

L'amphithéâtre où se déroule la représentation se situe au deuxième étage, juste à gauche du grand escalier en pierre qui traverse le bâtiment de la cave au grenier. Cet ancien lycée du quartier de Helgalunden abrite l'École supérieure de Théâtre de Stockholm depuis que, dix ans plus tôt en 1976, l'enseignement y a été déplacé de la Cité du Cinéma à Solna.

Bengt est en train de se maquiller. En réalité il est déjà prêt, mais ces minutes d'oisiveté le calment, minutes qu'il met à profit en se regardant dans le miroir, en remettant de temps en temps un peu de poudre sur son visage bien que ce ne soit pas nécessaire. Avec des gestes lents, paresseux, pensifs presque. Comme si aucun danger ne planait, comme si rien de spécial n'allait se produire.

En cet instant, ici et maintenant, il tient ses rêves dans le creux de sa main.

Aujourd'hui peut-être que sa vie va prendre un tour déterminant, il le sait très bien, c'est ainsi – mais il essaie de ne pas y penser.

Il respire par le nez, avec calme et régularité. Il sait qu'il doit endiguer la nervosité. Il croise son regard dans le miroir, passe le tampon sur sa joue.

Il entend à travers la cloison le public peu à peu se rassembler dans la pièce d'à côté, le brouhaha des voix assourdies lui parvient. Un ravissement éclôt dans son ventre, en contact étroit avec la panique. Raison de plus pour adopter cette respiration particulière, pour fixer son reflet dans le miroir, pour prolonger l'instant.

Il ne peut pas se payer le luxe de flancher, sans quoi il dériverait tel un objet perdu dans des eaux impétueuses. Il ne peut pas se permettre de relâcher sa concentration, il ne peut pas se permettre d'avoir peur, pas maintenant.

Ce sera bientôt fini.

Après, il n'aura plus jamais peur.

Tant de fois ses camarades de classe et lui ont grimpé cet escalier en marchant, en courant, pour rejoindre l'amphithéâtre ou l'un des locaux de répétition à l'étage du dessous, ou encore le studio de danse tout en haut où règne Mercan, ainsi qu'on surnomme la chorégraphe Mercedes Björlin, l'ex-femme du chef d'orchestre Ulf Björlin avec qui le chanteur Sven-Bertil Taube se produisait. Elle a toujours été sa professeure préférée.

Voilà trois ans que sa classe vient ici, six garçons et six filles qui ont trimé et répété ensemble, bringué et pleuré ensemble. Quand il pense à la Scenskolan, il a l'impression d'y être entré hier et en même temps il y a une éternité – et dire que l'heure de la représentation de fin d'études vient de sonner. C'est maintenant qu'il faut être à la hauteur.

Ils vont se montrer, s'exhiber. Ils seront choisis ou rejetés, soupesés, mesurés, observés, comparés. Ils sont camarades et rivaux. C'est maintenant que les rôles vont être décrochés.

Pour cette représentation de fin d'études, ils ont écrit à tous ceux qui leur venaient à l'esprit, aux directeurs de théâtre et metteurs en scène, aux comédiens qu'ils aiment bien, aux gens qu'ils veulent voir dans la salle, autant de personnes susceptibles de les faire travailler.

Dans la salle le public attend. Quelques élèves de deuxième année viennent leur indiquer qui a déjà pris place sur les gradins.

Lars Edström est arrivé, le directeur du Théâtre de la ville de Stockholm. Tout comme l'acteur et metteur en scène Keve Hjelm, ainsi que ses collègues Björn Melander et Suzanne Osten – à qui tout le monde a écrit, et Bengt plusieurs fois, elle lui a répondu par deux longues lettres manuscrites ! Plusieurs directeurs de théâtres municipaux des quatre coins du pays ont fait le déplacement pour assister à la représentation, celui du Riksteatern est lui aussi présent, deux producteurs de pièces radiophoniques sont là, quelques scénaristes de la télé, des critiques de *Dagens Nyheter*, de *Svenska Dagbladet* et d'*Aftonbladet*. Seul manque à l'appel, sans qu'on sache pourquoi, le directeur du Dramaten ; c'est une grande déception.

Bengt s'observe dans le miroir de star.

Il partage la «loge» tout en longueur avec les autres garçons. En fait de loge, il s'agit juste d'une pièce où des miroirs de maquillage ont été installés. Celle des filles est identique, la porte entre les deux pièces reste ouverte, tout le monde passe de l'une à l'autre, sans arrêt. Au bout, une fenêtre ouverte.

Dehors, la journée d'été paraît inouïe. Et rien que ça, c'est comme une promesse. La promesse que quelque chose de tout aussi inouï est sur le point d'advenir.

Toute sa vie est sur le point d'advenir.

Dans le morceau *Alice*, le groupe Mott the Hoople chante : «*It's a long way to Broadway for a 42nd lay – or is it really just a couple of blocks away ?*»

Cette phrase très précise, Bengt a l'habitude de la fredonner chaque fois qu'il attend d'entrer en scène. Elle le rend joyeux. C'est son secret, l'endroit d'où il vient et le lieu où il va.

La classe va présenter *La Mouette* d'Anton Tchekhov. Bengt y tient le rôle de Constantin, jeune homme aux ambitions d'écrivain qui vit dans l'ombre de sa mère, une célèbre actrice. Dans le dernier acte, il se tue d'un coup de revolver. La pièce se termine ainsi, et par la réplique : «*Constantin Gavrilovitch vient de se tuer.*»

Bengt sent son cœur battre.

Il pense : Mon cœur ne va jamais cesser de battre.

La semaine précédente, Bengt s'est présenté à l'accueil. La secrétaire médicale un peu fofolle lui a gentiment demandé de s'asseoir en attendant qu'on l'appelle. On l'a invité à répondre pendant ce temps à un questionnaire sur ses pratiques sexuelles.

Dans la salle d'attente il a salué d'un signe de tête un homme qui pouvait venir d'Iran ou d'Irak. Il ne lui a pas adressé la parole. Il s'est dit que c'était le genre d'endroit où on garde le silence.

«Combien de partenaires sexuels avez-vous eus pendant ces douze derniers mois ?» Puis un nombre de cases. Amusé, il a sondé sa mémoire. Avec un petit rire, il a coché la dernière : «Vingt ou plus.» Quelle traînée ! Il n'aurait sans doute pas dû en être fier, et pourtant il l'était.

Et le voici à présent seul devant son miroir, dans la loge des garçons. Mado se profile dans la porte entrouverte.

– Ah, tu es là ! Allez, amène-toi, Bengt, tout le monde t'attend ! Lever de rideau dans deux minutes !

Le moment est donc venu et ne peut plus être repoussé à plus tard. Eh bien, d'accord. Qu'il en soit ainsi.

Quand sur les planches il incarne quelqu'un d'autre, il est toujours plus lui-même que nulle part ailleurs.

En cet instant précis, il n'a pas peur du tout. Il est heureux et serein.

Sans quitter son reflet des yeux, comme quelqu'un d'extrêmement concentré, il répond qu'il arrive.

Il ferme les yeux, respire à fond et se lève.

– «*It's a long way to Broadway for a 42nd lay – or is it really just a couple of blocks away ?*» murmure-t-il pour lui-même tandis qu'il va rejoindre les autres. Il est heureux !

À l'automne 1984, le test de détection des anticorps du HTLV-3 est devenu accessible en Suède. Cependant, la méthode utilisée étant chère et compliquée, on pratiquait plutôt sur les personnes qui se tournaient vers la médecine un test cutané pour contrôler leur défense immunitaire et, si celle-ci était déprimée et s'il y avait donc suspicion de contamination, on poursuivait avec le véritable test de dépistage.

Un an plus tard, grâce à la mise sur le marché de ce test et par conséquent grâce à son développement, la Direction nationale de la Santé et des Affaires sociales publiait des incitations dans le journal gay *Reporter* : «*Fais le test avant de partir en vacances !*» Le journal, qui a remplacé *Revolt* et *Magasin Gay* pour devenir *la* publication gay de Suède, était d'ailleurs presque entièrement financé par la publicité des annonceurs tels que l'Association suédoise pour l'éducation sexuelle, la RFSU, les fabricants de préservatifs, le service de consultation MST Venhälsan, la Direction nationale de la Santé et des Affaires sociales, la Délégation sida et l'association de lutte contre le sida Noaks Ark.

Les avis étaient partagés parmi les pédés sur la pertinence de faire le test ou pas. À quoi bon si de toute façon il n'y avait pas de remède ? Surtout dans un contexte où des voix s'élevaient pour réclamer le dépistage obligatoire et l'internement forcé des séropositifs.

Le centre Venhälsan, à l'hôpital Söder, proposait toutefois un dépistage anonyme. On vous donnait une carte de patient portant uniquement un numéro, sans mention de nom ou de numéro de sécurité sociale.

Et c'est muni de cette carte blanche frappée du numéro anonyme que Bengt a suivi un infirmier jusqu'à la petite pièce où s'effectuait le prélèvement.

– Voyons voir, ça va piquer un peu… a prévenu l'infirmier avant de planter l'aiguille dans le pli du coude et de remplir un tube de sang.

Bengt l'a regardé avec un frisson involontaire. Il était si beau, son sang.

Les membres de la troupe forment un cercle, se tiennent les mains, crient leur petite formule magique rituelle :

– Bite, niquedouille, couille ! Chatte, califourchon, con !

Le régisseur annonce que les portes sont fermées et que le spectacle peut commencer.

– Si tout le monde veut bien prendre place.

Un frémissement les parcourt, de gravité et de vérité. Ils ne peuvent plus rien reporter.

Le cercle se disperse.

Bengt leur lance un ultime encouragement :

– OK, tout le monde, amusez-vous bien !

Certains lui répondent par un regard nerveux.

Quand les lumières dans la salle s'éteignent, l'obscurité est totale pendant quelques secondes. Les comédiens qui jouent Macha et Medvedenko dans la première scène en profitent pour se mettre en place. Ils se positionnent devant un petit théâtre amateur en bois, rideau baissé.

Celui qui interprète Medvedenko déclare :

– *«D'où vient que vous soyez toujours en noir ?»*

Et celle qui interprète Macha répond :

– *«Je porte le deuil, je pleure ma vie perdue.»*

Lars-Åke, penché sur la cuvette des toilettes, se gargarise, crache, se fend d'une vilaine grimace et tire la chasse d'eau.

Ces putain de chiottes, il en est venu à les haïr !

Toutes ces diarrhées qui ont dégouliné de lui, tout ce sang qu'il a chié, toutes ces crampes qui l'ont fait hurler de désespoir, arc-bouté contre les murs. Hurler pour obtenir grâce, hurler qu'il se rend, hurler qu'il avouera n'importe quoi – pourvu qu'on lui épargne cette souffrance.

Il tire chaque fois la chasse avec un frisson et une vaine prière pour que ça s'arrête enfin, pour que le siphon emporte les derniers restes de la maladie, maintenant, tout de suite.

Il hait ces murs jaunasses ! Ils devraient les repeindre. Mais il haïrait sans doute tout autant la nouvelle couleur. Et l'odeur… Cette puanteur lui donne envie de dégueuler. Elle aussi il la hait.

Tout comme il hait les carreaux au-dessous du lavabo, qu'il regarde faute de mieux quand il siège sur la lunette, son propre trône royal insolite. Et il hait leur nouveau papier-cul : ça a beau être le plus doux qu'on trouve dans le commerce, il ne peut plus l'utiliser pour s'essuyer. Pas lorsque son anus est réduit à l'état de plaie béante et rouge et que son rectum n'est qu'une muqueuse expulsée et sanguinolente, aussi brûlante que le feu même sous l'eau tiède de la douchette quand Seppo essaie de le laver. Mon Dieu, ce qu'il se sent humilié, gisant sur le sol de la salle de bains, pleurant et haletant pendant que Seppo lui lave les fesses comme un nourrisson, le talque, le poudre, l'enduit de pommade.

Il est allé jusqu'à haïr Seppo, son grand amour. Jusqu'à se haïr lui-même.

Et là il est en train de cracher dans ces putain de chiottes. Et encore, il ne traverse pas une si mauvaise période. Elle est, dans l'ensemble, plutôt bonne. Puisqu'il ne souffre en ce moment que de ces diarrhées à répétition qui le fatiguent tant et de ce muguet dans la bouche, qui lui donne l'impression de se prendre des coups de couteau dès qu'il mange.

Ce n'est pas grand-chose. On peut vivre avec.

On doit se montrer reconnaissant. Prendre soin de ce qui est presque normal.

À commencer par ce soir. Seppo, son vieux Finlandais adoré, Paul, ce grand fou, et Bengt le prodige sont installés dans le canapé devant la télé. Ils grignotent des cacahuètes et des chips en buvant des gin tonics, prêts à regarder *Dynastie* en VHS, étant donné que la télévision publique s'est mis en tête de ne diffuser que trois saisons du soap américain et s'est abstenue d'acheter les épisodes des dernières années. Une manifestation évidente d'homophobie, à en croire Paul.

Il secoue la tête de colère quand il y pense.

– *Falcon Crest* ! Ces connards ne trouvent rien de mieux que de nous refourguer *Falcon Crest* ! Alors que pour une fois on nous propose un vrai feuilleton de qualité. Mais non, ce n'est pas assez bon pour ces crétins.

Sur ce, Seppo et Paul se disputent pour savoir ce qui vaut le coup d'être regardé à la télé, jusqu'à ce que Paul, impatient de commencer la séance, appelle Lars-Åke :

– Tu peux nous dire ce que tu fous ?

Lars-Åke surgit sur le seuil de la porte, grimace.

– De la xylocaïne. Ça calme la douleur dans la bouche.

Paul lève les yeux au ciel.

– Ah écoute, non. Tu ne vas pas nous bassiner avec tes vieux champignons ! Les champignons, ça se mange, ça ne se cultive pas ! Lâche-nous la grappe avec ton sida et viens plutôt t'asseoir. *Dynastie* va lancer sa première rafale, j'ai déjà ôté le cran de sécurité.

D'un geste menaçant, il les vise avec la télé-commande. Lars-Åke se traîne dans la pièce en pantalon de jogging et s'assied dans le canapé, entre Seppo et Bengt. Il pose le flacon de xylo-caïne sur la table devant lui.

Paul rit.

– Ha ha, je vois que tu as apporté ta petite gnôle.

– Vous savez ce que j'ai lu ? dit soudain Seppo. Il paraît qu'à San Francisco certains ont guéri simplement en mangeant des vitamines.

– Nan ?! fait Bengt, intrigué, avant de boire une gorgée de gin tonic d'un verre posé sur la table.

Lars-Åke lève la main comme pour l'arrêter dans son élan. Seppo poursuit, insouciant :

– Je vous jure que c'est vrai. D'autres ont suivi un régime macrobiotique. Et eux aussi ils sont guéris.

Bengt pose le verre et s'essuie la bouche.

– Mais c'est génial !

– Euh, c'était mon verre… précise Lars-Åke à voix basse.

Bengt sursaute malgré lui.

– C'était le tien ?

Les larmes lui viennent aux yeux, il se met presque à trembler.

– Mais ce n'est pas grave, ça n'a aucune impor-tance, tu le sais ! le calme Lars-Åke, qui à son tour boit une gorgée du même verre.

– Bien sûr que je le sais ! bégaie Bengt, en esquissant un sourire.

Il a l'air terrifié et perdu à la fois.

– Vos gueules ! rugit Paul. Ça commence.

Il appuie sur *play*. Le générique de *Dynastie* défile sur l'écran.

– Ce n'est pas que…

Constatant que Lars-Åke a été blessé, Bengt cherche à l'amadouer et pose une main sur la sienne. Un contact aussi léger qu'une plume.

– Lars-Åke !

– Ça ne fait rien. Je comprends.

Ce dernier pose son autre main sur celle de Bengt et la serre, comme il se doit à un ami plein de sollicitude – mais ce qui ressemblait à une soirée on ne peut plus ordinaire vient de se transformer en tout autre chose.

La crainte de la contamination s'est glissée entre eux.

Les mains qui serrent la sienne sont chaudes et moites de sueur ; ce que Bengt voudrait par-dessus tout en réalité, c'est la retirer et aller se laver.

Paul appuie sur *pause*.

– Bon, elles peuvent se taire, les deux, là ? Un peu de respect ! Je vous rappelle qu'on ne fait pas que regarder la télé, on vit une expérience re-li-gieuse.

Tout à coup Bengt se dégage, se lève vivement, sort sur le balcon.

Il s'appuie contre la rambarde. Respire profondément. Inspire. Expire. Crache dans la rue en bas.

Il crache et crache et crache. Il crache à en avoir la bouche sèche.

Lars-Åke le regarde tristement. Il serre les mains.

Ses mains chaudes, moites de sueur, contaminées – il les serre tellement fort que les jointures blanchissent.

« Il est temps d'arrêter de jouer ! C'était possible autrefois, mais aujourd'hui la baise peut nous faire crever. C'est comme une révolution : il y a un avant et un après. »

Geo von Krogh, un médecin lui-même homosexuel, ne mâchait pas ses mots dans une interview au journal *Magasin Gay*. Le titre était justement : *Il est temps d'arrêter de jouer !*

Ces années. Le moindre changement dans l'état de santé (une légère rougeur, des ganglions gonflés, une éruption cutanée, une simple plaie ou une sensation de fatigue), n'importe quoi suffisait à déclencher une véritable panique en chacun d'eux.

Pendant une période, Rasmus exigeait que Benjamin et lui ne partagent pas la même couette.

Comme si une couette commune constituait un risque potentiel.

Ou, pour paraphraser une publication gay : *«Chaque pédé semble craindre qu'il a ou qu'il aura le sida.»*

Bengt, sous la lumière des projecteurs, dans le rôle de Constantin – et tout le public qui s'avance pour ne pas rater la moindre de ses syllabes. Il est la star de la classe. Tout le monde le sait. Les personnes présentes aujourd'hui pourront un jour se vanter d'avoir assisté à la représentation. Ils pourront dire, avec une nonchalance un peu feinte : «J'ai vu Bengt Forsgren dans sa première pièce…»

Il effeuille une fleur.

– *«Elle m'aime – elle ne m'aime pas – elle m'aime – elle ne m'aime pas.»*

Tous les pétales sont enlevés, il agite la tige de la fleur et son pistil mis à nu.

– *«Tu vois bien. Ma mère ne m'aime pas. Parbleu ! Elle veut vivre, aimer, porter des chemisiers clairs, et mes vingt-cinq ans lui rappellent constamment qu'elle n'est plus jeune.»*

– Ça, c'est bien vrai, murmure Paul sur les gradins, sans doute un peu trop fort.

Seppo le fait taire en lui pinçant la cuisse.

Dagens Nyheter prétendait dans ses colonnes qu'un petit groupe d'homosexuels sans scrupules, par vengeance et par haine envers tout et tout le monde, propageait sciemment le virus.

Lars-Åke estimait que le journal mentait, que leur journaliste vedette Peter Bratt mentait ; celui-là même qui décrivait avec force détails les «*copulations*» des pédés.

En vérité, la plus grande angoisse de Lars-Åke depuis la découverte de sa séropositivité n'était pas de mourir, mais de contaminer quelqu'un, de lui transmettre le virus HTLV-3 – ou le VIH, comme il allait s'appeler plus tard.

Parmi ses connaissances, la quasi-totalité des séropositifs comme lui avaient cessé toute forme de sexualité. Ils n'aimaient plus leur propre corps.

Il leur semblait avoir un assistant social perché sur l'épaule qui leur chuchotait «Tu n'as pas le droit de faire ci ! Tu n'as pas le droit de faire ça !» chaque fois qu'ils approchaient quelqu'un. Il est beaucoup plus difficile de se laisser aller quand on doit sans arrêt surveiller ce qu'on fait, alors autant s'abstenir.

Lars-Åke ne voulait même plus se branler. Il ne voulait plus voir son sperme contaminé.

Il avait tellement peur, il éprouvait un tel dégoût de lui-même.

Il avait en horreur son sperme, son sang, sa salive, son urine, ses excréments ; toutes ces matières qui s'écoulaient en et hors de lui, impures, pour certaines contaminées.

Son pire cauchemar, si cette enflure de Peter Bratt lui avait posé la question, aurait été de se faire renverser par une voiture et, ensanglanté et amoché, d'être obligé de crier : «Ne me touchez pas, éloignez-vous de moi, je suis contaminé !»

Car c'est ce qu'il aurait fait. Il aurait crié, hystérique, comme les lépreux dans la Bible quand quelqu'un s'approchait : «*Impur ! Impur !*»

La première année, il n'arrivait pas à dormir sans somnifère. Impossible de penser à autre chose. Dans la journée, il lui arrivait d'avoir des crises de larmes incontrôlables. Il a dû se mettre en congé maladie parce qu'il n'osait plus aller travailler. *«Des homosexuels sans scrupules qui par vengeance et par haine envers tout et tout le monde propagent sciemment le virus !»* Va te faire foutre !

Le dentiste de Lars-Åke a du jour au lendemain refusé de le recevoir. À l'hôpital, il a été accueilli par un personnel qui globalement n'osait pas le toucher, il a été soigné par des médecins qui lui expliquaient en substance : «Ton truc, là, comme quoi tu es homosexuel, il faut que tu y renonces immédiatement !»

Quand il est revenu sur son lieu de travail après le premier congé maladie, l'ensemble de ses collègues avaient signé une pétition contre son retour. Il a bien tenté de faire appel de cette décision, mais a dû finalement accepter sa mutation à un autre poste.

Il a fini par prendre des plaquettes de somnifères et des comprimés de paracétamol, quarante de chaque au total, plus une bouteille de whisky, et s'est enfermé dans sa chambre. Mais quelque chose a dû mal fonctionner car il s'est aussitôt mis à vomir.

À son retour, Seppo l'a trouvé soûl, baignant dans son vomi. Quand il a compris ce que son amoureux avait eu l'intention de faire, il a piqué une telle colère que Lars-Åke a dû promettre de ne plus jamais, jamais recommencer.

Bengt se tient sur scène, il est Constantin dans *La Mouette*. Il est lumineux. Il scintille.

C'est maintenant que sa vie commence.

Il est Constantin et il dit :

– *«Ma jeunesse m'a été arrachée brusquement,*

il me semble qu'il y a quatre-vingt-dix ans que je
suis au monde. Je vous appelle, je baise la terre
que vous avez foulée... »

Il frissonne en prononçant ses répliques. Il est comme parcouru d'un tremblement. «Ma jeunesse m'a été arrachée brusquement...»

Il ferme les yeux, respire profondément par le nez, expire.

Ça n'arrivera jamais. Ça ne peut jamais arriver. Ça ne doit jamais arriver.

LES PÉDÉS SONT DES ASSASSINS QUI RÉPANDENT LE SIDA !

Ils ont fait semblant de ne pas voir le graffiti bombé sur le mur de l'immeuble d'en face, qu'ils ne pouvaient pourtant pas éviter en sortant du club. Ils se sont contentés de se taire et de hâter le pas.

Sur la façade de l'immeuble suivant figurait : SIDA = JENNY/ETC et À MORT LES PÉDÉS.

Il ne faisait pas de doute que les auteurs de ces insultes pensaient chaque mot. Rasmus et Benjamin ont continué de marcher, mais ils se sont lâché la main et, sans le vouloir, ont fait un pas de côté pour s'éloigner l'un de l'autre.

Voilà ce que l'outrage faisait d'eux. Il les transformait en poltrons.

Car Rasmus et Benjamin avaient toutes les raisons d'avoir peur. Non ?

La presse venait de révéler qu'une commission VIH, le soi-disant Triangle de fer constitué notamment du juriste Åke Lundborg et de Johan Anell, respectivement président et premier juge près du Tribunal administratif de Stockholm, ainsi que de Carl Fredrik De Ron, médecin en charge de la Veille sanitaire également à Stockholm, avait rompu le secret médical et commencé à répertorier les personnes contaminées et les médecins travaillant sur le VIH qui étaient gays. Hans Strindlund, instructeur de la police et proche de la commission, donnait son avis dans une interview : «*Il nous faut sévir plus durement contre ceux qui sont infectés. On pourrait avoir l'impression de se retrouver dans l'Allemagne nazie, mais c'est plus compliqué qu'il n'y paraît.*»

En décembre 1987, le journal *Reporter* rapportait que le conseil du comté de Stockholm projetait d'aménager un «camp VIH» destiné à interner de force les séropositifs sur l'île d'Adelsö, dans le lac Mälaren.

La société ne pouvait donc offrir ni remède ni soulagement ni consolation aux personnes atteintes de la maladie ; au contraire, celles-ci se voyaient menacées de fichage et d'internement.

On ne voulait pas dépister les pédés pour les aider, mais pour s'en protéger. N'est-ce pas ?

Quelques décennies plus tôt, des homosexuels avaient été exterminés dans les camps de concentration nazis. Le triangle rose qu'ils étaient forcés de porter pointe vers le bas était désormais fièrement arboré pointe vers le haut par les militants homos, pour ne pas oublier, pour ne pas un seul instant croire que ça ne pouvait pas se reproduire.

L'autre peut vous piétiner pour peu que vous vous penchiez.

Silence = mort.

À la fin de *La Mouette*, Constantin retrouve Nina, son grand amour qui l'a quitté pour Trigorine, un écrivain reconnu d'un certain âge, et pour le rêve d'être admise au théâtre. Nina est seule et amère. Trigorine s'est servi d'elle et l'a abandonnée. Elle fait partie de la troupe du théâtre, mais aucun de ses rêves ne s'est réalisé.

Constantin parle pourtant d'elle avec amour :

– «*… partout je vois votre visage et ce doux sourire qui a illuminé les meilleures années de ma vie…* »

Bengt fait un clin d'œil à Mado qui interprète le rôle de Nina. Avec Paul et les autres mecs de leur petite bande gay, elle fait partie de ses meilleurs amis. Ils se sont trouvés pendant les épreuves d'admission. Ensuite ils se sont accompagnés et poussés l'un l'autre, ils se sont lancé des défis et donné la réplique : elle a été sa Juliette, son Ophélie, sa lady Macbeth. Et à présent, elle est sa Nina.

À deux doigts de la syncope, elle dit :

– «*Pourquoi dit-il cela ? Pourquoi ?*»

Et Constantin de répondre sans hésiter :

– «*Je suis seul, sans aucune affection, j'ai froid comme dans un souterrain. Tout ce que j'écris est sec, dur, sombre. Restez ici, Nina, je vous en supplie, ou permettez-moi de partir avec vous !*»

Mado dans le rôle de Nina se coiffe à la hâte d'un petit chapeau coquet et entoure ses épaules d'un boa bon marché ; de toute évidence elle se prépare à partir.

Constantin se désespère.

– «*Nina, pourquoi ? Nina, au nom du ciel…*»

Il ne veut plus qu'on l'abandonne. Il ne veut plus jamais qu'on le quitte.

— Et voilà ! a lancé l'infirmier en ôtant ses gants de protection, avant de gratter sa barbe blonde.

Constatant sa gaîté aussi étrange qu'indéfectible, Bengt n'a pu s'empêcher de se demander ce que son travail dans ce putain d'hôpital de la mort avait d'aussi plaisant.

— C'est plus fort que moi, il faut toujours que je me gratte la barbe dès que j'ai enlevé les gants, a ajouté l'infirmier dans un éclat de rire. Mais ils sont assez commodes, ces gants en latex, y a pas à dire. Pour se mettre un doigt dans le cul, par exemple. Ça évite la merde. Je peux t'en donner, si tu veux !

Face à la boîte contenant les gants à usage unique qu'il lui tendait, Bengt en a poliment pris quelques-uns. Peut-être voulait-il simplement atténuer la gravité avec sa joie. Il s'est dit qu'il allait s'en souvenir pour son travail théâtral : se montrer léger et joyeux dans une tâche aussi lourde et funeste.

L'infirmier a continué son bavardage :

– C'est dingue la quantité de plastique dont on a besoin pour baiser de nos jours. Même quand on lèche un cul, il faut du film plastique. Figure-toi que les goudous se mettent des petits bonnets en caoutchouc sur les doigts pour se protéger quand elles baisent. Pourquoi ? Ça, mystère… Elles ne sont pas dans ce qu'on appelle les groupes à risque. Je veux dire…

Bengt s'est borné à sourire. Il était content d'être allé à Venhälsan où ne travaillaient globalement que des pédés et des filles à pédé. Content de cet infirmier à la barbe et aux cheveux blonds et fins, une vraie pipelette, un type de prime abord très brouillon, mais qui en même temps manipulait les aiguilles, les tubes de sang – contaminé ou pas – et le reste avec un grand professionnalisme.

– On aura la réponse dans une semaine ! lui a-t-il fait savoir – et on aurait cru qu'il trouvait ça excitant. Tu reviens chercher le résultat ou tu préfères qu'on te l'envoie par la poste ?

– Non, je reviendrai.

Et l'infirmier tout feu tout flammes de s'enthousiasmer :

– Choueeette ! Peut-être qu'on se reverra, dans ce cas…

Après avoir quitté l'hôpital Söder, quand il a dévalé la pente à vélo vers la Ringvägen, le frein n'a pas fonctionné, curieusement ; et Bengt n'est pas parvenu à marquer le feu rouge. Sa bécane a continué à rouler sans qu'il puisse s'arrêter, a franchi le passage piéton et poursuivi sa course en travers de la route où les voitures venaient de démarrer au feu vert et accéléraient droit sur lui.

Un bref instant, il a pensé qu'il allait mourir. Mais, comme par miracle, il a réussi à éviter la première file, et le camion qui roulait sur la deuxième a eu le temps de freiner.

Bengt a senti l'adrénaline fuser en lui. Le chauffeur du camion a baissé sa vitre pour l'insulter.

Mais sinon, il ne s'est rien passé.

Parce qu'il n'allait pas mourir. Il allait vivre.

Matin de Noël 1982 chez Christina. Rasmus et Benjamin sont enlacés sur le matelas de la chambre. Les draps sont en boule au pied du lit. Leurs vêtements forment un tas par terre. Le soleil entre par la fenêtre.

Ils ont dormi ensemble. Et plus que ça. Ils ont fait l'amour.

Ou bien, comme on peut aussi le formuler : ils ont forniqué. Ils ont commis un péché.

Et plus que ça encore. Le monde de Benjamin est anéanti.

Tout est brisé.

Lorsqu'ils se sont embrassés. Que les mains chaudes de Rasmus se sont glissées sous sa chemise. Qu'il a embrassé son cou, sa nuque, sa poitrine. Qu'il l'a doucement déshabillé. Que Benjamin s'est laissé faire.

Rien ne pouvait, au bout du compte, le protéger contre ces mains chaudes ou contre les baisers de cette bouche.

Pas l'attention aimante que sa mère ou son père lui ont toujours portée. Ni les heures incalculables passées à l'École du ministère théocratique, ni les interminables soirées de culte familial. Ni les livres et pamphlets et magazines avec préceptes et recommandations et autres bons conseils pondus par le Collège central à Brooklyn, soigneusement traduits à Arboga puis distribués à toutes les congrégations suédoises.

Rien ne pouvait le sauver. Et il ne voulait nullement être sauvé.

« Je suis tel un bœuf qui va à l'abattage. »

C'est écrit dans la Bible et c'est ce qu'il pense, allongé là dans le lit à côté de Rasmus. À l'exception près que passer à l'abattage ne lui fait plus peur.

Au contraire. Il a envie d'être sacrifié, de mourir et de ressusciter dans ce nouveau moi.

Que va-t-il décider maintenant ? Rentrer chez son père et lui demander si cette fornication était vraiment la meilleure des choses à faire ?

Se décharger de ses problèmes sur Jéhovah en priant et être convaincu qu'Il s'en soucie ?

C'est le conseil donné par le livre *Les Jeunes s'interrogent. Réponses pratiques*, dans le chapitre qui parle de sexualité déviante. Combien de fois n'a-t-il pas lu ce passage, répété telle une litanie, brandi tels un bouclier et une protection contre son entourage.

« Voilà qui "gardera vos cœurs et vos facultés mentales" et vous donnera la "puissance qui dépasse la normale" pour résister à de mauvais désirs. »

C'est écrit dans le livre, mais les auteurs se trompent.

Ça ne l'a absolument pas protégé.

De plus, pour seule puissance «qui dépasse la normale», il a uniquement éprouvé celle qui lui a donné le courage de franchir le pas : d'oser se rendre chez Paul pour le réveillon de Noël, d'oser rencontrer les hommes ayant les mêmes désirs fautifs que lui.

Et surtout : d'oser glisser sa main dans celle de Rasmus et de se laisser mener à travers la ville déserte par cet homme aussi perdu que lui, jusqu'à un endroit où il ne s'était jamais aventuré – pendant que la neige ne cessait de tomber, se posant comme une couverture douce et aimable sur tout et tous.

Il aurait dû être hors de lui, il aurait dû être désespéré. Mais il n'a aucun regret, aucune honte.

Il ne ressent qu'une joie triomphante et une évidence.

Alors que Rasmus dormait encore, Benjamin s'est levé tôt. Comme s'il était pressé. Comme s'il ne pouvait pas attendre de continuer d'exister.

À pas feutrés, il s'est approché de la fenêtre dont il a remonté le store, et il a constaté que la neige avait dû tomber toute la nuit, car sous ses yeux s'étendait la ville, blanche – ce qui pour lui est un signe.

Pendant plusieurs heures il a déambulé dans cette vie totalement nouvelle, dans ce grand appartement inconnu et en désordre.

En général, quand il accomplit son service, il ne réfléchit pas outre mesure aux appartements qu'il voit. Son but est tout autre. Or à présent il regarde autour de lui d'un œil nouveau. Il s'approprie ce qu'il voit.

Il a étudié les tableaux, il a lu les titres au dos des livres, il a feuilleté les mensuels et les magazines qui jonchent la table basse devant la télé, il a essayé le canapé et les fauteuils, il est retourné devant la fenêtre à intervalles réguliers pour avoir l'ultime confirmation qu'une ville radicalement différente de celle d'hier se trouvait devant lui.

Puis Rasmus s'est réveillé et l'a appelé pour qu'il le rejoigne. Il a soulevé la couette, il avait envie de lui. Et Benjamin s'est donné à lui, encore.

Il pense : Me voici, avec mon désir fautif. Et le voici, celui qui me désire !

Après, Rasmus est allongé, la tête sur le bras de Benjamin. Les draps humides de transpiration entortillés à leurs pieds.

– Essaie ! lance Rasmus en riant. Dis «merde» !

Benjamin rit à son tour.

– Non, je ne le dirai pas.

– Dis «saloperie, putain de bordel de merde !» C'est en toi ! Allez, dis-le !

– Désolé. Ça ne risque pas d'arriver.

Benjamin se relève, attrape son débardeur et son slip.

– Tu comprends, c'est inscrit dans mes gènes de ne pas jurer. C'est une chose que je ne fais pas, c'est comme ça. Si tu as envie d'un thé, je vais faire chauffer de l'eau.

Dans les placards de la cuisine il trouve une casserole et des sachets de thé. Emmitouflé dans une couverture, Rasmus le suit, s'assied à la table et allume une cigarette.

– Mais tu as le droit de dire quoi, alors ? Tu peux dire «mince» ?

Benjamin remplit la casserole d'eau et la pose sur la cuisinière. Il réfléchit, comme s'il n'y avait jamais pensé auparavant.

– «Putain», par exemple, je ne le dis pas, constate-t-il. C'est inutile. Et «nom de Dieu», c'est carrément exclu, ça revient à profaner le nom de Dieu.

Benjamin ouvre le réfrigérateur et les placards pour trouver de quoi composer un petit déjeuner. Rasmus sort un pain à la bière, spécialité de Noël.

– Excuse-moi de te poser une question très personnelle, et tu n'es pas obligé d'y répondre, mais... tu as eu le droit de te masturber et des trucs comme ça ?

Benjamin ne semble pas écouter, il cherche des tasses à thé et rayonne lorsqu'il en trouve enfin deux propres. Il y verse l'eau bouillante.

– Oui, ça m'est arrivé. En demandant pardon après.

Il rougit, mais il a aussi l'air heureux. En tant que Témoin, il est tellement habitué à répondre à ce qu'il a le droit de faire et de ne pas faire, à expliquer de quelle manière il se distingue des profanes, que cette question si intime ne lui fait ni chaud ni froid.

– D'un autre côté, ce n'est pas vraiment un péché puisque ce n'est pas de la fornication.

Je veux dire : si jamais ça venait à se savoir, tu ne risquerais pas d'être exclu sous prétexte que tu t'es masturbé. Je pense néanmoins qu'on te conseillerait de le combattre, puisque ça te distrait de Dieu.

– Et tu ne t'es pas senti angoissé de l'avoir fait ?

– Non, mais j'ai toujours demandé pardon après, c'est vrai…

Il se tait comme s'il méditait sur la question, puis il s'illumine :

– Enfin… Un jour, alors que je demandais pardon, je lui ai dit, à Dieu, que j'allais sûrement le refaire.

Ils éclatent de rire.

– Et c'est effectivement ce que j'ai fait ! termine Benjamin avec une désinvolture surprenante.

Cette façon qu'il a d'abord de se taire comme s'il courait après une pensée et ensuite de s'illuminer quand il la rattrape, va devenir une des choses chez lui que Rasmus adorera. Le fait qu'à chaque instant il cherche en toute sincérité et qu'il déborde de bonheur dès qu'il a trouvé ce qu'il cherchait.

Ils boivent leur thé brûlant à petites gorgées.

– Mais ça, maintenant ? demande Rasmus, sérieux tout à coup. Ce que nous faisons ?

Benjamin regarde par la fenêtre. Il semble encore perdu dans ses pensées, comme s'il cherchait réellement une réponse. De nouveau il s'illumine.

– Viens, il faut que je te montre ce que j'ai vu tout à l'heure.

Il entraîne Rasmus devant la fenêtre du salon.

– Regarde toute cette neige qui est tombée ! s'extasie-t-il. On dirait que la ville est peinte en blanc !

Assis à la table de la cuisine, Benjamin regarde une image dans l'un des nombreux magazines des Témoins de Jéhovah toujours à portée de main chez eux.

Il adore ces illustrations. Certaines sont terribles, elles montrent des villes effondrées et des gens fuyant en vain les nombreuses épreuves infligées par Jéhovah : tremblements de terre, inondations, éruptions volcaniques. Mais d'autres, magnifiques, décrivent à quoi ressemblera peu à peu le paradis quand l'humanité entière et les animaux vivront ensemble, comme autrefois dans le jardin d'Éden.

L'image qu'il contemple en ce moment représente une famille avec le papa, la maman et les enfants qui se reposent près d'une sorte de lac alpin. Dans le fond, un lion est paisiblement couché à côté d'un agneau en train de brouter.

La mère de Benjamin regarde par-dessus son épaule.

– Tu te rends compte, Benjamin ? Bientôt le monde sera comme ça, dit-elle en lui ébouriffant gentiment les cheveux.

Le garçon de dix ans, très mûr pour son âge, lève des yeux sévères sur sa mère et la corrige.

– Seulement pour ceux qui vivent dans la vérité, comme nous !

La mère ne peut s'empêcher de sourire, bien qu'en réalité elle soit fière de son fils doué d'une telle sagesse, animé d'une foi inébranlable.

– Oui, tu as raison ! abonde-t-elle. Et on va essayer de s'y tenir, mon lapin !

Vêtu du costume de la veille, Benjamin se tient sur le pas de la porte chez Rasmus, prêt à partir. Ce dernier ne porte qu'un tee-shirt et un slip.

– Bon, il faut que j'y aille, dit-il lentement.

Il n'a en fait qu'un désir, rester avec Rasmus. Mais ses parents ont prévu un culte familial, il devra répondre à suffisamment de questions sur l'endroit où il a passé la nuit pour ne pas avoir en plus à expliquer pourquoi il n'a pas assisté à cette étude biblique.

– Bon alors ciao ! dit Rasmus en feignant l'indifférence.

Et si Benjamin n'était pas déjà tombé amoureux, il le serait à cet instant, car la tentative de Rasmus de dissimuler son accent du Värmland et de dire «bon alors ciao» en parfait parler de Stockholm est tout à fait adorable.

Il ne sait trop comment poursuivre. Qu'est-il pour Rasmus, dans le fond ? Un amant de passage ? Un coup d'un soir ? Il n'est pas bête au point de ne pas savoir comment ça s'appelle dans le langage courant : un *one night stand*.

Mais ça ne peut quand même pas se résumer à ça. Ils vont passer leur vie ensemble. Rasmus devrait le savoir aussi bien que lui.

– Euh… – il hésite sur la suite – ce serait sympa de… – non, ce serait présomptueux d'affirmer ce qu'il s'apprête à dire, aussi se contente-t-il d'une phrase moins exigeante : On reste en contact, hein ? Je t'ai bien donné mon numéro ?

Le fait est que Rasmus a l'air soulagé.

– Non, mais je vais le noter tout de suite ! répond-il avant de disparaître dans l'appartement pour chercher un stylo.

En revenant il est déjà en train d'écrire dans sa paume.

– Alors, c'est quoi, ton numéro ? demande-t-il avec fougue – et son accent du Värmland perce comme jamais.

Il lève les yeux. Sourit d'un air un peu gêné. Se rend compte que Benjamin le fixe.

– Qu'est-ce qu'il y a ? Pourquoi tu me regardes comme ça ?

C'est au tour de Benjamin d'être embarrassé.

– Non, c'est juste que… La Bible ne dit pas autre chose.

– Quoi ?

– Dieu écrit nos prénoms dans ses mains. «*Je t'ai gravé sur mes paumes.*» C'est ce que dit la Bible sur la fidélité de Dieu.

– Désolé, je ne comprends rien.

Benjamin rit.

– Ça ne fait rien. 53 02 44.

Rasmus note. Puis il referme sa main.

Rasmus referme sa main sur le prénom de Benjamin.

Et si Rasmus n'était pas amoureux avant, c'est maintenant qu'il le devient. À l'instant même où il replie ses doigts sur Benjamin dans sa paume. Comme s'il prenait un engagement solennel, celui de l'entourer et de le protéger.

– À bientôt alors. Fais-moi un bisou.

Il jette un coup d'œil dans la cage d'escalier pour s'assurer qu'il n'y a personne. Puis il embrasse rapidement Benjamin sur la bouche. Son visage s'éclaire d'un immense sourire.

Le voici qui, chez sa tante, embrasse un mec qu'il connaît à peine, et ça lui semble la chose la plus évidente au monde.

Benjamin s'en va. Le regardant partir, Rasmus tergiverse longuement sur le pas de la porte pour savoir quand il va pouvoir appeler sans que ça paraisse trop désespéré.

L'homme qu'il a attendu. Celui qui est passé en coup de vent, mais qui n'est jamais resté. Celui qu'il a parfois eu l'impression de voir en ville, sur qui il s'est retourné, dont il a essayé de capter le regard.

Mais qui ne s'est jamais retourné pour se laisser capturer. Qui s'est toujours esquivé. Qui n'a jamais été autre chose qu'un désir.

Jusqu'à maintenant.

Sans oublier le reste. Ce qu'il n'avait jamais pu s'imaginer : le beau corps de Benjamin, son costume tartignole. Cette amabilité sans une once d'ironie ou de calcul, comme chez un enfant.

Et voilà que l'homme qu'il attend depuis tant d'années se révèle être Témoin de Jéhovah !

Il rit.

Deux heures, pense-t-il ensuite. Dans deux heures il pourra appeler. Benjamin aura forcément eu le temps d'arriver chez lui.

Rasmus retourne dans l'appartement. Ferme la porte d'entrée. Verrouille. Secoue la tête.

Il est d'un ridicule achevé.

Benjamin pense trop tard au tas de questions que le coup de fil ne manquera pas de susciter si jamais Rasmus appelle effectivement. Il envisage un instant de retourner à l'appartement pour le prier de ne pas lui téléphoner, mais raisonne l'instant d'après comme tant de fois ces dernières vingt-quatre heures : Tant pis, qu'il en soit ainsi !

«Je veux dans ma vie pouvoir aimer quelqu'un qui m'aime.»

Cette incroyable prétention à l'amour.

Sa peau a conservé l'odeur du corps de Rasmus. Ses joues et son cou brûlent de sa barbe naissante. Ses lèvres sont douloureuses et gonflées. Sa tête est lourde d'amour, de manque de sommeil et du champagne de la veille. Benjamin est tourneboulé.

Ce qui lui arrive est tellement inouï.

Sa chute !

Ça doit être écrit en gros sur sa figure !

À peu près partout dans le monde, c'est Noël. Chez lui, un jour comme un autre. Pour lui, son premier jour en tant qu'homme transfiguré. Le matin après la première nuit.

Quelques heures plus tôt, il s'est levé, pieds nus sur un parquet froid, dans un appartement où il n'était jamais venu, quelque part dans le quartier de Vasastan.

Sous la couette se trouvait l'homme qu'il a rencontré chez ce Paul la veille au soir, au cours du premier réveillon qu'il ait jamais fêté.

Benjamin a remonté le store et regardé par la fenêtre. Il avait continué de neiger durant la nuit. La ville qu'il regardait était neuve, tout comme lui-même l'était. Neuf !

Il a contemplé la ville blanche et su qu'il se trouvait au tout début de quelque chose, que ça commençait maintenant – et ce qui commençait était fantastique, prometteur, terrible, fatidique. Il a été rempli de crainte car il a compris que, s'il savait désormais ce que signifiait le coup de foudre amoureux, il savait aussi ce que signifiait la trahison.

Il y a des nuits qui transforment votre vie, quand vous vous glissez dans un jour où tout est nouveau.

Le monde entier est nouveau. Imprégné de sainteté.

Mystérieux. Possible.

Chaque pas, dans quelque direction que ce soit, est un nouveau pas dans une nouvelle direction, car vous n'êtes plus la même personne.

Cette nuit de Noël où la ville a été recouverte de neige était précisément une de ces nuits illuminées, uniques, de la transformation.

Une nuit où toute l'hésitation de Benjamin l'a abandonné, comme un lourd manteau qu'on peut enfin laisser tomber à terre.

Rasmus, arrivé récemment à Stockholm, ne savait pas où il se trouvait quand ils ont quitté l'appartement de Paul.

Benjamin ne peut s'empêcher de sourire en y pensant.

Cela n'avait aucune espèce d'importance. À cet instant-là, ils auraient pu prendre n'importe quelle direction.

Car ils étaient libres tous les deux, Benjamin était transfiguré, chaque pas dans quelque direction que ce soit était un nouveau pas dans une nouvelle direction, la neige fraîche recouvrait la ville de sa couverture blanche et scintillante.

Benjamin franchit la porte chez lui. Il lance son traditionnel «Bonjour!»

Il est bouleversé, étourdi, meurtri. Ivre de bonheur et en même temps plein de regrets.

Il enlève sa veste. Retire ses chaussures. Les range méticuleusement à côté des autres dans le vestibule. Il les a frottées au préalable sur le paillasson pour ôter la neige collée aux semelles.

Benjamin aime l'ordre. Il tient ça de son père.

Sa mère vient à sa rencontre dans le vestibule et l'embrasse sur la joue.

– Bonjour mon chéri, mais tu étais passé où, voyons? Tu n'es pas rentré de la nuit!

– Pardon. J'ai dormi chez un copain. Il était trop tard pour vous prévenir.

– Ah, un frère de la congrégation? Quelqu'un qu'on connaît?

C'est maintenant qu'il faut choisir. Il s'engouffre dans le mensonge.

– Non, vous ne savez pas qui c'est, tente-t-il de façon évasive – et, à sa grande surprise, sa mère s'en contente.

Elle retourne à la cuisine.

– Tu as déjà mangé? Je prépare un chili con carne. On mangera quand papa sera là, on pourra alors parler de cet ami chez qui tu as dormi.

Benjamin la suit et s'assied à la table.

– Il est où?

– À une réunion des anciens à la Salle du Royaume. Mais il sera là d'un moment à l'autre. On va pouvoir discuter, c'est bien.

Elle hésite, se retourne, ne sait pas si elle doit le dire maintenant ou s'il vaut mieux attendre.

– Papa se fait beaucoup de soucis pour toi depuis quelque temps.

Benjamin baisse les yeux sur la table. Le sang bat contre ses tempes. Il a toujours un goût d'alcool dans la bouche. Il devrait se laver les dents tout de suite.

Sa mère le scrute.

– Il s'est passé quelque chose ? Tu m'as l'air bien pâlichon…

– Non… ce n'est rien.

Benjamin se défend. Il ne veut pas mentir. Et pourtant il s'apprête de nouveau à mentir, à tisser une toile de mensonges autour de lui, un cocon de mensonges au creux duquel il va se réfugier.

– Écoute, il faut que je te prévienne, dit sa mère, soucieuse. Dernièrement, papa t'a trouvé, comment dire… *tiède*. Dans ta foi. Je préfère que tu le saches.

Elle lui caresse les cheveux, caresse sa joue qui brûle encore de la barbe naissante de Rasmus. Si elle portait ses doigts à son nez et inspirait, elle sentirait l'odeur d'un homme inconnu sur la peau de son fils.

– Mon chéri, dit-elle avec la même voix qu'elle utilisait quand il était petit. Il y a tant de tentations dans le monde…

Elle incline la tête et rajuste la raie de son fils.

Benjamin n'arrive pas à la regarder dans les yeux, un bref instant il fixe la porte d'entrée comme s'il songeait qu'il ferait mieux de bondir et de s'enfuir.

En réalité c'est très simple, pense-t-il. On m'aime, et on m'exhorte à trouver qui je suis.

La mère soupire puis ajoute, tracassée :

– Il est tellement facile de se perdre.

Benjamin se dégage de sa main caressante.

– Je sais ! se dépêche-t-il de dire. Mais il n'y a rien.

La voiture traverse la campagne du Halland. Ils ont quitté la route principale et roulent à présent sur un petit chemin de terre qui serpente vers la mer et les dunes immenses.

– Regarde, Rasmus ! La mer ! s'écrie Harald joyeusement.

Oui, la mer s'étend devant eux, vaste et bleue. Le vent souffle. Quelques mouettes crient.

Rasmus se retourne et interpelle ses parents.

– Je peux me mettre pieds nus ?

Sara sourit.

– Tu peux te mettre pieds nus !

Il s'assied dans le sable pour se déchausser à toute vitesse. Et s'élance vers le rivage.

Il court autant qu'il peut pour rejoindre l'eau.

Harald et Sara s'assoient chacun dans un transat. Rasmus joue au bord de la plage. Le soleil est encore haut au-dessus de la mer. Harald porte des lunettes de soleil. D'une Thermos, Sara leur verse du café, coupe une tranche de brioche à la cannelle qu'elle donne à son mari. Ils boivent en regardant jouer leur fils.

Sara se dit soudain qu'elle devrait faire manger Rasmus pour qu'il tienne jusqu'au dîner. Elle lève le bras.

– Rasmus, viens, il y a du sirop et de la brioche ! lui lance-t-elle.

Il n'entend pas. Il continue de sauter au bord de l'eau dans un jeu sans fin qui consiste à éviter les vagues d'écume blanche qui viennent lécher le sable.

Harald, d'un geste apaisant, pose sa main sur celle de Sara.

– Allez, laisse-le donc.

Sara baisse son bras. Elle sirote son café. La douceur des grains de sucre sur la brioche remplit sa bouche. Elle écarte une mèche de cheveux que le vent a soufflée sur sa joue.

Leur fils joue. Rasmus joue. La mer lèche la plage.

De sa belle voix de baryton, Harald récite le poème de Karin Boye :

– «*Autrefois notre été s'étirait en éternité…*»

Sara plisse les yeux face aux rayons de soleil réverbérés par l'eau. Ces instants de grâce. Cette gratitude sans borne.

– «*Nous flânions sans fin sous le soleil autrefois…*»

La belle voix de Harald. Son fils qui joue.

Le vent. La mer. Le ciel. La mer.

L'éternité.

Le bruit de pas rapides. La lourde porte du service qui s'ouvre à la volée. Sara se hâte à travers le couloir d'hôpital, Harald sur ses talons. Une infirmière vient à leur rencontre.

– C'est bien que vous ayez pu venir. Je vous propose, avant que nous ayons un entretien, d'entrer voir Rasmus. Je vais appeler le médecin.

Ils pénètrent dans la chambre en compagnie de l'infirmière. Harald se fige en découvrant son fils, il reste sur le pas de la porte. Sara, elle, se précipite au chevet de Rasmus comme si elle ne se rendait pas compte de l'état dans lequel il est. Elle s'empare de sa main, l'embrasse sur la joue, sur le front, caresse ses mèches de cheveux humides de transpiration, l'appelle mon chéri, mon Rasmousse au chocolat. Là seulement elle salue Benjamin, sans pour autant relâcher l'attention qu'elle porte à son fils.

– Il ne voit rien, vous savez, lui rappelle Benjamin.

– Je sais que tu es aveugle, mon Rasmousse au chocolat, mais je suis sûre que tu m'entends ! dit Sara tendrement, en lui tapotant la joue sans relâche.

– On est venus aussi vite qu'on a pu, glisse Harald. La visibilité n'était pas bonne, on ne pouvait rouler qu'à…

Il n'arrive plus à se contrôler en voyant Sara caresser et embrasser de cette façon son fils malade.

Il ne pense pas à mal. Au contraire, il n'a que de bonnes intentions.

Il ne cherche nullement à imposer une distance, il souhaite uniquement inviter à la prudence.

Son cri, si petit et pourtant si effrayé.

– Sara… Il transpire tellement !

Sara rétorque par-dessus son épaule, énervée :

– Il ne faut jamais parler *de*, il faut parler *à* !

– Mais il… tu… transpires tellement, Rasmus…

– C'est une règle de base dans les soins qu'on apporte aux malades, poursuit Sara en se tournant vers Rasmus – et son ton change, devient doux et tendre. Parce que je suis sûre que tu entends ce qu'on dit, Rasmus, pas vrai ? On est là maintenant, tous. Ta maman, ton papa et ton Benjamin. On est avec toi maintenant. Tu n'as pas à t'inquiéter de quoi que ce soit. De rien. De rien.

Elle se balance en répétant le mot rien et elle caresse sa main entre les siennes.

Rien. Rien.

Rien à craindre. Tout va s'arranger !

Mon garçon adoré, mon garçon que j'aime tant.

Le soleil est plus bas dans le ciel maintenant. Devant eux il s'apprête à descendre. C'est toujours comme ça sur la côte ouest. Le soleil se transforme en un projecteur qui peint tout dans des contrastes et des couleurs de plus en plus vives.

Rasmus court retrouver Harald et Sara, toujours assis dans leur transat.

– Je me suis coupé ! se plaint-il.

Une goutte de sang perle sur son doigt.

Sara embrasse le doigt avec un bruit rapide de succion.

– Ce n'est que du sang, dit-elle, il ne faut pas avoir peur du sang, mon chéri.

Elle se tourne vers Harald.

– On devrait rentrer. La nuit va bientôt tomber.

Harald proteste :

– C'est tellement beau. Je trouve qu'on devrait attendre un peu et regarder le coucher de soleil.

Rasmus s'assied sur les genoux de son papa. Ils restent dans leur transat tandis que le vent faiblit, que les vagues se calment et que le soleil décline lentement.

Ils veillent. Ils veillent Rasmus qui va mourir.

La seule chose qu'ils ont en commun c'est qu'ils l'aiment par-dessus tout et qu'ils vont le perdre.

Benjamin lui tient la main. Sara humecte ses lèvres avec un coton-tige imbibé d'eau. Harald s'acharne à convaincre le médecin qui vient d'arriver, il tente de le raisonner, de lui faire modifier le cours de la maladie et prononcer une parole positive qui leur redonnerait espoir.

– Mais je ne comprends pas, docteur… Vous venez de dire qu'on ne sait jamais, qu'il y a des hauts et des bas. Vous avez dit qu'on peut vivre avec ça pendant plusieurs années, qu'on va mieux puis moins bien.

Il lance au médecin des planches de salut, les unes après les autres.

Le médecin fait une grimace. Il a des yeux gentils.

– Nous lui donnons des antibiotiques, répond-il, nous ne pouvons guère faire davantage. Le pronostic est très défavorable. Je pourrais certes vous proposer de le placer sous ventilation mécanique…

– Un respirateur artificiel ? s'indigne Harald en cherchant ses mots. Mais… mais Rasmus s'est déjà tiré de ce genre de pneumonie.

Il regarde Benjamin, comme pour chercher un soutien.

– Deux fois même. Pas vrai ?

– La deuxième fois il *était* sous assistance respiratoire, indique Benjamin calmement. Rasmus et moi, on en a reparlé après, il ne veut surtout pas rester dans cet état.

– Alors c'est… Ça signifie que…

Harald n'arrive pas à terminer sa phrase.

Benjamin opine. Le médecin opine.

C'est fini.

Harald en prend conscience tout à coup. C'est maintenant. C'est maintenant qu'il perd son fils. Encore.

– Merde ! chuchote-t-il au bord du désespoir. Merde ! dit-il. Merde, merde, merde, merde, merde, merde, merde ! Putain de merde !

– Est-ce que vous avez des questions ? demande le médecin. Autrement il faut que je… Si vous avez besoin de quoi que ce soit, l'infirmière est juste à côté.

– Y a-t-il quelque chose que nous pouvons faire ? veut savoir Sara en inspectant la table de chevet où sont posés des serviettes en papier et des cotons-tiges. Est-ce qu'on peut essuyer les glaires avec ces cotons-tiges ?

– Oui, vous avez ici des vaporisateurs d'eau, avec de l'eau salée. Ses muqueuses sont sèches, vous pouvez…

– Je sais, je sais, l'interrompt Sara. Vous comprenez, docteur, j'étais infirmière.

Elle ne peut pas s'empêcher de se vanter un peu. Elle veut que le médecin, que *quelqu'un* sache qu'elle peut se rendre utile.

Avec une infinie tendresse, elle caresse le front de Rasmus.

– Voilà, Rasmus, murmure-t-elle affectueusement. Maman est là maintenant. Elle va te soigner et tout arranger.

Ils demeurent au chevet du mourant pendant que cet après-midi de printemps si lumineux glisse vers une soirée de printemps tout aussi lumineux.

C'est par une soirée comme celle-ci que Benjamin et Rasmus faisaient la course à vélo jusqu'à l'île de Långholmen pour piquer une tête, en riant et en criant. Puis ils restaient assis sur les rochers et regardaient le soleil descendre lentement derrière la rocade d'Essingeleden et l'ancienne usine Electrolux, sur l'île de Lilla Essingen.

– La mer, elle a quelque chose de spécial, disait alors Rasmus en général, d'un ton rêveur, et Benjamin ne se donnait pas la peine de le corriger en précisant que l'eau devant eux était un lac, le lac Mälaren.

– La mer, elle a quelque chose de spécial, pouvait soupirer Sara assise dans son transat en plastique sur la longue plage lorsque, les yeux plissés, elle contemplait le détroit de Cattégat et que le soleil couchant devant eux transformait le sable en paillettes dorées.

C'est par une soirée comme celle-ci que Rasmus les quitte.

Une de ces soirées où la mer a quelque chose de spécial.

Ils ne se parlent pas beaucoup. Il n'y a pas grand-chose à dire. Ils ont beaucoup d'égards et de précaution les uns envers les autres. Benjamin tient la main de Rasmus, il ne le quitte pas d'une seconde. Sara humecte les lèvres de Rasmus, passe le dos de sa main sur son front, chante à voix basse et douce les cantiques de l'enfance : *Un seul jour, L'hymne du pèlerin, Étends tes larges ailes, oh Jésus, sur moi.*

Harald aussi ose finalement s'approcher du lit.

Il ne touche pas son fils, ça, il n'ose pas, mais il se place derrière Benjamin et s'oblige à voir.

À voir Rasmus.

Le peu qu'il reste de lui. Une coquille amaigrie.

Cet homme étrangement vieilli avant l'heure, qu'il ne connaît pas mais qui à l'approche de la mort reprend de plus en plus l'aspect de son garçon adoré.

Et ensuite Harald voit Benjamin. Il voit le désespoir du petit ami de son fils. Il voit qu'il est en train de s'effondrer.

Il semble alors comprendre quelque chose malgré tout, quelque chose qui aurait dû sans doute être évident mais qui ne l'est que maintenant.

Il pose sa grosse pogne sur l'épaule de Benjamin.

– Je ne sais pas quoi dire, chuchote-t-il à Benjamin. Je n'ai pas l'habitude de ce genre de…

Puis il se lance.

– … mais tu peux tenir ma main si tu veux !

Harald prend la main de Benjamin dans la sienne, il la serre dans un geste de consolation.

La gêne s'empare de lui. C'est tellement étrange tout ça.

Il y a tant de choses qu'il ressent, tant de choses qu'il voudrait exprimer.

Il aimerait tellement dire quelque chose de beau à Benjamin. Lui dire qu'il croit comprendre, enfin.

Il regarde la main de Benjamin dans la sienne et prononce la seule phrase qui lui vienne à l'esprit :

– Tu as une vraie petite main de demoiselle, toi.

On est soit l'un, soit l'autre. On ne peut pas être les deux.

On ne peut pas à la fois appartenir au monde et prétendre qu'on ne fait pas partie de ce même monde. Ça ne tient pas.

Il n'en a que trop bien conscience. Il faut choisir.

Ce que stipule la Bible doit être suivi à la lettre. Ce n'est pas plus compliqué que ça. Sexe avant le mariage, infidélité, homosexualité : tout ceci est répréhensible, du début à la fin.

Il connaît par cœur les versets de type condamnatoire. Il les a lus et relus, encore et encore, il les a murmurés comme s'il rabâchait une vieille antienne.

Benjamin doit choisir.

Il sait ce sur quoi son choix s'arrêtera.

Il veut dans sa vie pouvoir aimer quelqu'un qui l'aime.

C'est d'ores et déjà arrivé.

Depuis six mois, il est avec Rasmus. Ils se voient aussi souvent que l'emploi du temps de Benjamin le permet. Il veut partager sa vie avec Rasmus. Mais en même temps, sa famille et sa congrégation ont jusqu'à aujourd'hui représenté toute sa vie.

Comment scinder une vie ? On n'en a qu'une.

Et donc, en définitive : soit l'un, soit l'autre.

Ça le déchire.

Comment pourra-t-il rejeter son histoire personnelle, sa famille, sa jeunesse, sa congrégation, sa foi, comme si elles n'avaient eu aucune valeur ?

Avant même de savoir marcher, il a fait son service du champ. Sa mère et son père le poussaient dans le landau lorsque, avec patience et abnégation, ils écumaient les districts les uns après les autres, cage d'escalier après cage d'escalier, porte après porte, pour répandre le message de Jéhovah.

Être le serviteur de Jéhovah et témoigner de Jéhovah devant autrui. Qu'y a-t-il de plus impératif ?

À la différence de sa sœur Margareta, Benjamin a toujours lu spontanément les livres qu'on lui a donnés ; il a étudié avec zèle *Réveillez-vous !*, *La Tour de Garde* et les autres pamphlets.

C'est sans doute un peu déplacé mais pourtant c'est comme ça : il est, et a toujours été, une espèce de jeune «vedette» dans la congrégation. Quelqu'un en qui on a cru, en qui on a placé beaucoup d'espoirs.

Personne n'est aussi doué que Benjamin Nilsson, personne n'est aussi zélé que lui !

Il n'y a sans doute pas de quoi être fier, mais il a toujours été secrètement ravi des compliments qu'on lui a faits. Ils l'ont encouragé peut-être plus que toute autre chose.

Certes, pas au point de se croire être l'un des oints de Jéhovah, l'un des élus. L'un des 144 000 qui vont diriger le nouveau Royaume au côté de Jésus-Christ. Ce serait de la présomption. Mais rien ne l'interdit de fantasmer. Il en rêvait déjà quand il avait dix ans. Il rougit presque quand il y pense.

D'ailleurs, si Jéhovah contre toute attente, dans sa grâce, l'avait désigné pour figurer parmi les oints, il le saurait lui-même. Car c'est une revendication personnelle, que personne ne peut exprimer à votre place.

Contrairement aux Églises chrétiennes profanes, les Témoins ne célèbrent la communion qu'une fois par an – on ne parle d'ailleurs pas de communion mais de Mémorial de la mort du Christ, qui n'est pas nécessairement célébré au moment des Pâques chrétiennes mais la veille de Pessa'h, la Pâque juive, juste après le coucher du soleil, quand commence le quatorzième jour du mois de *Nisan* du calendrier juif.

C'est l'instant où des serveurs font circuler parmi les assistants une assiette de pain (du pain azyme, préparé par l'un des membres de la congrégation) suivie d'une coupe de vin. Mais nul ne mange et nul ne boit. À moins de se considérer soi-même comme l'un des élus, l'un des oints. Auquel cas la personne est autorisée à consommer.

Dans sa jeunesse, il n'est arrivé qu'une seule fois au sein de la congrégation de Benjamin qu'un adepte ait accepté le pain et le vin au Mémorial de la mort du Christ.

On peut dire sans exagérer que quelques sourcils se sont levés dans la salle ce jour-là, car l'homme en question ne s'était jamais distingué, ni pendant les réunions, ni dans le service.

Ça a beaucoup fait jaser. De l'avis général, cet homme n'était pas très digne de faire partie de l'alliance du Royaume avec Jésus-Christ. Et effectivement, on ne s'était pas trompé : il a disparu de la congrégation à peine quelques mois plus tard.

Car c'est comme ça. On choisit. Et si on choisit mal, on disparaît.

Comme pour le reste, les éventuels membres oints de chaque congrégation sont signalés au quartier général de Brooklyn et au Collège central – de même que le nombre de revues et de livres distribués, le nombre d'études de la Bible mises en place, le nombre d'heures de prédication totalisées par chaque congrégation, et ainsi de suite. Et, chaque année, le numéro de janvier de *La Tour de Garde* annonce le nombre exact de membres oints partout dans le monde.

Non, Benjamin ne sera jamais un oint. Mais il a sans aucun doute pensé devenir un membre du collège d'anciens, avec le temps. Il a été élevé pour y parvenir.

Pour devenir l'un de ceux qui dirigent. Et non l'un de ceux qui désertent.

Il est déjà pionnier, en tant que tel il s'est engagé à accomplir son service du champ au moins quatre-vingt-dix heures par mois. Ce qui équivaut à vingt-deux heures et demie par semaine. À quoi s'ajoutent les réunions de la congrégation, les mardis, jeudis et samedis soir, ainsi que leurs préparations préalables, puis le culte familial hebdomadaire, en plus des études individuelles.

Il a dix-neuf ans et toute sa vie a tourné autour de la congrégation dans laquelle il est né et a grandi. Il est un excellent serviteur de Jéhovah.

Si ce n'étaient ces minuscules anicroches.

Il est homosexuel.

Il a forniqué.

Et il est amoureux.

Conséquence : Benjamin ment.

L'après-midi même où il est rentré après sa première rencontre avec Rasmus, il a menti. D'abord à sa mère, ensuite à son père – précisément à ceux que Jéhovah lui a enjoint d'honorer.

Il les aime, mais il leur ment, et se salit ainsi lui-même encore davantage.

Le premier mensonge a surgi sans qu'il y soit préparé. Il lui a échappé, bêtement, alors que sa mère demandait où il avait passé la nuit. Ensuite, ses mensonges se sont enchaînés, formant une toile poisseuse dans laquelle il est englué et qui restreint sa liberté de mouvement.

La solution la plus simple pendant les six derniers mois a été de scinder sa vie en deux.

Il a été le Benjamin Nilsson, un jeune Témoin de Jéhovah, impeccable à tous les niveaux, la fierté de ses parents, accomplissant sa mission de prédication avec zèle – et puis le Benjamin Nilsson, ouvertement pédé depuis peu, petit ami de Rasmus Ståhl, celui que ses copains gays s'attendent à voir défiler en août prochain à la Gay Pride, scandant avec eux *Regardez-nous sur les boulevards, montrez-vous et sortez du placard !*

Évidemment, ce n'est pas compatible.

De plus, Rasmus a déjà fait son coming out à ses parents.

Et voilà que le niveau de la problématique a grimpé d'un cran.

Puisque Rasmus et lui vont prendre un appartement ensemble.

Ils vont devenir un couple pour de vrai. Par l'intermédiaire de Seppo, ils ont eu la possibilité d'obtenir un bail de deux ans pour un appartement en sous-location à Kungsholmen, ils ont bien sûr sauté sur l'occasion.

Pour Benjamin, il va de soi qu'il doit vivre dans une vraie relation et que cette relation durera toute sa vie. Il a beau avoir cédé à son penchant coupable, il n'en demeure pas moins un Témoin de Jéhovah censé se marier et fonder une famille à laquelle il restera fidèle.

Benjamin doit à présent se débrouiller pour annoncer à ses parents qu'il va non seulement les quitter mais s'installer avec un camarade qui ne vit pas dans la Vérité. Un point qui à lui seul va provoquer leur réticence.

Et encore, s'ils savaient ce qu'il en est réellement !

Dieu est un Dieu aimant et plein d'amour, mais Il est aussi un Dieu qui veille et surveille. Il est impossible de dissocier les deux.

Comment quelqu'un peut-il aimer une autre personne sans vouloir en être responsable et la protéger ?

Un berger qui ne veille pas sur ses brebis serait un piètre berger.

Dieu veut que ceux qu'Il a appelés à partager Son Royaume vivent et agissent de manière juste. On doit dès lors contrôler à tout instant qu'il en est ainsi. Et écarter ceux qui dépassent la mesure.

Trancher les parties du corps qui vous mènent à la perdition et les jeter sur le feu.

Un jardinier qui n'ôte pas les mauvaises herbes de sa parcelle serait un piètre jardinier. Quel genre de potager aurait-il ?

De même que Dieu est un Dieu plein d'amour et commis à la surveillance, l'organisation des Témoins de Jéhovah est constituée en parts égales d'amour et de surveillance, avec une hiérarchie bien définie qui ne saurait être remise en question, auquel cas on remettrait en question Dieu lui-même.

La famille est une partie de la hiérarchie décidée par Jéhovah en personne. Dans le but de protéger et de sauvegarder les siens.

Comme Satan aspire par-dessus tout à s'emparer des jeunes, le contrôle des enfants est sans nul doute la mission la plus importante qui échoit à un parent.

Contrôle n'est qu'un autre mot pour soins. Surveiller quelqu'un revient à lui témoigner de l'amour dans sa forme la plus pure.

Au sein de chaque famille, c'est l'homme, le père, qui a la responsabilité de guider ses proches, de les contrôler et de les surveiller. Pour ce faire, l'homme possède des qualités uniques, fournies par Dieu. La Bible veille à désigner l'homme en tant que chef de famille, surtout à travers la figure de l'apôtre Paul. Il convient naturellement de s'y conformer.

Aujourd'hui comme hier, cet état de fait a relevé de l'évidence pour Benjamin. Son père a toujours été synonyme de sécurité. L'obéissance à ses règles a toujours été l'attitude idéale, la confiance qu'il a placée en lui a toujours été totale.

Amour et surveillance.

Les deux sont indissociables.

Or, là, il s'apprête à demander leur bénédiction pour voler de ses propres ailes, au-delà de leur contrôle – et il va le faire en les abusant, délibérément.

La Salle du Royaume – ainsi qu'on appelle la salle de réunion – est une pièce dépouillée qui ressemble à n'importe quelle salle de conférences, avec pour seul mobilier des rangées de chaises ainsi qu'un podium accueillant des chaises supplémentaires, un pupitre, une table. Et elle est pratiquement pleine en cette soirée d'École du ministère théocratique, destinée aux garçons les plus âgés pour qu'ils puissent s'entraîner à prononcer sur différents sujets des discours rédigés chez eux au préalable.

Le programme prévoit également de courts exercices de théâtre, ouverts aux enfants de tous âges, où on les prépare aux situations auxquelles ils peuvent être confrontés en tant que Témoins, lors de leur service du champ ou à l'école. De cette manière, armés d'arguments efficaces, ils sauront comment répondre et réagir dans des circonstances qui se révèlent parfois de véritables pièges pour de jeunes personnes vulnérables, exposées aux épreuves et aux remises en question. Les filles participent aussi à ces dialogues.

Comme à l'accoutumée, enfants y compris, tout le monde est tiré à quatre épingles : les hommes en costume, les femmes en jupe et escarpins.

La responsabilité de l'École est aujourd'hui assurée par Ove, un des anciens de la congrégation, un homme assez réservé. Il parle dans le micro d'une voix lente et distraite, ses lunettes de lecture glissées à mi-chemin du nez.

– On va donc passer au troisième... non, au quatrième discours, c'est ça... dit-il en plissant les yeux et en compulsant ses papiers pour s'y retrouver. Et c'est frère... Benjamin...

De nouveau, un rapide coup d'œil sur sa feuille, bien qu'Ove le connaisse très bien. Son père Ingmar est comme lui un ancien.

— ... Nilsson, à qui je vais demander de bien vouloir venir prononcer le quatrième discours de notre réunion. Celui-ci a pour thème... *«Être riche ou être pauvre, est-ce caractéristique d'un homme pieux ?»* À toi, Benjamin !

Ove rassemble ses papiers et s'assied pour écouter.

Ingmar donne une petite tape d'encouragement sur l'épaule de Benjamin. Ce dernier se lève, monte sur le podium et se place devant le pupitre. Soigneusement, il déplie les feuillets tapés à la machine sur lesquels figure le discours qu'il a préparé des semaines durant. Il toussote et regarde l'assemblée. Lorsqu'il entame sa lecture, à haute et intelligible voix, quoique un peu monotone, on entend qu'il imite le ton des anciens quand ils font un cours.

— *«Crains le vrai Dieu et garde ses commandements. Car c'est là toute l'obligation de l'homme.»*

Après cette citation liminaire tirée de l'Ancien Testament, il marque une pause oratoire avant de poursuivre, exactement comme son père en a l'habitude, afin de donner de l'écho à ses mots.

— Ainsi parlait le roi Salomon. Il est décrit comme étant le roi le plus sage et le plus riche de son époque, et il a en effet été un fidèle serviteur de Jéhovah pendant une grande partie de sa vie.

Benjamin a longuement hésité avant de se décider pour la formulation «grande partie de sa vie». Car là se situe le point faible de son discours, il le sait. Le roi Salomon, à l'automne de sa vie, a pratiqué la magie et s'est laissé séduire par d'autres dieux ; l'utiliser comme modèle et exemple ne va pas forcément de soi.

Il se tait de nouveau, pour voir si quelqu'un plisse le front ; mais tout ce qu'il voit, ce sont ses parents, si attentifs, si fiers de lui. Sa mère se tient prête à prendre des notes. Son père, sans en avoir conscience, hoche la tête en accord avec les propos de son fils. Benjamin sent une onde de chaleur et de bonheur se diffuser dans son ventre, il ne peut s'empêcher d'esquisser un sourire bien qu'il sache que, pendant un discours, il est censé adopter un ton grave et sérieux.

Il se concentre en baissant les yeux sur la page.

– Parmi les nombreux fidèles serviteurs de Jéhovah, on comptait l'apôtre Paul, poursuit-il. Mais sa situation était radicalement différente puisqu'il gagnait sa vie en fabriquant des tentes.

Benjamin a axé la totalité de son discours sur la question : piété et richesse sont-elles conciliables ? Jésus semble par moments soutenir le contraire, mais la Bible renferme de nombreux exemples de personnes riches et pourtant pieuses, tels qu'Abraham, Isaac, Jacob, Joseph et Job, sans oublier les Pharisiens du Nouveau Testament, Nicodème ou Joseph d'Arimathie.

Benjamin cite souvent des versets de la sainte Écriture, surtout puisés dans les épîtres de Paul. Il est judicieux de procéder ainsi, d'étayer sa thèse par de nombreuses références à la Bible. Les participants opinent et griffonnent.

Un Témoin que la famille ne connaît pas spécialement se penche en avant pour chuchoter à Britta que Benjamin est tellement doué. Elle le remercie d'un mouvement de tête bref mais cordial et continue à noter avec gravité ce que dit son fils.

– Ainsi, que nous soyons pauvres ou riches, l'important est de suivre le commandement de Salomon, de craindre le vrai Dieu et de rester fidèles à ses commandements, car c'est là toute l'obligation de l'homme ! lit Benjamin avant de terminer son discours par un simple hochement de tête et un merci.

Britta lui sourit et serre sa main quand il revient s'asseoir avec eux. Le père grogne une approbation. Assis derrière, un membre de la congrégation lui tapote l'épaule. Benjamin sourit et rougit des compliments.

La famille regagne l'appartement en voiture.

Ingmar jette des coups d'œil réguliers dans le rétroviseur, sur les enfants à l'arrière.

– Ça a marché comme sur des roulettes, Benjamin. Je suis vraiment fier de toi !

Puis c'est au tour de sa fille de recevoir un coup d'œil, beaucoup plus sévère celui-là.

– La prochaine fois, ça sera à toi, Margareta !

Croisant les bras sur sa poitrine, Margareta pousse un gémissement :

– Ne m'en parle pas !

À la réunion suivante, elle est censée mener un dialogue avec une autre fille. Sa tâche consistera à expliquer à un profane pourquoi un Témoin ne fête ni anniversaires ni la plupart des fêtes chrétiennes. Elle redoute déjà l'instant horrible où elle sera forcée de monter sur le podium devant tout le monde.

– Ça va bien se passer, tu verras, dit le père, mais ses paroles ne véhiculent aucune consolation, plutôt une menace.

Ces dernières années, Margareta a été une déception pour ses parents, et pas qu'une fois. Ils ne le lui ont pas dit ouvertement, mais force leur est de constater : leur fille ne montre aucun enthousiasme pour les études bibliques. Pendant le service du champ, elle sombre dans le mutisme et la timidité. En réalité, elle n'est bonne qu'à distribuer des fascicules. Si Britta est d'avis que sa fille est fainéante et fait sa chochotte, Ingmar s'efforce d'avoir un jugement moins catégorique.

N'empêche, elle manifeste un intérêt malsain pour le sport et la danse, et surtout pour ses camarades de classe profanes, ce qui est totalement inacceptable à leurs yeux. Ils ont toutes les raisons de se faire un sang d'encre pour elle. Ils ont passé de nombreuses nuits à parler à voix basse de ses problèmes. Pour rien au monde ils ne voudraient qu'elle leur échappe.

Benjamin, en revanche, leur semble tout à fait limpide. Il ne leur a jamais causé de soucis. Raison de plus pour que son annonce les frappe comme la foudre quand ils rentrent de la réunion en voiture : il va quitter le foyer familial.

– Qu'est-ce que je voulais dire déjà ? commence-t-il en tâtonnant. Euh oui, voilà… Je vais déménager.

Britta tourne brusquement la tête.

– Mais pourquoi ? s'exclame-t-elle, consternée. Tu n'es pas bien avec nous ?

Benjamin sourit.

– Maman, j'ai vingt ans.

C'est incontestable : il est adulte, il travaille, gagne son argent – mais quand même !

– Et comment tu comptes le financer ? Un appartement, ça coûte cher de nos jours.

– Je prends un appartement en colocation avec un copain.

Et la voilà. La faille dans son laïus.

Comme dans son discours sur la coexistence de la richesse et de la piété, quand il a pris pour exemple le roi Salomon, pourtant généreusement doté par Dieu ; ça ne l'a pas empêché de tomber dans un piège qui a entraîné sa chute. Cette fois, Benjamin ne peut guère espérer que ce point faible passera inaperçu.

Effectivement, sa mère s'écrie, hors d'elle :

– Un copain ? Comment ça, un… *copain* ? On le connaît ? C'est un frère ?

Elle donne un coup de coude pour rabrouer Ingmar au volant qui jusque-là s'est borné à écouter.

– Ingmar ! Mais enfin, dis quelque chose !

– Ce copain, demande-t-il, il est des nôtres ?

Benjamin avale sa salive. Il sent qu'il se rata-tine. Avoir des amis extérieurs à la congrégation n'est pas interdit. De même que se marier avec un homme ou une femme qui ne vit pas dans la Vérité. Mais c'est compliqué. Si tout se déroule bien, on gagnera son ami ou son conjoint à la Vérité. Mais si la situation dégénère, on risque de courir à sa propre perte.

– Non, c'est un profane, doit admettre Benjamin.

– Est-ce vraiment une bonne idée ? demande sa mère, inquiète. Ça serait quand même mieux si c'était un frère.

Voyant que son fils veut glisser une objection, elle le devance :

– Il y a tant de choses qui peuvent te détruire spirituellement, Benjamin. Dans le monde, je veux dire. Enfin, c'est vrai !

– Oui, mais… essaie-t-il encore une fois de glisser.

– Il faut rester sur ses gardes.

Britta se retourne et braque ses yeux sur la route en face d'elle comme pour souligner ses propos. Ingmar, qui pour l'instant n'a pas donné son avis mais a toujours le dernier mot, lui jette un nouveau coup d'œil scrutateur dans le rétroviseur pendant qu'il conduit.

– Est-ce qu'il a du respect pour tes principes, ton *copain* ?

– N'oublie pas que c'est si facile de se perdre ! ajoute rapidement la mère avant que leur fils ait le temps de parler.

Or le quasi-impossible advient. Après un long silence, le père déclare que Benjamin est adulte et doit lui-même décider de l'endroit où il vivra.

– C'est une question de confiance, dit-il. Nous devons montrer que nous avons confiance en toi !

Il plante ses yeux dans ceux de Benjamin par le biais du rétroviseur. Ses paroles le brisent, le pulvérisent.

Il a le droit d'emménager avec Rasmus, bien que celui-ci soit profane !

Parce qu'ils lui font confiance, parce qu'ils savent que jamais il ne les trahira.

Rasmus décharge le dernier carton de la voiture de sa tante pendant que Benjamin et elle détachent un matelas de la galerie du toit.

– C'est tout, les garçons ? s'étonne-t-elle. Cinq cartons et un matelas ? Enfin, que voulez-vous…

Après avoir pris congé de Christina, ils sortent vêtements et livres des cartons. Bien que loué meublé – ils paient même un supplément pour ça –, le F1 ne compte guère qu'un lit et un matelas, deux chaises pliantes et une table en plastique également pliante, qui rappellent du mobilier de camping.

– C'est le coup classique, dit Rasmus en riant. Il n'y a quasiment rien ici à part un matelas, et on n'apporte quasiment rien à part un matelas !

De sa bible, bien à l'abri dans une sacoche en cuir, Benjamin extrait un dessin qu'il punaise au mur. C'est une des images traditionnelles des Témoins de Jéhovah, qui montre une famille souriante avec une maman bien habillée, un papa bien habillé et des enfants bien habillés dans un pré, au bord d'un lac, devant des montagnes qui ressemblent aux Alpes.

Rasmus jette un regard critique sur l'illustration.

– C'est de ça que vous rêvez ? demande-t-il, sceptique, en levant les yeux au ciel.

Gêné, Benjamin hausse les épaules.

– Je suppose.

Rasmus s'approche de l'image et l'examine minutieusement avant de laisser tomber son verdict.

– Ça ne tourne pas rond chez vous. On danse ?

Il pivote avec un sourire, attrape Benjamin et l'attire contre lui.

Ils se mettent à danser, à faire le tour de la pièce, lentement, sans autre musique que celle fredonnée doucement par Rasmus : *Let me call you sweetheart, 'cause I'm in love with you.*

Benjamin se serre contre lui, ferme les yeux.

Il y a deux Benjamin. Ils ne pourront jamais se rencontrer. Ça ne peut pas continuer comme ça. Il doit absolument trouver un moyen de cesser de mentir, à lui-même et aux autres. Le seul hic, c'est qu'il ne sait pas comment s'y prendre.

Curieusement, il se met à pleurer en dansant. Rasmus le serre encore davantage contre lui et le laisse pleurer.

Benjamin finit par chuchoter à l'oreille de Rasmus :

– Tu n'imagines pas tout ce que ceci signifie pour moi.

Et Rasmus chuchote à son tour :

– Tais-toi, s'il te plaît.

Ils continuent de danser, lentement et maladroitement, de tourner, encore et encore. Ils ne suivent même pas le rythme.

Mais ils dansent.

Et Benjamin se détend dans les bras de Rasmus. Il sait que, pour ces bras, il va abandonner tout ce pour quoi il a toujours vécu et tout ce en quoi il a toujours cru.

Elle a forcément commis une erreur. Sinon son père ne l'aurait pas conviée à un «petit entretien», comme il dit. Elle sait que sa mère attend dans la cuisine, en essayant de faire le moins de bruit possible pour ne pas les déranger. Ou est-ce qu'elle écoute ce qu'ils se disent ?

Margareta l'ignore, et c'est sans doute ça le pire avec ces entretiens répétés que lui impose son père : elle sait que ses parents partagent le même avis, elle sait que sa mère va et vient d'un pas impatient dans la cuisine, comme quelqu'un qui attend d'apprendre que ça s'est bien passé. Et «bien se passer» implique invariablement que Margareta a avoué quelque chose, compris quelque chose, qu'elle a changé d'opinion. C'est toujours comme ça que se déroulent leurs petits entretiens.

Mais elle n'a pas le droit de penser en ces termes.

Que Jéhovah lui pardonne. Pour la peine, elle priera un peu plus longuement ce soir afin d'obtenir son absolution.

Le père ferme la porte donnant sur la cuisine.

– Pour qu'il n'y ait que toi et moi, précise-t-il en invitant Margareta à s'asseoir.

Si seulement elle savait ce qu'elle a fait ! Est-ce qu'elle s'est trop plainte ? N'a pas manifesté assez d'enthousiasme ? N'a pas été assez attentive pendant les réunions ? N'a pas été assez heureuse ?

– En tant que père, commence-t-il, il est de mon devoir de te guider dans les situations difficiles. Mais quand on est jeune, accepter les conseils de ses parents peut paraître compliqué. Pourquoi en est-il ainsi, d'après toi ?

Il se tait un instant.

Les yeux de Margareta errent. Elle ne sait pas quoi répondre. Ou plutôt, elle ne sait pas quelle est la bonne réponse, celle que son père veut entendre.

– Le problème, Margareta, répond-il, est souvent lié à ce que tu as de plus intime, à ton *cœur*.

Ingmar tapote sa poitrine pour mieux illustrer ses propos. Sa voix est calme et objective, douce, comme s'il voulait la raisonner. Comme s'il voulait lui montrer qu'il la comprend, qu'il a de l'empathie pour elle, que lui aussi à son âge a été exposé aux mêmes épreuves, aux mêmes tentations.

Il fait toujours ça. Il tourne autour du pot, d'abord sans intention apparente – en général Margareta ne voit pas du tout où il veut en venir –, puis il décrit des cercles de plus en plus concentriques jusqu'à planter comme une flèche son objectif dans la cible qu'il visait initialement.

Chaque fois, Margareta est tout aussi interloquée.

– Peut-être qu'au fond de toi, tu as envie de faire quelque chose… d'interdit ?

Il se penche en avant et la regarde droit dans les yeux, la scrute.

Quelque chose d'interdit ? Oh, certainement. Mais qu'est-ce que ça peut bien être cette fois-ci ?

Elle sait qu'elle ne doit pas dévier son regard. Comme elle tarde à fournir une réponse, il sursaute subitement.

– Écoute, ma chérie, on va sortir nos bibles et on cherchera.

Il sourit et tend le bras pour attraper leurs bibles respectives rangées à portée de main sur l'étagère, à côté de leurs fauteuils. Il donne la sienne à Margareta.

– La Bible dit que «*l'inclination du cœur de l'homme est mauvaise dès sa jeunesse*». Tu peux lire toi-même, tu verras. Genèse 8, 21.

Il attend patiemment qu'elle arrive à la bonne page et lise le verset de ses propres yeux. Ceci fait, il poursuit avec un autre. Il suit de toute évidence les conseils d'un article trouvé dans *La Tour de Garde*. Il sait exactement quels versets il doit citer et ce qu'ils leur conseilleront.

– Jéhovah nous met aussi en garde par l'intermédiaire du prophète Jérémie, chapitre 17, verset 9... – il attend de nouveau que Margareta trouve le bon endroit avant de lire : «*Perfide est le cœur, plus que toute autre chose, et il est extrêmement mauvais.*»

Il lève les yeux.

– Mmm, tiens, tiens ! Margareta, à part le fait qu'un cœur peut développer des... désirs fautifs, il peut aussi faire croire à une jeune personne qu'il ou elle en sait davantage que ses parents, bien que ceux-ci aient une plus grande expérience de la vie. Mais tu as toutes les bonnes raisons du monde de nous demander, à ta mère et à moi-même, de te guider, Margareta. Surtout maintenant que tu vas, pour ainsi dire, *louvoyer* à travers la pénible adolescence.

Sa dernière phrase est en fait une plaisanterie. Il est le seul à rire. Margareta comprend trop tard que c'était censé être drôle, elle n'a pas le temps de l'imiter, son père est déjà redevenu sérieux.

– Jéhovah veut que tu te laisses pénétrer par la direction que t'indiquent tes parents, puisque Dieu leur a confié la mission de prendre soin de toi. C'est pourquoi il te donne le conseil suivant : «*Enfants, obéissez à vos parents en union avec le Seigneur, car cela est juste.*» C'est ce qu'écrit Paul dans son épître aux Éphésiens...

Obéissante, Margareta commence tout de suite à chercher dans le Nouveau Testament le texte auquel son père fait allusion. Or, cette fois, le père continue son sermon.

– Tu es certes entrée dans l'adolescence. Néanmoins, c'est toujours à nous, à maman et à moi, qu'échoit la responsabilité de te servir de guides. Et tu as l'obligation de l'accepter !

Il met particulièrement l'accent sur ces derniers mots. Margareta a *l'obligation* d'obéir.

– De même que nous, ta maman et moi, avons *l'obligation* de te servir de guides. Du coup, c'est pratique !

De nouveau, sa phrase le fait rire.

– D'ailleurs, c'est probablement nous qui sommes les mieux qualifiés pour te conseiller. N'est-ce pas ? Nous te connaissons si bien, depuis que tu es notre petite puce à nous ! Mais à part ça…

Soudain, il prend un air grave, très sérieux, il en tremble presque.

– Grâce à notre expérience, nous sommes bien placés pour en parler.

Il hoche la tête pour mieux réfléchir un instant à ses propos.

– Bien sûr, nous aussi avons ressenti ces désirs qui font partie de la jeunesse. Un jour, même…

Il s'arrête, comme si c'était trop horrible à raconter.

– En tout cas, je peux te dire qu'il y avait des fois où…

Il marque une nouvelle pause, se ressaisit, recommence son récit en le prenant par un autre bout :

– En tant que vrais chrétiens, nous avons *personnellement* pu constater combien il est précieux de vivre selon des principes chrétiens.

Il rougit et regarde ses genoux, comme s'il était tout à coup embarrassé.

Margareta attend toujours de connaître l'objet de cette discussion.

Il s'empare d'un stylo-bille avec lequel il se met à jouer, un peu distraitement, donnant presque l'impression d'oublier la présence de sa fille et leur petit entretien.

Puis, sautant du coq à l'âne, il lance :

– Prends par exemple cette histoire de relation avec le sexe opposé. Comment pouvons-nous, en tant que tes parents, te guider dans un domaine aussi sensible ?

Il la fixe dans le blanc des yeux.

– Bon, qu'est-ce que tu en dis, Margareta ?

Elle cherche avec fébrilité dans sa mémoire constamment alourdie par la culpabilité un acte immoral qu'elle aurait pu commettre, mais elle n'en trouve aucun – hormis peut-être…

– Comme tu peux le comprendre, nous voulons que tu te tiennes à distance de situations où tu pourrais te laisser emporter par tes sentiments.

– Mais je n'ai pas…

– Margareta. Håkan et toi, vous avez été *vus* ensemble en ville.

Il secoue la tête de consternation.

– Mais on n'a rien fait, on s'est juste rencontrés ! se récrie-t-elle.

– Il n'est pas convenable de *rencontrer* quelqu'un juste comme ça, même si c'est un frère de la congrégation. Tu le sais aussi bien que moi.

– On a juste pris un café, chuchote Margareta, accablée, qui penche la tête.

Il lui relève le menton et lui caresse la joue, qu'il tapote délicatement en poursuivant son discours.

– En tant que parents, nous savons que les sentiments pour le sexe opposé peuvent être… intenses et qu'ils peuvent devenir difficiles à contenir. Ce frère que tu aimes bien… Håkan, c'est ça ?

– Oui… chuchote Margareta, les larmes aux yeux.

– Beaucoup de jeunes semblent penser qu'il n'y a rien de plus excitant que de se trouver en compagnie d'une personne du sexe opposé. Et le cœur commence peut-être à battre plus fort à l'idée d'être seul avec quelqu'un qu'on trouve beau et intéressant.

Il observe un nouveau silence pour lire la réaction de Margareta, mais elle a le regard baissé et la nuque courbée, elle attend le verdict final.

– En tant que parents aimants, nous nous devons d'essayer de te protéger des situations dangereuses qui se produisent quand on fréquente des jeunes qui ne respectent pas les normes de Dieu.

Margareta lève pour la dernière fois ses yeux désespérés.

– Mais Håkan respecte les normes de Dieu ! s'écrie-t-elle d'un ton suppliant.

– Hum, ça, c'est toi qui le dis. Mais il se trouve que je sais qu'aujourd'hui même un surveillant a eu un entretien sérieux avec le jeune Håkan, et qu'il a été sévèrement mis en garde. Maman et moi, nous voyons bien que ton cœur a commencé à t'égarer. C'est *pour ça* que nous te donnons ces conseils. Mais tu dois évidemment les approuver toi-même. Nous ne pouvons pas, nous ne voulons pas te forcer. Hein, ma chérie ? Seras-tu assez avisée pour nous écouter et ainsi éviter une catastrophe ?

Margareta hoche la tête.

Elle ne s'approchera plus jamais du frère Håkan.

Samedi soir. Ils n'ont rien prévu de particulier. Il leur arrive de plus en plus rarement de sortir. Lars-Åke étant souvent malade, Seppo reste à la maison avec lui. Paul est invité à dîner chez quelqu'un, Bengt va au cinéma avec Mado.

Benjamin est installé, très concentré, devant le bureau qu'ils ont acheté au magasin de l'Armée du Salut à Hjorthagen. Il travaille. La lampe de bureau est allumée. Il prend des notes, feuillette sa bible pour vérifier l'exactitude d'une citation avant de la recopier.

Rasmus écoute de la musique au casque sur le lit mais, au bout d'un moment, ne tient plus en place, il voudrait que quelque chose se passe. Il enlève les écouteurs, s'approche de son petit ami et regarde par-dessus son épaule tout en l'embrassant dans le cou.

– Qu'est-ce que tu fais ?

– Euh, je prépare le discours que je vais prononcer dans la Salle du Royaume.

– Tu vas prononcer un discours ?

Rasmus continue de l'embrasser dans le cou. Benjamin se tortille.

– Arrête, ça chatouille, dit-il avant de répondre : Oui, on fait ça de temps en temps.

– Je peux venir ?

– Tu ferais mieux de…

Il remonte ses épaules pour empêcher Rasmus d'y enfouir sa figure.

– Non, tu ne peux pas venir !

Rasmus le lâche et fait deux pas en arrière.

– Booon… Tes parents seront là, c'est pour ça ?

Benjamin soupire. Cette dispute, ils l'ont déjà eue à maintes reprises. Il essaie d'esquiver, mais devine au ton de Rasmus que c'est trop tard.

– Non, ce n'est pas pour ça ! lui assure-t-il.

– Laisse tomber ! crache Rasmus, subitement en colère.

Il attrape un blouson et quitte l'appartement en trombe sans indiquer où il va.

Benjamin l'appelle – en vain. Il pousse un soupir et retourne à son travail.

Accorder ses deux vies n'est pas de tout repos. D'un côté, l'espoir manifeste de Rasmus qu'ils passent leur temps libre ensemble ; de l'autre, les réunions à la Salle du Royaume et le service du champ.

Il a cessé son activité de pionnier. Mobiliser quatre-vingt-dix heures par mois lui était tout simplement impossible.

Sa mère a été très déçue. Son père a eu un long entretien avec lui sur l'importance de choisir les bonnes priorités dans la vie, sur ce qui est essentiel et ce qui est superflu. Il lui a aussi fait clairement comprendre que même maintenant, bien qu'aux yeux du monde Benjamin soit «adulte» et qu'il ait quitté le foyer familial, il escomptait l'obéissance pleine et entière de son fils envers lui. Comme toujours, il a fondé son argumentation sur des références à la Bible. Il a répété cette phrase que Benjamin a entendue maintes et maintes fois ces dernières années : lorsque l'apôtre Paul écrit que les «enfants» doivent obéissance à leurs parents, il emploie un mot grec qui peut s'appliquer tant aux jeunes qu'aux moins jeunes. Pareil pour Jésus : il parle des citoyens de Jérusalem comme de ses «enfants» alors que la plupart des habitants étaient des adultes.

Benjamin l'a écouté en silence, il savait où son père voulait en venir, il savait qu'il serait obligé de céder à sa démonstration.

– Dans les temps anciens, beaucoup de fidèles obéissaient à leurs parents jusqu'à un âge avancé. Jacob, par exemple. Même à l'âge adulte, il a compris qu'il devait obéir à l'ordre intimé par son père d'épouser exclusivement une femme qui adresserait ses prières à Jéhovah.

– Mais papa, enfin, tu sais que j'ai toujours accompli mon service avec joie et avec zèle. Mais en ce moment, telle qu'est ma vie, je ne peux pas me charger autant.

Le père ne semblait même pas l'écouter. Sans relâche, il a continué :

– Tu sais, mon ami, Jacob avait très certainement vu le profond chagrin de leurs parents quand son frère Ésaü a choisi d'épouser des femmes cananéennes païennes.

Ils étaient revenus au même point. En fait, ils ne parlaient pas de lui. Les parents étaient déçus par Margareta et s'inquiétaient pour elle ; voilà pourquoi lui, Benjamin, ne devait pas faillir.

– Papa… a soupiré Benjamin en regardant son père avec tendresse. Papa, papa, papa !

À l'heure de partir, un peu plus tard, Benjamin l'a longuement serré dans ses bras. En ayant l'impression, l'espace d'un instant, que son père reposait contre son cœur.

Il se penche pour reprendre sa rédaction de sa belle écriture régulière. Avec maîtrise, avec retenue – alors que son monde se lézarde de part en part. Comme si, par la seule force de cette maîtrise, il pouvait repousser le moment où son monde s'effondrerait complètement.

Tant qu'il tient le coup, le monde tient lui aussi. Il inspire, suspend sa respiration.

Il n'ose pas expirer.

Rasmus prend le métro jusqu'à la station Zinkensdamm. Il s'oriente bien dans Stockholm désormais. C'est sa ville. Parvenu dehors, il sait sans hésitation quelle direction prendre.

L'avenue Ringvägen, d'une largeur absurde, se termine abruptement sur deux vieilles bicoques en bois. Lars-Åke, qui connaît tout sur le Stockholm d'autrefois, lui a raconté qu'un pont censé relier Kungsholmen aurait dû être construit à cet endroit précis ; mais le projet est resté dans les cartons et la seule réalisation aboutie se résume à cette voie d'accès qui mène vers le rien.

Rasmus continue dans la rue Lundagatan qui monte vers les immeubles fonctionnalistes du début des années 1930. On y amenait souvent les visiteurs étrangers éminents, afin de leur montrer la vue splendide dont bénéficiait la classe populaire suédoise. Même le prince de Galles, lors de sa venue en 1932, a pu contempler les logements et la fenêtre sur la ville qu'ils proposaient aux ouvriers.

C'est ici qu'habite Bengt, dans un F1 équipé d'un balcon avec, justement, une vue magnifique. Et si aucun prince anglais ne lui a rendu visite, un grand nombre d'hommes de nationalités, âges et classes sociales confondus, ont pu admirer tant son appartement que le panorama ; ils ont également pu jouir de toutes les manières possibles et imaginables de l'hospitalité que peut offrir un fier jeune homme issu du prolétariat suédois.

Rasmus bifurque dans le Skinnarviksparken alors qu'il fait nuit noire à présent. Il n'est plus en colère. Il est un chasseur.

À l'instant où il pénètre dans le parc, il ralentit le pas, affûte son regard. Sur sa gauche court un mur bordé de buissons touffus. Il suffit de s'approcher pour trouver des sentiers qui s'enfoncent dans les fourrés mais, à distance, on distingue déjà le va-et-vient d'ombres furtives.

Cet endroit est l'un des terrains de chasse de Rasmus.

En réalité, il préfère draguer dans les saunas gays ou, en journée, sur l'île de Långholmen ;

qu'importe, un peu de changement ne fait jamais de mal.

Évidemment, il n'a pas à traîner ici, mais il était tellement en rage contre Benjamin qu'il a voulu le punir. Et si entre-temps sa colère lui est passée, il n'en reste pas moins prêt à sauter sur la première occasion venue.

Ce n'est pas quelque chose qu'il *veut* faire. C'est quelque chose qu'on fait. Il ne serait pas en mesure de l'expliquer. Ça l'attire, point final.

En bas du parc s'étend le lac Mälaren – qu'autrefois il prenait pour la mer. Sur l'autre rive il voit l'avenue Norr Mälarstrand et l'hôtel de ville. Un train s'engage sur le pont Centralbron pour rejoindre la gare. Les fenêtres éclairées scintillent dans l'eau et s'y reflètent. Peut-être qu'un petit pédé malheureux de province, un petit mec triste et sans expérience, attend dans une voiture deuxième classe de descendre à la gare centrale de Stockholm, le cœur battant et les bagages bourrés d'humiliations, avec en bandoulière une enfance qu'il va s'acharner à oublier.

Il y a quelques années de ça, ce garçon triste et candide n'était autre que lui.

La poitrine pleine de désir.

Et pourtant ça lui fait l'effet d'une éternité.

Depuis, soigneusement, il n'a cessé de se débarrasser chaque fois davantage de son innocence. Et tous ceux qui le convoitaient (les mecs, les hommes, les vieux) n'ont pas tardé à le dévorer.

Il s'assied sur un banc. Les soirées plus fraîches en cette saison n'empêchent pas de patienter ainsi. Il s'allume une cigarette.

Et dire qu'il a rencontré Benjamin, quand même. Dire qu'il a eu la chance que ce garçon magnifique ait voulu d'un type comme lui. Lui, un petit gars triste de la campagne, la poitrine pleine de désir.

Son Benjamin, il l'aime plus que tout sur terre.

Rasmus est bien placé pour savoir le calvaire que c'est de faire son coming out à ses parents, mais quand même : combien de temps encore pourront-ils faire semblant d'être uniquement des colocataires ? Car tôt ou tard, les parents de Benjamin voudront venir lui rendre visite et, en voyant qu'il n'y a qu'un lit dans l'appartement, ils pigeront forcément, non ?

Évidemment il craint aussi que Benjamin finisse par choisir sa congrégation plutôt que lui.

Tant qu'il persiste à rester avec lui, Benjamin se condamne lui-même.

On peut *vivre éternellement* sur une *terre* qui deviendra un *paradis*.

On peut aussi rater l'occasion.

Tout en pensant à son Benjamin, à combien il l'aime, Rasmus se sent observé par un homme un peu plus âgé, devant lui, légèrement sur la droite. La quarantaine, grassouillet, il dégage quelque chose de déplaisant, de presque dégoûtant. L'homme fait un geste quasi imperceptible vers son entrejambe et hoche la tête en direction de Rasmus pour l'inciter à le suivre.

L'instinct de chasse de Rasmus le fait immédiatement se lever et, sans réfléchir, il suit l'autre sur le sentier qui monte sur la butte de Skinnarviksberget.

Pile comme il s'y attendait, l'homme se dirige vers ce qui ressemble à une carrière sur le côté sud de la colline. Une construction a dû être lancée, peut-être le fameux pont qui n'a jamais vu le jour ; les premiers dynamitages ont eu lieu, et finalement le chantier a été abandonné. L'homme s'arrête, Rasmus s'arrête.

Ils se regardent. Ils regardent autour d'eux. Ils tendent l'oreille, ils n'entendent personne. Ils attendent.

L'un d'eux doit donner le signal.

L'homme fait alors un nouveau geste vers sa braguette. Sans hésiter, Rasmus vient le rejoindre.

Pour que ce soit tout à fait clair : il n'y a rien chez cet homme qui attire Rasmus. Bien au contraire. C'est peut-être justement ça. Rasmus aime son Benjamin plus que sa propre vie, il ne voudrait jamais entamer quoi que ce soit qui puisse le blesser ou nuire à leur relation. Ce qu'il s'apprête à faire, d'une certaine manière ça n'a rien à voir.

L'inconnu le regarde sans la moindre expression. Ou avec un air presque désapprobateur. Il force Rasmus à se mettre à genoux et ouvre sa braguette. Il a des doigts courts et boudinés.

Une odeur de sexe, forte et âcre, prend Rasmus à la gorge.

L'inconnu appuie sa bite contre les lèvres de Rasmus.

Rasmus ne désire pas cet homme. Il ne voudrait jamais lui adresser la parole, jamais mieux le connaître, jamais l'étreindre.

Mais face à la bite du type plaquée contre ses lèvres, il ouvre la bouche comme quelqu'un qui ne peut pas faire autrement. L'autre la lui enfonce tellement profond que Rasmus n'arrive presque pas à respirer, à tel point qu'il en a les larmes aux yeux. Il n'est plus qu'un trou. Un trou dans lequel l'autre peut aller et venir autant qu'il veut. Tout à coup, Rasmus sent le calme se déposer en lui, la tranquillité ; l'inquiétude ressentie juste avant s'apaise, plus rien n'a d'importance. Il n'existe presque plus.

Il n'est qu'un trou dans lequel quelqu'un enfonce sa bite, en silence, sans passion ni sentiment. À la manière d'un automate, comme une chose qui doit être faite.

L'autre est dépourvu de la moindre expression.

Même au bout de quelques minutes lorsqu'il se vide dans la bouche de Rasmus, il ne laisse échapper aucun râle de jouissance.

Sitôt qu'il a terminé, il remet sa queue dans son pantalon, tourne les talons et s'en va.

Ça n'a jamais eu lieu, en somme.

Rasmus recrache.

Il est complètement vide.

Il quitte le parc à pas lents.

Un peu triste, comme toujours dans ces moments.

En rentrant, il va se brosser les dents et se rincer la bouche avant d'embrasser Benjamin.

Ce qui s'est produit n'a jamais eu lieu.

Ça n'a jamais eu lieu et ça se reproduira.

Plus tard ce soir-là, Rasmus entoure Benjamin de ses bras protecteurs pour dormir. Il s'est brossé les dents. Il s'est rincé la bouche. Il est redevenu innocent. Rien de ce qui ne doit surtout pas avoir lieu ne s'est produit.

Benjamin lui demande où il était. Sorti, répond Rasmus.

Rasmus demande s'il a pu écrire son discours. Oui, oui, répond Benjamin.

Benjamin présente ses excuses pour s'être disputé avec lui. Rasmus ferme les yeux et, pendant une fraction de seconde, il se voit à genoux devant un étranger répugnant. Il frémit et serre Benjamin plus fort.

Ils ne sont plus fâchés.

Benjamin est sur le point de dire bonne nuit quand soudain Rasmus se redresse sur les coudes.

– Juste une chose, dit-il, je ne veux pas être personne dans la vie de celui que j'aime.

Il vrille son regard dans les yeux bleus de Benjamin.

– Ce n'est pas le cas, répond Benjamin avec gravité.

– Qu'est-ce que je suis alors ?

Benjamin ne répond pas.

Au-dessus du lit est accrochée l'image que Benjamin avait apportée quand ils ont emménagé.

Dans un pré un homme heureux, une femme

heureuse et leurs enfants heureux devant des montagnes enneigées ; un lion et un agneau côte à côte, dans le fond.

Sous le dessin une petite légende.

« *Vous pouvez vivre éternellement sur une terre qui deviendra un paradis.* »

Au bout de la pointe ouest de Långholmen, derrière des fourrés, se trouve un lieu de baignade fréquenté principalement par des hommes homosexuels de tous âges.

En réalité, toute la superficie de l'île à l'ouest de l'ancienne prison fait office de lieu de drague gay, surtout en été. On bronze, on papote, on baise. Si on veut se baigner, on se rend à l'extrémité de l'île, l'eau y est assez profonde pour pouvoir plonger et les pierres permettent de remonter facilement. Si en revanche on veut tirer son coup, on s'enfonce dans la touffeur des bosquets de lilas juste à côté ou on va faire un tour sur la petite colline à proximité.

Tout le monde est nu. Personne ne met de maillot de bain. On est assis et à moitié allongés sur les pierres inconfortables. Ici, on est avant tout sociables. On salue les autres en arrivant, on adresse la parole à chacun. Vient qui veut, les plus vieux comme les plus jeunes.

Certains hommes passent la totalité de leur été sur la grève, l'utilisant comme lieu de villégiature. Ils débarquent directement du boulot, font des mots croisés, boivent du café qu'ils ont apporté dans leur Thermos, commentent ce qui se passe dans le monde. Le soleil est encore haut dans le ciel, il va chauffer pendant plusieurs heures encore.

Rasmus et Benjamin viennent d'arriver. Sortant d'une trouée dans les buissons, ils sautent sur les pierres en contrebas. Ils hochent la tête en guise de bonjour aux personnes déjà présentes et commencent à se déshabiller. Tandis qu'un couple barbote non loin de lui, un jeune homme vient de bondir sur le rocher qui, à cinquante centimètres du bord, sert de plongeoir. Ce n'est autre que Bengt. Debout et nu, il exhibe son corps pareil à celui d'un dieu grec. Il laisse les vieux pédés le mater. Ça au moins, il peut le leur offrir.

– Ah, vous voilà enfin ! lance-t-il à Rasmus et Benjamin, avant de s'étirer voluptueusement quand son cri fait tourner les regards sur lui.

– Désolé, on est en retard, dit Benjamin, toujours soucieux d'arriver à l'heure.

Une des vedettes de tourisme de la ville passe à distance. Comme la capitale est entourée d'eau, une des attractions les plus prisées consiste à admirer Stockholm en bateau. La vedette vient d'emprunter l'étroit canal de Långholmen et s'apprête à contourner la pointe de l'île pour rejoindre l'hôtel de ville.

La voix du guide dans les haut-parleurs porte jusqu'à la grève.

– *And to the right you see...*

Les hommes nus sur les pierres se lèvent, sifflent et agitent leurs mains.

Rasmus se dévêtit à toute vitesse.

– À poil, Benjamin !

Benjamin, un peu intimidé, fait durer le déshabillage. Toute cette nudité, il a du mal à s'y faire. Tant de corps, tant de verges et de testicules, tant de peaux plissées et de choses qui pendouillent.

Rasmus a déjà totalement oublié sa présence.

Car ce qui se passe maintenant est le moment le plus rigolo de la journée. Dans le plus simple appareil, il saute sur le rocher à côté de Bengt et l'embrasse à pleine bouche.

D'un air guilleret, Bengt regarde la vedette.

– J'adooore ! On est une attraction touristique ! On est le péché suédois !

Tous deux font des grands gestes aux touristes, les interpellent et chantent : «*Sing if you're glad to be gay ! Sing if you're happy that way !»* Ils éclatent de rire. Ils sautillent en secouant leur queue.

Ce sont leurs rochers, leur baignade, le petit endroit de liberté qu'ils ont conquis sur cette terre.

C'est leur vie. Leur jeunesse, leur courage, leur joie de vivre.

C'est leur victoire. Ils ne vont jamais échouer. Ils ne seront jamais forcés à retourner dans l'obscurité.

Ils ne vieilliront jamais. Ils ne mourront jamais.

Benjamin se tient un peu en retrait. Plus pâle. Toujours en slip. Il les regarde avec émerveillement et stupéfaction.

Ils se tiendront là pour toujours, Rasmus et Bengt, nus, jeunes, avec leur corps musclé et bronzé, en cet instant de liberté et de bonheur, alors que rien au monde ne saurait les vaincre.

Sara compose le dernier chiffre du numéro et attend. Rasmus répond.

– Rasmus ? Bonjour. Ah, tant mieux, tu es à la maison. Tu vas bien ?

– Ben, oui…

– Alors voilà. Tu comprends, papa et moi, on est en train de lire le *Nya Wermlands-Tidning*, et ils parlent du sida. Bon, ils appellent ça la nouvelle peste !

Harald se tient à côté d'elle, le journal à la main. Il l'interrompt, s'époumone pour que Rasmus entende.

– La peste noire, qu'ils disent !

Un grand miroir est accroché au mur, près du téléphone. Rasmus inspecte son visage dans la glace pendant qu'il écoute ses parents. Il a maigri. Ça lui va bien. Mais il est aussi devenu plus musclé. Il incline la tête dans différents angles, le combiné sur l'oreille, en percevant l'inquiétude de Harald et Sara.

– La peste noire, c'est papa qui le dit, il est à côté de moi… J'espère que tu es prudent, Rasmus ?

– Oui, maman, dit Rasmus sans conviction.

Il souffle son haleine sur le miroir.

Harald, le journal brandi devant Sara, insiste sur une ligne en particulier.

– Ils écrivent aussi que le groupe le plus exposé est celui des homosexuels…

– Ah booon ?

Il prend une voix traînante, presque pour provoquer ses pauvres vieux parents. En même temps il écrit de l'index son prénom dans la buée.

Il se rend compte que sa mère attend qu'il ajoute autre chose. Comme rien ne vient, elle lâche dans un souffle, inquiète :

– Mais toi, tu es en pleine santé, on le sait bien !

– Oui, maman.

– Tu nous le dirais sinon, n'est-ce pas ?

– Oui, maman.

Il allume une cigarette tout en regardant son prénom s'effacer lentement et son haleine devenir des gouttes sur le verre.

– Après tout, nous sommes tes parents !

– Oui, maman.

Il souffle la fumée, forme quelques ronds, s'observe dans le miroir.

Harald perd patience et arrache le combiné des mains de sa femme.

– Écoute-moi, Rasmus, je te lis ce qu'il y a d'écrit : « *La personne atteinte du sida meurt en général dans les trois à six mois. Seuls 30 % des patients testés séropositifs il y a deux ans sont encore en vie, leurs chances de vivre deux années de plus sont considérées comme très minces.* »

Sara reprend le combiné.

– Tu es toujours là ? Tu as entendu ce que papa vient de lire ?

– Oui.

– Donc, cette histoire d'homosexualité que tu as commencée en arrivant à Stockholm…

– Maman, l'interrompt soudain Rasmus, je dois filer au boulot. Je commence dans quarante minutes.

– Nous sommes tes parents, Rasmus. Nous savons que tu n'es pas comme ça. Rasmus ?

Il pose son doigt sur la fourche. La conversation est coupée.

Furieux, Rasmus arpente plusieurs minutes le petit appartement. Il a envie de casser quelque chose. Il a envie de faire mal à quelqu'un. Au lieu de quoi il rappelle ses parents à Koppom.

Sara a à peine le temps de décrocher qu'il hurle déjà dans l'appareil. Il lui hurle qu'il est vachement désolé de ne pas être le fils que ses parents voudraient avoir. Parce que, raté, il est pédé, il a toujours été pédé, depuis l'âge de cinq ans il sait qu'il est un gros pédé. Elle essaie de l'interrompre, lui demande de baisser la voix, mais il continue de plus belle. Elle essaie à intervalles réguliers de glisser un «Calme-toi !», mais il ne se calme pas. Il est terriblement en colère. Contre la planète entière, contre la société, contre ses parents, contre la maladie, contre sa propre peur, contre ses copains déjà malades. Contre tout le monde !

Il crie à sa mère :

– Ils nous ont collé cette putain de saloperie de maladie pour nous foutre les jetons et nous renvoyer dans nos placards ! Mais ça n'arrivera pas, maman !

– Rasmus, écoute-moi !

– Soit vous l'acceptez, soit vous allez vous faire foutre !

À l'autre bout du fil, le silence est total. Sa mère n'essaie plus de lui demander de se calmer ni d'arrêter quoi que ce soit.

Après un petit instant, pendant lequel Rasmus la soupçonne d'avoir raccroché, il l'entend murmurer, tout doucement :

– Oui, Rasmus. Pardon, Rasmus. On t'aime.

La famille se tient devant la salle de réunion, face aux étagères où on peut se servir en documentation ou encore s'inscrire pour le service du champ. Britta sollicite deux districts où elle pourra accomplir sa prédication de la semaine à venir. Benjamin range les livres empruntés pour l'étude biblique qu'il va diriger dans quelques jours.

Comme au détour d'une phrase, Britta demande à son fils s'il veut venir manger un morceau à la maison.

Il fait semblant de continuer à parcourir le dos des livres. Seul un œil très attentif pourrait discerner qu'il se fige un instant. Un peu comme si le film projeté sautait tout à coup, pour ensuite reprendre son cours normal.

– Euh, je... ce n'est pas possible. Rasmus et moi, on devait...

Rapide évaluation. Jusqu'où peut-il s'écarter de la vérité ? Il décide de ne pas mentir.

– Rasmus cuisine aujourd'hui.

Britta souffle.

– Ah bon, vraiment ? Et tu estimes que ça passe avant ta famille ?

Elle prend soudain conscience de la présence juste à côté d'elle de Gideon, qui s'occupe de répartir les districts et de remplir les étagères en publications et en livres indispensables. Levant rapidement les yeux, elle lui adresse un sourire gêné. Il n'est pas censé entendre, n'est pas censé écouter une discussion qui pourrait être interprétée comme un schisme au sein de la famille.

Elle voit que Gideon a aussitôt capté le ton de sa voix, qu'il a remarqué la tension. Il rend son sourire à Britta et hoche la tête, comme pour lui signifier que tout va bien, qu'il ne se mêle pas de ce qui ne le regarde pas. Mais évidemment qu'il ne perd pas une miette de ce qu'ils disent, évidemment qu'il est à l'affût de ce qui se passe.

Amour et contrôle. Amour et surveillance. Les deux ne peuvent être dissociés.

À ce stade, Benjamin devrait lui aussi savoir qu'ils sont observés. Il ne devrait pas argumenter, il devrait simplement obéir. Britta est sa mère. Or il continue de parler avec calme, comme si ses propos relevaient de l'évidence.

– Pas du tout, mais il se trouve qu'il est en train de cuisiner en ce moment même.

Britta rougit pour deux. Il devrait avoir honte. Embarrassée, elle regarde Gideon. Ne lit-elle pas sur son visage un léger rictus ? Un malin plaisir ? Et peut-être se sent-il alors importun car il prend soudain un air très sérieux et se lance dans le rangement du comptoir.

Britta cherche son époux des yeux. Elle aurait besoin de lui, là, tout de suite. Le chef de famille, c'est lui. En tant qu'homme, il a pour mission divine de diriger.

Ingmar termine une conversation avec un des anciens et vient rejoindre son épouse. À voix basse, elle lui fait part de la dispute qu'elle vient d'avoir avec Benjamin.

– Il ne me plaît pas, ce colocataire, dit-elle. Il s'appelle Rasmus, c'est ça ? Si seulement il avait été des nôtres.

Ingmar n'hésite pas une seconde. De sa voix la plus autoritaire, afin que quiconque le désirerait puisse l'entendre, il demande :

– Au fait, Benjamin. Pourquoi il ne t'accompagne pas aux réunions, ce... *Rasmus* ?

C'est au tour de Benjamin de rougir et de se rendre compte que tout le monde les écoute.

– Papa ! halète-t-il. Il ne viendra pas, c'est comme ça. D'accord ?

Le lendemain, Benjamin écope de la réprimande la plus sévère qu'il ait jamais reçue de la part de son père qui remet en question tout ce qu'il *fiche* ces temps-ci : son colocataire, ce Rasmus, les amis profanes qu'il s'est visiblement faits par l'intermédiaire de ce camarade, son engagement de plus en plus tiède dans la congrégation.

– Oui, tu as bien entendu : *tiède* ! Ne va pas croire que ça ne m'a pas échappé sous prétexte que je n'ai rien dit jusque-là !

– Papa, sois gentil…

– Eh bien non, Benjamin, je n'ai aucune envie d'être gentil. Je suis même on ne peut plus sérieux. Et maintenant je veux, non, *j'exige* que tu m'écoutes !

Benjamin se tait.

– Si tu crois qu'il existe un juste milieu où tu pourras louvoyer entre l'étroit chemin qui mène à la vie et le large chemin qui conduit droit à l'anéantissement, si c'est *ça* ton idée, laisse-moi te dire que tu peux y renoncer tout de suite. Il est totalement irréaliste, Benjamin, de croire qu'on peut grappiller dans ce qui est prohibé, sans aller jusqu'au bout, juste histoire d'essayer – qu'on peut pour ainsi dire *goûter* sans avaler. Ceux qui tentent de suivre un tel cap «nagent entre deux eaux», si je puis m'exprimer ainsi. Ils servent certes Jéhovah, mais en partie seulement. Car en même temps ils aiment le monde et tout ce qu'il contient. Et d'un point de vue spirituel, Benjamin, *d'un point de vue spirituel,* cela peut facilement mener au désastre complet !

Le père est tellement indigné qu'il arpente la pièce dans tous les sens.

– Mon fils adoré ! s'écrie-t-il ensuite. Nos désirs imparfaits se renforcent si nous cédons face à eux. Tu le sais très bien ! Le cœur, si perfide, ne se contente pas d'une bouchée. Il en veut davantage. Il te suffit de lire Jérémie 17, 9 pour en être convaincu. Tu dois te méfier de ton cœur, Benjamin. Tu dois te méfier de ce que ton cœur te dit !

Benjamin frémit. Dans son cœur, il n'y a que Rasmus.

Est-ce maintenant qu'il va le dire ? Est-ce maintenant qu'il va avouer ? Est-ce maintenant qu'il va faire s'écrouler le monde ?

Il hésite. Ça lui brûle les lèvres. Il respire de plus en plus fort pendant qu'il se prépare à sauter.

Mais son père ne semble pas remarquer l'ampleur de son agitation. Il est plongé jusqu'au cou dans sa propre indignation.

– Dès l'instant où nous nous éloignons spirituellement, le monde exerce sur nous une influence grandissante. C'est écrit dans l'épître aux Hébreux. Tu n'en as peut-être pas conscience, Benjamin, mais tu as déjà commencé à *fléchir* spirituellement, tu as déjà commencé à chavirer !

Benjamin prend une profonde inspiration. Maintenant il va le dire.

Il se lève d'un coup pour couper la parole à son père, mais celui-ci ne veut pas être interrompu. Pas question ! Il ne le permet pas !

– Exactement, *chavirer* ! Oui, je vois bien que ça te vexe. Je vois bien que tu veux protester ! Tu ne le crois peut-être pas, mais nous nous en apercevons, ta mère et moi, tes parents ! Nous le remarquons, et ça nous cause une extrême inquiétude ! Nous ne sommes peut-être pas très calés dans ce qui a trait aux choses *modernes*. Mais quand il s'agit de notre cœur perfide, mon petit bonhomme, nous en savons beaucoup plus que toi. Parce que nous avons *vécu* beaucoup plus longtemps que toi !

– Papa ! Je suis…

Mais son papa n'écoute pas.

– Tout ce que nous voulons, ta mère et moi, c'est t'aider, il va falloir que tu le comprennes une fois pour toutes ! T'aider à «*faire avancer ton cœur*» sur le chemin qui mène à la vie, comme le disent les Proverbes ! Faire avancer ton cœur sur le chemin qui mène à la vie !

Le père s'est arrêté. Ils se dévisagent.

Benjamin descelle ses lèvres. Elles le brûlent. Elles forment déjà les mots.

Or aucun son n'en sort. Aucun mot, aucune parole.

Il respire fort, comme à bout de souffle.

Trop tard. L'instant vient de s'écouler, les paroles arrivées au bout de sa langue sont ravalées.

Lentement il referme la bouche, referme ses lèvres, recommence à garder son secret pour lui seul.

Sous la chemise blanche impeccablement repassée, il sent battre à tout rompre son cœur perfide.

Soirée ordinaire en semaine. Rasmus et Benjamin dînent en silence.

Benjamin a soudain l'impression d'apercevoir une tache dans la main de Rasmus.

– C'est quoi ? demande-t-il en pointant le doigt.

Rasmus ne comprend pas immédiatement.

– Quoi ?

– Ce que tu as, là, dans la main.

Rasmus ouvre la main et y jette un coup d'œil. Il est écrit «GEIR 41 67 02».

Rasmus hausse les épaules.

– Ah, ça. Rien. Un numéro de téléphone.

– De qui ?

– Tu le vois bien, c'est écrit dessus. De Geir. Un mec que j'ai rencontré et qui voulait que je le rappelle.

– Et tu l'as écrit dans ta main ?

Ils continuent de manger en silence. La nourriture forme une boule qui grandit dans la bouche de Benjamin.

Leur relation n'était pas censée aboutir à ça.

Pour une fois, tout le monde est réuni : Paul, Bengt, Seppo, Lars-Åke, Rasmus et Benjamin. Ils boivent une bière au Timmy avant de continuer la soirée au Confetti, la boîte gay surnommée plus simplement Kofittan (La chatte bovine) et située dans une ruelle adjacente à la Grev Turegatan, une des petites rues sombres et délabrées du quartier pourtant cossu d'Östermalm.

Tonton Åke trône à sa place attitrée avec sa chope de bière, dans un coin reculé de la pièce du fond. Comme d'habitude impeccable, vêtu de son costume trois-pièces. Il hoche aimablement la tête aux «garçons», ainsi qu'il les appelle.

Tant Paul que Seppo vont le serrer dans leurs bras. Leur geste le ravit toujours autant. Ça ne coûte rien de se casser un peu le cul, dit toujours Paul : dans quelques années ils prendront sa place.

Benjamin, qui vient de demander si l'un d'eux veut boire quelque chose, fait la queue devant le bar.

On voit les clients se retourner pour reluquer Bengt en douce, ils le reconnaissent pour avoir vu le film ou la série télé dans lesquels il a joué. Ça le distingue du lot. Il n'y a pas beaucoup de personnalités de la radio et de la télé à afficher ouvertement leur homosexualité. Si : le chanteur Jan Hammarlund, évidemment. Et le comédien Carl-Ivar Nilsson, devenu une star grâce à la série télé *Retour au village*, on le voit parfois au Timmy. Mais sinon ?

L'animateur radio et télé Jacob Dahlin a certes accordé une interview à *Revolt*, et sur la photo il porte d'ailleurs un chapeau bizarre qui ressemble à un compotier ; mais l'article ne contient aucune allusion à son homosexualité. Quant aux autres célébrités que tout le monde sait pertinemment faire partie de la «famille» – la chanteuse Eva Dahlgren, par exemple, ou le journaliste Lennart Swahn –, elles sont tout sauf publiques. Étrange d'ailleurs en ce qui concerne Dahlgren, souligne Seppo, vu qu'elle a chanté lors du gala après la marche pour la Libération homosexuelle, il y a de nombreuses années, elle a dû faire le chemin en sens inverse pour se réenfermer dans son placard. Et sans parler de Christer Lindarw, créateur de mode et transformiste, leader du groupe After Dark, «la plus belle femme de Suède» comme on l'appelle : il refuse même de répondre à la question de savoir s'il est gay.

Si bien que c'est un petit événement que Bengt vienne au Timmy, lui, un acteur. Bon, d'un autre côté, il fréquentait le bar bien avant de devenir connu.

– Au fait, vous avez entendu qu'ils vont refermer le trou de la gare Södra ? dit Lars-Åke qui s'intéresse toujours à tout ce qui touche à la capitale.

– Ce qui sert de décharge pour la vieille ferraille ?

– Ils veulent transformer le lieu en Manhattan de Stockholm, c'était écrit.

– Ouiii, s'écrie Paul, je l'ai lu moi aussi ! Je trouve ça archi-classe. Des gratte-ciel et tout le toutim. J'hal-lu-cine !

– T'es sûr ?

– Des immeubles de trente étages, paraît-il, dit Lars-Åke.

– Ab-so-lu-ment, ajoute Paul. On va s'en prendre plein les mirettes !

Le site autour de la gare Södra est une plaie ouverte au milieu du quartier Söder, une sorte de trou béant entre les places Medborgar-platsen et Mariatorget, où se trouve le Timmy.

Les ferrailleurs y ont installé leurs entrepôts gardés la nuit par des chiens. Les rues traversant la zone n'ont pas d'éclairage, elles ne sont même pas goudronnées. Le bâtiment de la gare est construit comme un viaduc au-dessus des rails avec des escaliers qui, telles des pattes d'araignées, descendent vers le quai où ne s'arrêtent que les trains de banlieue.

Benjamin arrive en équilibriste avec les bières qu'il pose sur la table.

– De quoi vous parlez ?

– La gare Södra, glisse Bengt. C'est là que je me suis fait branler par un vieux pour cinquante balles quand j'avais seize ans.

– Félicitations ! dit Paul, rapide comme une flèche.

Tout le monde éclate de rire. Benjamin soupire.

– Qu'est-ce que t'as encore ? demande Rasmus, irrité.

Il donne un petit coup de coude à Benjamin.

– Mais fais attention, bon sang ! aboie Benjamin, tout aussi irrité, quand un peu de bière vient éclabousser son jean.

– Je fréquentais la Klara pornorra quand j'étais ado, poursuit Bengt qui veut raconter son anecdote jusqu'au bout.

– Tiens ! l'interrompt Paul avec un clin d'œil appuyé à Rasmus. C'est là que, comme par hasard, je suis tombé sur notre poussin divin du Värmland. Ça fait une é-ter-ni-té !

– Oh, je t'en prie… gémit Benjamin.

– Oui oui oui, fait Paul pour balayer sa protestation. Mais juste que ce soit clair au cas où tu ne le saurais pas, mon Benjaminou : Rasmus ne sera pas vierge quand vous vous marierez.

L'hilarité est encore générale, et tant pis si ce n'est pas spécialement drôle. Mais c'est comme ça que ça marche : Paul se fend d'une réplique et les autres pouffent. Les mêmes plaisanteries et les mêmes injures sont ressassées à l'infini et en boucle.

Benjamin en a tellement marre d'eux et de leurs rires. Cette libération gagnée de haute lutte ! Cette mascarade ! Et c'est dans cette communauté qu'il vit au lieu de mener une existence dans la vérité. Il n'ose même pas penser à ce que diraient ses parents s'ils le voyaient en ce moment.

– Bon, vous me laissez raconter mon histoire, oui ou merde ? proteste Bengt. Toujours est-il qu'un soir les flics font une descente dans la Klara pornorra et moi, je m'engouffre en quatrième vitesse dans une voiture et j'articule : « Salut. Allez, roule, j'ai envie de toi, tu m'excites ! »

Il déforme sa voix et ressemble tout à coup à une follasse langoureuse. Une fois de plus les rires fusent, comme si tous obéissaient à un signal.

– Sauf que quand je lève les yeux, je tombe sur un vieux croulant qui doit avoir dans les soixante balais !

Bengt s'esclaffe, mais d'un rire plus nerveux qu'amusé. Il ne le contrôle absolument pas. Son corps est secoué de rires convulsifs qui, étonnamment, le rendraient presque repoussant.

– Bon, écoutez ! les interrompt Benjamin, qui s'efforce de paraître joyeux et d'adopter un ton léger. Je ne suis pas sûr de vouloir entendre tout ça, on pourrait peut-être…

Bengt ne tient aucun compte de ses protestations.

– C'est bizarre mais je me souviens de ce soir-là comme si c'était hier. Le vieux m'a branlé dans sa bagnole du côté de la gare Södra pendant que je fumais une clope en regardant par la vitre.

Et tout le monde, encore, de rigoler ! Ah ah ah ! À croire que c'est drôle, ah ah ah, alors que c'est juste dégueulasse.

– Hé, oh ! s'insurge Benjamin de plus belle – mais il parle à des sourds. Non mais franchement ! Il faut vraiment qu'on soit toujours aussi vulgaires ? Il faut vraiment que tout tourne autour du sexe !

Le silence est immédiat, les regards surpris se braquent sur Benjamin qui rougit avant que Paul le rabroue :

– Mais bien sûr, mon petit cœur. Autour de quoi tu voudrais que ça tourne ?

Les voilà repartis à ricaner à l'unisson.

Rasmus semble agacé quand il chuchote à Benjamin :

– Arrête de nous plomber l'ambiance, putain ! Tu fais chier à jouer les rabat-joie !

Bengt continue son histoire, sans cesser de se tordre de rire. Benjamin le regarde avec dégoût, le trouve carrément hideux à hennir comme un cheval. Soudain, Bengt semble perdre le contrôle de son récit, sa voix change de timbre, il est à deux doigts de fondre en larmes.

– C'est-à-dire que… Je crois que je m'en souviens parce que je regardais un immeuble de la Björngårdsgatan. Une fenêtre du rez-de-chaussée était éclairée, pile celle où habitait le premier mec dont je suis tombé amoureux. Et c'était tellement ridicule, tellement vulgaire de me retrouver juste en face, alors que j'étais en train de me faire branler par un gros dégueulasse.

Il se tait, se mord la lèvre inférieure. Ça n'a rien de drôle. Et ça ne devait pas virer au tragique. Mais ça arrive parfois. Bengt est d'un coup comme submergé par le chagrin. Les autres échangent des regards complices. C'est pareil pour eux. Ce n'est pas la première fois. On avance sur une corde raide. De temps en temps on fait un faux pas.

Lars-Åke retire à Bengt sa chope de bière.

– Je ne sais pas vous, lance-t-il de façon pragmatique, mais moi je pense que notre future jeune vedette a assez bu pour ce soir.

Bengt se reprend brusquement, frappe d'enthousiasme dans ses mains et s'écrie, rayonnant :

– Dans l'immeuble d'en face, il y avait une sorte d'institution pour malades mentaux qui était gardée par des chiens !

Il pousse un nouveau soupir de bonheur, comme s'il repensait à un souvenir amusant.

– Je l'avais presque oublié…

Puis il s'adresse à Benjamin sur un ton ambigu. Verse-t-il dans la provocation ou cherche-t-il à être prévenant ? Continue-t-il à se moquer de lui ou veut-il lui montrer qu'il sait aussi assumer la douleur ?

– Tu veux que je te dise ce qui était le piré ? Ils voulaient toujours savoir comment je m'appelais. Les vieux. Comme si *moi* j'avais envie de leur révéler mon prénom.

Il plonge un instant dans ses pensées.

Paul lève les yeux au ciel.

– Voilà qu'elle nous joue la grande scène du deux, la drama queen ! Non mais tu t'es entendu ? On aurait cru une réplique de théâtre ! Qui ne s'est pas fait branler ou sucer par un vieux une fois dans sa vie ? Personne n'en est mort, je te signale. Et sinon, le petit Bengt de l'époque, il a dit qu'il s'appelait comment ?

Bengt sourit et reprend son rôle de la jeune follasse.

– Je m'appelle Thomas, et ça me fait extrêmement plaisir.

Tout le monde éclate de rire. L'ordre est rétabli.

– Tu peux me rendre ma bière maintenant !

Sans réfléchir, Lars-Åke a bu dans la chope de Bengt. Bengt est tétanisé.

– Attends, c'était ma bière ! Tu viens de boire dans mon verre ?

Lars-Åke est gêné.

– Oh, pardon ! J'ai juste pris une gorgée…

– Quoi ? les interrompt Seppo, visiblement furieux. Ne me dis pas que tu ne peux plus boire cette bière ?

Tout le monde regarde Bengt, qui hésite.

Et voilà, la maladie vient à nouveau de s'inter-
poser. Comme une barrière.

Les messages sont si équivoques.

D'un côté, *Expressen* affirme comme s'il s'agissait d'un fait avéré qu'«*un homosexuel actif sur
cinq est contaminé*» et, pour sa part, *Dagens
Nyheter* publie un grand article avec le dos d'un
homme anonyme en guise d'illustration, rehaussée
des titres suivants : *L'épidémie de sida multipliée
par deux tous les six mois en Suède* et *Il vit dans
l'angoisse et espère survivre*. D'un autre côté, les
médecins essaient de faire passer le message selon
lequel les contacts sociaux classiques ne sont
pas des vecteurs du sida et que le virus n'est pas
transmissible via l'air ou les aliments.

Mais comment savoir ? À qui doit-on faire
confiance ?

Dans une interview datée du 24 mai, les chercheurs assurent que «*rien n'indique que les moustiques peuvent transmettre le sida*». Pourtant, une
petite semaine plus tôt, la une d'*Expressen* clame
haut et fort : LES MOUSTIQUES PEUVENT TRANSMETTRE LE SIDA ;
les pages intérieures montrent même la photo
d'un moustique géant.

Le 15 mai, *Dagens Nyheter* croit savoir que,
pour être contaminé, «*il suffit qu'un séropositif
tousse et qu'on respire les fines gouttes de salive qui
s'attardent dans l'air*». Il en rajoute une couche
une semaine plus tard puisque ses colonnes
trompettent : «*L'hystérie généralisée a éclaté la
semaine dernière, après la révélation que le sida
peut être transmis par de fines gouttes de salive.*»
Puis, rétropédalage par le biais d'un démenti :
cette information concernant la salive n'était a
priori pas tout à fait correcte.

Comment savoir ?

Pour finir, Paul s'empare du bock de bière.

– Alors là, j'hallucine *vraiment* ! C'est pourtant
pas compliqué, putain !

Il boit la bière en entier. Jusqu'à la dernière goutte.

Puis il repose bruyamment le bock sur la table et s'essuie la bouche.

– Voilà ! Elle était bonne. Et maintenant on file au Kofittan !

À peine arrivés, Paul et Seppo ont trouvé des copains avec qui ils ont disparu. Lars-Åke est rentré se coucher, il n'a plus la force de faire de longues sorties. Bengt est au-delà de tout contact tellement il est soûl, il danse en parvenant à peine à garder les paupières ouvertes.

Restent Benjamin et Rasmus qui dansent ensemble, ce qui n'empêche nullement ce dernier de draguer sans vergogne un mec juste à côté d'eux, sur la piste.

Révolté, Benjamin se penche en avant et embrasse son amoureux pour marquer une sorte de droit de propriété, pour montrer à l'autre que ce garçon lui appartient, à lui et à personne d'autre. Il sourit à Rasmus, qui ne lui rend pas son sourire.

Ils continuent de danser, Rasmus se rapproche de l'autre mec, comme s'il tournait peu à peu le dos à Benjamin. Lequel, en plus d'avoir l'impression d'être repoussé, voit que l'autre se sent du même coup pousser des ailes : il se pavane, ricane, cligne des yeux, en fait des tonnes.

Dépourvu de tout sens moral, songe Benjamin avec mépris. Et de tout sentiment de honte. Comme Rasmus, d'ailleurs, il est obligé de le reconnaître.

Alors que lui, Benjamin, est rongé par la honte. Il a honte pour Rasmus. Il a honte que Rasmus drague ce mec d'une façon aussi vulgaire. Et surtout il a honte de lui-même, honte de se laisser faire, de rester planté là sur la piste de danse comme un crétin, comme un cocu, honte de se trouver dans un endroit comme celui-ci.

Un endroit immoral.

Certes, les vrais chrétiens ne partent pas du principe que tous ceux qui ne partagent pas leur foi sont des dépravés – mais ça ! *Ça !*

Les fumigènes diffusés sur la piste de danse sentent le menthol. Les flashes du stroboscope et les faisceaux de lumière colorée passent en tous sens à travers les nappes de fumée, balaient les danseurs plongés dans un état extatique. Des torses nus en sueur, étroitement serrés. Des corps qui ondulent, des inconnus qui se tripotent, qui se collent les uns aux autres.

Il n'a pas voulu ça.

Son père a raison. Qu'est-ce qu'il fiche, au juste ?

Sa marche sur le fil n'est pas tenable. Il n'existe pas de juste milieu où louvoyer entre l'étroit chemin qui mène à la vie et le large chemin qui conduit droit à l'anéantissement. Se maintenir dans la vérité, dans la lumière et la décence et tout en même temps vouloir vivre en ce monde terrestre qui, semble-t-il, cherche sa subsistance dans la bassesse, dans la pourriture et l'immoralité – c'est une erreur, tout simplement. Son père a décidément raison : il est irréaliste de croire qu'il peut grappiller dans ce qui est prohibé, juste histoire d'essayer, qu'il pourrait *goûter* sans avaler.

Avale maintenant, pense-t-il, avale ce que tu as tant désiré !

Peu de temps après, au bar, Rasmus est lancé dans une conversation animée avec le mec qu'il a dragué sur la piste de danse. Penchés l'un vers l'autre, ils se crient dans les oreilles pour couvrir la musique. Leurs bouches qui se frôlent presque, qui chatouillent comme des baisers. Et eux qui rigolent, qui se tripotent sans arrêt, qui échangent des caresses légères comme des plumes.

Benjamin sent des ténèbres s'abattre en lui. Il voudrait les anéantir, ces rires, ces rires sempiternels alors qu'il n'y a rien de drôle !

Les mains de Rasmus touchent l'autre. Elles lui malaxent la nuque, descendent dans le bas du dos, contournent vers la braguette.

À un mètre d'eux, Benjamin les dévisage comme le crétin qu'il est, dans l'attente jalouse que son amoureux termine son petit jeu avec cet inconnu et revienne confirmer que son homme c'est lui, Benjamin. Rasmus doit bien voir qu'en ce moment il le laisse seul, abandonné. Il ne peut pas le faire intentionnellement.

Benjamin tire Rasmus par le bras.

– Allez, viens, s'il te plaît ! J'ai envie de partir maintenant. Je suis fatigué.

Rasmus souffle d'exaspération et se dégage.

– Et moi j'ai envie de rester.

– Mais je ne veux pas…

– Quoi ? Qu'est-ce que tu ne veux pas ?

Oui, qu'est-ce qu'il ne veut pas au juste ? Il y a tant de choses qu'il ne veut pas, tellement qu'il n'arrive même pas à les formuler.

Il ne veut pas rester ici. Il ne veut pas que Rasmus s'offre ainsi à un inconnu, comme une vulgaire petite pute. Il ne veut pas continuer d'être dans ce vacarme, à côté de ces mecs ivres, *liquéfiés* en quelque sorte, qui s'estiment tous… quoi, d'ailleurs ? Émancipés ? Libérés ? La liberté qu'ils croient avoir atteinte représente-t-elle vraiment un but dans l'existence ?

Il ne veut pas !

– Je t'ai posé une question : c'est quoi que tu ne veux pas ? crache Rasmus, tout en faisant un clin d'œil à l'autre mec, comme pour lui montrer qu'il se paie la tête de Benjamin.

– Je ne veux pas rentrer tout seul à vélo.

Il a tant de choses à lui dire, et la seule qu'il trouve à exprimer c'est ça.

Le regard rivé au sol. Miné par la honte.

– C'est qui, lui ? veut savoir l'inconnu, qui lance à Benjamin une méchante grimace.

Rasmus regarde Benjamin droit dans les yeux. Le toise, le jauge.

– Lui ? Bof, c'est personne.

Je ne veux pas être personne dans la vie de celui que j'aime.

D'un geste ostensible, il passe un bras autour du mec et l'attire contre lui.

Benjamin tourne les talons, habité par les ténèbres.

En chemin, il passe devant Paul et Seppo. Furieux, il ne s'arrête pas. Il ne veut plus rien avoir à faire avec ces types, il ne veut plus rester ici une seconde de plus.

– T'es drôlement pressé, dis donc. C'est Jésus qui est enfin revenu, ou quoi ? tente Paul, qui ne saisit pas le sérieux de la situation et, comme d'habitude, tourne tout en dérision.

De colère, Benjamin le repousse. Il ne veut plus entendre de rires. Il ne veut plus être humilié.

Il ouvre violemment la porte des toilettes pour hommes. Il ne sait même pas pourquoi il s'y engouffre, lui qui avait pris la décision de quitter cet endroit sur-le-champ et de rentrer directement. Toujours est-il qu'il prend appui sur un des lavabos, à côté de l'urinoir. Il respire rapidement par le nez. Se fixe dans le miroir. Se méprise.

Les souillures de ce monde !

« *Les mauvaises compagnies ruinent rapidement le meilleur des hommes.* » Ainsi s'adresse saint Paul aux Corinthiens.

C'est ce qu'il aurait dit lui-même, il y a quelques années seulement. Il est vraiment tombé bien bas !

Que faire ? Y retourner pour essayer une dernière fois de ramener Rasmus ? Est-ce à cause de ça qu'il n'a pas encore quitté la discothèque ?

Des gens entrent dans les box des toilettes, lui jettent des coups d'œil.

Benjamin observe son reflet affolé dans le miroir. Derrière lui, des folles en train de mâcher du chewing-gum le déshabillent du regard.

Il voit ce que leurs yeux voient.

Quelqu'un qui n'est pas à sa place ici.

Quelqu'un qui s'est trompé d'endroit.

Quelqu'un qui a chaviré. Qui s'est perdu. Quelqu'un qui a obéi à son cœur.

Son cœur trompeur. Son cœur qui l'a mené droit à la ruine.

Car c'est ça, cet endroit : la ruine.

Il voudrait le leur crier. Leur hurler qu'ils sont tous condamnés à périr.

Avec une agressivité inattendue il abat soudain son poing sur son reflet dans le miroir.

Les folles derrière lui retiennent leur souffle. Le verre du miroir se fissure d'un bout à l'autre. Le sang dégouline sur la faïence blanche du lavabo.

Son sang pur.

Son sang contaminé.

Il approche la main de sa bouche et aspire.

Sur sa langue, le goût douceâtre du sang.

Pur. Ou contaminé. Il ne sait même pas si c'est l'un ou l'autre.

Mais il sait une chose.

On ne peut pas goûter sans avaler.

La matinée est déjà bien entamée. Benjamin est étendu sur le côté, dans le lit.

Il est resté dans cette position toute la nuit, sans bouger, sans dormir. À la va-vite, il a entouré sa main blessée d'une serviette. Le tissu est trempé. Le sang cogne dans la plaie.

Il scrute le vide devant lui. Il attend.

Et enfin.

La clé qui tourne dans la serrure. La porte qui s'ouvre. Rasmus qui rentre.

En silence pour ne pas le réveiller. Il se déshabille. Il pue le tabac et l'alcool après une nuit passée à s'amuser.

Benjamin ne bouge pas. Il fait semblant de ne pas remarquer Rasmus. Il fixe un point lumineux sur le mur, où un interstice du store vénitien laisse filtrer la lumière du jour dans la pénombre de la chambre.

– Tu es réveillé ?

Rasmus lui parle tout doucement. De sa voix du Värmland, celle qui caresse.

Benjamin se fait glacial. Sa voix est grumeleuse.

– Et ce mec ? C'est fini ou ça continue ?

– C'est fini, répond Rasmus laconiquement.

Il se faufile sous la couette, son corps est frais. Il se love contre Benjamin, passe un bras autour de lui, l'attire vers lui.

Benjamin doit se blinder pour ne pas céder.

Ils restent immobiles un moment, méditent ce que Rasmus vient de dire.

Il s'est tapé un mec. Encore. Cette fois un inconnu rencontré au Confetti. Et il se l'est tapé jusqu'au bout.

Rasmus essaie de s'endormir. Il n'y arrive pas. Le corps de son compagnon est tendu. Il pousse un soupir fatigué. Ce n'est pas la première fois qu'ils se retrouvent dans cette situation.

– Tu sais que je tiens à ce qu'on vive dans une relation libre.

– Libre de quoi ? rétorque Benjamin.

Sa voix se brise, glisse dans les aigus. Il ne voulait pas avoir l'air d'un animal blessé.

– Libre de moi ?

Rasmus sent la serviette que Benjamin a enroulée autour de sa main. Il se redresse sur le coude et s'écrie, inquiet :

– Mais qu'est-ce que tu t'es fait à la main ?

Benjamin refuse d'entendre la prévenance soudaine de son amoureux.

Il ne veut pas entendre.

Il ne veut pas se réconcilier. Des ténèbres se sont posées sur lui. Comme s'il avait été jeté au fond d'un puits où les bruits seraient répercutés et les gouttes ne cesseraient de tomber, où les parois s'effondreraient sur lui et il n'apercevrait plus aucune lumière.

– Tu as dit que je n'existe pas.

Rasmus soupire encore. Dans une tentative de balayer ce que la colère de Benjamin a de légitime, il l'entoure de son bras, se blottit contre lui.

– Arrête, c'est *moi* qui n'existe pas. Dis-moi plutôt ce que tu t'es fait à la main. Tu saignes.

– J'ai écrit ton prénom dans mes mains !

L'amertume lui va mal. Elle l'enlaidit. Benjamin le sait. Il retire sa main. Elle lui fait mal. Il ne veut pas que Rasmus l'embarrasse de ses égards.

Ils restent ainsi enlacés, silencieux, encore.

Peut-être pour pouvoir repousser un tant soit peu ce que l'un d'eux est obligé de dire.

Ils respirent ensemble – inspirent, expirent, essaient de trouver une issue.

Il ne s'en profile aucune.

Et c'est finalement Rasmus qui rompt le silence. Quelqu'un doit y consentir. Il est triste, il préférerait jouer l'indifférence.

– Si c'est ça, peut-être qu'on ne devrait pas rester ensemble ?

L'air se fige. Tout se fige.

La peur s'empare de Rasmus dès qu'il prononce la phrase. Il n'en pense pas un traître mot, et pourtant il la prononce malgré tout. Sans doute n'est-ce qu'une manière de tester Benjamin, il n'est pas sérieux dans ce qu'il dit. Ou alors il l'est effectivement. Il est surtout fatigué, il a mal au crâne, il n'arrive pas à réfléchir, il voudrait dormir.

Et bien sûr. Bien sûr qu'il regrette ce mec, celui qu'il s'est tapé cette nuit. Il s'appelait comment, déjà ? Il voudrait demander pardon. Il l'a sur le bout de la langue, sa demande d'excuse : Je suis désolé de t'avoir fait du mal.

« Si c'est ça, peut-être qu'on ne devrait pas rester ensemble ? » a dit Rasmus.

Benjamin répond enfin :

– Peut-être pas, non.

Il en est le premier stupéfait.

Rasmus s'écrie, blessé et surpris :

– Ah oui ? Bon, ben… Si tu le dis.

Alors que jusque-là ils étaient serrés l'un contre l'autre, Benjamin se libère brusquement de cette étreinte et se met sur ses coudes. Médusé par ce qu'il vient d'entendre, il renifle d'incompréhension.

– Tu me plaques ? Comme ça ? C'est ça que je dois comprendre ?

Rasmus se raidit, roule sur lui-même pour faire face au mur, tourne le dos à Benjamin.

– Ce que j'en sais, *moi* ! dit-il en pinçant les lèvres, comme sa mère quand elle est en colère.

Benjamin se lève d'un bond et s'habille précipitamment. Il quitte l'appartement sans un mot.

Rasmus se lève à son tour, allume une cigarette qui traîne.

Il se plante devant le miroir, se regarde. Comme il l'a toujours fait. Il se place devant le miroir et s'isole du monde entier.

Il est un bloc de froideur.

Benjamin n'existe plus. Plus personne n'existe. Lui-même existe à peine.

Il hausse les épaules comme un enfant blessé, respire sur le verre, écrit son prénom dans la buée.

Le bout incandescent de sa cigarette rougeoie chaque fois qu'il tire dessus.

Seuls existent l'image dans le miroir, son haleine et son prénom dans la buée qui lentement s'effacera comme tant de fois par le passé.

Ça, et une cigarette qui flamboie dans la pénombre pareille à l'éclat mélancolique d'un phare.

Au même moment, une lettre est glissée à travers la fente dans la porte et tombe sur le sol de l'entrée, presque sans bruit.

Toujours devant le miroir, Rasmus se retourne.

La lettre gît par terre, dans le petit vestibule. Elle brille, blanche.

Le doute ralentit les mouvements de Benjamin quand il sort sur le trottoir, mais il finit par se mettre en marche.

Il rentre.

Il rentre dans son vrai chez-lui.

Auprès des siens.

Pour avouer qu'il s'est trompé, qu'il a failli chavirer, mais qu'il s'est aperçu de son erreur.

S'il demande sincèrement pardon, ses parents lui rouvriront leurs bras. Comme dans l'histoire du fils prodigue : il revient chez lui et on l'accueille les bras ouverts.

Il ne s'arrête de marcher que lorsqu'il se tient devant la porte d'entrée de l'appartement de son enfance.

Il hésite encore. S'apprête à appuyer sur la sonnette.

Le même geste que lorsqu'il accomplit son service du champ devant une énième porte : Bonjour, je m'appelle Benjamin Nilsson, je suis Témoin de Jéhovah.

Soudain il entend la voix de sa sœur dans l'appartement.

– Maman, je m'en vais.

– Amuse-toi bien, ma chérie !

Margareta et sa mère échangent encore quelques mots. Cliquetis de la chaîne de sûreté.

Or, tout à coup, pour une raison inconnue, une urgence absolue pousse Benjamin à partir.

Il ignore pourquoi, mais il dévale l'escalier pour que sa sœur n'ait pas le temps de le voir.

Rasmus se penche pour ramasser la lettre.

Il sait très bien ce qu'elle contient. Le résultat du test de dépistage.

Interdit, il examine l'enveloppe neutre et discrète.

Il la retourne. La regarde.

Il ouvre le courrier. Le lit.

D'un pas lourd et lent, Benjamin traverse le pont Västerbron en sens inverse.

Il n'arrive pas à se décider. Quoi qu'il fasse, ce ne sera pas bien. Quoi qu'il fasse, il sera déchiré. Il laissera tout en miettes derrière lui. Tout !

À mi-chemin du pont il s'arrête. Il se tourne, parcourt le panorama des yeux : l'hôtel de ville, l'avenue Norr Mälarstrand, la promenade Söder Mälarstrand, l'île de Riddarholmen, le carrefour de Slussen. Il se penche alors par-dessus la rambarde. Il sonde les eaux saumâtres tout en bas.

«Est-ce qu'on meurt si on tombe d'ici ?»

Il a sept ans. Il se tient à côté de l'homme adulte et désespéré qui fixe les masses d'eau.

À sa droite, son père est lui aussi penché par-dessus la rambarde.

«Je pense, Benjamin, que nous allons nous abstenir de le vérifier.»

Benjamin secoue la tête.

Il chuchote :

– Jéhovah ! Je tombe !

Rasmus entend la porte d'entrée s'ouvrir.

Il entend Benjamin l'appeler.

Sa voix semble venir de très loin, de si loin. Une raison suffisante pour ne pas se manifester. Répondre est insurmontable.

Benjamin sera sûrement intrigué, pense-t-il. Il se demandera sûrement : Tiens, Rasmus est sorti ? L'appartement doit lui paraître complètement vide.

– Rasmus ?

Il entend Benjamin l'appeler de nouveau.

Sans le vouloir, plus par réflexe, Rasmus profère un gémissement misérable.

Benjamin ouvre la porte de la salle de bains.

Il découvre Rasmus assis par terre à côté de la baignoire. La lettre à la main.

Avec le résultat du test de dépistage effectué à Venhälsan.

Benjamin, sans rien comprendre :

– Mais qu'est-ce que tu fais là ?

Rasmus lit le courrier une seconde fois, à voix haute maintenant.

– Bonjour 1986-284420. Vous êtes venu(e) faire un test de dépistage le 5 mai dernier. Je suis hélas au regret de vous annoncer que ce test est positif, ce qui signifie que vous avez été contaminé(e) par le virus VIH. Je vous propose donc de revenir à Venhälsan le plus vite possible pour que, ensemble, nous puissions évoquer ce que ceci implique et étudier quelle aide nous pouvons vous apporter. Je vous ai fixé un rendez-vous pour le mardi 20 mai, à 8 h 30. Vous ferez alors la connaissance de l'assistante sociale Sandra Lindblad et du docteur Arne Hatt. Bla bla

bla, sincères salutations, Fredrik Nilsson, médecin hospitalier.

Rasmus lève les yeux sur Benjamin.

– Comment peut-on s'appeler Hatt ? dit-il avec désespoir. Arne Chapeau ! Tu parles d'un nom, c'est ridicule !

Benjamin recule. Sort de la salle de bains. Tâtonne. Il a l'impression que le sol s'est ouvert sous lui, qu'il tombe.

– Oh mon Dieu ! s'exclame-t-il. Oh, Jéhovah !

On ne peut pas goûter sans avaler.

Rasmus crie :

– Ne t'en va pas !

Mais Benjamin est déjà parti.

Rasmus se recroqueville en position fœtale sur le sol de la salle de bains. Avec la sensation de lentement se rabougrir. Il serre la lettre dans sa main.

Il crie.

Il appelle son amour, il appelle son Benjamin.

Et pendant ce temps Benjamin marche. Enfin il marche.

Il marche aussi vite qu'il le peut. Il marche à travers le temps et l'espace, à travers sa vie entière.

Toutes ces portes auxquelles il a frappé, devant lesquelles il s'est présenté, a décliné son identité, annoncé l'homme qu'il *est*.

Non, d'ailleurs, il ne marche pas. Il court.

Il court à travers le temps et l'espace, à travers sa vie entière, il passe devant ces portes auxquelles il a frappé, devant sa longue quête.

Il court comme si tout dépendait de la vitesse de sa course.

Il le sait désormais. Il l'a toujours su.

Il n'y a qu'une vérité, une seule. Et seule cette vérité a de la valeur.

Pour la deuxième fois aujourd'hui Benjamin se tient devant la porte de ses parents.

Il n'a plus la moindre hésitation. Impatient, il appuie sur la sonnette. Il frappe, il cogne, il tape. Il martèle !

Sa mère ouvre, une casserole à la main dont elle remue le contenu.

Benjamin entre droit dans le vestibule, hors d'haleine.

Britta pousse un cri en voyant la serviette ensanglantée qui entoure toujours la main droite de son fils.

— Qu'est-ce qui t'est arrivé à la main, Benjamin ? Il s'est passé quelque chose ?

Il ne se donne pas le temps de reprendre son souffle. Il le dit, de but en blanc :

— Je suis homosexuel.

La mère suspend son geste un instant. Elle dévisage son fils. Puis elle se remet à remuer.

— Ah bon ? Et tu en es sûr ?

Elle retourne à ses fourneaux. Comme si elle n'avait plus le temps. Comme si la conversation était terminée.

Benjamin lui emboîte le pas.

— Je le sais depuis que je suis tout petit.

La mère touille avec agacement.

— Sans doute, mais tu n'es pas *obligé* de l'être.

Elle foudroie son fils du regard. Elle est en colère. Ha ! Comme s'il était le premier au monde à être soumis à une épreuve !

— On peut lutter contre, siffle-t-elle, agacée. Plein d'autres l'ont fait avant toi.

Elle sort le poivre du placard et, furieuse, assaisonne avant de se faire plus accommodante.

— Tu fréquentais une sœur à une époque. Elle était si mignonne… C'était quoi déjà, son prénom ?

— Non, maman, l'interrompt Benjamin. Tu ne m'as pas compris. Je *veux* l'être.

Il s'assied à la table de la cuisine.

— J'ai forniqué, maman. Mais je n'ai pas le sentiment d'avoir commis un péché. Je ne ressens ni culpabilité ni regret.

– Non, dit soudain sa mère en regardant le plat qu'elle prépare, ça va être immangeable !

Elle vide la sauce dans l'évier, avant d'y précipiter carrément la casserole. Puis elle se ressaisit, s'assied à côté de son fils. Elle pose sur les siennes ses mains douces et aimantes, maternelles, comme une caresse. Elle s'adresse à lui d'une voix paisible.

– Nous pouvons t'aider, Benjamin. Papa et moi. Nous pouvons t'aider. As-tu prié Dieu ?

Il lui coupe la parole pour annoncer la pire nouvelle qu'il puisse dire :

– Du coup j'ai décidé de quitter la congrégation.

Elle pousse malgré elle un petit cri et se lève d'un bond, comme si elle s'était brûlée, faisant tomber sa chaise.

– Non ! crie-t-elle, et la peur vient du plus profond de son être. Non et non ! Tu as au moins conscience de ce que tu es en train de dire ?

– Oui, j'en ai parfaitement conscience, répond Benjamin, d'humeur triste et assagie – il est navré que ça doive se terminer ainsi mais n'en est pas moins rasséréné. Je sais que j'ai deux possibilités. Je peux rester dans la congrégation et choisir une vie dans la solitude et le célibat…

La mère a l'air de sombrer dans la misère et le désespoir.

– Tu ne serais pas seul.

– J'ai trouvé quelqu'un que j'aime, maman.

Sa maman se met à pleurer. Les larmes viennent toutes seules. Elle redresse la chaise renversée et se rassoit. Calmement, sans essayer de cacher son chagrin.

– Tu ne serais pas seul ! répète-t-elle obstinément.

– Je vais aller voir Ove et un autre ancien pour obtenir un entretien au plus vite.

À ces mots il touche l'épaule de sa mère.

– Maman, s'il te plaît, ne pleure pas !

Furieuse, elle se lève et, du mépris plein la voix, lui crache à la figure :

– Que veux-tu que je fasse alors, mon ami ? Que je rie ?

En rentrant, Benjamin trouve Rasmus allongé sur le lit.

Il ne bouge pas. Il fixe le vide. Il fixe un point sur le mur où un interstice du store vénitien laisse filtrer la lumière du jour.

Benjamin s'allonge à côté de lui, sans rien dire.

La voix de Rasmus est atone et dure.

– Tu ne dois pas me toucher. Je peux te contaminer. Tu ne pourras plus jamais me toucher. Je vais mourir.

Ils gardent le silence. Plusieurs minutes s'écoulent. Rasmus finit par chuchoter :

– Qu'est-ce qui va se passer à partir de maintenant ?

– Je ne sais pas, répond Benjamin, sincère.

Il secoue la tête, imperceptiblement.

Puis, avec douceur mais détermination, il passe le bras autour de celui qu'il aime.

– Non, je ne sais pas. Mais je sais une chose : j'ai l'intention de te toucher. Maintenant.

Il est arrivé à destination ! En plein milieu de la représentation, la pensée le frappe : Il est arrivé à destination !

Tout ce chemin qu'il a parcouru depuis Hammarstrand. De nulle part jusqu'à chez lui. Ce voyage, cette émigration, la nouvelle langue qu'il a apprise et s'est appropriée, le nouveau pays qu'il a conquis et qui lui appartient.

Le théâtre, le monde homo, la capitale.

Le milieu des gradins supérieurs est occupé par ses amis. Il ne les voit pas à cause des projecteurs qui l'éblouissent, mais il sait qu'ils sont là : les gens qu'il aime, et ceux qui l'aiment. Paul trouve à coup sûr la représentation chiante. Pas de paillettes, pas de glamour – et puis, franchement, ils sont vraiment obligés de pleurnicher à chaque réplique ? Dès le premier acte, il s'est sans doute appuyé contre Seppo ou Lars-Åke, ou bien Rasmus, en geignant qu'il aimerait que ça s'arrête une putain de bonne fois pour toutes. Et Seppo a probablement murmuré en guise de réponse : «Pense à ce pauvre Lars-Åke qui souffre, assis sur son cul osseux.»

N'empêche qu'ils sont là. Pour lui.

Il est presque luminescent, ainsi éclairé par le halo d'un cône lumineux. Ses yeux scintillent de chagrin et de nostalgie. Les mots tombent simplement, sans résistance. Jouer un rôle consiste souvent à ne pas faire obstacle au texte. Comme le disait une professeure invitée : «En réalité il est extrêmement facile de faire du théâtre. Contentez-vous de dire ce qui est écrit !» Puis de lever les yeux au ciel et d'ajouter : «Et pour l'amour de Dieu, essayez d'y coller les consonnes expressives !»

En ce moment il est Constantin.

Il s'efforce de ne rien montrer, de ne rien prouver. Il essaie simplement d'être.

Tout est déjà en place lorsqu'il se tourne vers Mado qui interprète Nina :

– « *Vous avez trouvé votre voie, vous savez où vous allez, mais moi, je flotte encore dans un chaos de rêves et d'images, et j'ignore pour qui et pourquoi j'écris.* »

Le médecin arrive dans la salle d'attente.

– Bengt ?

Il se lève, suit le médecin vers l'une des petites pièces réservées aux prélèvements. Celui-ci se retourne pour lui adresser un hochement de tête réconfortant. Bengt se dit qu'il a l'air sympathique.

La fin est proche. Cette représentation que pendant des mois ils ont préparée, redoutée et désirée, qui les a mis au supplice, voilà qu'elle s'achève. Le jeune homme qui interprète Dorn prend par la taille celui qui joue Trigorine et l'entraîne vers la rampe, il dit :

– « *Emmenez Irina Nikolaïevna où vous voudrez… Constantin Gavrilovitch vient de se tuer.* »

Les projecteurs s'éteignent, l'obscurité se fait.

Le médecin s'assied devant le bureau et désigne la chaise d'un mouvement de tête.

– Je t'en prie.

Bengt s'assied à son tour.

– Voilà, nous avons donc reçu les résultats de ton prélèvement. Tu as fait un test de dépistage anonyme avec le numéro…

Le médecin consulte ses papiers.

– 1987-0737290…

Bengt hoquette. Il avale sa salive. Il n'arrive presque pas à respirer.

– Je vais donc ouvrir l'enveloppe…

La salle s'éclaire. Paul s'étire, jette un regard surpris autour de lui.

– Quoi ? C'est déjà fini ? Et ça se termine comme ça ?

– Apparemment, répond Seppo.

Les comédiens reviennent sur scène pour les remerciements et les applaudissements. Ils sourient, transpirants, heureux.

– Bravo ! Bravo ! s'exclame Paul, avant de chuchoter à Seppo : Tout de même, le théâtre c'est teeellement mieux quand on a baisé avec le premier rôle !

Seppo répond à Paul, en chuchotant aussi :

– Je sais. Je suis d'accord avec toi.

Sidéré et sans cesser d'applaudir, Paul dévisage Seppo.

– Quoi ? Toi aussi ? Avec Bengt ?

Seppo opine. Paul rit et secoue la tête.

– Oh, quelle roulure, celle-là !

Ils applaudissent avec une frénésie redoublée.

Bengt fixe d'un œil inexpressif la main du médecin qui, à l'aide d'un petit coupe-papier, ouvre l'enveloppe. Il pense que l'instant ressemble à une remise de prix, lorsque quelqu'un déchire l'enveloppe pour révéler le nom du gagnant et que, en tant que nominé, on se doit de paraître imperturbable. Il se dit que ça se passe exactement comme ça pour lui en ce moment. Aussi s'efforce-t-il de paraître imperturbable.

Derrière la scène, les comédiens se serrent dans les bras les uns des autres. Leurs familles et leurs amis se fraient un chemin jusqu'à eux pour continuer de les féliciter.

Paul arrive le premier, en majesté, tenant son énorme composition florale comme un trophée.

– Bengt, mon chéri !

Bengt éclate de rire.

– Oh, toute la famille en même temps !

Il donne l'accolade à chacun des mecs.

Tous affirment qu'ils ont trouvé la représentation fantastique, bien jouée. Ils sont très heureux d'avoir pu y assister.

Bengt est rayonnant. Ses yeux scintillent. Il boit leurs compliments en essuyant avec une serviette la sueur qui continue de ruisseler. Soudain il entend quelqu'un prononcer son prénom.

– Bengt ?

Il pivote et voit Suzanne Osten venir vers lui. Elle est la metteuse en scène et directrice artistique du groupe de théâtre Unga Klara. Il rayonne de plus belle.

– Suzanne ! Bonjour !

– C'est très intéressant, ce que tu viens de faire ! dit-elle du fond du cœur.

Bengt, qui lui voue une admiration colossale, en pleurerait presque tant ça lui fait plaisir. Il se frotte le visage avec la serviette pour masquer le fait que ses gouttes de sueur sont en réalité des larmes.

– C'est vrai ? Oh, je suis content, dit-il, en s'efforçant de paraître le plus naturel possible.

– Oui, ton jeu avait de l'attaque, ça m'a beaucoup plu.

Du coin de l'œil, Bengt voit certains camarades de classe lever le menton vers eux, jaloux qu'elle soit venue lui parler, et pas à eux.

– T'as vu ? marmonne l'un d'eux avec un signe de la tête vers Bengt et Suzanne Osten.

– Oui, soupire l'autre avec résignation, mais il fallait s'y attendre. Il a le cul bordé de nouilles, ce mec.

– Je suis au regret de devoir t'annoncer que le test est positif, c'est-à-dire que tu as été contaminé.

Silence. Puis il tressaille comme s'il n'entendait que maintenant les paroles du médecin.

– Ah bon. Je comprends.

Le médecin le regarde, le visage grave. Lui aussi semble chercher ses mots.

– Oui.

Un peu plus tard, Bengt vient voir Mado dans la loge des filles où elle se démaquille.

– Tu sais avec qui j'ai parlé ? demande-t-il en essayant de prendre un air détaché.

– Suzanne Osten, répond-elle comme si c'était une évidence. Les rumeurs vont vite, tu sais.

Bengt jubile.

– Ouais, putain ! Ouais ouais ouais !

Tous deux regardent dans le même miroir. Mado retire son maquillage avec du coton.

– C'est maintenant que ça commence, tu sais ! dit-elle avec un sourire.

Bengt n'arrive pas à dissimuler sa joie et son soulagement.

– Oui, ma chérie, c'est maintenant que ça commence !

– Voilà la situation en tout cas. Nous voulons bien entendu commencer un suivi biologique le plus vite possible. À cet égard, nous t'avons fixé un nouveau rendez-vous dès demain, un assistant social sera présent.

– Bon, d'accord.

– Et nous allons refaire le test, pour être sûrs à cent pour cent. Théoriquement, il peut y avoir eu confusion.

– Ah oui, ah bon ?

Reposant ses papiers, le médecin interroge Bengt du regard.

– Ça va aller, tu crois ?

Bengt se ressaisit. Il parvient même à adopter une voix légère et insouciante.

– Oui oui. Ça va aller. Je suis juste un peu secoué, rien de plus.

Il lâche un rire bref et irréfléchi. Puis il se lève, aussitôt imité par le médecin.

– N'hésite pas à appeler si tu as des questions. Nous avons un numéro d'urgence.

– Non, non, ça ira, réplique Bengt pour couper court au médecin.

– C'est sûr ?

Bengt affiche un sourire rassuré, convaincu.

– Absolument. Tout va bien !

– Tu as quelqu'un à la maison, pour s'occuper de toi ?

– Mais oui, répond Bengt, comme s'il s'agissait une broutille. Ne vous en faites pas pour moi.

Bengt descend la pente vers l'avenue Ringvägen, qu'il longe pour rejoindre Zinkensdamm, laissant le quartier de Tanto sur sa gauche.

L'été est arrivé tôt cette année, la chaleur semble vouloir s'attarder. Au moins une chose positive. Dans la Hornsgatan, il voit des gens joyeux profiter du beau temps aux terrasses des cafés. Et ça aussi c'est réjouissant. Que les gens soient heureux. Qu'un nouvel hiver ait été vaincu. Il voit des cyclistes pédaler, un jogger faire son parcours. Deux mamans sortent du Konsum en poussant leur landau, l'une avec son enfant dans un porte-bébé. Il dort si paisiblement contre le sein de sa mère.

La vie a envie de vivre ! songe Bengt.

Et c'est sans doute une pensée banale, mais en cet instant précis, dans cet état d'esprit, elle exprime exactement ce qu'il ressent. La vie a envie de vivre !

Il passe devant le kiosque de Zinkensdamm. La manchette du *Dagens Nyheter* claironne : IL FAUT TATOUER LES SÉROPOSITIFS À L'AISSELLE, DIXIT UN MÉDECIN *suédois*. Il regarde ailleurs. Il n'est peut-être pas obligé de lire ce genre de titres en un jour pareil, alors qu'il vient de recevoir un résultat pareil.

Des enfants qui n'ont pas encore l'âge d'aller à l'école jouent dans le Skinnarviksparken. Il s'arrête un instant pour les regarder, les yeux plissés dans le soleil. L'un d'eux envoie le ballon dans sa direction. Il le ramasse, le leur lance, fait un signe de la main aux mômes qui le lui rendent. Puis il poursuit son chemin dans la Lundagatan vers l'immeuble où il habite.

Dans la cage d'escalier, il salue sa voisine. Une petite dame prénommée Irene, pour qui il fait parfois les courses. Elle lui dit quelques mots à propos de la chaleur qui est enfin arrivée, Bengt répond que c'est formidable. Après un hochement de tête aimable, chacun déverrouille sa porte et entre chez soi.

Une fois à l'intérieur, Bengt ouvre les portes du balcon. C'est la première chose qu'il fait : il laisse entrer le rayonnement du soleil, le pépiement des oiseaux, le scintillement du lac Mälaren. Ce serait une journée idéale pour aller piquer une tête à Långholmen, pense-t-il.

Son chat vient se frotter contre ses jambes, miaule et veut des caresses. Bengt le câline un petit moment. L'animal se met tout de suite à ronronner. Curieux, il suit Bengt quand il fouille dans l'unique mais grand placard de l'appartement pour trouver une ceinture ou quelque chose de semblable. Une ceinture de peignoir, de pantalon, ou une bonne corde au pire.

Il cherche sans se bousculer. Il doit bien avoir quelque chose qui fera l'affaire !

Il arrête son choix sur une longue rallonge électrique curieusement rangée sur l'étagère à chapeaux, dans l'entrée.

Il décroche ensuite le plafonnier qu'il pose précautionneusement par terre. Le luminaire est

constitué de quatre bras et de quatre petites cou-
pelles en porcelaine ambrée. Il ne tient pas à les
casser.

Le téléphone sonne. Comme il n'est pas pressé,
il prend son temps pour répondre.

– Oui, bonjour… ?

Il a toujours eu une voix qui passe bien au
téléphone. Tout le monde le dit.

Mado l'appelle d'une cabine, dans le parc
Kungsträdgården. Ils sont une petite bande de
l'école à s'être retrouvés au salon de thé Tehuset
où ils viennent de commander des sandwiches
chauds aux crevettes – et si Bengt prenait son
vélo pour les rejoindre ?

Ce dernier, qui essaie de trouver un moyen pour
nouer la rallonge, ne l'écoute que d'une oreille,
le combiné serré contre l'épaule. Il s'excuse,
demande à son amie de répéter ce qu'elle vient
de dire.

– Je te disais que la moitié de la classe est
actuellement au Tehuset, le Tout-Stockholm est
là, et on se demande quand tu vas venir.

Elle éclate de rire. Bengt rit lui aussi.

On lui a toujours dit qu'il a un joli rire. On
croirait entendre une clochette tintinnabuler.

– C'est très tentant. Je viendrai peut-être tout
à l'heure.

– Tout va bien ? Tu as une voix bizarre…

Bengt se ressaisit.

– Ah bon ? Je ne sais pas. Non, tout baigne. Je
vais juste… Bon, écoute, je vous rejoins plus tard !

– D'accord. Fais attention à toi.

– Toi aussi.

Il est sur le point de raccrocher quand Mado lui
révèle la deuxième raison de son appel :

– Au fait, tu es au courant que Lars Löfgren
t'a demandé ?!

Ça alors ! Il ne s'y attendait pas. Bengt s'illumine.

– Le chef du Dramaten ?

– Oui, en personne !

– Oh dis donc ! réussit-il à articuler, impressionné, surpris, heureux.

– T'as déjà le pied à moitié dedans, on dirait ! lance-t-elle en rigolant. Tu es une star, mon coco !

Elle rit. Bengt rit aussi. Ils rient tous les deux.

– Le pied entier, même !

L'espace d'un instant, Bengt paraît heureux pour de vrai.

– Bon, écoute, à tout à l'heure !

– D'accord, à tout à l'heure. Mais ne traîne pas !

– Je me dépêche. Promis !

Mado raccroche. Elle retourne auprès de ses camarades et leur annonce que Bengt ne va pas tarder. Elle fait des petits pas de danse en chemin. Elle sautille sur des pieds légers.

Avec un sourire s'attardant sur ses lèvres, Bengt raccroche.

Lars Löfgren. Incroyable !

Si ça se trouve, il va être obligé de choisir entre Suzanne Osten et le Dramaten. Il éclate de rire. Tu parles d'un choix !

Il grimpe alors sur une chaise et attache soigneusement la rallonge au crochet du plafond. Autant faire les choses dans les règles. Il rit de nouveau. Tu parles d'un choix !

Il passe sa tête dans la boucle.

Il est obligé de se hisser sur la pointe des pieds pour atteindre le fil, une fois le nœud en place et serré autour de son cou. Il se trouve dans une position assez instable. Pas très rassurant tout ça. Pas facile de garder l'équilibre.

Il se concentre. Il se prépare à faire tomber la chaise. Il respire profondément avec le ventre.

En cet instant, ici et maintenant, il tient ses rêves au creux de sa main. Sa vie s'est décidée aujourd'hui, il le sait très bien.

Il respire par le nez, autant que faire se peut avec calme et régularité. Il sait qu'il ne doit pas laisser l'angoisse le submerger.

Le soleil est en train de franchir les toits des immeubles. Son balcon va être ensoleillé pour le reste de la soirée. Ce serait merveilleux de s'offrir une de ces longues soirées sur le balcon, lui qui les aime tant, pourquoi pas avec Benjamin et Rasmus ou avec quelqu'un d'autre, autour d'une bonne bouteille de vin rouge.

C'est le moment que choisit son chat pour sauter sur la chaise, celle sur laquelle il se tient, et venir se frotter contre ses jambes. Il chancelle, manque de tomber.

– Moppsan ! gémit-il. Pas maintenant ! Je t'en prie, Moppsan !

À grand-peine il retire sa tête de la boucle et prend doucement Moppsan dans ses bras. Le chat s'agite et résiste. Il le fait sortir sur le palier. Il lui dit :

– Maintenant tu restes là, ma puce.

Puis il referme la porte sur le chat.

Il ne peut pas se payer le luxe de flancher, il ne peut pas se permettre de relâcher sa concentration, il ne peut pas se permettre d'avoir peur, pas maintenant.

Ce sera bientôt fini.

Après, il n'aura plus jamais peur.

C'est en juin que l'été est le plus beau. Et c'est plus fort que lui, il sort sur le balcon pour s'emplir les poumons d'une grande goulée d'air doux.

Une journée à nulle autre pareille.

La promesse d'un avenir tout aussi exceptionnel.

Lars Löfgren, rien que ça ! Ce qui signifie, en somme, qu'il a réussi avec les honneurs.

Il a réussi ! Le monde lui appartient ! En cet instant, il le tient dans le creux de sa main.

Il y a de quoi être reconnaissant.

– «*It's a long way to Broadway for a 42nd lay, or is it really just a couple of blocks away*», murmure-t-il, et il secoue la tête avec un sourire avant de retourner dans l'appartement.

De nouveau il grimpe sur la chaise.

De nouveau il passe sa tête dans la boucle.

De nouveau il se hisse sur la pointe des pieds.

De nouveau il chancelle pour garder l'équilibre.

Pour une raison insondable, il consulte sa montre.

– Tiens, dit-il à voix haute, il est quatre heures et quart…

Ce seront ses dernières paroles.

Il sent son cœur battre. Il pense : Il ne cessera jamais de battre.

Il jette alors un dernier regard vers le ciel impeccablement bleu et dépourvu de nuages, puis il se penche en avant, de plus en plus en avant, bascule lentement, oscille, se laisse tomber.

La chaise se renverse. La rallonge se raidit. Une fissure apparaît au plafond, mais le crochet tient.

Sa dernière pensée est que le ciel est bleu.

D'un bleu si prodigieux, si irréel.

Deux heures plus tard, Irene sortira sa poubelle. Elle trouvera le chat de Bengt en train de miauler devant la porte.

– Qu'est-ce que tu fais là, mon minou ? dira-t-elle. Qu'est-ce que tu fais là ?

On sonne à la porte. Benjamin est un peu étonné. Il n'attend pas de visite. Rasmus est à l'université, leurs amis ne passent en général jamais en plein après-midi.

Il découvre ses parents sur le seuil. Bien habillés comme toujours. Son père rasé de près en costume sombre, sa mère en robe noire et les cheveux coiffés en arrière dans une tresse serrée.

Ils se sont *enfin* décidés à venir ! Ce n'est encore jamais arrivé, aussi est-il surpris et intrigué. Mais content, bien sûr.

Ils restent sur le pas de la porte, et Benjamin n'a pas l'idée de les inviter à entrer.

Ingmar finit par toussoter.

– On pensait… On peut entrer ?

Agitant un sac de supermarché, Britta sourit.

– On a apporté un gâteau.

Elle tend le sac à son fils mais, avec un geste un peu solennel, lui donne d'abord un bouquet de roses. Toujours aussi confus, presque impoli, il dit :

– Ben… oui, allez-y.

Il fait entrer ses parents qui avancent assez timidement, ou pour le moins avec circonspection – le respect dont on fait preuve en tant que Témoin quand on est autorisé à entrer dans un appartement inconnu pour prêcher.

Benjamin est de plus en plus perturbé.

Il ne savait pas à quoi s'attendre après l'entretien avec sa mère la semaine passée, quand il lui a annoncé qu'il était homosexuel et qu'il allait quitter la congrégation. Mais le fait qu'ils se présentent chez *lui*, dans *sa* vie, dans le monde où *il* a choisi de vivre, est un pas tellement énorme, tellement époustouflant venant d'eux, qu'il en reste pantois.

– Tu es seul ? demande Ingmar une fois dans le petit vestibule, en prenant soin de s'arrêter sur le seuil de l'unique pièce.

Peut-être après tout espéraient-ils faire la connaissance de Rasmus. Ou alors ils sont contents que cette rencontre leur soit épargnée.

– Oui. Rasmus n'est pas là, si c'est à lui que tu pensais, répond Benjamin en percevant lui-même l'agressivité inutile qui sous-tend ses paroles.

– Bon, très bien, dit le père qui, par habitude, se déchausse et continue en chaussettes dans la pièce qu'il inspecte du regard, comme si cet appartement était un lieu étranger stupéfiant.

Benjamin emporte les roses dans la kitchenette, il jette un œil dans le sac de chez Ica.

– Mais… un gâteau à la crème ! Des fleurs et un gâteau à la crème ? Qu'est-ce qui se passe ?

Il rit.

– On fête quelque chose ?

Ses parents ne répondent pas. Pendant qu'ils attendent que Benjamin prépare le café, ils examinent les lieux. Il n'y a pourtant pas grand-chose à voir dans l'appartement minuscule.

Un lit pas spécialement large – c'est sans doute là qu'ils dorment, Benjamin et l'autre, ce Rasmus –, une table qui semble à la fois faire office de bureau et de table de cuisine, deux malheureuses chaises pliantes, quelques cartes postales sur les murs, et enfin l'illustration des Témoins de Jéhovah : la vision paradisiaque avec la famille, le lion et l'agneau.

Benjamin revient de la kitchenette avec les roses dans un verre à eau. Les parents se mettent aussitôt à parler tous les deux en même temps.

– Eh bien, on pensait… dit Ingmar.

– On ne savait pas… dit Britta.

Ils rougissent. Benjamin les observe avec tendresse. Comme ils sont désorientés, pense-t-il. Mais au moins ils essaient, tant mieux.

– Je crois qu'on n'a pas de vase, explique-t-il en posant les roses sur la table. J'ai pensé qu'un verre ferait l'affaire.

– Oui, ce sera parfait, s'empresse de dire Britta.

Benjamin est obligé de caler le verre contre le mur pour qu'il ne se renverse pas, retourne chercher le gâteau qu'il a posé sur une assiette.

– Voilà, il est magnifique ! dit-il. Ce n'est pas tous les jours qu'on a du gâteau à la crème à la maison.

– Aaah… Bon, d'accord… dit le père qui, des yeux, cherche un endroit où s'asseoir.

Quand sa mère lui demande s'il a besoin d'aide pour le café, Benjamin répond avec insouciance qu'il l'a déjà lancé, il n'y a plus qu'à s'installer.

– Assieds-toi sur le lit, papa. Maman et moi on prendra les chaises !

Ingmar hésite. Il jette un regard effrayé sur le lit. Il s'assied quand même dessus. Avec précaution, au bord.

Ça n'échappe pas à Benjamin. Du coin de l'œil, il remarque que son père a une façon étrange de poser ses fesses.

– Je vais chercher le café, se dépêche-t-il d'ajouter, et s'éclipse de nouveau dans la kitchenette.

C'est normal que ce soit un peu tendu, c'est la première fois, songe-t-il. Son père et lui ne se sont pas adressé la parole depuis… eh bien, depuis qu'ils ont mis cartes sur table, en quelque sorte.

Une fois revenu, il remplit les tasses.

Ils boivent le café. Ils mangent le gâteau.

Ils tiennent chacun leur petite assiette pendant qu'ils mangent en silence. Les cuillères raclent la faïence. Le père tousse. La mère fait un peu de bruit en buvant.

Benjamin sent qu'il doit rompre la glace. Il faut qu'ils aient une discussion en face à face et qu'ils reviennent sur ce qui s'est passé, sur la décision de Benjamin. Il se tourne vers son père.

– Tu as parlé avec maman ?

– Oui.

Il ne répond que ça. Il montre sa bouche : il est en train de mâcher. Consciencieusement. Il demande lorsqu'il a terminé, sans colère ou reproche :

– Mais tu es sûr ? Tu es tout à fait sûr ?

Benjamin le regarde droit dans les yeux et s'étonne d'être aussi calme.

– Oui, répond-il, je suis sûr.

Ils continuent de manger. Benjamin propose à sa mère une autre part. Elle laisse le gâteau sur l'assiette.

– Il existe des remèdes, déclare-t-elle, pragmatique, en s'essuyant la bouche avec une feuille de Sopalin.

– Non, maman, rectifie Benjamin, toujours aussi calme. Je suis comme ça.

À ces mots, Ingmar n'arrive plus à contenir son désespoir.

– C'est une épine dans ta chair, mon garçon ! C'est une épreuve de Dieu !

Benjamin regarde son père et se sent rempli d'une infinie tendresse. Cet homme distingué et chaleureux, si plein d'amour ! Si seulement il pouvait faire comprendre à ses parents qu'il n'a pas le choix. Si seulement il pouvait leur faire entendre raison. Il ne peut pas agir autrement !

Mais il sait que ça ne servirait à rien.

– Papa, j'ai déjà parlé avec les anciens, dit-il simplement et sans hésitation.

– Oui. Je le sais, grogne-t-il sans parvenir à dissimuler son mécontentement.

– Je leur ai dit que je ne suis plus un Témoin. Voilà, c'est dit. La chose inouïe.

Sa mère se met à pleurer, mais elle continue de manger son gâteau.

Son père tressaille. Ensuite son visage se raidit et il redresse le dos, devient en quelque sorte formel.

– Dans ce cas, tu connais le règlement ?

Benjamin ferme les yeux. Il comprend d'emblée, au ton employé par son père, ce qu'il s'apprête à lui annoncer. S'il n'avait pas été capable de se le représenter avant, c'est désormais évident. Il se glace. Il secoue la tête, imperceptiblement.

– On n'est pas obligés de faire comme ça, papa, chuchote-t-il.

Le père se force à ne pas montrer ses sentiments. Il se force à être déterminé, objectif et juste. Comme il sied à un homme, à un père, au chef de famille que Dieu a appelé pour diriger les autres.

– Tu connais le règlement !

Il mange son gâteau. Mâche soigneusement. Avale. Regarde droit devant lui.

Subitement Benjamin cesse de mâcher.

Il regarde les roses. Il regarde le gâteau. Il regarde ses parents. Puis il s'écrie, parce qu'il comprend enfin :

– Alors c'est pour ça ? Les roses. Le gâteau.

La mère ne répond pas. Elle boit son café. Elle se tait.

Le père regarde par la fenêtre.

Benjamin cherche leurs yeux. Mais ils les détournent.

– C'est mon enterrement ! constate Benjamin avec un frisson.

Le père semble hésiter. Il vide d'abord sa tasse.

– Oui, déclare-t-il, c'est ça.

Ils mâchent.

Leurs mâchoires ruminent.

Le gâteau grandit dans leur bouche.

Benjamin pose son assiette.

Les parents terminent leur pâtisserie en silence. Les dents serrées. Comme quelque chose qui doit être consommé.

Ils mangent jusqu'à ce que ce soit consommé et qu'il n'en reste plus une miette.

Ils ne parlent plus, ni l'un ni l'autre.

Un peu plus tard, devant la porte, alors que les parents sont prêts à partir. Ingmar prend Benjamin dans ses bras. Il dit :

– Alors adieu.

Benjamin fond en larmes. Il interpelle soudain sa mère comme lorsqu'il était petit et qu'il avait fait une bêtise, qu'il avait besoin du pardon de sa maman, de s'assurer qu'elle était là pour lui, quoi qu'il advienne, quoi qu'il fasse.

– Maman, je ne suis pas méchant ! s'écrie-t-il.

Comme un enfant qui a fait une bêtise et qui veut être pardonné.

Il la serre contre lui.

Sa mère lui répond, d'une voix bizarrement creuse :

– Non, mon fils. Tu n'es pas méchant.

Avec réserve, elle lui rend son étreinte. Puis elle se dégage, se raidit.

– Mais c'est comme ça.

Elle lui lance un dernier regard et se détourne.

– Je vous aime ! leur lance Benjamin – et c'est un cri envoyé dans une galaxie inhabitée.

– Nous aussi nous t'aimons, lui assure son père.

Il passe un bras autour de son épouse, ils se dirigent vers l'escalier qui les mène dehors.

Il a fait la vaisselle après le dîner pendant que son épouse couchait les enfants. La maison où ils se rendent chaque été est perchée au sommet d'un haut rocher, elle possède une véranda avec vue sur la mer et le soleil couchant. Leur propre tour de garde, dit-il souvent, pour plaisanter. Et tous trouvent la répartie amusante et bien choisie.

Il flâne sur la véranda où ils viennent de manger du hareng de la Baltique fraîchement pêché, accompagné de purée mousseline, pour vérifier s'il reste des choses à débarrasser.

Soudain il aperçoit sur la vitre l'empreinte des mains de son fils que le soleil du soir fait scintiller.

Elle n'a pas été essuyée. Obéissant, Benjamin est allé chercher le chiffon, il s'en souvient, après avoir fait cette marque inutile sur la fenêtre toute propre, mais il a dû se produire un imprévu, comme cela arrive parfois.

Or les enfants sont couchés, il entend d'ailleurs Britta leur chanter une chanson. Il ne peut pas les obliger à se relever pour une telle broutille. D'un autre côté, il ne peut pas non plus laisser cette tache.

Il prend le torchon sur son épaule. La trace des mains est très nette dans la lumière du soir. Elle brille presque. Ça doit être le gras du hareng que son fils a mangé avec les doigts.

Un instant, il s'arrête pour la contempler.

Ces petites mains. Cinq doigts à chaque main. Une sorte de perfection. Un bref instant, il est submergé de gratitude d'avoir été jugé digne d'être chef de famille. Que Jéhovah lui ait fait ce cadeau inouï : s'occuper d'une vie humaine. Il se sent désemparé face à tant d'amour.

Immobile, il observe la signature laissée par son fils. Il voudrait remercier et louer Jéhovah pour ce moment. Il voudrait prier pour ses deux enfants, pour qu'ils deviennent de bons serviteurs de Jéhovah et qu'avec leur vie ils sanctifient le nom de Dieu.

Puis, sans plus attendre, parcouru d'un frisson, il essuie l'empreinte du fils de la fenêtre.

Comme une chose qui doit être faite.

Le verre est de nouveau propre. Seuls le soleil couchant et le ciel s'y reflètent encore.

C'est à la fin de la réunion des anciens.

Puisque Benjamin a déjà prévenu Ove, dans le fond, Ingmar n'aurait pas besoin d'expliquer la situation malheureuse qui s'est produite. Il s'y résout malgré tout.

Comme une chose qui doit être faite. Pour boire la coupe jusqu'à la lie.

– En conséquence, je démissionne de ma fonction d'ancien.

Ainsi termine-t-il sa triste allocution. Pour une raison obscure, il s'est mis debout pour parler.

Telle une personne qui rend des comptes.

Quand il a fini, les autres anciens échangent des regards. Ove se charge de répondre à son frère Ingmar.

– C'est dommage, évidemment, dit-il, mais nous comprenons que tu aies besoin de prendre cette décision. Vu comment ça se passe chez vous.

Ingmar respire à fond. Il ne s'attendait guère à ce qu'ils lui demandent de rester.

– Quand on n'arrive pas à s'occuper spirituellement de sa famille, comment peut-on alors s'occuper de sa congrégation ? s'exclame-t-il.

Personne ne lui répond.

Ils gardent le silence. Ils partagent son avis.

Assise au bureau, Britta est seule dans l'appartement. Pourtant, son visage ne révèle aucune émotion.

Si quelqu'un l'avait observée, il aurait eu un hochement de tête approbateur.

Son écriture est toujours soignée, mais un rien tarabiscotée. Rédiger cette lettre lui prend du temps, bien qu'elle sache ce qu'elle veut exprimer.

Quelques années se sont écoulées. Mais son message est le même qu'alors.

Benjamin, mon fils. Tu nous as encore écrit.
Je t'avais pourtant demandé de ne plus écrire et je te le redemande. Il faut que tu comprennes.
Je t'aime. J'espère que tu vas bien.
Mais je fais comme si tu n'existais pas.

En même temps que la femme à son bureau rédige la lettre, sont accomplies dans cette ville des milliers et des milliers d'autres actions, par des milliers et des milliers d'autres personnes. Beaucoup travaillent, d'autres vont à l'école. Beaucoup regardent sûrement par la fenêtre en souhaitant que l'heure de cours ou la journée de travail prenne fin pour qu'ils puissent faire quelque chose de plus réjouissant. Pourquoi pas pousser à vélo jusqu'au bord de l'eau et aller piquer une tête maintenant que le printemps est enfin revenu, se dit l'un d'eux. Une autre, repassant mentalement la dispute qu'elle a eue le matin avec son partenaire, réfléchit probablement à la meilleure façon de se réconcilier. D'autres, dans le bus ou le train de banlieue, rejoignent la destination où ils ont hâte de rentrer ou partent du lieu où ils n'ont plus rien à faire. Sur les terrasses, on savoure un café, on fume une cigarette, on se permet un petit biscuit alors qu'on ferait mieux de s'abstenir. D'autres encore font des courses pour le dîner, une telle attend peut-être des invités, un tel n'a peut-être personne pour qui cuisiner. Dans les parcs des enfants jouent, leur maman et leur papa leur crient de temps en temps de prendre garde à ne pas se faire mal. Les trottoirs sont de plus en plus encombrés au fur et à mesure que les bureaux et les écoles et les lieux de travail ferment pour la journée. Ce qui était un matin de printemps étonnamment frais est en train de devenir une soirée de printemps étonnamment chaude, comme cela arrive parfois. Sur une place de marché où des pensées et des anthémis sont proposées à la vente, quelqu'un dit qu'on va enfin oser acheter des plants d'anthémis parce que la saison ne peut décemment plus être au gel, du moins espérons-le.

Et, en même temps que tout ceci se passe dans la ville, un homme est couché dans un lit d'hôpital. Très jeune encore, vingt-six ans depuis peu, et pourtant déjà un vieil homme. Au visage marqué par la souffrance et la maladie, au corps amaigri. Il n'est plus qu'une coquille vide.

Il respire avec peine.

Il vit ses dernières heures. C'est fini maintenant.

L'oxygène n'a plus la force de circuler dans son corps. De temps en temps, l'infirmière entre auprès du mourant. Elle soulève la couverture d'hôpital jaune et tâte ses pieds déjà bleuis.

Elle ne dit pas grand-chose.

Il n'y a pas grand-chose à dire. Le jeune homme est entouré des personnes qui l'aiment. Sa mère, son père, son compagnon.

Sa tête est retombée sur le côté. Sa bouche est entrouverte. Ses lèvres sont sèches. Sa respiration est irrégulière comme souvent en phase finale. Une fois ou deux il râle. Ce sont les glaires dans la gorge qui rendent sa respiration difficile. Sa peau mince est jaunâtre et lisse comme de la cire, presque translucide. Ses paupières closes tressaillent légèrement.

Comme s'il cherchait quelque chose.

Installés dans des transats sur une plage du Halland, ils regardent la mer. Le soleil est presque couché à présent. Rasmus est assis sur les genoux de son papa. Harald l'a entouré d'une serviette.

– Tu as froid ? demande Sara, inquiète, qui lui frotte le dos. Tu trouves qu'il fait froid ?

– Un peu, admet Rasmus en grelottant.

– Alors on rentre ! décide Harald.

– Oui, on rentre ! décide Rasmus.

Ils restent assis.

Le dernier relief du soleil couchant disparaît devant eux et, quasi aussitôt, la nuit commence à tomber.

Il n'est plus assis sur les genoux de son père.

– Maman ? Papa ? J'ai froid. Je veux rentrer maintenant, gémit-il.

Il tourne la tête. Il n'y a personne.

Il n'y a que la mer et lui. Le vent et lui.

Une vague vient lécher l'immense plage déserte.

Il y a deux transats vides.

Le vent en a renversé un.

III

LA
MORT

À l'époque où David, le bien-aimé de Dieu, était roi d'Israël, il battit les Moabites.

Les Moabites vaincus, il les mesura avec un cordeau en les faisant coucher par terre ; il en mesura deux cordeaux pour les livrer à la mort, et un plein cordeau pour leur laisser la vie.

Ainsi agit le roi David, le bien-aimé de Dieu.

Il mesura les Moabites vaincus et couchés par terre.

Avec un cordeau furent mesurés ceux dont la vie était terminée, ceux dont le moment de mourir était venu.

Avec un cordeau furent mesurés ceux qui seraient laissés en vie.

Ainsi est mesurée la vie de chacun. La vôtre comme la mienne.

Nous ne savons pas de quelle longueur nous relevons.

Nous vivons mieux notre vie si nous comprenons que nous ne disposons que d'un temps mesuré, si nous comprenons que nous sommes couchés par terre.

Et que quelqu'un tend le cordeau pour nous mesurer.

Petit déjà, il savait que la vie ne pouvait pas se résumer à ça : remonter la grand-rue en frimant à bord d'un pick-up customisé, dans un sens puis dans l'autre, et recommencer.

Car que lui proposait le village de Hammarstrand ?

Une excursion scolaire en bus une fois par an, toujours pour aller visiter Döda fallet, la Chute morte, une chute d'eau qui n'en était donc plus une – et pour cause.

Parce qu'il fallait en avoir l'idée, quand même ! À la fin du XVIIIe siècle, dans le but d'aménager un passage artificiel pour le flottage du bois, un certain Magnus Huss avait modifié le cours du fleuve. Une lubie entraînant, en l'espace de quatre heures seulement, l'assèchement entier du lac Radunga, à l'emplacement duquel Hammarstrand s'était construit par la suite. Sur le site de Döda fallet, on se pâmait devant les blocs de pierre et les rochers du lit fluvial où autrefois dévalait une cascade.

Ils y faisaient le déplacement chaque année, sans exception.

Et sinon ?

Une fois par semestre, ils allaient aussi à Stugun, qui possédait une piscine couverte. Et tant pis s'ils n'avaient le temps de rester qu'une petite heure dans l'eau chlorée, il fallait songer à la route du retour.

Autre chose ? Ben… non, on avait fait le tour. Voilà ce qu'avait à lui proposer Hammarstrand.

Pourtant, des perspectives d'avenir prometteuses se profilaient pendant la jeunesse de Bengt, dans les années 1960 et 1970. En tant que lieu touristique, à défaut d'autre chose. Le village était joliment situé, tout le monde s'accordait sur ce point. Ils bénéficiaient d'une bonne piste de ski et, surtout, d'une excellente piste de luge de course, l'une des meilleures du monde. Engageant même un directeur touristique, la municipalité organisait de grandes compétitions internationales dont ils faisaient la publicité en les qualifiant de «Cortina suédoise».

Le léger hic étant que Hammarstrand s'étendait le long du fleuve Indalsälven, au milieu de nulle part, à cent dix kilomètres de Sundsvall et à cent d'Östersund. Autrement dit à une tirée de toute ville, fût-elle de taille moyenne. Faire venir les touristes jusque-là posait quelques menues difficultés, en dépit de la piste de luge phénoménale et de Döda fallet, curiosité à ne manquer sous aucun prétexte.

Si on avait posé la question à Bengt, il aurait répondu que Hammastrand n'était franchement pas un lieu où on venait. Mais un lieu d'où on partait. Quelle qu'en soit la beauté.

Car le village jouissait d'une nature époustouflante. C'était indéniable. Encore plus avec son emplacement impressionnant, au fond d'une vallée. C'est là qu'avait été construite la centrale électrique de Hammarforsen, de style fonctionnaliste ; là aussi que se situait la zone d'habitation. Sur une des rives du fleuve, on arrivait au hameau de Pålgård où se dressaient deux églises, l'ancienne et la nouvelle, puis en surplomb celui de Kullsta où les fermes grimpaient à flanc de coteau.

Une route, rien qu'une, traversait Hammarstrand. La fameuse grand-rue. Avec ses commerces, ses salons de coiffure, ses banques, la maison de retraite où travaillait la mère de Bengt, et tout ce qu'on trouve en général dans une localité de taille moyenne.

Alors, que faire de sa vie quand on grandissait à Hammarstrand ? Que deviendrait Bengt s'il y restait ?

Certes, on pouvait s'inscrire au club de luge et à celui de course d'orientation baptisé Vildhussen, Le Hus fou, en référence au surnom donné à Magnus Huss. On pouvait aussi s'adonner à la chasse, bien sûr, et à la cueillette des baies sauvages en saison. On pouvait encore piloter son pick-up customisé ou sa mob au pot trafiqué, dans un sens puis dans l'autre sur la grand-rue, depuis le kiosque à hot-dogs jusqu'au grand bâtiment dénommé Centrum, qui abritait tant un cinéma qu'un dancing.

Mais à part ça ?

Bengt avait toujours su qu'il quitterait Hammarstrand. Voilà pourquoi, au collège, il avait entamé son compte à rebours, impatient que ça se termine. Il se demandait s'il valait mieux compter les semestres ou les années. Six semestres ou trois années ? Autant cocher chaque semestre, on cocherait plus souvent et plus rapidement.

Grandir à Hammarstrand impliquait d'aller au lycée à Östersund. Si Sundsvall possédait un magasin Ikea, le Monde, le vrai, se trouvait à Östersund. Et pour se rendre au Monde, on prenait le bus postal.

Le comté proposait des hébergements aux lycéens qui habitaient loin. Le logement de Bengt s'appelait la Biche. Il partageait sa chambre avec son meilleur ami, Thomas. Ils allaient au lycée Wargentin, la filière sociale de deux ans. Son premier petit copain ? En tout cas ils s'embrassaient et se branlaient ensemble.

Mais Östersund ne représentait pas non plus ce qu'attendait Bengt bien que, pendant toute sa jeunesse, cette ville ait incarné le Monde. Il ne lui avait pas fallu longtemps pour le comprendre : dès la première année, peu après la rentrée.

Bengt attendait autre chose.

Dans un lieu que le bus postal ne desservait pas.

Bengt attendait d'être découvert.

Et il l'a été. Il a été découvert.

Comme un continent inconnu. Comme quelque chose qui n'aurait jamais existé.

Un après-midi, pendant une heure creuse qu'il passait à la pâtisserie Wedman avec Thomas pour réviser avant une interrogation écrite d'histoire, un homme s'est approché, lui a dit qu'il n'avait pu s'empêcher de le regarder, qu'il cherchait en fait des adolescents pour son nouveau film – est-ce que Bengt avait envie de faire un essai ?

Le plus remarquable étant sans doute que Bengt n'a même pas été surpris.

Lui qui saurait toujours repérer les instants précis où sa vie basculait, quand cet inconnu s'est approché de lui et de son copain, il a su immédiatement que l'un de ces instants était arrivé.

L'inconnu lui donnait la possibilité de quitter Hammarstrand et Östersund, d'abandonner son enfance pour toujours.

Bengt n'a pas hésité une seule seconde.

Juin tire sur sa fin et le lilas a déjà terminé sa floraison. Comme il advient parfois quand la chaleur de l'été arrive par surprise et invite la végétation à sortir de son hibernation pour fleurir un peu trop tôt, un peu trop intensément, avec ce qui ressemble plus à la rage qu'au bonheur.

L'été est à peine commencé qu'il s'enfuit déjà cette année, il s'enflamme et disparaît en laissant dès la Saint-Jean des grappes de fleurs brunes et desséchées sur les branches des lilas. Sur le parvis de l'église perchée sur sa colline, le sol au pied des arbustes est jonché d'un lit de pétales pareils à des confettis. Comme les vestiges d'une fête.

À l'intérieur de l'église, l'allée centrale mène à un cercueil en bois clair, esseulé, décoré d'une unique rose. Devant, sur un chevalet, la photographie d'un jeune homme heureux, au sourire charmant, d'une beauté vertigineuse. Un bel homme, aimé de tous.

Que n'aurait-il pu devenir qu'il n'est pas devenu et ne deviendra jamais.

À côté du cercueil, un chandelier en fer forgé où brûle une bougie. Cette flamme solitaire et ce cercueil sans la moindre décoration dégagent une sorte de vulnérabilité. On se croirait face à quelque chose qui n'aurait pas été mené au bout, encore en construction.

Par les portes ouvertes de l'église, des gens seuls ou en couple ou par groupes affluent de toutes parts.

Ç'aurait pu être une cérémonie de fin d'année scolaire ou un mariage d'été, mais sur le petit perron en pierre qui mène aux portes, des officiants en costumes sombres distribuent des programmes ; quant à ceux qui pénètrent à l'intérieur de l'église, ils ont l'air pâles et crispés, ils semblent avoir froid malgré la journée d'été chaude et ensoleillée.

La plupart sont jeunes, très jeunes, forcément car le défunt lui-même n'avait qu'une petite vingtaine d'années. Il était au commencement de sa vie, sur le seuil de la vie. En route pour le monde.

Érigée sur une colline du quartier de Helgalunden, à Stockholm, dans un encadrement de verdure aimable, cette petite église en bois marron ressemble à celles qu'on trouve à la campagne. Hospitalière, petite et modeste, avec un plancher en bois, des peintures murales sans prétention et de grandes fenêtres qui laissent entrer la lumière du jour, elle a été construite exprès, paraît-il, pour que personne ne craigne d'y venir.

Au cours des premières décennies du XXe siècle, des gens pauvres issus des campagnes ont convergé vers la capitale pour y trouver du travail. Eux aussi avaient besoin d'un endroit où entendre la parole de Dieu et recevoir les sacrements. Sa voisine, la pompeuse église Katarina à quelques kilomètres de là, était sans doute trop intimidante, trop citadine avec sa stature majestueuse et son énorme salle en pierre. L'Allhelgonakyrkan, l'Église de Tous les Saints, en revanche, personne n'aurait peur d'elle.

Pourtant, c'est une petite famille effrayée qui a pris place dans la pièce attenante au vestibule, immédiatement à droite de l'entrée.

Ils sont venus de Hammarstrand en train. Depuis leur arrivée à Stockholm, tout le monde s'est montré d'une extrême gentillesse envers eux.

Le réalisateur de cinéma, qui a découvert leur Bengt adoré cette fois-là dans un café d'Östersund, leur a laissé sa jolie maison en bois à Södermalm, prenant lui-même une chambre d'hôtel pour leur en épargner la dépense.

Le directeur de la Scenskolan, l'école de théâtre que Bengt a fréquentée pendant trois ans, les a accueillis pour un long entretien privé, parlant de lui en des termes si chaleureux, si flatteurs. Et il a insisté sur la perte énorme que sa mort représentait. Ce sont les mots qu'il a employés : une perte énorme. En parlant de leur Bengt à eux ! Il leur a montré les coupures de journaux et les critiques de la représentation de fin d'études où il n'était question que de lui. Son nom figurait en toutes lettres partout. Dans toutes sans exception ! Ils ont même eu le droit de les emporter. La mère les archivera dans son classeur avec les autres articles portant sur les films et séries télé auxquels son fils a pu participer le temps de sa brève carrière.

Juste après, ils ont croisé un acteur célèbre, un des plus grands. Quand il a su qui ils étaient, il a serré leurs mains, oui, il a même tenu celles de la mère pendant une éternité sans vouloir les lâcher. Il lui a dit et redit combien son fils avait un talent rare, il a répété combien il avait apprécié de travailler avec lui. Et lui aussi a utilisé le mot perte. Là, les larmes lui sont venues et sa voix s'est étranglée. Ils ont éclaté en sanglots, tous autant qu'ils étaient. Ils se tenaient dans le grand hall de l'École supérieure de Théâtre, et ils pleuraient.

C'était inouï. Que des inconnus pleurent leur Bengt adoré ! Ces événements qui ne suscitent que désespoir leur offraient quand même un moment de fierté. Ils pouvaient malgré tout être fiers de leur fils et petit frère si doué, si merveilleux.

Autant de raisons qui les ont poussés à changer d'avis : l'enterrement aurait lieu dans la capitale, à un jet de pierre de l'école qu'avait fréquentée Bengt, réalisant ainsi son rêve ; dans cette ville qu'il avait en quelque sorte conquise, qui était la sienne. Et les obsèques réuniraient tous ceux qui l'aimaient, lui, leur Bengt à eux. C'est ce qu'il aurait voulu, se sont-ils dit.

Et les voici à présent dans la petite pièce donnant sur le vestibule, effrayés et nerveux, tandis que l'église se remplit jusqu'à la dernière place. Ils entendent le brouhaha assourdi derrière le mur. Craintifs, vêtus de noir, semblables à des taches sombres et humides, ils attendent que la pasteure leur fasse signe d'entrer dans l'enceinte de l'église à coup sûr pleine de gens qui se connaissent certainement mais qui sont pour eux des étrangers : des gens de théâtre, des acteurs, des artistes, tous liés d'une façon ou d'une autre à leur Bengt.

Leur Bengt étrange. Leur grande perte, à cette mère, à ce frère et cette sœur aînés. Le défunt était leur tout petit à tous les trois. Le petit chéri de la famille. Un garçon parti s'installer à Stockholm pour devenir une star.

La mère, à qui on a donné des calmants, fixe le vide droit devant elle d'un air presque apathique. Sa fille, un bras passé autour d'elle, s'est rongé les ongles jusqu'au sang, les peaux sont rouges et enflammées. Elle a tellement pleuré que la peau sous ses yeux a pris une étrange apparence squameuse.

La porte s'ouvre sur le grand frère : il se faufile aussi discrètement que possible dans la pièce et dit de sa voix la plus douce que la salle sera comble, semble-t-il. La famille essaie de trouver une consolation dans le fait que, même loin de chez lui, leur Bengt a été aussi apprécié. Et la mère de chuchoter, encore et encore, en serrant la main de sa fille et en cherchant une confirmation dans son regard :

– Il était si gentil.

Les larmes aux yeux, celle-ci acquiesce – elle confirme :

– Il n'y avait pas plus gentil que lui !

On toque à la porte. La pasteure entre pour annoncer que le moment de commencer est arrivé. Si la famille se sent prête, on peut faire sonner les cloches.

S'ils se sentent prêts ? Comment pourraient-ils être prêts ?

Un enfant n'est pas censé mourir avant ses parents, pense la mère. C'est contre-nature. Contre tout. Tout ! Son petit dernier, son rayon de soleil. Son adoré, son chouchou !

Elle se lève malgré tout, il le faut bien. Son corps se lève. Elle a plutôt l'impression de flotter au-dessus d'elle-même et d'observer la scène. Elle répond à la pasteure par un hochement muet, en se mouchant dans un Kleenex. S'ils sont prêts ? Il ne leur est plus possible de repousser l'échéance. Pourtant elle jette un regard désemparé vers ses enfants pour qu'ils lui disent ce qu'elle doit faire.

Sa fille se mordille les peaux avec nervosité, gratte ses ongles contre les dents. Elle se rend compte que, en plus de la brûler, ça se met à saigner. D'un geste rapide, comme prise de honte, elle appuie sur son doigt en sang le mouchoir déjà froissé, utilisé pour se moucher. L'instant d'après elle se redresse, précipitamment, d'un mouvement presque revêche et impatient. Qu'on y aille, pense-t-elle, à cette foutue exécution.

Entendant la question de la pasteure, le grand frère se fige. Il voudrait crier. Arrêter le temps. Revenir en arrière. Il voudrait frapper la pasteure. La passer à la moulinette ! Mais c'est inéluctable, il faut y aller. Ses mâchoires serrées travaillent comme un broyeur de pierres.

– Allons-y alors ! chuchote-t-il à sa mère.

Il se lève à son tour et, à cet instant, son monde s'écroule – une simultanéité qui lui fait presque l'effet d'une blague : que tout s'effondre alors qu'il se lève.

Puis les cloches de l'église sonnent.

Le frère et la sœur entourent leur mère pour la mener dans la salle d'église.

Les personnes présentes aux funérailles se tournent vers eux et se lèvent comme un seul homme, tous ces gens qu'ils n'ont jamais vus, tous ces étrangers effrayants, distingués, prospères, comblés ; autant d'hommes et de femmes qui pourtant n'ont pas de fils ou de petit frère décédé. Des centaines d'yeux les fixent, ils voient plusieurs visages en larmes, ils sentent d'une manière quasi physique l'empathie de ces inconnus, comme si eux aussi pleuraient un être cher. Comme si la petite famille de Hammarstrand se dirigeait droit vers un mur de deuil. Avec respect. Avec empathie. Mais sans défense.

En cet instant ils se noient, les uns comme les autres. Et ils n'ont aucune bouée de sauvetage. Il n'y a aucune terre en vue.

La mère a le temps de penser : Tout ce monde… !

Son Bengt en aurait été content, pense-t-elle ensuite. D'avoir été autant aimé. De voir que l'église est bondée.

Puis, au bout de l'allée, elle aperçoit le cercueil. Qui se dresse. Menaçant.

Elle ne comprend rien. Rien !

Qui se trouve là-dedans ? Elle ne sait pas ! C'est une méprise, il y a erreur sur la personne !

Son corps résiste soudain. Elle ne veut pas marcher vers ce cercueil horrible, là-bas, dans le chœur. Elle ne veut pas !

Ses deux enfants sont obligés de la pousser pour qu'elle avance.

Pourquoi ils lui font ça ? Leurs mains serrent ses bras plus fort. Ils la forcent à s'approcher de plus en plus de l'horrible cercueil. Elle veut crier, se dégager, griffer !

Une plainte s'échappe de sa bouche. Mais ce n'est pas elle qui crie. C'est une voix en elle qui hurle : Je ne le connaissais pas ! Je ne le connaissais pas !

C'était lors de sa première venue à Stockholm.

Le réalisateur du film pour lequel il avait passé un bout d'essai l'a emmené au Théâtre de la Ville. Bengt n'était encore jamais allé voir une pièce. Hormis lorsque le Riksteatern, le théâtre national itinérant, s'était arrêté à Hammarstrand pour une représentation dans le gymnase.

Devant lui, la scène. Un rideau baissé qui veillait sur quelque chose, comme s'il dissimulait et protégeait un lourd secret.

Il a d'abord cru que la grande salle ne se remplirait pas, à en juger par les rangées d'un vide toujours béant alors que la représentation allait bientôt commencer. Tandis que le public s'installait, il jetait des coups d'œil émerveillés autour de lui en sentant ses tripes se nouer, quand bien même ce n'était pas lui qui monterait sur scène. Il participait uniquement en tant que spectateur.

Puis le miracle s'est produit : l'affluence soudaine ; les retardataires se sont glissés à leur place avant que les lumières déclinent, la salle était comble. Époustouflé, tournant la tête de tous les côtés, Bengt voyait où qu'il regarde des hommes et des femmes diriger leurs yeux et leur concentration vers devant, vers la scène, vers le spectacle sur le point de démarrer.

Il saurait toujours repérer les instants où sa vie basculait, sa découverte du théâtre ce soir-là en était un.

Le rideau s'est levé. Le plateau, grand et vide. Un espace énorme. Une femme seule sur scène, regardant soudain Bengt dans les yeux. Elle s'est adressée à lui – et ses mots ont transpercé son corps d'adolescent.

À l'aube il existe un instant où l'on peut regarder
droit dans le soleil regarder
mais sans être aveuglé
Un œil énorme s'ouvre
juste au-dessus du désert de la mer
Son éclat est mat et presque aimable
Et il n'est pas dangereux
C'est comme si l'on pouvait regarder
un instant
droit dans l'œil de la vie
Et que tout à coup l'on n'ait plus peur

Bengt retenait sa respiration. Son cœur n'osait plus battre.

Il retournera à plusieurs reprises revoir la représentation. Chaque fois il attendra avec impatience le lever de rideau et cet instant où la femme seule lui parlera. Il apprendra très vite sa réplique par cœur, bougera ses lèvres en silence au même rythme que la femme sur le plateau : «... pour un instant... droit dans l'œil de la vie... et que tout à coup l'on n'ait plus peur.»

Ne plus avoir peur. Quelle promesse ! Bengt en frémissait.

Un jeune homme a ensuite pris possession de la scène, perché sur un palier surélevé, au-dessus de tout le monde, portant un sweat aux manches coupées, les muscles de ses bras ondulant sous sa peau. Il se tenait de profil, seulement éclairé par un cône de lumière, son regard scrutateur tourné vers le ciel nocturne. Nostalgique et triste à la fois.

On se dirait
à l'aube du tout dernier jour de la vie
un jour parfait pour les déserteurs

Bengt a poussé un soupir dans l'obscurité de la salle. Ce jeune homme sur scène avait quelque chose de spécial : sa beauté, son chagrin, son désir d'un autre avenir que celui qui lui est assigné et, de fait, le choix qu'il a dû faire et dont il redoute les conséquences. Dès qu'il ouvrait la bouche, Bengt avait l'impression d'entendre sa propre voix en sortir. Aussi a-t-il pris lui-même, à cet instant, deux décisions qui allaient se révéler déterminantes pour sa vie : il serait comédien, il vivrait à Stockholm quel qu'en soit le prix à payer.

Et le ciel
Parfaitement dégagé
Mais sans étoiles
Un jour pour les déserteurs

À la fin du tournage du film, il n'est pas retourné dans sa famille à Hammarstrand, ni au lycée à Östersund : il a emménagé chez le metteur en scène qui savait toujours s'entourer de très beaux garçons. Bengt est devenu son assistant, payé comme stagiaire par l'Agence pour l'Emploi. A posteriori, entendant parler de cet arrangement, Paul a été fier de découvrir que la société subventionnait ainsi les relations physiques homosexuelles intergénérationnelles.

Ainsi entretenu, Bengt fréquentait les théâtres presque tous les soirs les premiers temps. À la fin de la représentation il sortait toujours en trombe pour se poster sur le trottoir du côté de l'entrée des artistes afin de guetter les acteurs. Les mêmes personnes qu'il venait de voir sous le feu des projecteurs quittaient le théâtre par la porte de derrière, démaquillées, habillées de leurs vêtements civils, mais en ayant encore une aura d'Élu et – il ne trouvait pas d'autre qualificatif – de surhomme.

Il adorait les regarder alors qu'ils ne se savaient pas observés. Tapi dans l'ombre, il tentait de capter leurs paroles s'ils sortaient en groupe, parfois il en suivait même certains. Son cœur cognait alors d'angoisse et de bonheur. Plein de hardiesse, il allait jusqu'à se faufiler près d'eux, jusqu'à pouvoir faire semblant d'en faire partie.

Il s'est mis à fréquenter le Grants Taverna, un restaurant situé juste à côté du Dramaten, le Théâtre dramatique royal. L'établissement, qui tenait plutôt du boui-boui, avait un décor follement excentrique mais était toujours vide, malgré sa situation centrale. Seuls y dînaient la jeune garde d'acteurs, précisément ceux que Bengt voulait voir : Lakke Magnusson, Johan Hedenberg, Rolf Skoglund, Peter Stormare. Et la sensation d'être assis seul à quelques tables d'eux était tellement extraordinaire qu'il manquait de mots pour la décrire.

Ces jeunes comédiens brûlaient les planches du Dramaten dans *Class Enemy*, l'un des plus grands succès de l'année ; la première avait eu lieu dans la petite salle avant que la pièce ne soit rapidement déplacée dans la plus grande et affiche toujours complet depuis. Bien que la lumière et la célébrité ruissellent sur eux, bien qu'ils ressemblent à des dieux, ils se retrouvaient à la Grants Taverna dès la fin de la représentation et devenaient presque réels. Ce que Bengt avait peine à comprendre. C'était totalement magique.

Un jour, il serait l'un d'eux.

La liaison avec le metteur en scène n'a pas duré. Ils ont rompu l'année suivante après un voyage à New York, et Bengt a été flanqué à la porte. Là-bas, il a non seulement pris la liberté de déserter son amant pour partir seul à la découverte des quartiers gays, mais il est rentré à la chambre d'hôtel dans la matinée, après une nuit d'alcool et de sexe non-stop. Le metteur en scène jaloux l'attendait de pied ferme et lui a passé un savon, lui rappelant au passage qui avait payé son voyage, sa bouffe, ses boissons et tout son putain de train de vie. Bengt a fini par en avoir ras le bol de son côté surgé. Il lui a dit d'aller se faire foutre et a quitté l'hôtel. Ils ne se sont revus qu'à l'aéroport avant de prendre l'avion pour rentrer à la maison. Enfin, «la maison»… Le metteur en scène lui a bien fait comprendre que ce n'était plus chez lui.

Au lieu de retourner la queue entre les jambes chez maman à Hammarstrand, Bengt s'est mis à traîner dans les quartiers délabrés autour de la gare centrale et de la Klara pornorra où des chauffeurs solitaires tournaient inlassablement pour lever les mecs qui y draguaient. Bengt, un adolescent paumé originaire du Jämtland, s'est rapidement transformé en «Thomas», le plus beau et le plus culotté de tous les garçons à avoir jamais offert leur corps dans la rue des pédés et des sex-shops.

Ça a été son premier rôle. Et les hommes, son premier public.

Certains le ramenaient chez eux. D'autres le conduisaient dans un lieu isolé pour baiser avec lui dans la voiture. Étonnamment, beaucoup étaient mariés et disposaient d'un petit «pied-à-terre» dans les quartiers de Gärdet ou Söder. Faute d'appartement où trouver refuge, on prenait une chambre dans un des hôtels les moins chers près de la gare ou alors on tirait son coup dans les coins sombres autour de l'hôtel de ville ou de l'hôpital Serafimer, de l'autre côté du canal. Au pire, on pouvait toujours se contenter d'une petite pipe vite fait dans un des ascenseurs du métro. Ils puaient peut-être la pisse, mais ils n'étaient pratiquement jamais utilisés.

Au bout de quelques mois passés à arpenter le Bonheur de la Klara pornorra, Bengt a réussi à s'entourer de plusieurs messieurs d'un certain âge qu'il pouvait appeler à n'importe quelle heure du jour et de la nuit. Autant de gentlemen prêts à l'héberger pour la nuit, en lui offrant leur pied-à-terre ou en lui payant une chambre d'hôtel. En contrepartie, ils avaient le droit pour ainsi dire de «se servir» un peu. Ce dont ils ne se privaient pas.

Dès la première fois dans la Klara pornorra, Bengt a eu l'impression d'être enfin arrivé chez lui. Pas dans un monde réel, mais dans un film où il tiendrait le rôle principal.

Plan panoramique au-dessus de la rue Klara norra kyrkogata. Un jeune homme se tient sur le trottoir, dans le vent cinglant. Une voiture s'arrête. Avec une profonde indifférence, le jeune homme s'approche. Une vitre est baissée. Un homme plus âgé que lui se penche. Quelques répliques échangées. Le jeune monte dans la voiture. La voiture repart. Coupez.

Intérieur de la voiture. Le jeune homme entend le conducteur lui demander son prénom. Son meilleur ami depuis l'école primaire s'appelle Thomas, le seul d'ailleurs à Hammarstrand à savoir qu'il aime les mecs. Ils ont tous les deux David Bowie comme idole, et Bowie est bisexuel –

ça tombe bien, eux aussi, du moins c'est ce qu'ils se disent dans l'intimité.

L'HOMME ÂGÉ : Comment tu t'appelles ?

LE JEUNE HOMME : Thomas.

L'HOMME ÂGÉ : Tu viens d'où ?

Le jeune homme tourne la tête vers le pare-brise, plisse les yeux.

LE JEUNE HOMME : Je suis né ici !

Fondu au noir.

Puisqu'il répondait toujours ça, et c'était la vérité. Dès l'instant où il disait être né ici, il venait au monde. Il descendait dans un royaume dont il était secrètement le prince. Le plus beau, le plus jeune, le plus désiré de tous. Chaque nuit à Klara pornorra il était adulé et sacrifié, son corps était morcelé et dévoré ; puis le lendemain matin il naissait à nouveau, entier et vivant.

Quand il avait dix-sept ans, la Klara pornorra avait cela d'irrésistible que Bengt y était adoré. Tous les hommes étaient ses sujets. Ils croyaient le choisir alors que c'était l'inverse qui se produisait, il les choisissait. Il les laissait lui faire des choses : le déshabiller, dénuder son corps d'éphèbe, sortir du slip son pénis d'adolescent, et là – là ils s'éva-nouissaient presque, ces porcs lubriques ! Oh ce qu'il aimait les voir ainsi : libidineux, voraces ! Ils bavaient littéralement pour l'avoir, ils avaient du mal à contrôler leurs mains. Ils savaient qu'ils avaient décroché le gros lot – et ils le dévoraient ! Ils le léchaient, le suçaient, l'embrassaient, le pin-çaient, le griffaient, l'égratignaient, le labouraient, le fouillaient, l'adoraient, le désiraient, le tuaient. Ils le tuaient chaque fois.

Fort fort fort, il serrait ses paupières. Et il pen-sait : merde, merde, merde. Le dégoût pesait presque aussi lourd que la honte, mais le rien était plus lourd que tout. Et rien, c'est précisément ce qu'il ressentait.

Il les laissait aussi banquer. Ils lui payaient des cigarettes, des boissons, des taxis, de la bouffe, des fringues, encore plus de verres, toujours plus de clopes. Parfois il prenait juste leur argent. Mais il n'était pas une pute pour autant. Non non. Il les laissait juste lui donner des trucs ou du fric, puisqu'ils en avaient tellement envie. Vu qu'il ne ressentait rien, pourquoi aurait-il dû s'inquiéter sous prétexte qu'il leur prenait ce dont il avait momentanément besoin ?

Thomas avait d'ailleurs une voix bien à lui, claire et apprêtée.

– Salut, je m'appelle Thomas et j'aimerais tellement que tu restes avec moi ce soir. Cent cinquante la branlette, trois cents la pipe, pour cinq cents tu pourras faire ce que tu veux.

Ils ne sauraient jamais qu'il aurait pu le faire gratuitement. À condition qu'ils l'adorent.

C'était ça, son rêve. Être aimé. Être celui qu'on désire.

Tout le monde doit commencer quelque part. Pour Bengt, ça a commencé comme ça. Lui qui nourrissait le rêve de regarder un jour droit dans l'œil de la vie sans avoir peur.

C'est l'hiver et la pluie tombe. La pièce est terminée depuis longtemps, mais Bengt ne veut pas rentrer chez lui.

Un chez-lui qui, ces temps-ci, se résume à la piaule de deux sœurs toxicos de Bagarmossen dans la banlieue sud de Stockholm, dont il a fait la connaissance du côté de la Klara pornorra, et à l'appartement de deux messieurs dans la force de l'âge, qui lui ouvrent la chambre d'amis de leur appartement rue Sibyllegatan, en contrepartie de quoi il les laisse le tripoter un peu. Ou plutôt : l'un le baise, l'autre veut tout le temps lui lécher le cul ; ce qui en soi est assez pratique, il n'y a qu'à rester assis, penser à autre chose et s'efforcer de ne pas péter.

Stockholm la nuit est sombre et désertée, telle une ville évacuée, abandonnée à son sort. Les trottoirs sont vides et les bars fermés, le métro va bientôt s'arrêter.

La sculpture de verre sur la place Sergels torg se découpe en violet et bleu sur le ciel nocturne dépourvu d'étoiles. Belle et nimbée d'une lumière mélancolique, elle constitue le moyeu d'un rond-point autour duquel aucune voiture ne tourne actuellement. Trois artères se déroulent à partir de ce carrefour giratoire. Perpendiculaire aux deux autres, élargie pour pouvoir accueillir des défilés, l'avenue Sveavägen file en ligne droite jusqu'à l'échangeur de Norrtull. La Hamngatan, où se trouve le grand magasin NK, s'étend plus ou moins en prolongement de la Klarabergsgatan. Et si cette dernière longe la gare centrale, elle dépasse juste avant l'église de Klara qui a aussi donné son nom à la petite ruelle transversale : Klara norra kyrkogata, ou la Klara pornorra.

Certes, la Klara pornorra n'est plus ce qu'elle était : les autorités l'ont assainie et rénovée pour éliminer la racaille qui y traînait. Les oscillations du pendule moral ont également entraîné de nombreuses restrictions pour les boîtes de striptease qui n'ont plus le droit de montrer coïts et attouchements. L'offre réduite a modifié l'orientation de certains établissements où, tout au fond, subsistent quelques cabines de peep-show même si la plupart d'entre elles montrent désormais des films classés X en vidéocassette, une nouveauté qui n'a pas encore pris ses aises dans les salons des particuliers mais n'en demeure pas moins accessible ici. La pièce principale, où règne le silence, est toujours dominée par les magazines. Des hommes les feuillettent avec un mélange de honte, d'avidité et d'indifférence feinte. Sans bruit, ils bougent d'une étagère à une autre, se faufilent avec discrétion, presque sans respirer et sans se regarder dans les yeux, comme en vertu d'un accord tacite.

Des individus dont personne ne veut évoluent dans la nuit étoilée mais sans étoiles pour eux. Ils sont souvent laids, et ils sont toujours seuls. À l'abri du noir, ils peuvent faire semblant d'aller quelque part. Ce qui n'est jamais le cas puisque personne ne veut d'eux. Ils vivotent.

Dans ce monde de gens laids et non désirés, Bengt, grâce à sa jeunesse et sa beauté, a l'air d'une divinité. D'une créature descendue sur terre. Ils le poursuivent comme une meute de chiens, geignant, bavant, mordillant. Lui ne bouge pas. Les autres lui tournent autour. Parfois ça vire au comique. Ainsi du petit bonhomme barbu qui passe une fois, deux fois, trois fois avant de l'accoster en hésitant et d'entamer une sorte de conversation.

– Salut.

– Salut, répond Bengt.

– Ouais ouais, dit le petit barbu en s'éclaircis-
sant la voix.

– Ouais ouais, dit Bengt, sans s'éclaircir la voix.
Le petit barbu observe un bref silence.

– Tu fais quoi ?

– Je suis là. Et toi ?

– Je me promène. Il fait frisquet ce soir, hein.

– Ouais.

– Le fond de l'air est frais, hein.

Bengt doit faire un effort pour ne pas pouffer
de rire. Ils restent silencieux l'un à côté de l'autre
un moment. Bengt regarde ailleurs.

– J'habite pas loin d'ici, finit par dire l'homme,
je pourrais t'inviter à boire un thé.

– Ouais, dit Bengt – et ils partent ensemble.

Pourquoi ?

Pourquoi ce petit bonhomme barbu a-t-il la
permission, peu de temps après, d'ouvrir la braguette de Bengt, en tremblant comme s'il avait de
la fièvre, et d'en sortir son sexe flasque ?

La tête en arrière, Bengt lutte contre la nausée qui monte de son estomac tel un fromage à
croûte fleurie. De la salive de vieux dégouline
sur ses poils pubiens, puis la langue mouillée
glisse sur lui. Mais dès qu'il essaie de l'introduire
entre ses lèvres, Bengt les ferme à double tour
comme un verrou. Il le laisse le sucer, rien de
plus. Le sang circule plus vite dans ses veines,
Bengt sent sa bite se durcir. Il ne va pas tarder
à gicler dans la bouche du vieux qui va tout
avaler, goulûment, jusqu'à la dernière goutte.
Et après, rideau !

Sans que son visage trahisse le moindre sentiment, Bengt range son engin dans son pantalon,
s'allume une clope et demande du fric à cet abruti
de barbu pour pouvoir rentrer chez lui en taxi.
Quel que soit ce chez-lui. En fait, rentrer chez lui

c'est retourner dans la Klara pornorra. Où l'on ne voit jamais d'étoiles.

Il est déjà tard quand il y parvient. Une voiture fait une ultime inspection mais les trottoirs sont vides. Bengt tourne les talons et part. Où va-t-il aller maintenant ? Va-t-il appeler le couple de messieurs ou bien essayer d'attraper le dernier train pour Bagarmossen où une des sœurs risque d'être à la maison ? Ou va-t-il plutôt rebrousser chemin et s'engouffrer dans cette bagnole qui tourne indéfiniment, en espérant tomber sur un type chez qui il pourra passer la nuit ?

On fait ce qu'on peut, et advienne que pourra. On fait avec ce qu'on a.

Il va bientôt avoir dix-huit ans.

À sa mère, il a dit qu'il bosse au McDonald's. Histoire de justifier son fric et ses fringues neuves, il a aussi inventé un baratin comme quoi il pose comme modèle pour des photos. Il n'a pas réussi à mettre ne serait-ce qu'un pied dans le monde du théâtre depuis la première fois où il a vu une pièce à l'âge de seize ans. Il arpente toujours le trottoir, dans l'ombre, à quelques mètres de l'entrée des artistes, en lorgnant avec jalousie vers les comédiens dès qu'ils sortent. Mais il sait une chose : cette comédie ne peut pas durer éternellement. Il faut qu'un truc se produise, n'importe quoi, maintenant. Il ne peut pas continuer à rester planté dehors, à les mater sans rien faire. Il doit se débrouiller pour trouver le moyen d'entrer.

Et un beau jour le truc se produit, le plus simplement du monde.

– Oh-oh, visez-moi ça ! Nan mais j'hallucine, elle fait le salut nazi, la vieille peau !

– Mais arrête… Elle tient son sac à main et fait bonjour en même temps, rien de plus.

– Elle tient son sac à main d'une façon nazie. Je suis désolé, mais tout mon ADN juif manifeste contre cette vieille peau. Elle est mauvaise comme la gale !

Paul prend son petit déjeuner une clope à la main, à côté d'un homme aux cheveux clairsemés et vêtu d'un tee-shirt délavé portant le logo *Nucléaire ? Non merci !* Entre eux, *Dagens Nyheter* est ouvert aux pages Étranger. Quand Bengt entre dans la cuisine, ils lèvent les yeux du quotidien.

– Formidaaable, tu es réveillé ! coasse Paul gaiement. Seppo, je te présente… Oh, quelle gourde je fais. Comment il s'appelle déjà, ce petit minou ? Euh… Bengt, c'est ça ?

Bengt acquiesce, troublé.

– Oui, je m'appelle Bengt.

– Bengt, je te présente Seppo !

Ils se disent bonjour tandis que Paul bondit de sa chaise pour faire chauffer de l'eau. Il est nu, et son sexe gigantesque pendouille comme une trompe d'éléphant. Bengt ne peut s'empêcher de le fixer. Le voyant faire, Seppo secoue la tête de consternation et marmonne :

– C'est exactement ce qu'il cherche. Paul profite du fait que les gauchistes se veulent et se disent hyper décomplexés en permanence.

– Sauf que ça tombe sous le sens, s'exclame Paul en tapotant l'objet de tous les regards. Ce n'est pas une bite, c'est un vecteur de puissance !

– Elle est tellement grosse que c'en est horrible, Paul ! soupire Seppo, avant d'expliquer à Bengt : Paul se balade toujours à poil. Autant que tu t'y fasses tout de suite. On se retrouve avec son chibre d'étalon sous le nez alors qu'on n'a rien demandé.

Paul énumère les différentes variétés de thé devant une porte de placard ouverte :

– Lapsang, melon ou jasmin ?

– Je n'ai jamais goûté de thé au melon, répond Bengt en s'asseyant, je veux bien essayer.

– On était en train de parler de la Thatcher, embraye Seppo.

Alliant le geste à la parole pour que Bengt comprenne ce qui les occupait quand il est entré, il brandit le journal où figure une grande photo du nouveau Premier ministre britannique. Et effectivement, Margaret Thatcher a l'air de lever le bras comme si elle faisait un salut fasciste. Cependant, on voit aussi un sac à main noir pendre au pli du coude.

– On est forcément partagé face à cette bonne femme, poursuit-il. D'un côté, c'est formidable que pour la première fois en Europe une femme soit élue à un poste de dirigeant. De l'autre, ça fait peur parce que c'est une vraie peau de vache.

– Et là-dessus, Seppo et moi on est d'accord, lance Paul, qui pose devant Bengt une tasse en céramique remplie de thé fumant. En même temps, la réaction des féministes risque d'être poilante. Elles qui ont toujours prétendu que, si les femmes gouvernaient le monde, il n'y aurait plus ni violence ni conflits sous prétexte que ce n'est pas dans leurs cordes.

– Ce qui signifie uniquement que les féministes du Grupp 8 ne sont jamais allées à une soirée lesbienne, murmure Seppo. C'est vrai quoi… il ne reste plus une chaise en état quand les gouines ont fini de s'engueuler !

Seppo et Paul rient à gorge déployée. Bengt a un peu de mal à suivre la joute verbale. Il ne connaît rien au gauchisme, rien au mouvement féministe, rien aux soirées lesbiennes. Il s'apprête à ouvrir la bouche pour faire un commentaire à propos de Margaret Thatcher lorsque trois autres hommes font leur entrée coup sur coup : Lars-Åke, manifestement le petit ami de Seppo puisqu'ils s'embrassent sur la bouche ; Gunnar qui, en voyant Bengt, va chercher d'autres chaises sans un mot et, pour finir un mec timide, de son âge, qui sort de la petite chambre de bonne attenante à la cuisine.

– Reine est originaire de la côte ouest, indique Paul en poursuivant les présentations. Il est la recrue la plus récente de notre collectif gay.

– Le collectif gay ?

– Le collectif gay La Corneille, explique Lars-Åke pendant qu'il sort du pain maison et des charcuteries du réfrigérateur. Tu as peut-être vu le panneau sur la porte d'entrée ? C'est moi qui l'ai peint.

– Lars-Åke est artiste-peintre, précise Seppo, Gunnar est bibliothécaire, Paul travaille pour la télévision, et moi je bosse dans les services sociaux. Quant au petit Reine, il vient juste d'entrer à… comment ça s'appelle déjà ?

– L'école de journalisme de Poppius, répond celui-ci en détournant la tête, les joues en feu.

– Toujours est-il qu'on est en train de parler de Thatcher, annonce Seppo aux nouveaux arrivants.

– Oh, *Maggie Thatcher, the milk snatcher* ? s'exclame Reine, qui regrette aussitôt d'avoir pris la parole.

– *The milk snatcher* ? répète Lars-Åke, intrigué.

– Oui, pardon, il paraît que c'est son surnom : Maggie Thatcher, la voleuse de lait. Parce qu'elle veut supprimer le lait gratuit pour tous dans les écoles primaires.

– Ah, tu vois ! s'écrie Paul triomphalement à Seppo. Une sale nazie jusqu'à la moelle !

– Tu ne pourrais pas, au moins deux secondes, arrêter de nous faire ton numéro du Juif qui voit des conspirations partout ? On peut être un salaud sans pour autant être un nazi ! s'indigne Seppo.

– Non mais écoutez-le, le Finnois ! Ça me troue le cul de voir à quel point tu es antisémite !

Amusé, Paul lève les yeux au ciel, cherche le soutien de Bengt.

– Et toi, sur l'échelle de la judaïté, tu es juif jusqu'à quel degré ? le coupe Seppo. T'es même pas circoncis !

Paul baisse les yeux sur son attirail, curieusement à court de répartie. Un silence qui suffit à déclencher l'hilarité générale et, pour la première fois (de sa vie, sans nul doute), à le faire rougir. Agacé, il hausse le ton :

– Hé, minute ! Qu'est-ce que j'y peux, moi, si mes pauvres parents juifs sécularisés voulaient à tout prix être assimilés et n'estimaient pas nécessaire de faire circoncire leurs fils ?

Lars-Åke le console avec une petite tape sur l'épaule.

– Allez, t'en fais pas. Va donc enfiler un slip en attendant, tu verras que ça ira mieux après.

Paul allume une autre cigarette et, après avoir soufflé la fumée et s'être un peu calmé, soupire et rit.

– Dans le fond tu as raison, Seppo. Je devrais vraiment y remédier, et vite. Une bite circoncise est toujours plus jolie. C'est pas ce qu'on dit ?

Il adresse un clin d'œil effronté à Bengt qui ne sait pas quoi répondre. Constatant l'absence de réaction chez les autres, il se dit que ce n'est sûrement pas grave. Il boit son thé et écoute leurs prises de bec au sujet de ceci ou de cela. Il adore l'évidence un peu étrange avec laquelle il est intégré à cette communauté de mecs – autrement dit, ils n'en ont rien à cirer de lui. Ils se bornent à ajouter une autre chaise, à couper une autre tranche de pain, à sortir une autre tasse de thé, sans faire tout un foin de sa présence. Il n'y a guère que ce mec timide, Reine, qui lui jette de temps en temps des regards à la dérobée en pensant ne pas être vu. Bengt lui répond alors par un sourire.

Bengt et Paul se sont rencontrés la veille au soir dans la Klara pornorra. Bengt était triste, et il était soûl. Dans l'après-midi, quand il s'est réveillé chez Carro et Chantal à Bagarmossen, elles lui ont souhaité un bon anniversaire avec un tube de fromage à tartiner à la crevette en guise de cadeau, sachant qu'il adore ça. Ils étaient censés faire une virée en ville mais, en chemin, ils se sont disputés et séparés. Bengt s'est donc retrouvé tout seul. Génial, le pot d'anniversaire !

Il a bien essayé de téléphoner à Hammarstrand d'une cabine, mais personne n'a répondu. Et de toute manière sa mère ne pouvait pas l'appeler, puisqu'il n'a ni téléphone ni adresse fixes.

Il a traîné en ville en attendant le dîner au Vickan que tenait à lui offrir le metteur en scène pour ses dix-huit ans. Mais là encore ça a tourné en eau de boudin puisque le metteur en scène, entre-temps fin soûl et sentimental, voulait en fait que Bengt revienne vivre chez lui. Et, quand il a refusé que l'autre le tripote sous la table, il a piqué une crise et accusé Bengt de l'avoir exploité. Au bout d'un moment, celui-ci s'est levé de table et lui a balancé : «Putain, mais qui a exploité qui à la fin, salaud de pédophile !» – et il l'a planté là.

Furieux, il a rejoint fissa la Klara pornorra, dans l'unique ambition de se dégoter le mec le plus brutal possible, de préférence un type du Moyen-Orient avec une bite énorme qui lui défoncerait le cul jusqu'à ce qu'il ne puisse plus s'asseoir et que rien d'autre n'ait d'importance car alors, au moins une fois dans cette putain de vie, le monde serait réel.

Or il a trouvé Paul. Ou, plus exactement : Paul a trouvé Bengt. Il s'est servi de sa phrase d'introduction habituelle, s'approchant de lui sur le trottoir en agitant une cigarette et en disant : «Excuse-moi, tu n'aurais pas du feu par hasard ?» Face à la réponse négative de Bengt, il a sorti son briquet avec insouciance et allumé sa cigarette. La conversation était dès lors engagée. Ou, plus exactement : Paul parlait en feignant de ne pas voir que Bengt se détournait ostensiblement de lui pour mieux montrer qu'il n'était pas intéressé. Et Paul de s'écrier à la fin :

– Ah OK, je comprends. Donc si j'étais un tant soit peu perspicace, je devrais te foutre la paix tout de suite. Sauf que tu sais, mon chéri, la perspicacité est une qualité très surfaite. Du coup je préfère rester ici à papoter comme si de rien n'était. Au fait, tu t'appelles comment ?

Là, Bengt a eu une réaction qui l'a lui-même surpris : il a répondu qu'il s'appelait Bengt. Pas Thomas, mais Bengt. Il ne sait pas pourquoi. Il n'a ensuite pas fallu très longtemps à Paul pour briser ses dernières résistances et le pousser à tout raconter, son anniversaire raté, l'accrochage avec les copines, la dispute avec le metteur en scène ; et enfin à lui faire avouer qu'il n'avait nulle part où aller. Paul a frappé d'enthousiasme dans ses mains.

– Oh, mais c'est l'occasion idéale pour que je profite de la situation et de ta vulnérabilité en te proposant gîte et consolation. En contrepartie tu n'auras qu'à me donner ton cul, je suis sûr qu'il est sen-sa-tion-nel !

Bengt ne savait pas quoi répondre, mais c'était à peu de chose près ainsi qu'il s'était imaginé la soirée. Il serait exploité par un mec et, à son tour, il exploiterait le mec.

– Bon, qu'est-ce qu'on attend, mon cœur ? a demandé Paul en prenant Bengt par le bras. Mais avant de finaliser notre petit accord d'enculage contre logeage, il faut qu'on s'envoie une coupe ! C'est aujourd'hui ta majorité, bordel !

Bengt l'a suivi à l'After Dark où ils ont bu du mousseux et où Paul l'a présenté à tous ses amis comme une étoile montante étant donné qu'il lui avait aussi tiré les vers du nez au sujet de son rêve de théâtre. Ou, pour être précis, Bengt l'a crié tant la musique était forte : «Je vais devenir comédien.» Et Paul de crier à son tour : «Mais c'est une évidence que tu vas le devenir, mon cœur ! Allez, santé bonheur, hein !»

Ç'a été décidé à cet instant. Et la vie de Bengt a pris un nouveau virage. Il a passé cette nuit-là chez un Paul ivre qui lui a taillé une pipe à cause, disait-il, de la parole donnée : chose promise, chose due. Bengt n'arrivant pas à jouir, Paul a suggéré qu'ils laissent tomber. Ils se sont couchés l'un contre l'autre pour dormir. Bengt, dans ses bras protecteurs, s'est aussitôt calmé.

Il s'installe dès le lendemain dans le collectif, prenant une place au salon. Aucune décision officielle n'est prise, il s'y retrouve simplement. Il dort tantôt sur un matelas, tantôt avec Paul, tantôt avec Reine dans la chambre de bonne. Les autres le comptent immédiatement comme l'un d'eux, et si on lui pose la question, il répondra que Paul, Reine, Seppo, Lars-Åke et Gunnar sont sa famille.

Il intègre à la rentrée le Teaterverkstan, une école préparatoire de théâtre. Il vit de prêts étudiant et de sa beauté, il bouffe du riz tous les jours. Dès l'année suivante, il décroche un rôle important dans un téléfilm et peut emménager dans un F1 de la Lundagatan, certes un petit 25 m^2, mais équipé d'un balcon avec vue sur la baie de Riddarfjärden.

Et encore, ce n'est qu'un début. Bengt sait exactement ce qui va se passer, quelle forme prendra sa vie. Il deviendra le plus grand comédien de sa génération. Ce n'est pas seulement ce qu'il veut. C'est ce que tout son entourage prétend et même lui promet. Il n'a qu'une vie, qu'un rêve, rien ne pourra jamais l'arrêter.

Il ne se fait plus appeler Thomas, ne traîne plus dans la Klara pornorra. Parfois il croise dans la rue certains mecs qu'il reconnaît pour avoir baisé avec eux. Ces olibrius ont toujours un mouvement de recul en le voyant, mais ils n'osent jamais lui dire un mot ni l'approcher ni essayer de le draguer. Car il sait qui ils sont et ce qu'ils aiment faire. Il pourrait les montrer du doigt. Il pourrait tout raconter. Mais à quoi bon vu qu'il est inatteignable. Ils ne peuvent pas transpercer sa beauté, son sourire, sa dentition blanche et parfaite, ses yeux scintillants. Que quelqu'un comme lui ait pu un jour s'abaisser à coucher avec des types comme eux est impensable.

Il ne couche plus qu'avec des mecs de son âge, presque aussi beaux que lui. Puisque c'est comme ça et qu'il en sera toujours ainsi. Les mecs canons font plus souvent l'amour que les autres. Et ils le méritent plus. Ce sont eux qui décident s'ils vont tirer leur coup avec un tel ou pas. Et Bengt tire son coup avec qui il veut. Il est toujours un dieu descendu sur terre. À la différence près que, depuis ses dix-huit ans, il se tient à l'écart de la Klara pornorra et préfère les saunas, plus sûrs et plus discrets, s'il a envie de sexe. Ce que Paul trouve exagéré.

Il se bourre la gueule de temps en temps seulement ; là, il pleure, dégobille et gueule qu'il n'a plus envie de vivre. Paul le serre alors dans ses bras, lui chante une chanson et l'endort en le berçant. De temps en temps seulement. De temps en temps, autant dire quasiment jamais.

«Paix sur la terre, appelait le Seigneur.»

Ils viennent de chanter les trois versets du cantique. La musique d'orgue s'estompe. Le silence retombe plus qu'il ne s'installe. Chacun dans l'église retient son souffle. La pasteure se lève, s'approche du cercueil. Elle inspire profondément avant de prendre la parole, et elle s'exprime lentement.

– Ce moment et cet endroit sont voués aux sentiments et aux pensées qui surgissent face au décès de Bengt et face à son cercueil devant nous. C'est un endroit pour le manque, pour le chagrin, pour le deuil. Mais aussi pour la gratitude, pour la paix de l'âme. Cet endroit peut tout accueillir.

Elle évoque ensuite pour l'assemblée Bengt, le benjamin d'une fratrie de trois enfants. Elle parle de sa jeunesse à Hammarstrand. De son père qui les a quittés alors qu'il n'avait que cinq ans, des contacts sporadiques qu'ils ont eus depuis. De sa mère qui a travaillé à la maison de retraite pour faire vivre sa famille, eux qui habitaient un appartement dans un immeuble de la rue Hammarvägen. De sa grand-mère maternelle adorée qui habitait le même quartier de Stiftelsegården. La pasteure jette souvent un œil sur ses feuilles, tout ce qu'elle sait sur l'enfance de Bengt lui vient de la bouche même de la mère, du frère et de la sœur à qui elle a longuement téléphoné au préalable.

Elle ne mentionne pas l'homosexualité. Certes, elle prononce le mot «amour», mais uniquement sous la forme d'un amour pour le théâtre, d'un amour pour tous ses camarades de la Scenskolan

590

que la pasteure appelle «ses chers amis les plus proches».

Mais elle ne dit pas un mot sur Paul, Seppo, Lars-Åke, ni sur aucun autre de ses amis homosexuels, ceux qui se sont occupés de lui dans les moments où il en avait le plus besoin. Ceux qui ont été sa famille pendant ses années à Stockholm. Pourtant ils sont là, dans l'église, assis quelque part au milieu. Mais ils sont aussi effacés, aussi gommés qu'on puisse l'être. Alors que même le chat de Bengt est présent aux obsèques. Paul le garde dans ses bras en essayant de le calmer pour qu'il ne s'enfuie pas.

– Tu as emmené Moppsan ? chuchote Rasmus, étonné d'avoir aperçu la cage du chat avant le début de la cérémonie.

– Mais enfin quand même, c'est une évidence ! Il est le plus proche parent ! chuchote Paul à son tour et, comme pour devancer la critique des autres, il poursuit : Ne vous inquiétez pas, j'ai émietté un quart de Valium dans sa pâtée ce matin pour qu'il reste tranquille.

– Tu mens ! s'exclame un soupçon trop fort Benjamin, consterné.

– Oui, bien sûr que je mens. Tu ne crois quand même pas que je gaspillerais du Valium pour un matou alors que j'en ai besoin moi-même.

Au même instant, les cloches se mettent à sonner. Seppo, toujours le plus méthodique de tous, se retourne pour leur faire signe de se taire. L'assemblée se lève. Paul avec Moppsan dans les bras.

La pasteure a terminé son discours dans lequel elle a résumé la vie de Bengt en passant sous silence tout ce qui touche un tant soit peu à sa sexualité ou à la raison pour laquelle il a quitté ce monde. À côté du cercueil une bougie est allumée, rien qu'une. Un jeune homme s'assied au piano. Une jeune femme très pâle se lève et s'approche lentement du micro : Mado. Bengt et elle devaient conquérir le monde ensemble, c'était leur pacte. Il en avait été ainsi depuis leur rencontre à l'école de théâtre la première année. Ils faisaient tout ensemble.

Et maintenant c'est comme lorsque vous êtes au téléphone et que la conversation vient juste d'être coupée. Votre voix débite toujours des mots, la pièce est vide, il n'y a personne, vous ne parlez plus à quelqu'un, et pourtant vous continuez. Soudain vous vous écriez : «Allô, tu es toujours là ?» Comme si vous ne le saviez pas. Alors que vous le savez très bien. Vous le savez, mais vous le dites quand même. Vous vous écriez dans le vide.

Et c'est peut-être pour cela que ce qu'elle s'apprête à faire lui paraît terriblement difficile. Elle va chanter pour quelqu'un qui n'est plus là. Sa voix s'étrangle. Elle ne sait pas comment expliquer, comment faire comprendre aux autres. Elle se racle la gorge, encore et encore.

– Bengt et moi, nous… Bengt et moi… nous…

Elle est obligée de s'arrêter pour se moucher dans le mouchoir en papier qu'elle serre dans sa main. Elle se racle la gorge de nouveau. Sa voix n'est qu'un chuchotement quand elle poursuit :

– Bengt et moi, nous… nous étions dans la même classe, tout près de cette église. Nous avons joué… *La Mouette* pour notre représentation de fin d'études. C'était il y a… deux semaines, et… comment dire… Constantin Gavrilovitch vient de se tuer.

Cette phrase, qu'elle n'avait pas prévu de dire, sort d'elle en un cri désespéré, à tel point qu'elle éclate soudain de rire. Ses mots sont propulsés dans la salle, tant sous la forme de question que d'affirmation épouvantable, et restent suspendus au plafond de l'église sans avoir reçu la moindre réponse. Tout le monde pleure à présent. N'ayant jamais été confrontés à la mort, la plupart des gens réunis ici sont doublement en état de choc : eux qui s'estimaient incapables de mourir, persuadés qu'une loi l'interdisait, constatent avec effroi que le plus beau et le meilleur d'entre eux choisit de tirer sa révérence, décide de mourir. Alors qu'ils avaient reçu une promesse, tous autant qu'ils sont : ils devaient conquérir le monde, eux et eux seuls.

– Je vais te chanter une chanson, Bengt.

Mado saisit le micro d'une main prudente, presque caressante, et ajoute :

– Et je crois qu'elle parle de la peur, de ne plus jamais avoir besoin d'éprouver la peur.

L'introduction au piano remplit l'église, les sonorités se faufilent dans chaque recoin, jusqu'à la tribune d'orgue, jusqu'au banc le plus reculé, avant que Mado ne commence à chanter.

Dors sur mon bras !
La nuit dissimule
sous son aile
ta joue brûlante.

« La peur. » C'est le mot qu'elle a employé.

Oui, Mado sait combien il avait peur, toujours. Peur d'échouer, de ne pas atteindre le but fixé. Peur de ne pas être vu, de ne pas être reconnu. Mais peut-être surtout peur d'être démasqué. Certes il ne faisait aucun secret de sa sexualité, ce n'était pas son genre. Tout le monde savait. Prétendait-il. En tout cas au début, et ici, à Stockholm. Tant à l'école qu'au théâtre. Mais dès l'instant où il évoluait dans la sphère publique, se faisait interviewer par la presse ou se montrait lors d'une première, il adoptait une tout autre attitude. Il sortait alors toujours en compagnie de Mado ou d'une autre fille de la classe et, aux questions des journalistes, il répondait sans sourciller qu'il avait une copine. Même lorsque *Aftonbladet* lui a consacré une page entière, et même si le journaliste était un ancien coup.

Pour peu que Paul, Seppo ou Lars-Åke lui fassent la morale à ce sujet, il prenait la mouche, rétorquant qu'il se réservait le droit de coucher avec qui il voulait. Il ne comprenait pas en quoi ça concernait les autres, ce qui se passait dans sa chambre à coucher ne regardait que lui.

Au fil du temps à la Scenskolan, plus il devenait discret sur sa sexualité, plus il lui importait d'en garder le secret. Ça devenait presque indispensable. Il a même essayé de séduire Mado. Ils s'aimaient, n'est-ce pas ? Allez quoi, ils étaient pratiquement mariés. C'est ce qu'il lui roucoulait quand il était soûl, et il l'était souvent.

Et, lorsque assez vite il s'est mis à décrocher des cachets parallèlement à l'école, qu'il a acquis une petite notoriété grâce à un rôle secondaire dans un long métrage et s'est retrouvé sur la liste des dix mecs les plus sexy de Suède établie par l'hebdomadaire *Vecko-Revyn*, il a évité pendant quelque temps de se montrer en public avec quelqu'un comme Paul. C'était quelqu'un de très ambigu. Car en même temps qu'il prétendait avec aplomb être hétéro chaque fois que c'était nécessaire, il pouvait aussi s'exhiber à poil sur la grève de Långholmen, faire des signes aux vedettes de tourisme qui passaient et chanter «*Sing if you're glad to be gay*». En même temps qu'il insistait pour tenir la main de Mado à l'avant-première d'un film, il pouvait draguer les mecs de sa classe et même les séduire. Il serait sans doute plus exact de dire qu'il s'adaptait à chaque situation, il devenait l'homme que l'instant lui imposait d'être. Sans doute faut-il, comme Mado, interpréter son comportement ainsi : il avait peur, rien de plus.

Tu vogues et tu rêves
sur une vague de bonheur

tu me fuis dans ton rêve
comme la vague fuit le vent.

Et c'était peut-être à cause de cette peur qu'il comptabilisait une centaine d'amants mais n'avait personne à aimer.

Dans le couloir rouge foncé en minces plaques de contreplaqué où se succèdent des portes ouvertes ou fermées qui donnent sur de petites cabines, des hommes nus font les cent pas ou restent immobiles, juste vêtus d'une serviette autour de la taille. Il est deux ou trois heures du matin, mais ici dans l'obscurité il n'y a pas d'heures, pas de lumière du jour, pas de noirceur de la nuit ; il n'y a guère que le couloir et les hommes et les portes qu'ils poussent puis referment furtivement.

Bengt, comme les autres, patrouille. Les hommes tentent de capturer son regard, bercés par l'illusion qu'ils pourraient faire l'affaire, chacun a envie de voir ses yeux se poser sur lui, d'être l'élu. Il a un peu froid dans le couloir, ses tétons sont dressés, les poils sur ses avant-bras se hérissent, il frissonne. Il n'a pas un gramme de graisse en trop, chaque muscle de son jeune corps est apparent. Ses yeux à lui n'ont nul besoin de chercher les autres qui, sur le seuil de leur cabine, l'invitent d'un signe de tête à les rejoindre. Ils s'offrent comme des marchandises sur un étal, proposent leurs services, leur bouche, leur cul, leur bite. Bengt ne les gratifie d'aucun regard. Il ne semble même pas les remarquer.

Il aperçoit alors un autre mâle nanti de la même aura que lui. Leurs regards se croisent, ils se reconnaissent mutuellement. Les autres, rejetés, pas aussi désirables, ne peuvent qu'observer ; ils ne peuvent qu'opiner et féliciter ces deux mecs de s'être choisis, eux qui ont plus de valeur parce qu'ils sont les plus beaux.

Sans se gêner ils entrent dans une cabine libre et ferment la porte à clé. Ils vont pouvoir baiser, ces deux mâles qu'auraient bien aimé se taper les autres, forcés désormais de ravaler leur humiliation et de se satisfaire les uns des autres. La cabine contient une banquette recouverte de skaï, un distributeur de serviettes en papier et un flacon de lubrifiant. Bengt et l'inconnu s'étreignent et s'embrassent comme des amoureux, comme s'ils avaient passé leur vie à se chercher, eux et rien qu'eux. Les serviettes dégringolent par terre.

Et à nouveau je te capture.
Tu halètes. Tu luttes.
Tu ne veux pas. Tu veux,
et à nouveau je t'embrasse.

À l'instant même où il quitte le Viking Sauna, le temps reprend son cours. Il est cinq heures du matin. Premières lueurs de l'aube. Quand Bengt se retrouve dans la rue, il inspecte les lieux du regard. Par pur réflexe. Car si jamais quelqu'un le voyait sortir du sauna, cette personne pourrait l'apostropher : «Regarde, le pédé !», et il ne serait pas en mesure de se défendre. Mais il avance de quelques pas supplémentaires – et il n'est plus un pédé. À chaque pas qui l'éloigne du sauna, il est de moins en moins pédé, de moins en moins coupable. Dès qu'il aura tourné au coin de la rue, ça n'aura même pas eu lieu. Il est inimaginable qu'un jeune homme aussi viril, aussi attirant que lui, se soit abaissé à baiser sans vergogne et à se faire enculer par un parfait inconnu dont il ne connaît toujours pas le nom, qu'il ne reverra d'ailleurs jamais.

Le soleil est en train de se lever. Une nouvelle journée porteuse de nouveaux espoirs. Tout ce qui a été n'est plus. Ça n'a jamais existé. Les mouettes poussent des cris. De l'autre côté de la rue un livreur de journaux tire son chariot. En rejoignant la place Odenplan pour prendre le bus de nuit, Bengt passe devant un bureau de tabac fermé. Les manchettes des journaux de la veille sont toujours accrochées aux devantures : *LA MALADIE DES HOMOS*. Il n'a pas le temps d'en saisir davantage puisque de toute façon il ne cherche pas à lire. Puisque de toute façon ça ne le concerne pas. Mais pendant une brève seconde son cœur se serre, il s'oblige à regarder droit devant lui et surtout pas sur les côtés.

Il ne s'est absolument rien passé. Et comme il ne s'est rien passé, la logique veut que cette nuit n'entraîne pas de conséquences épouvantables, inimaginables, irrévocables.

Dors, mon ange,
la nuit avance,
l'amour te veille
avec tendresse et silence.

Quand Mado a fini de chanter, on pleure ouvertement sur les bancs. Il est impossible de retenir ses larmes. Et peut-être n'attendait-on que cela, peut-être n'avait-on besoin que d'elle : cette tristesse, cette tendresse insondable. Mado elle-même est bouleversée. Elle adresse un bref hochement de tête à la mère de Bengt avant d'aller s'asseoir juste derrière elle.

La pasteure laisse l'instant s'écouler, elle repose dans l'émotion. Puis, avec délicatesse mais détermination, elle reprend les rênes de la cérémonie et guide l'assemblée grâce à sa voix de ministre de Dieu, douce et inspirée.

– Nous remercions la petite amie de Bengt pour cette belle chanson …

Paul se redresse brusquement, dans la rangée où il a pris place avec ses amis vers le milieu de l'église, il écarquille les yeux.

– Quoi ? crache-t-il à mi-voix. Qu'est-ce qu'elle vient de dire, cette connasse de pasteure ?

– Petite amie ! chuchote Rasmus en secouant la tête. Elle a dit *petite amie* !

Mado prend une profonde respiration et ricane presque. Elle ne sait pas ce qu'elle est supposée faire.

La mère de Bengt se retourne pour lui adresser un sourire timide mais encourageant. Elle pose sa main douce sur la joue de Mado qu'elle tapote. Son Bengt était si gentil. Jamais il ne trahirait quelqu'un, jamais il ne mentirait. Aimé de tous.

Quand à nouveau elle fait face au cercueil où repose son fils, elle est tout à coup submergée par le chagrin. Et elle se dit que, en fin de compte, elle ne le connaissait pas du tout.

Dans une ville où la plupart des gens continuent de vivre comme si de rien n'était, des hommes jeunes commencent à tomber malades et à perdre du poids, à s'étioler et à mourir. Ce sont des hommes homosexuels qui meurent. À la rigueur, des bisexuels. Pas des hétérosexuels.

Cette maladie est celle de la sexualité gay, paraît-il. Une façon pour la nature d'apporter un correctif à un déraillement manifeste. Les femmes ne peuvent être frappées, dit-on aussi.

Mais le beau jeune homme dans son cercueil n'aura jamais besoin de tomber malade, il ne perdra jamais du poids, il ne s'étiolera pas, ne deviendra pas laid et répugnant, méprisé de tous.

Il a choisi de partir au plus beau moment, alors que toutes les portes lui étaient ouvertes, alors que l'avenir débordait de promesses merveilleuses encore à réaliser. En cette douce saison d'été, il a choisi de s'en aller, il a tiré sa révérence et mis un point final.

Ou, dit de façon moins poétique : il s'est pendu avec une rallonge électrique attachée au crochet du plafonnier dans son petit F1, une heure seulement après avoir appris à l'hôpital Söder que son test était positif, qu'il était contaminé par le VIH.

Avait-il un autre choix ?

Selon toute vraisemblance, celui de l'humiliation, d'une souffrance prolongée dont l'issue aurait de toute façon été fatale. Il serait mort d'une maladie qui lui aurait collé une étiquette définitive, le transformant en celui qu'il était sans doute déjà mais qu'il ne *pouvait* pas être.

Et ils étaient nombreux à faire comme lui, à dire : Je m'arrête ici. Je ne joue plus.

Il n'était pas seul à préférer cette solution. À se donner la mort dès la réponse reçue. Pour éviter d'éprouver la honte, éviter de dire ce qu'ils étaient. Pour protéger le mensonge, ce mensonge qu'ils avaient bâti autour d'eux comme une forteresse. Certains espéraient sûrement épargner leurs parents, ou quelles que soient d'ailleurs les personnes qui ne devaient surtout pas savoir. D'autres voulaient sans doute uniquement échapper à la souffrance, échapper à la laideur qui les rattraperait, échapper à l'exclusion et au mépris dans les regards.

Ça s'est mal terminé pour Hippolyte, le jeune homme dans la toute première pièce de théâtre que Bengt avait vue à son arrivée à Stockholm, en compagnie du metteur en scène, quand les possibles étaient encore vertigineux, quand tout commençait.

Le père d'Hippolyte l'a banni, a mis sa tête à prix et dit : «Je te pardonne tout. Tout. Mais je t'obligerai à jouer le jeu.» En tant que proscrit, le jeune homme a eu les yeux crevés et a été tué. Et le plus révoltant, c'est qu'il ne s'est pas défendu. Il n'a pas joué le jeu.

Après avoir assisté à la pièce, Bengt est sorti de la salle de théâtre en titubant, bouleversé, ou plus exactement : renversé. Car il savait qu'il *était* ce jeune homme. Celui que tout le monde voulait posséder, exploiter, aimer. Mais qui n'était pas reconnaissant, qui n'acceptait pas les cadeaux qu'on lui offrait, qui préférait déserter. Un jeune homme qui ne jouait pas le jeu.

C'était en même temps si tragique, si désirable. Pouvoir dire : Je m'arrête ici. Je ne joue plus.

Bengt a toujours su repérer les instants où sa vie prenait un tour déterminant et basculait. Comme lorsqu'il s'est retrouvé chez le médecin qui lui a annoncé le résultat de son test VIH et lui a demandé si ça irait, s'il avait quelqu'un pour s'occuper de lui en rentrant. Plongé dans ses pensées, Bengt est revenu à la réalité. Mais oui, a-t-il affirmé, tout allait bien, il n'y avait aucun problème.

Puis il est rentré chez lui, sans la moindre hésitation, pour faire ce qu'il a fait.

Il a ouvert les portes du balcon. Ce jour-là, tout comme celui de ses funérailles, était une journée d'été splendide. Mado l'a appelé pour lui raconter que le chef du Dramaten s'était manifesté : il s'intéressait à lui. Elle était tellement contente pour lui, excitée même. Et il l'était lui aussi, évidemment. Car il avait réussi. Il avait le monde entier à ses pieds. C'était sensationnel.

Il a décroché le plafonnier, trouvé une rallonge pouvant faire office de corde, il a mis en place la chaise sur laquelle il grimpera, et pour finir, il a fait sortir son chat sur le palier.

C'était un jour pour les déserteurs.

– Chéri, tu pourrais faire partie des porteurs pour Olof, tu te sens assez fort ?

Seppo n'a même pas posé son café alors que Paul et Lars-Åke ont déjà fini le leur. Toujours hors d'haleine parce qu'il est venu à vélo, il a monté les marches qui mènent à l'étage du salon de thé Gunnarsson. Ils s'étaient donné rendez-vous à seize heures, il a une demi-heure de retard. Et, tandis que Paul vient d'allumer sa troisième Blend jaune et feuillette distraitement l'*Expressen*, Seppo ôte son coupe-vent mouillé et a à peine eu le temps de s'asseoir lorsqu'il pose sa question, comme qui dirait, en l'air :

– Chéri, tu pourrais faire partie des porteurs pour Olof, tu te sens assez fort ?

Ce n'est certes pas la première phrase qu'il prononce, mais presque. Dans l'escalier, il a articulé en soufflant : «Désolé d'être en retard.»

Lars-Åke, de son côté, a eu le temps de désigner le roulé à la cannelle qui attend Seppo sur une assiette et de lui signaler qu'il l'a acheté pour lui. Paul a quant à lui eu le temps de lever un œil distrait de son journal pour demander s'il pleut dehors, avant que Seppo ne pose sa question. Enrobée de banalité.

D'abord Paul : «Il pleut dehors ?» Puis Seppo : «Oui, un peu.» Ensuite Lars-Åke : «Tiens, je t'ai acheté un roulé à la cannelle.» Et enfin Seppo, de nouveau : «Chéri, tu pourrais faire partie des porteurs pour Olof, tu te sens assez fort ?»

Sur le même ton simple et évident qu'on utilise pour parler de roulés à la cannelle et de pluie d'été, on papote obsèques. On discute de l'enterrement d'un proche, on demande à son amoureux s'il pourra se joindre aux porteurs, s'il a la capacité physique de conduire un ami, encore un, à son dernier repos.

Ces mois, ou ces années, correspondent dans leur cercle d'amis au temps des enterrements. Une période où les malades meurent à un rythme effréné. On pourrait affirmer qu'il s'agit de la haute saison du sida.

Ceux qui ont été contaminés avant qu'on ait connaissance de la maladie, leur tour est à présent venu. Ils sont fauchés. Les uns après les autres. La courbe des décès va par la suite s'aplatir. Lorsque la mort aura pour ainsi dire expédié sa première fournée de victimes.

Ces mois, ou ces années, Seppo garde son costume d'enterrement sur un cintre à son travail. C'est plus pratique. Quand on n'est pas obligé de rentrer se changer, on peut partir directement du boulot pour se rendre aux obsèques. Et ça aussi s'est transformé en une forme bizarre de quotidien. Une sorte d'entraînement dans l'art de vivre et l'art de mourir.

La question semble cependant effrayer Lars-Åke :
– Olof ? Mais il était gros !

Relevant la tête de son journal, Paul écarquille des yeux sceptiques sur Seppo. Et quand il rouvre la bouche, c'est pour parler avec son accent caractéristique du Södermanland, si appuyé qu'on est en droit de se demander s'il ne mène pas son interlocuteur en bateau – à certains moments, Seppo soupçonne Paul d'avoir adopté ce dialecte pour faire le mariole, à moins que ce ne soit pour singer Christer Lindarw, originaire comme lui d'Eskilstuna, la star incontestée des soirées transformistes.

– Pardon, dit-il, mais je suis d'accord avec Lars-Åke. C'est une chose de porter le cercueil d'une personne morte du sida qui a eu la gentillesse de tenir jusqu'au bout et de mourir comme il faut...

– Exactement ! Comme moi ! l'interrompt Lars-Åke, légèrement froissé, en se frappant la poitrine. Parce qu'on est décharné quand on meurt !

– Voilà ! renchérit Paul.

– Et on ne pèse plus grand-chose !

Paul hoche la tête d'approbation.

– Et c'en est une autre de porter ceux qui se sont suicidés, poursuit Lars-Åke, indigné. Car ils n'ont pas eu le temps de maigrir, ils pèsent toujours beaucoup trop lourd.

En disant cela, il donne l'impression que se suicider en ayant une masse corporelle normale relève de la mesquinerie, oui, que ça frise la déloyauté. Et Paul de s'exclamer, les yeux levés au ciel :

– Et comment ! Prenez Olof, par exemple. Il était gras comme un cochon !

Il reprend la lecture de son journal en balayant la conversation d'un revers de main. Il ajoute cependant :

– Enfin bon, lui aussi on le portera. Oui oui, allez, on le portera !

Car c'est ce qu'ils font. Durant ces années. Ils se portent les uns les autres. Au sens propre du terme. Les séropositifs qui se connaissent deviennent en général porteurs de leurs amis décédés.

Pour Seppo et Lars-Åke, tous deux engagés dans l'association de lutte contre le sida Noaks Ark, cela signifie qu'ils ne portent pas seulement leurs amis, mais aussi ceux qui n'ont pas d'amis. Parfois, on n'a pas le choix, on est obligé de répondre présent. Même les plus seuls doivent être portés sur leur dernier trajet.

Ainsi récemment de ce jeune réfugié arrivé en Suède et mort presque aussitôt – seul. Il n'avait personne. Quiconque mourait en étranger, parmi des étrangers, devait avoir des gens pour le porter.

On s'est donc cotisés pour financer l'enterrement le moins cher possible, à savoir un cercueil en carton. Or, contrairement à ce qu'on pourrait penser, les cercueils en carton sont les plus compliqués à porter car instables et difficiles à empoigner.

L'hiver dernier, Seppo a même remonté ses manches pour exhiber, avec une fierté perverse, une écorchure dans le pli du coude. Causée par tous les cercueils qu'il a portés.

Bien sûr, tous les séropositifs ne se sentent pas concernés par l'engagement individuel et le soutien mutuel. Certains vont au contraire éprouver du dégoût envers ceux parmi eux qui tombent malades. Car c'est un avertissement de ce qu'ils vont endurer. Ils préfèrent alors abandonner leurs amis et leurs amants. Pour éviter d'avoir à s'identifier à eux, pour éviter de voir en eux leur propre reflet, d'apercevoir le sort qui les attend. Mais qui peut les juger ?

Mourir du sida n'est pas une belle mort ; c'est mourir vieilli avant l'heure, c'est une mort longue et laide, dans la solitude et la douleur.

La culture gay, dans une bien plus forte proportion que le reste de la société, fait une fixation sur la beauté et la jeunesse. Nul besoin en réalité, quand on n'est pas personnellement touché, d'entrer en contact avec cette mort hideuse. Chez les pédés aussi, certains agissent comme si la maladie n'existait pas. Ceux qui le peuvent se réfugient dans l'être-deux, dans l'entre-soi, dans l'esseulement et l'invisibilité. Au cours des années de maladie que sont les décennies 1980 et 1990, le culte du corps athlétique et musclé s'intensifie. On tient à présenter des corps sains et forts. Des corps qui ne vont pas dépérir, qui ne vont pas péricliter prématurément. Des corps qui ne vont pas mourir. On commence aussi à se raser les poils, peut-être pour montrer qu'on n'a rien à cacher, pas de taches, pas de virus, pas de mort.

On est propre. Les messages de prévention publiés dans le magazine gay *Reporter* reproduisent des hommes photographiés uniformément jeunes, beaux et costauds.

– Nan mais j'halluciiine ! dit Paul avec une pointe de jalousie. Qui n'aimerait pas choper un chouïa de sida si c'est pour devenir aussi follement mignon ?

Puis il allume une énième cigarette et tourne la page du magazine en question.

Ce sont des funérailles très fleuries. Mais pouvait-on s'attendre à autre chose aux obsèques d'un pédé fleuriste et propriétaire de sa boutique ? Son portrait est posé sur le cercueil. Un Olof joyeux et grassouillet sourit, les joues rondes, vêtu d'une chemise de bûcheron, d'un gilet et d'une casquette en cuir. Un Olof que Paul décrivait souvent en ces termes : «Encore un gros macho qui ressemble à une gonzesse dès qu'il ouvre la bouche !»

L'organiste pédale sur son orgue. La chanteuse engagée pour l'occasion chante sobrement *Aime-moi pour ce que je suis* : *« Vois-moi car me voici.»*

Vois-moi car me voici.

L'équipe de porteurs est composée uniquement de gays séropositifs. Parmi eux, Paul. Et Lars-Åke. Avec difficulté (mais aussi, comme dirait Paul, «avec beaucoup d'expérience et une certaine technique»), ils soulèvent le cercueil le moment venu.

Devant les parents d'Olof venus de loin et le reste de l'assemblée, ils portent le cercueil jusqu'au corbillard. Ils ploient sous le fardeau. Ils tentent de se dominer, d'avoir l'air digne lorsqu'ils sortent à pas lents, le cercueil sur leurs épaules. N'importe qui peut voir l'effort qu'ils fournissent. L'un d'eux chancelle, titube.

Rasmus, assis avec Benjamin dans une rangée au fond de l'église, lui chuchote :

– Regarde-les, les pauvres ! On dirait qu'ils vont s'écrouler tellement c'est lourd.

Rasmus rit, et comme si souvent quand il rit, il se met à tousser.

– On ne devrait pas rire, murmure Benjamin, ce qui ne l'empêche pas d'être lui aussi d'une gaîté indécente.

Les porteurs parviennent finalement à déposer le cercueil avec un minimum de dignité une fois arrivés devant le corbillard qui attend, hayon ouvert. Puis ils s'inclinent tous en même temps, comme le veut l'usage. Et, lorsqu'ils sont ainsi recueillis, on entend la voix sépulcrale de Paul résumer ce qu'ils ressentent tous :

– Bye bye, gros lard !

Ce qui est raconté dans cette histoire s'est réellement passé. Et ça s'est passé ici. Dans cette ville. À une époque de l'histoire où les relations homosexuelles aux États-Unis et en Europe de l'Ouest étaient en train de gagner une reconnaissance à la fois juridique et sociale, des homosexuels jeunes mais également d'âge moyen commençaient à mourir.

L'invraisemblable survenait en la présence de trois maladies rares qui, de façon aussi subite que concomitante, se mettaient à frapper des homosexuels : une pneumonie, un cancer de la peau rarissime, une forme agressive d'herpès – avec pour seule issue, et sans exception : la mort.

Dans de brefs entrefilets écrasés par d'autres entrefilets, la maladie louvoyait vers eux. Ou elle se dissimulait entre la critique d'une exposition d'art homo-érotique à La Haye et un article sur un prêtre catholique condamné à de la prison ferme pour avoir eu des relations sexuelles avec un jeune homme. Puis, soudain, surgie de nulle part, la phrase perfide : « *Le poppers peut provoquer le cancer* », où l'accent était mis sur la drogue qui, finirait-on par découvrir plus tard, n'avait strictement rien à voir avec la maladie –, c'était seulement le diable qui cherchait à les égarer et à brouiller les cartes. Les signes existaient, donc. Mais nul ne savait les interpréter. Comment l'aurait-on pu ?

Et pour cause. En avril 1982, dans un article intitulé LES MALADIES QUI NOUS FRAPPENT, le magazine *Revolt* rendait compte de différentes infections telles que la dysenterie amibienne, l'herpès, mais aussi une étrange forme de pneumonie qui touchait des homosexuels aux États-Unis. En guise d'illustration, un dessin humoristique montrait un médecin qui prend le pouls d'un homme en lui glissant un doigt dans l'anus. Et ce, quelques mois seulement avant que ne meurent les premiers Suédois, confinés en chambre d'isolement à l'hôpital des maladies infectieuses de Roslagstull. Parmi eux, leur ami Reine.

Pile un an après, en avril 1983, le même magazine revenait sur ce qui portait désormais un nom : S.I.D.A. Il en faisait même son titre en couverture : *TOUT SUR LE S.I.D.A.* Dans un dossier de douze pages, le premier article annonçait d'emblée : «*Le résultat est effroyable. À ce jour, 800 cas ont été recensés aux États-Unis, et plus de 40 % de ces patients sont décédés ! Les malades s'affaiblissent graduellement et finissent par dépérir ; pour l'instant, les chercheurs et les experts médicaux sont impuissants ! Nul ne sait ce qui cause le S.I.D.A.*»

S.I.D.A.

Au début, en Suède on a adopté le sigle A.I.D.S. avec un point entre chaque majuscule comme un battement de tambour ou un coup de revolver. L'épidémie allait cependant avoir beaucoup de noms : le cancer gay, la maladie des homos, la nouvelle peste, la maladie incurable. Cela allait les influencer, ça allait marquer leur époque et changer leur vie comme rien d'autre à ce jour.

Mais, en avril 1982, ils ne le savaient pas. Pas encore. Ils étaient si jeunes. À peine adultes. Ils se cherchaient. Ils cherchaient l'amour. Ils cherchaient un moyen de vivre comme ils l'entendaient, ce qui n'avait pas été possible pour la génération précédente. Avec une forme de fierté. Avec une once de dignité.

Prudemment ils s'étaient invités à danser et avaient maladroitement commencé à tournoyer. Au bord d'un précipice.

Tous les dieux grecs de l'Antiquité s'amourachaient de temps à autre d'un homme – à l'exception d'Arès, le dieu de la guerre, ce qui peut paraître étrange car, notamment parmi les soldats de la Sparte militaire, les relations homosexuelles étaient encouragées, en particulier entre un soldat mature et une jeune recrue. Des écrits attestent aussi l'existence à Thèbes d'un corps d'élite appelé «le Bataillon sacré», formé par des couples d'amants pédérastiques.

Les récits consacrés aux dieux reflètent évidemment l'image de la société qui les a créés. Au sein de la civilisation grecque, l'homosexualité était fréquente et acceptée. Elle trouvait souvent son expression dans une relation entre un homme mûr et un garçon plus jeune. Ainsi par exemple de celle qui unissait Zeus, le dieu suprême, au prince troyen Ganymède, ou l'amour que le dieu du soleil, Apollon, vouait à Hyacinthe. Un tel lien de couple relevait de l'initiation au monde adulte, d'où l'importance de la pénétration anale car l'aîné transmettait ainsi sa force à l'adolescent.

La différence d'âge ne conditionnait cependant pas la naissance d'une liaison : de nombreux témoignages prouvent que certains hommes adultes se faisaient la cour, même si c'était plus compliqué. Car pour autant que l'identité sexuelle ait été secondaire – la langue grecque ancienne n'a pas créé de mots qui différenciaient hétérosexualité et homosexualité –, il importait cependant que l'homme, de la même manière qu'il dominait la société dans son ensemble, domine aussi au lit.

Un homme se devait de pénétrer. Il ne devait pas se faire pénétrer. Un homme devait se comporter en homme et à chaque instant rester maître de la situation. En aucun cas il ne devait se faire dominer.

Une notion centrale dans la vie des citoyens masculins de la Rome antique était la *virtus*, un terme généralement traduit par *vertu* mais qui signifie en fait *virilité*. La *virtus* permettait à l'homme de devenir un homme. Les Romains estimaient qu'ils devaient gouverner le monde et dominer les peuples. Que ce soit par leurs armes, leurs mots, leurs connaissances ou par leur sexe. Pour un Romain digne de ce nom, une relation sexuelle consistait en une pénétration ; aussi le principe voulait-il que tous les actes sexuels où l'homme ne dominait pas, où l'homme ne pénétrait pas, soient à bannir. La focalisation sur le rôle pénétrant était si forte que le sexe de la personne pénétrée était à son tour accessoire. On associait le rôle pénétrant, actif, à plusieurs qualités positives, *masculines*, telles que le courage, la combativité, la puissance, l'intelligence, la fiabilité. Aux femmes, aux esclaves – *et aux hommes qui se laissaient pénétrer* –, on attribuait en revanche des qualités négatives, *féminines*. Ils étaient passifs, faibles, soumis, crédules, fourbes, perfides, lâches.

Ainsi est créée la folle. Objet de mépris et de suspicion durant des millénaires. Peut-on agir autrement envers une personne qui, de plein gré, renonce à son droit inné de dominer le monde en tant qu'homme ?

Lorsque le sida commence à se répandre dans les milieux homosexuels au début des années 1980, on observe rapidement que c'est principalement lors de rapports sexuels anaux que les hommes se contaminent et en contaminent d'autres – et l'on croit que c'est l'homme passif, c'est-à-dire le pénétré, qui encourt le plus grand risque.

Une femme qui écarte les jambes est une putain, une personne qui se soumet, qui *se laisse* soumettre. C'est pourquoi elle mérite le mépris.

Un homme qui écarte les jambes est une fiotte, un enculé. Il mérite peut-être encore plus le mépris puisqu'il abandonne son pouvoir et son contrôle de façon incompréhensible et menaçante, puisqu'il se soumet de son plein gré, puisqu'il accueille sa propre perte à bras ouverts. Et désormais, on peut donc démontrer de façon indubitable que cette pénétration doublée d'une soumission tue l'homme efféminé, comme un rapport de cause à effet.

Au début de l'épidémie de sida, on estime d'ailleurs que les femmes *ne peuvent pas* être contaminées, que leur corps, contrairement à celui des hommes, est pour ainsi dire créé en vue d'*héberger* le sperme et de l'assimiler – tandis que le sperme à l'intérieur du corps d'un homme est une substance étrangère, anormale.

Quand un homme homosexuel pénètre son partenaire lors d'un rapport anal, ils singent l'acte sexuel hétérosexuel qui vise à la reproduction. On pourrait affirmer qu'il s'agit d'un reflet grotesque de l'acte sexuel naturel, un enlaidissement de la beauté ultime. Mieux : désormais, on peut donc constater et carrément prouver que de l'anus, *le trou à excréments*, ne peut sortir aucune vie. Il n'en sort que la mort. L'anus est une tombe, pour emprunter l'expression de l'ethnologue Ingeborg Svensson.

Les personnes atteintes doivent donc être considérées comme des coupables. Et non seulement ça, mais la culpabilité de leur mort leur incombe entièrement. Ainsi, le Pédé devient un assassin qui répand le sida.

L'ultraconservateur américain Pat Buchanan a peut-être eu la formulation la plus précise : «*Les pauvres homosexuels – ils ont déclaré la guerre à la nature, et voilà que la nature leur inflige un terrible châtiment.*» Des raisonnements semblables se retrouvent néanmoins dans la bouche de médecins dits «objectifs» pour expliquer pourquoi l'infection touche principalement les homosexuels. Là encore, la culpabilité de leur mort leur incombe entièrement : le malade n'est pas en premier lieu une personne que la société doit protéger, il est une personne dont la société doit *se* protéger.

N'essuie jamais de larmes sans gants.

Le mercredi 29 juin 1988, cela fera presque six ans que Rasmus est descendu du train à la gare centrale, fermement décidé à ne jamais quitter Stockholm. Il avait dix-neuf ans, il était puceau. Ç'avait été vertigineux. Phénoménal. La ville s'étendait à ses pieds, telle une promesse.

Six ans plus tard, il est déjà marqué par la maladie et la souffrance. Il n'aura pas l'occasion d'aller au-delà de ses vingt-six ans. Il mourra dans le service 53 de l'hôpital Söder quelques mois après son anniversaire.

Les hôpitaux de Stockholm se sont répartis les groupes de patients entre eux. L'hôpital Söder, par le biais du service de consultation MST Venhälsan, accueille les homosexuels. L'hôpital de Danderyd soigne les hémophiles, tandis que celui de Huddinge s'occupe des toxicomanes. Ou, pour paraphraser une infirmière : «Danderyd soigne ceux qui ont été convenablement contaminés, ceux qui ont contracté le virus par transfusion sanguine par exemple. Venhälsan prend en charge les patients gays. À Huddinge, vous trouvez la racaille.»

Alors qu'il lui reste dix mois à vivre en ce 29 juin 1988, Rasmus a déjà été traité, depuis la première manifestation de son sida un an plus tôt, pour de nombreuses infections opportunistes : pneumonies, mycoses, zona. Mais à maints égards, c'est encore le calme avant la tempête, celle qui va bientôt l'emporter et le terrasser. Il ne lui sera alors pas donné la moindre chance de pouvoir résister.

Ce calme avant la tempête s'épanouit dans

une chaude journée d'été à Stockholm. Rasmus et son petit ami Benjamin sont venus dîner chez la tante de Rasmus dont le compagnon, Lasse, est aussi présent.

Par les grandes fenêtres ouvertes, une brise tiède s'engouffre dans les pièces enfumées telle une bouffée d'air pur. On aperçoit, au loin, les trois couronnes dorées de l'hôtel de ville scintiller dans le soleil du soir au-dessus des toits des immeubles.

Rasmus, campé devant la fenêtre du salon, regarde dehors. Il est impossible de dire à quoi il pense, lui qui a passé sa vie devant des fenêtres à regarder dehors, comme perdu en lui-même.

– Tu bois du vin là-dedans ?! s'écrie Lasse en voyant Christina arriver de la cuisine, un gobelet en plastique dans une main et une cigarette dans l'autre.

– Oui, répond Christina avec un petit rire pour balayer la remarque de son ami. Je n'avais plus *un* verre propre… C'est complètement con ! Qui en veut ?

Rasmus ne répond pas, Benjamin secoue la tête en disant que c'est bon pour lui. Assis dans le canapé, il lit avec indignation les journaux du soir qui tous reviennent sur le jugement rendu la veille dans l'affaire Catrine da Costa.

Une soirée d'été comme celle-ci, quatre ans plus tôt, un homme promenait son chien dans la rue Karlbergs strand, non loin de leur appartement sur l'île de Kungsholmen. Il est alors tombé sur des sacs plastique contenant des morceaux de corps humain : un torse et deux cuisses. Quelques semaines plus tard, d'autres morceaux ont été découverts : deux bras, deux jambes, un sein de femme tranché.

La femme serait identifiée comme Catrine da Costa. On aurait évidemment pu la caractériser comme fille de, sœur de, mère de. Ce qu'on ne ferait pas. Catrine da Costa était héroïnomane et se prostituait pour financer sa drogue – elle était ainsi une personne descendue tellement bas sur l'échelle qui mesure la valeur d'un être humain qu'elle n'en avait pratiquement pas. Qui plus est, elle venait donc d'être retrouvée coupée en morceaux, déshonorée, humiliée, à jamais une putain.

Car la brutalité de la mutilation n'était pas anodine. Les parties du corps démembré ont été enfournées dans des sacs-poubelle, comme des déchets, puis déposées par-ci par-là. La tête n'a jamais été retrouvée. Il s'agissait à tout prix de priver cette femme de sa valeur.

Benjamin frémit en y repensant. À l'époque, ça l'a mis tellement mal à l'aise. Tous les matins de cet été-là, quand il partait travailler à vélo, il ne cessait de guetter les éventuels sacs plastique. Ceux qui pouvaient se trouver au bord du canal, traîtreusement ballottés par l'eau.

Les morceaux de corps découverts dans les sacs avaient été découpés par quelqu'un possédant des connaissances médicales et, assez rapidement, un jeune médecin légiste a été arrêté – et relâché cependant presque aussitôt.

Dans un article, le journaliste indépendant Lars Ragnar Forssberg a accusé la police d'avoir fait fuiter des éléments de l'enquête aux médias et d'avoir ainsi exposé le pauvre suspect à un simulacre de procès. Pour autant, l'empathie de Forssberg ne l'a pas poussé à compatir au sort de la femme découpée en morceaux, Catrine da Costa. À l'en croire, être victime de meurtre fait partie des risques du métier de prostituée, il faut savoir jouer le jeu – ou, pour le citer textuellement : *«Quiconque se hasarde dans un nid de serpents sera tôt ou tard mordu...»*

Benjamin n'a jamais pu oublier sa formulation. Elle était si dénuée de compassion. Elle refusait même sa qualité de victime à la femme assassinée et outragée. Catrine da Costa était plutôt coupable. Elle n'avait à s'en prendre qu'à elle-même.

Exactement comme son Rasmus adoré. Exactement comme Paul et Lars-Åke et Reine. Exactement comme tous leurs amis contaminés. Eux comme elle sont coupables. Ceux qui se soumettent et donc méritent la mort. Ils sont de la même manière coupables de leur propre mort.

Le temps a passé, environ un an, et un autre médecin soupçonné d'abus sexuels sur sa propre fille a été entendu dans le cadre de l'affaire da Costa. Au cours de l'enquête sur ce délit d'inceste, la fillette a en effet évoqué des scènes suggérant qu'elle avait aussi été contrainte de regarder des atrocités à l'âge d'un an et demi, des horreurs qui n'étaient pas sans rappeler le démembrement d'une femme. À force de recouper différents témoignages, la police a pu inculper le médecin soupçonné d'inceste et le légiste déjà suspecté, puis le procureur a été en mesure de renvoyer ce dernier devant la justice, cette fois en compagnie de son confrère généraliste.

Le procès, débuté en janvier dernier, a d'emblée ressemblé à une échauffourée générale. Deux mois plus tard seulement, il a fallu reprendre à zéro car des jurés interviewés par *Aftonbladet* ont fait des révélations sur le secret des délibérations.

Les différents rebondissements qui ont émaillé les procédures se sont retrouvés tout au long du printemps à la une des journaux, les lecteurs ont pu les suivre comme un feuilleton. Les conclusions de Jovan Rajs, médecin légiste expert sollicité par la cour, ont été plus tard remises en cause et récusées par le conseil juridique de la Direction des Affaires sociales, la plus haute instance en matière de santé. Le récit bouleversant de la fillette, avec ses détails immondes, a été mis en doute : on l'a dit tout droit sorti d'un livre de contes. Le procureur s'est abstenu de faire venir à la barre d'autres prostituées en tant que témoins pour ne pas salir inutilement les accusés. Au cours du printemps, il n'y avait pas un détail du procès qui n'ait été examiné à la loupe, débattu, épluché, dépiauté. *Aftonbladet* a même demandé à un de leurs critiques cinéma d'analyser les films de violence saisis au domicile du médecin généraliste.

Et chacun avait bien sûr sa petite opinion. À propos du vieux couple propriétaire d'un magasin de photo à Solna où un homme se disant médecin légiste a déposé une pellicule à développer contenant des photos de morceaux de cadavre. À propos de la dame au chien ayant affirmé avoir vu deux hommes avec un enfant dans une poussette entrer dans l'institut médico-légal. À propos des deux policières appelées à la barre pile au moment du deuxième procès pour déclarer qu'elles avaient vu l'un des accusés en compagnie de la victime.

Puis enfin, hier, le tribunal de première instance a rendu son verdict.

Bien que la cour estime établir sans le moindre doute que le généraliste et le légiste ont bel et bien découpé le corps de Catrine da Costa avec une immonde sauvagerie, leur responsabilité dans le meurtre de la jeune femme n'est pas établie faute de preuves. Les deux médecins sont par conséquent acquittés. Même si, dans une certaine mesure, ils sont jugés coupables.

Benjamin est secoué. Il a le sentiment de vivre dans un monde sans justice, où aucune réhabilitation n'est possible, ni pour une putain ni pour un pédé.

Christina interrompt sa lecture.

– Ben dis donc, difficile de savoir quoi en penser… Ils ont l'air vraiment craignos, tous les deux, le légiste et l'autre là, le soi-disant généraliste.

Elle tire nerveusement sur sa cigarette et souffle rapidement la fumée.

– Remarque… D'un autre côté, ce serait terrible s'ils étaient *réellement* innocents. Je veux dire :

de toute manière ils sont condamnés. Il n'y a pas de fumée sans feu, c'est bien connu. Rasmus, fais attention à ne pas tomber !

Rasmus se retourne et les regarde.

Sa tante tournicote entre la cuisine et le salon. Elle tient dans la main droite la cigarette qu'elle vient d'allumer, sa coiffure au bol teinte au henné sautille à chaque mouvement. De temps en temps elle part sans raison dans un rire qui révèle ses dents jaunies par la nicotine. Elle a la bouche fardée d'un rouge à lèvres dont la couleur est en train de s'étaler.

– Cette histoire est à gerber, marmonne Lasse en se roulant une clope. Si le tribunal dit qu'ils ont bel et bien découpé Catrine da Costa, on est en droit de se demander où ils ont dégoté le cadavre ? Une femme morte sur le trottoir, toute prête à être débitée à la scie, ça ne court quand même pas les rues !

– Ou peut-être que si, justement ! l'interrompt soudain Rasmus en quittant sa fenêtre. Est-ce que tu sais ce que fait le personnel soignant d'un pédé mort du sida ?

Christina hoquette et se tortille. Lasse lèche soigneusement le papier à rouler. Rasmus continue.

– Alors voilà. D'abord, ils se couvrent de la tête aux pieds d'une combinaison de protection. J'ai vu des photos, c'est dingue : on croirait voir des astronautes ! Pourtant, ils savent pertinemment que le mort n'est pas contagieux. Alors c'est quoi, exactement, qu'ils ont la trouille de toucher ? Le mort ou le pédé ? Ou c'est l'échec qui leur fout la trouille ? Ci-gît une saloperie d'échec.

– Je te défends de parler comme ça, Rasmus, on…

Christina a les yeux qui papillonnent, elle est désemparée. Elle ne trouve pas ses mots.

– Ensuite, ils se plantent devant le pédé mort du sida. Sauf que, au lieu de l'envelopper dans un linceul comme on le fait avec les malades qui meurent à l'hôpital, ils le fourrent dans un sac-poubelle. Voilà ce qu'ils font ! Ils le foutent dans un sac-poubelle noir, ils collent du scotch dessus, ils en font des tours et des tours, comme s'ils avaient peur que le pédé mort du sida fasse... oui, qu'il fasse quoi, en fait ? Qu'il se fasse la malle ?

Il est clair que Christina préférerait déguerpir. Elle ne veut pas entendre. Elle tire nerveusement sur sa cigarette, boit de grandes gorgées de vin de son gobelet en plastique.

– Pour finir, ils collent une étiquette jaune sur le sac-poubelle : «Danger. Objets contaminés».

Rasmus frémit en le disant. Sa voix se brise. Il se tient juste derrière Benjamin, qui prend sa main. Elle est agitée de tremblements.

– Alors qu'ils savent qu'un corps mort n'est pas contagieux, explique Benjamin. Ça fait plusieurs années qu'ils le savent. Pourtant c'est ce qu'ils font.

Interrompant son petit ami, Rasmus s'adresse cette fois directement à sa tante et lui lance, comme une accusation, comme si elle était coupable :

– Pourquoi font-ils ça, hein ? Tu peux me le dire ?

– Mais Rasmus, mon chéri, comment veux-tu que je...

– Je vais te le dire, moi, pourquoi ! Parce que le pédé mort du sida n'est pas un humain mais un déchet ! Un détritus ! Voilà pourquoi ! Un pédé mort ou une pute morte ! C'est du pareil au même !

Rasmus est à bout de souffle. Il se tait. Tout le monde garde le silence.

Et c'est finalement Lasse qui prend la parole. Pour dire que c'est quand même dément. Christina en profite pour annoncer qu'ils peuvent passer à table. Ils la suivent dans la cuisine et, sitôt là-bas, elle reprend automatiquement son caquetage.

– Voilà, pour une fois, j'ai mis des couverts jetables. J'espère que vous m'excuserez. Je me disais que ça simplifierait les choses. J'adore pouvoir sortir des clous de temps en temps !

À ces mots elle pouffe, de son rire heureux de femme émancipée vivant à Stockholm. Personne ne l'imite. Ils restent debout devant la grande table à battants décapée où ils ont pris tant de repas.

C'est ici, dans l'appartement de Christina, que Rasmus et Benjamin ont passé leur première nuit ensemble. C'est ici qu'ils ont pris leur premier petit déjeuner en commun. Et les voilà qui fixent à présent cette table absurde, avec des assiettes en carton, des couverts en plastique et des verres à vin en plastique avec le pied amovible. Christina a servi le vin dans les petits verres en plastique et elle boit comme si tout était on ne peut plus normal.

– Hmm… fait-elle, et s'esclaffe de nouveau.

Elle se façonne son fameux sourire espiègle. L'instant d'après elle est à court de paroles. Elle tripote nerveusement un mouchoir avec lequel elle s'essuie sans arrêt les mains. Lasse finit par rompre le silence :

– Tu n'es pas sérieuse là !

Christina feint de ne pas comprendre.

– Quoi ? Qu'est-ce que tu veux dire ?

– Putain, mais on va pas manger dans des assiettes en carton alors que le placard est rempli de vraies assiettes !

– Comment ça ? Je ne te suis pas, là…

– Là ! Derrière toi ! Dans le placard !

– Oui, mais je me suis dit que ça m'évitera de faire la vaisselle !

– Je la ferai, moi, ta putain de vaisselle.

– Oui, mais…

Christina semble perdue. L'air malheureux, elle s'essuie les mains avec le mouchoir, le serre. Elle voit le regard de Rasmus posé sur elle. Elle voit qu'il comprend. Elle le supplie du regard pour que non seulement il comprenne mais qu'il sympathise. Pour qu'il pardonne. Sauf qu'il n'y a pas de pardon. À moins qu'elle n'offre un sacrifice complet.

Il n'y a qu'une façon d'être décente, et Christina a tant envie de l'être. Elle veut se considérer comme une femme décente. Et pourtant. Cette peur panique, incontrôlée. Cette sensation qu'elle éprouve aussi. L'impression qu'ils exigent de sa part qu'à son tour elle se condamne à cette mort, qu'elle endure la même souffrance. Pourquoi le ferait-elle ? Pour montrer qu'elle les aime ? Qu'elle les respecte ? Qu'elle les accepte ? Mais c'est le cas ! Simplement, elle ne veut pas mourir, voilà !

Elle doit prendre une décision. Elle ne *peut* pas prendre de décision. C'est impossible. Elle tourne et retourne le mouchoir entre ses mains moites de sueur. Le rouge à lèvres coquelicot est en train de s'étaler partout autour de sa bouche lorsque, avec la langue, elle essaie de s'humecter les lèvres.

– C'est quoi ce bordel, putain ! s'enflamme soudain Lasse.

Sur ce, il ouvre violemment les portes du placard et fait claquer contre la table de vraies assiettes, de vrais couverts, de vrais verres à vin. Christina s'affaisse sur une chaise et, peinée, le regarde. D'un geste déterminé, il repousse les couverts en plastique et les assiettes en carton, dispose avec rage les assiettes en faïence sur la table, place les couverts de part et d'autre, transvase le vin des verres en plastique dans les vrais verres à vin qu'il tend à Rasmus et Benjamin puis les invite à trinquer.

– Bon, alors santé, marmonne Christina, anxieuse, en esquissant un nouveau sourire, en tenant toujours son gobelet en plastique rempli de vin.

Elle laisse une trace grasse de rouge à lèvres sur le bord blanc.

Le neveu et «son ami» enfin partis, Christina sort un grand sac-poubelle noir et y jette toute la vaisselle utilisée pendant le repas.

– Qu'est-ce que tu croyais ? C'est toi qui l'as voulu, j'te signale ! crache-t-elle irritée, une fois de retour à l'intérieur, après avoir déposé le sac dans la cage d'escalier.

Lasse secoue la tête et se fend d'une grimace. Pour autant il n'ajoute rien.

Benjamin ne sait pas pourquoi mais, curieusement, il s'est toujours rappelé les circonstances.

C'était dans l'après-midi, après l'enterrement de Bengt. Et c'est peut-être pour ça, d'ailleurs – à cause de leur déchirement à tous. Oui, c'est très certainement pour ça.

Paul leur a proposé d'aller chercher des provisions de bouche puis de prendre tous ensemble un bain de soleil à Långholmen. Il a filé chez lui déposer Moppsan et en a profité pour rapporter des bières. Benjamin et Rasmus sont passés acheter un poulet grillé et de la salade de pommes de terre, puis ils se sont tous retrouvés en haut de la colline, avec vue sur la baignade de Smedsudden et le chenal d'entrée vers le lac Mälaren.

Toute l'île de Långholmen à l'ouest de la prison était, dans les années 1980, un lieu de rencontre destiné aux seuls homosexuels, où ils pouvaient nouer des contacts aussi bien sociaux que sexuels. Et si aujourd'hui on peut toujours draguer sur le monticule, morceau par morceau l'île s'est peu à peu hétérosexualisée, colonisée par les familles avec enfants, les joggers, les jeunes en goguette avec leurs bières. La zone concédée aux pédés ressemble davantage à une réserve très délimitée.

Mais à l'époque, mon Dieu, quel bonheur : on pouvait baiser dans n'importe quel buisson et se balader à poil sur la quasi-totalité de l'île, en tout cas sur le monticule et le long de la berge jusqu'à la pointe où les mecs se baignaient. Non pas que Benjamin s'y promène nu (ni à l'époque ni plus tard), il était bien trop pudique pour ça ;

mais les autres, surtout Rasmus, son Rasmus adoré, s'exhibaient systématiquement dans le plus simple appareil, Rasmus évidemment par provocation, puisqu'il savait que ça gênait Benjamin.

Quoi qu'il en soit, Benjamin garde d'eux un souvenir très précis, tandis qu'ils sont allongés en rang d'oignons, en haut du monticule à l'ouest des jardins ouvriers, les yeux fermés, profitant du soleil. Seppo, Lars-Åke, Paul, Rasmus et lui. Le ciel est entièrement dégagé. Une légère brise les caresse – il s'en souvient aussi. En contre-bas, dans la baie du Riddarfjärden, un des ferries blancs s'approche du quai de l'hôtel de ville ; en face, sur la baignade de Smedsudden, ils voient les gens «normaux» serrés comme des sardines. Långholmen est un bout de nature intouchée en pleine ville, que les hétérosexuels n'ont pas encore découvert. La prison a été fermée depuis quelques années seulement. Et c'est à son sujet que la conversation a commencé.

Un Lars-Åke amer leur a expliqué que ce n'était qu'une question de temps avant que tout change : non seulement la prison allait être transformée en hôtel et en auberge de jeunesse, mais le domaine de Karlshäll, à deux pas de la pointe, était en rénovation pour devenir une salle des fêtes ou un palais des congrès ou un machin dans ce genre. Il a même lu que les sentiers naturels de l'île seraient bientôt goudronnés pour les rendre accessibles aux handicapés et qu'un terrain de jeux pour les enfants serait aménagé au pied du monticule.

– Pff ! a pesté Paul en allumant une de ses éternelles Blend jaunes. Ils veulent juste nous empêcher de niquer. Mais comme ils ne peuvent pas le dire par-devant, ils font des trucs par-derrière pour nous obliger à partir. Ils ne veulent pas d'un tas de pédés qui s'enculent là où les enfants jouent et où les handicapés roulent dans leurs petits fauteuils. Ils nous délogent, c'est aussi simple que ça. Le peu que nous avons, ils nous le prennent.

– C'est comme pour Bengt, a répliqué Seppo, ils nous transforment en hétéros après notre mort – et Benjamin se souvient encore du regard qu'ils lui ont jeté, du silence qui s'est d'un coup installé.

– C'est peut-être la seule façon qu'ils ont de nous pleurer ! avait subitement dit Rasmus après s'être tu pendant un long moment, à l'écoute des autres.

Depuis, Benjamin a très souvent repensé à leur court dialogue : Ils nous transforment en hétéros après notre mort. Sans quoi ils ne savent pas comment nous pleurer. Nous et nos vies ratées.

La journée d'été avait été douloureusement belle. Le vent était si doux, un insouciant parfum d'été planait dans l'air, l'eau était étale et le ciel bleu. Tout ce qu'ils avaient si laborieusement obtenu, chaque petit centimètre qu'ils avaient gagné, leur serait maintenant repris : on allait couper leurs buissons, goudronner leurs sentiers, installer un terrain de jeux sur la parcelle qu'ils croyaient avoir conquise et annexée. Ce qui leur appartenait.

Ils pleuraient Bengt. Ils pleuraient Reine, le premier à les avoir quittés. Lars-Åke présentait déjà des symptômes de la maladie. Rasmus était contaminé, Benjamin n'allait pas tarder à comprendre qu'à cette époque Paul savait que lui non plus n'y échapperait pas. Cette magnifique journée d'été, peut-être la plus belle. Ils se pleuraient, tout comme ils pleuraient les amis qui n'avaient pas eu ou n'auraient pas le droit de vivre la vie qu'ils voulaient mener. Et, avec son éternelle tendance au sentimentalisme ou tout au moins son côté un peu larmoyant, Benjamin a tremblé et s'est senti obligé de poser une question, en s'adressant naturellement à Paul puisqu'il incarnait l'histoire de son coming out. Il s'est éclairci la voix et lui a dit, le plus discrètement possible :

– Je peux te demander un truc, Paul ?

– Mmm ? a-t-il répondu, car entre-temps il s'est déjà rallongé et a fermé les yeux.

– Eh bien, si tu avais la possibilité de recommencer ta vie…

Paul n'a même pas relevé la tête. Il a interrompu Benjamin au milieu de sa phrase – rapide comme l'éclair, impitoyable et féroce.

– On n'a pas la possibilité de recommencer sa vie. C'est ça, le problème.

La question était réglée. Benjamin s'est rallongé à son tour. Le soleil chauffait ses paupières, la main de Rasmus s'est glissée doucement dans la sienne.

Minuit passé. Son état reste inchangé. Tout comme, depuis vingt-quatre heures, sa respiration est la même : rapide, oppressée. La peau de son cou amaigri tressaille et s'élargit à chaque inspiration, comme un petit soufflet qui se remplit et se vide.

Parfois on dirait qu'il geint. Alors Benjamin s'alarme.

Ce doit être angoissant de suffoquer. Oui, forcément que c'est angoissant.

L'infirmière leur a signalé qu'ils n'ont qu'à la prévenir si Rasmus a besoin de davantage de morphine – qui certes l'aide à respirer, mais peut précipiter sa mort.

Tant pis. N'importe quoi, pourvu qu'il ne souffre pas.

Le pouls au poignet n'est plus mesurable.

Depuis plusieurs jours, ses pieds sont violets.

Le corps abandonne les parties dont il peut se passer. La vie s'en retire pour protéger le noyau : les poumons, le cœur, le cerveau.

Benjamin fixe sa gorge, son menton qui est retombé, laissant la bouche à moitié ouverte comme celle d'un poisson qu'on aurait rejeté sur une dalle rocheuse et qui lentement s'étouffe. Les lèvres sèches et fissurées. Les joues émaciées. Les paupières mi-ouvertes, mi-fermées. Les yeux aveugles.

Harald prend doucement une chaise et la pose en silence à un petit mètre de Benjamin.

Tous deux ne cessent de regarder Rasmus. Pendant un long moment, ils ne parlent pas, ni l'un ni l'autre.

Puis Benjamin demande, à brûle-pourpoint, sans quitter Rasmus des yeux, pourquoi ils ne sont jamais venus les voir, Sara et lui. Après avoir été informés de l'état de Rasmus, après cette fois-là quand ils ont appris.

Harald rougit, se racle la gorge, avale sa salive.

– Et vous alors ? On vous a envoyé de l'argent pour les billets et tout.

Benjamin soupire. Un soupir de regret en songeant au voyage que Rasmus et lui avaient pensé faire et qui ne s'est jamais concrétisé.

– On a repoussé. Mais *vous*, pourquoi vous n'êtes pas venus ?

Ils ne trouvent rien de mieux que de se renvoyer la culpabilité.

Harald cache son visage dans ses mains puisqu'il n'a rien à répondre, ni pour se défendre ni pour s'excuser. Sara et lui, tous les deux, les voici à devoir se dépatouiller de leur dérobade.

– On a appelé, non ? On ne pensait pas que le temps pressait autant…

Il se redresse, ôte les mains de sa figure, ajoute un peu plus fort :

– Benjamin, pour l'amour de Dieu, je t'en supplie : n'accuse Sara de rien. Il y a tout le temps eu sa mauvaise conscience, *notre* mauvaise conscience qui…

Il ne termine pas sa phrase. Elle reste suspendue dans l'air, amalgamée à la culpabilité.

Benjamin lève les yeux sur Harald. Il le dévisage, sans méchanceté.

– Je voudrais te demander… Qu'est-ce que vous dites de nous ?

– Pardon ? Je ne comprends pas…

– Qu'est-ce que vous dites quand vous devez parler de Rasmus et moi ?

Harald est troublé mais se creuse la tête.

– Oui, qu'est-ce qu'on dit ? On dit… on dit qu'il habite à Stockholm avec un… avec un copain.

Benjamin plisse le front.

– Ben oui, il y a un tel manque de logements à Stockholm.

– Avec un… *copain* ?

Benjamin renifle. Harald se récrie, ennuyé :

– Et là les gens disent : «Oh là là, c'est quand même terrible que ce soit si difficile de trouver un appartement alors que c'est la capitale de la Suède», et ensuite on parle un petit moment de la difficulté que les gens ont à se loger.

Benjamin secoue la tête.

– C'est tout ? Vous ne dites que *ça* ?

– Enfin quoi ! Quand un F1 à Stockholm coûte plus cher que notre pavillon à Koppom, c'est bien que quelque chose cloche. Et que ça cloche sérieusement !

Harald regarde fixement ce qui reste de son garçon adoré : un chiffon méconnaissable de peau et de squelette.

– J'ai essayé de me persuader que ce n'était pas ma faute si tout avait dérapé. Mais *si* c'est ma faute, Rasmus, j'espère que tu me pardonnes !

– Ta faute ? répète Benjamin, incrédule.

– Ben oui, sinon nous ne serions pas ici. Pas vrai ?

Benjamin toise Harald. Il devrait protester. Il devrait s'indigner. Mais il n'a dormi que deux ou trois heures agitées au cours de ces derniers jours, il ne s'est pas rasé, il ne s'est pas lavé, il a des cernes sous ses yeux bleus, luisants comme si l'épuisement et le chagrin lui avaient donné de la fièvre.

Le pire, c'est qu'il comprend très bien. Et qu'en plus il est d'accord. Car bien sûr que quelque chose a dérapé. Et sérieusement, même. «*Il existe une voie qui est droite devant un homme, mais les voies de la mort en sont la fin par la suite.*» Quel argument pourrait-il opposer à cela ?

Comme s'il s'adressait à lui en ce moment, Benjamin entend le ton sec et cassant de son père, la voix ferme et imperméable aux compromis si on avait le malheur de poser une question ou de faire un geste qu'il réprouvait. «Bon, dans ce cas, Benjamin, je vais te demander d'ouvrir les Proverbes, chapitre 14, verset 12. Puis nous allons lire ce qui est écrit.» Il frémit en repensant à toutes les études de la Bible qu'il a suivies dans la Salle du Royaume ou dans la cuisine chez ses parents, à tous les passages qu'il a soulignés et annotés. Il se rappelle combien son père étayait chacune de ses affirmations par un extrait de la Bible pour prouver qu'il détenait la vérité. À la fin, argumenter était vain. Il avait raison. Il avait systématiquement raison. Il avait avec lui l'autorité de leur Église.

«Nous allons quand même poursuivre avec une autre parole de Dieu, celle-là aussi tirée des Proverbes, chapitre 13, verset 21. Peux-tu le lire, Margareta, s'il te plaît? Enfin, dès que tu l'auras trouvé!» Puis il attendait patiemment que les enfants aient atteint le passage en question. La sœur de Benjamin n'a jamais réussi à naviguer dans la Bible, à l'inverse de lui, fier de toujours trouver très vite ce qu'il fallait lire. Aussi curieux que cela puisse paraître, on gagnait quelques galons de bon chrétien si on arrivait rapidement à la page indiquée. Et elle était si particulière, cette situation où ils devaient chercher pendant que leur père attendait et savait déjà ce qu'ils allaient découvrir. Il était si calme, si satisfait, leur papa.

«*Ce sont les pécheurs que poursuit le malheur, mais ce sont les justes que le bien rétribue.*» Margareta ânonnait le verset d'une voix craintive. Elle savait que le tour était joué d'avance : quoi qu'elle lise dans la Bible, la citation se retournerait contre elle.

«Autrement nous ne serions pas ici.»

Lui-même aurait facilement ouvert sa bible et invoqué l'épître aux Galates, à l'aide d'un seul verset il les aurait tous condamnés : «Il en va ici comme dans l'épître de Paul aux Galates, chapitre 6, verset 7. *"Ne vous égarez pas : on ne se moque pas de Dieu. Car ce qu'un homme sème, cela il le moissonnera aussi..."*»

Benjamin se lève en frissonnant, il s'étire. Il faut qu'il quitte la chambre, ne serait-ce qu'un petit moment. Qu'il rétablisse la circulation du sang dans ses jambes. Qu'il puisse poser son regard quelque part sans voir aussitôt le visage tourmenté de son adoré à l'agonie. Il ne devrait pas abandonner Rasmus en cet instant, il le sait. Il doit au contraire rester auprès de lui : la fin peut arriver n'importe quand. Allez, rien qu'une minute tout seul. Il se le promet et sort dans le couloir.

Il voit Sara dans la petite salle de repos ranger quelque chose. Elle relève la tête, leurs regards se croisent. Il lui fait signe, sent confusément qu'il devrait s'excuser d'avoir laissé Rasmus seul avec Harald. Il voudrait expliquer qu'il a mal au dos. Qu'il est obligé de se dégourdir un peu les jambes. Elle sort un objet d'un sac. Un chandail tricoté. Elle se lève et le rejoint dans le couloir, lui tend le chandail.

– Tiens, murmure-t-elle. Prends-le. Tu as l'air d'avoir froid.

Elle semble infiniment fatiguée et résignée.

– Je l'ai tricoté pour Rasmus. Je viens de le terminer. Je ne sais pas s'il le trouvera à son goût. Il est peut-être un peu trop grand pour lui. Il a tellement maigri.

Elle lutte pour rester calme et sereine. Pour ne pas pleurer. Pour ne pas montrer ses émotions. Elle fourre le pull dans les bras de Benjamin, avec une certaine brusquerie. Le geste se veut sans doute banal, comme quelque chose qui n'aurait pas grande importance, aussi fait-il l'effet d'un mouvement inamical.

– Tu n'as qu'à le prendre, toi ! J'imagine qu'il aurait été tout autant à toi, alors...

Obéissant, Benjamin enfile le chandail.

– Il est beau, essaie-t-il de dire de sa voix la plus douce.

Sara croise ses bras sur sa poitrine et se tourne.

– Je n'aurais pas cru que ça viendrait aussi vite.

Sa voix chevrote. Non parce qu'elle pleure. Mais plutôt comme si, suffoquant, elle venait de prendre un coup dans le plexus solaire. Elle serre ses bras encore plus fort contre sa poitrine. Elle a beau se démener, ses gesticulations ne changent absolument rien. À quoi ça sert d'entourer, de protéger, de défendre, d'aimer quelqu'un ? À quoi ça sert de tricoter un misérable chandail ? Pourtant, chez elle à Koppom, elle s'y était lancée à corps perdu. Comme une conjuration vaine et grotesque. C'est d'un ridicule ! D'un ridicule achevé. On pourrait presque en rire si tout ça n'était pas à pleurer, à se taper la tête contre les murs.

Benjamin tend la main pour lui caresser la joue mais elle s'écarte.

– Nous n'avons peut-être pas été les meilleurs parents du monde, mais je suis sûre que Rasmus nous aime.

– Enfin voyons, Sara, dit Benjamin tendrement. J'ai dit tout à l'heure à Harald que je suis content que vous soyez là. Tu sais, mes parents ne…

Il ne termine pas sa phrase.

Sara l'observe alors, de façon très neutre, de la tête aux pieds, avant de dire :

– Dans un certain sens, on pourrait dire que tu es devenu l'équivalent d'un fils pour nous. Parce que… je ne peux pas employer le mot de belle-fille, ajoute-t-elle à toute vitesse, non sans un reniflement. Ni de gendre, d'ailleurs.

Malheureuse, elle secoue la tête.

– Que dire, dans ce cas ? Mais avec le temps tu es devenu un proche pour nous. Un… fils.

Qu'est-il censé faire maintenant ? La remercier ? La prendre dans ses bras ? Il ne sait pas. La seule réponse qui lui vienne à l'esprit est qu'il doit retourner auprès de Rasmus.

– Non, attends ! Laisse Harald un peu seul avec lui. Il ne l'a pas été depuis tant d'années. Depuis que… enfin, ce n'est pas difficile à comprendre !

Qu'est-ce qui n'est pas difficile à comprendre ?

– Rasmus l'admire, dit-il – et il entend l'amertume dans sa voix.

Sara pose sa main sur la sienne.

– Ne le juge pas trop durement.

Elle cherche ses mots.

– Avant… ils étaient très proches. Ils partaient en forêt ensemble, ils campaient, ils pêchaient. Harald a toujours tenu à traiter Rasmus comme un homme, son égal…

Benjamin fait la grimace.

– Oh, tu peux penser ce que tu veux, termine Sara sur un ton de reproche, mais Harald ne le considère pas autrement.

Avant…

Après…

Deux phrases incomplètes. Qui entourent la même faille.

Autour de laquelle ils ne cessent de tourner sans jamais trop s'en approcher.

Ce qu'ils n'ont jamais pu comprendre.

Pour lequel ils n'ont pas de mots, pas d'expression.

Cette chose inconnue qui s'est intercalée entre eux et leur fils.

Et qu'ils ne peuvent accepter.

Il n'est pas cette chose, pas vraiment.

Ils le connaissent suffisamment bien.

Ils savent que cette chose inconnue n'est pas lui.

Ce fameux matin, le jour de son anniversaire, ses vingt ans, ça remonte à si loin, quand leur fils, en slip, sur le seuil de sa chambre, rougi par les pleurs, leur a hurlé à la figure qu'il était homosexuel, et qu'ils se le tiennent pour dit ; et eux, portant le plateau avec le café et les bougies allumées et les cadeaux et tout le bataclan, quand tout s'est écroulé autour d'eux.

Il y avait un Avant. Il y avait un Après.

Et entre les deux, un garçon adulte, en slip, en train de pleurer.

Et eux, muets, paralysés, qui le regardaient.

Il ne faudrait pas non plus aller croire que l'un ou l'autre a cessé d'aimer. Ils l'aiment plus que leur propre vie. Aujourd'hui comme hier. Et ils ont la certitude qu'il les aime.

Mais il a fait quelque chose qu'eux ne feraient jamais. Il a mis une condition à son amour. Il a dit : « Si vous ne m'acceptez pas comme je suis, vous n'avez plus rien à faire dans ma vie. »

Ils ont vraiment eu peur.

Pourtant, ils ont essayé d'argumenter. De dire ce qui pour eux était une évidence. Ils ont dit : « Mais ça, là, mon chéri, ce n'est pas ce que tu es ! On te connaît, nous. On sait. Qui mieux que tes parents, *nous*, pourrait savoir ? Tu crois peut-être que tu l'es, ce truc, là. Ce machin que tu prétends être. Mais en réalité, tu n'es *pas* comme ça, tout au fond de toi ! »

Voilà. Ils lui ont dit qui il est. Vraiment. En réalité. Tout au fond.

Leurs certitudes remises en cause s'effondraient. Car tout ce qu'il leur criait, lui, c'était : « Acceptez, acceptez, acceptez ! »

Désespérés, les bras tendus vers lui, ils lui ont dit : « On sait qui tu es, *nous*. Tu es *notre* garçon. »

Sauf qu'il n'est plus à eux. Il appartient désormais à autre chose, à ce truc, là. Cette chose inconnue, menaçante, dont ils n'ont que de vagues notions. Cette chose effrayante, obscure et... et de la capitale !

Et ils ont dit aussi : « D'accord, d'accord. Mais pourquoi il faut toujours que tout tourne autour du sexe ? Le sexe par-ci, le sexe par-là, ils n'ont que ça à la bouche. Ce qu'on fait dans la chambre à coucher, on ne va pas le crier sur les toits, bon sang de bois !»

Un peu plus furieux ce coup-ci. Un peu plus vexés aussi. Parce que, quand même : pourquoi il faut toujours qu'ils clament à la face du monde ce qu'ils fabriquent, ces homos ? Comme si eux, ses parents, avaient fait étalage de leur vie privée. Désolé, mais… l'idée est tellement saugrenue qu'elle s'effondre toute seule.

N'empêche, il ne voulait pas lâcher le morceau, le petit. Là, ils ont compris qu'ils pourraient le perdre pour de vrai, encore plus qu'ils ne l'avaient déjà perdu. Alors ils ont fait une dernière tentative, plus retenue, piteuse au fond. Ils ont dit : «On veut seulement que tu sois heureux, nous.»

Et lui, toujours aussi frondeur, il leur a répondu : «Je *suis* heureux.»

Ils n'ont pas dit ce qu'ils pensaient : Ce n'est pas vrai. Tu ne *peux* pas l'être. Ils ont dit : «On accepte. Pardonne-nous ! On t'aime !»

Là seulement il s'est détendu. Il les a regardés, satisfait, et il a dit : «Moi aussi je vous aime !»

Et, quelques mois plus tard, ils se sont rendus à Stockholm pour faire la connaissance de Benjamin.

Harald a toujours pensé que c'était la faute de Stockholm, tout ça. Comme si la capitale, elle et elle seule, avait métamorphosé son fils. Lorsque la grande ville lui apparaît dans ses cauchemars, il voit devant lui un endroit crépusculaire, marécageux, boueux, avec un relent de pourriture stagnante, un marais dans lequel on s'enfonce.

En même temps, il imagine presque le contraire : des orgies dans de grands appartements lumineux avec du vin, du cognac et des liqueurs à ne plus savoir qu'en faire, une coterie d'hommes efféminés, dégénérés et profondément malheureux, dont la seule pulsion consiste à subjuguer comme des serpents venimeux, à séduire des garçons naïfs et innocents tels que Rasmus pour les précipiter dans le même malheur que celui qu'ils connaissent.

Quand il sillonne la forêt par un matin d'automne crissant de froid, un des premiers jours après l'ouverture de la chasse à l'élan, alors que le sol est lourd de rosée matinale, que le froid humide se faufile dans un frémissement sous ses vêtements, que la mousse, les aiguilles de pins et les feuilles en décomposition embaument l'air, il se surprend parfois à penser que ça, ce qui l'environne, les beaux messieurs de Stockholm, avec leur érudition et leurs belles manières, ils sont loin d'en connaître l'existence, parce que ça, *ça*, c'est l'essence de la vie par excellence ; et si les beaux messieurs (ou les *d'moiselles* !) avaient deux sous de jugeote, ils ne seraient pas restés sur leur piédestal à se croire sortis de la cuisse de Jupiter. Ha ! songe Harald. Parfois, il le dit même à voix haute quand il se promène seul dans la forêt et que personne ne l'entend : «Ha !»

Dans ces moments, son garçon peut lui manquer à tel point qu'il en aurait presque mal.

Car c'était *ça* que Harald devait lui donner. Cette forêt était la part d'héritage de Rasmus. Toutes les fois où ils l'ont arpentée ensemble, où il lui a appris à reconnaître les différents chants d'oiseaux, les déjections des animaux, à distinguer les champignons comestibles de ceux dont il fallait se méfier.

Ou bien, tiens, la fois où ils se sont levés aux aurores pour sortir en barque pêcher ou poser des filets, alors que le brouillard recouvrait encore le miroir absolument lisse du lac comme une fumée ensoleillée et que le cri des plongeons arctiques leur parvenait d'un autre lac au-delà des forêts.

Ou alors, tiens, aussi, la fois où ils se sont arrêtés dans une clairière avec leur casse-croûte, où il lui a parlé des farfadets du Värmland et des trolls qui essaient de détruire les églises en les bombardant de pierres parce qu'ils ne supportent pas le tintement des cloches ; puis il a désigné une grosse pierre recouverte de mousse un peu plus loin et il a dit : «Saperlipopette, en voilà une justement !» – et Rasmus a frémi d'excitation, il s'est rapproché de lui et a glissé sa main dans la sienne.

Ça le désespère quand il y pense. Quand il pense à son fils, c'est le mot perte qui lui vient à l'esprit.

Cette main qui se glissait dans sa grosse pogne et s'y détendait avec tant de confiance. Eh bien cette main, elle a grandi, voilà ce qu'elle a fait. Elle est devenue plus forte, elle ne cherche plus la sienne. Elle cherche la main de l'autre. De ce Benjamin.

Ce que Harald pleure, son grand chagrin, c'est l'absence de son fils : sa chambre vide, le lit vide dans lequel plus personne ne dort, la place vide dans le canapé où il s'asseyait pour regarder la télé.

Tous les cartons dans la cave avec ses vêtements devenus trop petits pour lui, lavés, soigneusement pliés. Dans l'attente de… oui, de quoi en fait ? Plus personne ne les portera, ces vêtements.

Il n'y a plus que le vide, là où avant il y avait Rasmus.

L'amour. Une douleur fantôme. Il sait que Sara éprouve la même chose. L'amour leur fait l'effet d'une douleur fantôme, d'une absence.

Et pareil lorsqu'il se promène dans la forêt, que soudain il se retourne pour dire quelque chose à Rasmus et qu'il se rend compte seulement à ce moment-là qu'il marche seul.

Il associe son fils à une perte.

Il a perdu son enfant, et c'est cette chose inconnue et menaçante qui le lui a pris. Tout ce qu'il peut faire désormais, c'est se remémorer son fils comme s'il était un écho, une ombre. Mais plus que ça, Harald sait déjà à quoi ressemblerait le vrai grand chagrin, le vrai grand deuil : le perdre complètement, ne plus jamais le revoir. Quand tout ce qui resterait, ce serait l'absence. Une personne qui n'est plus là.

Ils s'étaient mentalement préparés à tout, mais pas à un jeune homme aussi bien mis, en costume. Car c'est ainsi vêtu que Benjamin les accueille quand il leur ouvre. La poignée de main est ferme, le regard dirigé droit vers eux ne dévie pas. Il a été rodé pendant sa jeunesse à parler tous les jours à des inconnus pour tenter de gagner leur confiance. Il aide Sara à se débarrasser de son manteau qu'il suspend à un cintre. Et elle se fend aussitôt de mots flatteurs comme quoi elle a l'impression de se trouver dans un restaurant de luxe avec un préposé au vestiaire et tout et tout !

Cela ne fait que quelques semaines que Rasmus a déménagé de chez sa tante et Benjamin de chez ses parents, pourtant, le petit appartement dans lequel il les fait entrer est propre et rangé, on ne peut pas dire autre chose, quoique peu meublé : un lit, deux chaises pliantes et une table bancale, pliante elle aussi, en plastique blanc – et l'affaire est faite. N'empêche, un joli tissu en coton recouvre la table où quelques bouteilles de vin espagnol vides font office de bougeoirs. À voir les longues coulures de cire, Sara s'exclame cette fois sur un ton admiratif un peu exagéré qu'on se croirait dans un bistrot français. Sur la platine tourne un disque de Monica Zetterlund, peut-être pour amadouer Harald. Le couvert est déjà mis, quatre assiettes et une soupière remplie d'un velouté de poireaux-pommes de terre attendent les convives. Des serviettes ornent même les verres à vin.

Enfin bon, ç'aurait été surprenant que leur Rasmus s'attache à un garçon qui soit aux antipodes de lui, pense Sara. Et, quand elle se le remémore enfant, elle sent encore l'amour infini lui brûler la poitrine : il pouvait passer des heures dans une concentration extrême à plier ses vêtements pour en faire de petits paquets impeccables qu'il rangeait ensuite dans sa commode. Elle se souvient du soin qu'il apportait à chacun de ses dessins, pour les trouver ensuite complètement ratés. Une volonté de faire plaisir, un désir de conformité, qu'elle a toujours vécus comme un crève-cœur.

Et maintenant, bien sûr : la conscience de ne plus faire plaisir, le sentiment qu'à leurs yeux il est une erreur de la nature – et la revendication qu'il en fait aussi : il veut être considéré comme tel. Comme ça a dû lui coûter ! En même temps, constatant à quel point Rasmus s'est mis en quatre pour rendre leur visite agréable, Sara mesure l'importance qu'ils doivent malgré tout avoir pour lui.

– Vous avez drôlement bien arrangé l'appartement, c'est sympa ici, tente-t-elle en guise de petit compliment.

– Merci ! dit l'étrange jeune homme en costume avec un rire. On ne sait jamais quand il faudra rendre des comptes, n'est-ce pas ?

Comme personne ne rit et ne semble encore moins comprendre, il rougit et cherche à expliquer :

– Mais si, c'est ce qu'écrit l'apôtre Paul dans son épître aux Romains : «*Car Jéhovah fera rendre des comptes sur la terre, achevant cela et l'écourtant…*»

Sara et Harald le dévisagent. Ils s'étaient attendus à tout et n'importe quoi de la part des invertis de Stockholm, mais pas à ça. Ils ne savent pas quoi répondre. Benjamin s'en rend compte et bégaye presque.

– Je vous assure, c'est vraiment écrit ! Et, quelques versets après, on peut même lire : «*Ainsi donc, chacun de nous rendra compte à Dieu pour soi-même.*»

Il est à la fois gêné et absolument sérieux. Il rougit mais son regard reste stable, ne flotte pas, et ils entendent bien qu'il est convaincu de ce qu'il dit.

Chaque fois qu'ils se retrouveront tous les quatre les années suivantes, ils riront en se souvenant de Benjamin, si angoissé de les rencontrer qu'il est parti dans un prêche. «Tu t'en souviens?» diront-ils avant de s'esclaffer, comme lorsqu'on rit d'un souvenir commun agréable, qui marque en quelque sorte le coup d'envoi de leur nouvelle existence, leur nouvelle, comment dire... *famille*!

Jusqu'au jour funeste où ils ont appris la contamination.

– Vous ne le trouvez pas merveilleux! s'écrie leur Rasmus d'une voix admirative, en contemplant amoureusement le jeune homme en costume qui, le visage écarlate, cite la Bible.

Quelle réponse attend-il? Imagine-t-il que son père va hocher la tête d'approbation en s'écriant : «Oui, il est merveilleux!» Sara parvient en tout cas à se façonner un grand sourire, fût-ce avec des lèvres pincées.

D'un autre côté, les parents de Rasmus ont beaucoup de mal à comprendre que tout dans l'existence de Benjamin a toujours tendu à l'exemplarité jusque dans les moindres détails, en ce qui concerne tant l'aspect physique que le comportement. Pour un Témoin, la propreté compte bien plus que l'aspect extérieur. Mener en tous points une vie saine implique autant la morale individuelle que l'assiduité au culte. Et, comme il est toujours un Témoin, il se doit d'avoir une allure soignée, c'est-à-dire de se présenter en costume, plus que jamais quand ses... *beaux-parents* viennent faire une inspection.

Rasmus n'est évidemment pas aussi bien habillé que son... *camarade* : il porte un simple tee-shirt sur un jean. Et surtout il a une... «Mais c'est quoi, ce truc? Tu as une boucle d'oreille en or maintenant?» comme dit Harald, incrédule, bien qu'il ait fait à Sara la promesse solennelle de ne pas les ridiculiser.

– Enfin, Harald ! crache Sara et, reculant d'un pas, Harald s'excuse par un maladroit :

– Oui bon, si on n'a plus le droit de demander…

Benjamin les invite à passer à table pendant qu'il va chercher le pain qu'il a réchauffé au four. Sara propose tout de suite de lui donner un coup de main mais, d'une voix flûtée, Benjamin décline joyeusement son offre :

– Non, c'est bon, je me débrouille.

Car sa voix est bel et bien flûtée. Sara se fait cette réflexion sans doute un peu méchante tandis qu'elle s'assied sur l'une des chaises pliantes. Elle ne s'autorise surtout pas à cesser de sourire. C'est comme ça. Ni Harald ni elle n'ont le droit d'avoir des préjugés à l'heure qu'il est. Ils doivent jouer le jeu.

– Mais c'est du pain à l'ail, non ? s'exclame-t-elle avec un peu trop d'enthousiasme, quand Benjamin pose la corbeille à côté de la soupière et entreprend de servir ses invités. J'imagine que le cuisinier, c'est toi, Benjamin. Parce que, notre Rasmus, il ne sait même pas faire cuire du riz !

Elle lance ça comme une plaisanterie, mais personne ne rit. Elle essaie d'adresser un clin d'œil espiègle à Rasmus pour montrer à quel point ils passent un bon moment, à quel point l'ambiance est détendue et sympa. En même temps, dans son for intérieur, elle est assez satisfaite de savoir que c'est Benjamin qui a été aux fourneaux. Donc c'est forcément lui qui, comment dire… *qui fait la femme* dans leur relation. Car il doit bien y avoir une répartition, non ? Un qui, comment dire… donne, et un qui… reçoit. Elle frémit en y pensant. C'est à la fois ridicule et absurde. Deux hommes qui imitent… oui, quoi ? Papa, maman, enfant ?

Sans se départir de son sourire, elle goûte la soupe et félicite le cuisinier. Elle incite Harald à se resservir et tapote à intervalles réguliers la main de Rasmus, histoire de bien lui faire comprendre que tout se passe décidément à merveille.

Benjamin parle de lui : apparemment il est Témoin de Jéhovah – tiens, original ; ça explique les citations bibliques de tout à l'heure. Harald pense d'abord savoir que les Témoins de Jéhovah pratiquent la polygamie, mais en fait il se trompe, ce sont les mormons.

Personne dans la famille de Benjamin n'est au courant pour Rasmus. De toute évidence, c'est un sujet sensible.

– Oui, ce sont deux paramètres inconciliables, reconnaît Benjamin de façon pragmatique – il repose alors sa cuillère un instant pour méditer ce fait incontestable. La personne qui se débat avec des désirs envers quelqu'un de son propre sexe n'a qu'un seul but à atteindre, continue-t-il gentiment à expliquer. Et ce but, c'est de se maîtriser.

À ces mots, il pose sur leur Rasmus un regard tellement amoureux que Sara en rougit.

– Il ou elle peut en effet choisir de ne pas céder à son désir, n'est-ce pas ? ajoute-t-il, et il sourit à Rasmus.

Sara est alors incapable de se retenir.

– Mais visiblement ce n'est pas le choix que tu as fait ? réplique-t-elle sans le faire exprès d'un ton un peu méchant, même à elle ça ne lui échappe pas.

Benjamin ne semble lui prêter aucune attention.

– Je n'ai pas seulement cédé, j'ai littéralement craqué ! répond-il avec un rire heureux, en posant sa main sur celle de Rasmus.

Sara a l'impression d'avoir mis les doigts dans une prise électrique. Instinctivement, elle détourne la tête.

Rasmus prend la main de Benjamin et la serre.

Désemparé, Harald les regarde. Il ferme sa grosse paluche. Et ne tarde pas à perdre le fil de leur conversation. De ce Benjamin et de cet étranger qui prétend être son Rasmus à lui. Ils parlent de ceci, ils parlent de cela. Pédé par-ci, pédé par-là. Gay Pride et encore Gay Pride, RFSL, triangles roses et luttes politiques. Et pendant qu'ils bavassent à n'en plus finir de leurs machins homos, Harald fixe son fils du regard et se dit soudain qu'il a été échangé. Ça doit être ça. Des histoires d'enfants échangés, il y en a pléthore dans le Värmland : des trolls qui s'approchent des habitations des humains, volent un enfant dans le berceau et laissent leur gnome à la place. Harald a envie d'éclater de rire quand il y pense. Cet homme avec son anneau à l'oreille et sa main dans celle d'un autre homme – c'est un troll, il n'y a pas à tortiller. Il cherche à capter le regard de Sara. Elle va comprendre. Ils vont en sourire tous les deux. Complices.

Or Sara écoute attentivement ce que disent Rasmus et Benjamin. Et elle a du mal à en croire ses oreilles. Car en plus, c'est son Rasmousse au chocolat qui en fait des tonnes, lorsqu'ils répètent sans cesse ce mot horrible : pédé. Elle en a la chair de poule. Pédé. Mais voyons, Rasmus, voudrait-elle se récrier, c'est une injure ! On ne s'en vante pas ! Mais non, il faut absolument qu'il l'utilise, ce fichu mot. Pédé. Et sexe, aussi. Pédé et sexe, sexe et pédé. À outrance. À croire qu'ils n'ont que ces mots-là dans leur vocabulaire, ces deux-là. Et que je t'en fasse des tartines sur la gay pride ! C'est le pompon : ils défilent en se tenant la main sur la place publique ! S'afficher ouvertement et parader ! Et après on s'étonne si les gens secouent la tête de consternation ? Enfin, l'autre, là, ce Benjamin, lui au moins il est plus discret. Si vraiment il a été croyant et pratiquant, il lui reste peut-être assez de bon sens pour avoir honte.

N'empêche, voilà ce à quoi Harald et elle doivent faire face, qu'ils le veuillent ou non.

Et même s'ils trouvent ça effarant, ils feraient mieux d'approuver la situation plutôt que de la combattre. Du coup ils sourient, ils rient, ils mangent du velouté, ils disent oui pour un café agrémenté d'un gâteau aux carottes fait maison, Harald glisse à Rasmus un billet de mille couronnes pour équiper un peu l'appartement, Sara fait promettre à Benjamin de mesurer les fenêtres pour qu'elle puisse leur confectionner des rideaux car ça donnera un intérieur moins froid.

Deux heures plus tard, en se rendant chez Christina du côté de la place Sankt Eriksplan, où ils vont passer la nuit, Sara et Harald sont entièrement d'accord pour trouver que c'était quand même sympathique, que Benjamin semble être un garçon sérieux, qu'il n'est pas du tout comme ils l'avaient imaginé.

Puis ils s'enfoncent chacun dans son silence, chacun dans son chagrin. Mais avec la vague sensation, diffuse, mutuelle, d'être face à un échec.

– Je veux retourner le voir, maintenant.

– Attends ! le supplie Sara.

Elle a quelque chose à lui dire. Elle lui propose une pomme, une orange.

Benjamin s'inquiète. Ça ne peut pas attendre ?

– Tout ça m'a laminée, commence-t-elle de but en blanc, j'espère que tu le comprends. Enfin, je ne t'accuse pas, ce n'est pas ça…

Benjamin secoue la tête. Qui n'a pas été laminé ?

– Mais tu le comprends, j'en suis sûre. Si quelqu'un comprend, c'est bien toi ! poursuit Sara.

Benjamin se lève.

– Bon, j'y vais, là.

Sara bondit et se campe devant la porte comme si elle essayait de bloquer l'entrée.

– Attends ! s'écrie-t-elle. Il y a autre chose…

Elle n'a pas le temps de finir sa phrase que Harald sort précipitamment de la chambre.

Complètement paniqué, il leur crie qu'il ne respire plus.

Il ne respire plus !

Ils sont montés à Stockholm à l'improviste pour faire une surprise à Rasmus et, même avec quelques jours de retard, fêter son anniversaire. Ils en rajoutent, chantent «Joyeux anniversaire, nos vœux les plus sincères» avant même qu'il ouvre la porte. Bon, évidemment, c'est l'idée de Sara. Il faut toujours qu'elle donne dans la surenchère.

Sauf que c'est Benjamin qui ouvre et, forcément, l'effet n'est pas vraiment celui qu'ils avaient imaginé. Mais les choses sont-elles jamais comme on les imagine ?

Sara prend Benjamin dans ses bras avec enthousiasme, dit qu'il a l'air en pleine forme ; Harald lui serre plus formellement la main – une expression de reconnaissance, entre hommes.

Puis ils restent plantés là, sur le seuil, embarrassés.

Benjamin s'excuse pour Rasmus parti à la salle de bains «se refaire une beauté», comme il dit – alors qu'en réalité son amoureux s'y est réfugié, paniqué, quand il a compris que ses parents venaient de débarquer sans prévenir.

Sara lâche un rire, bien sûr, puisqu'elle comprend la plaisanterie. Et donc elle joue le jeu : elle s'avance dans le vestibule, donne quelques coups taquins à la porte de la salle de bains à gauche, lance à son fils qu'il est temps de sortir pour une «inspection». Puis elle précède Harald dans la pièce unique de l'appartement et, aujourd'hui encore, observe les lieux avec méfiance comme si dans son monde il était inenvisageable que deux célibataires tels que Rasmus et Benjamin puissent tenir un foyer, bien qu'elle les sache tous deux adeptes de l'ordre.

Mais quelque chose détonne, et rien que ça devrait lui paraître suspect. Une chemise traîne sur une chaise – elle la ramasse aussitôt et la plie. La table croule sous les restes d'un petit déjeuner que personne n'a pris soin de ranger, dont un bol avec du yaourt séché au fond qui de surcroît a servi de cendrier. Le sol est jonché de 33 tours, certains disques ne sont même pas rangés dans leur pochette.

– Vous écoutez beaucoup de musique, fait-elle remarquer d'un ton acide.

– Il y a un peu de bazar, bégaie Benjamin, gêné, qui se met à débarrasser la vaisselle sale puis s'accroupit pour ramasser les disques. Nous ne savions pas que vous alliez venir…

– Mais je t'en prie, ça n'a aucune espèce d'importance ! Quand on n'a pas de femme à la maison, forcément… s'exclame-t-elle avec un triomphalisme mal dissimulé, avant de contempler avec satisfaction Benjamin qui se démène pour tenter de rendre le petit appartement présentable.

Affolé, il va frapper à la porte de la salle de bains pour que Rasmus se dépêche, tout en invitant dans le même élan ses beaux-parents à s'asseoir. Il est tellement bien élevé qu'il parvient à leur demander comment s'est passé le voyage : la chaussée n'était pas trop glissante ?

Sara donne un coup de coude à Harald pour qu'il réponde.

– Non, ça a été, marmonne-t-il, immédiatement interrompu par sa femme.

– Tu plaisantes ? C'était une vraie patinoire ! Harald a failli sortir de la route à plusieurs reprises.

– Mais pas du tout ! Qu'est-ce que tu racontes ? proteste Harald, irrité.

– Bien sûr que si, tu as failli sortir de la route. Ne l'écoute pas Benjamin, il y a belle lurette que je ne l'écoute plus moi-même. Je vais te dire, par moments, il conduit comme un fou !

– Pff ! On ne va pas non plus avancer comme des escargots !

– Mieux vaut encore ça que de se tuer sur la route. Oh, tu peux marmonner tant que tu veux, hein. Tu sais que j'ai raison.

Elle lance un clin d'œil appuyé à Benjamin, comme s'ils agissaient en connivence contre Harald. Depuis que les garçons forment un couple, elle a vraiment été aux petits soins avec lui : elle a tout fait pour l'inclure dans la famille, elle s'est souvenue de chacun de ses anniversaires (surtout après qu'il a raconté que chez les Témoins de Jéhovah on ne les souhaite jamais), elle lui a tricoté des pulls, elle a comploté avec lui contre Rasmus si la situation l'imposait ; elle l'a cajolé, bichonné, chouchouté. Parfois, elle a carrément eu l'impression d'avoir un meilleur contact avec lui qu'avec son fils.

– Il en met, du temps…

Benjamin est sur le point de dire à Rasmus de se dépêcher lorsque la porte de la salle de bains s'ouvre enfin et que Rasmus vient les rejoindre.

Sara le serre fort contre elle en lui lançant sa petite phrase angoissée, exactement comme avec Benjamin :

– Tu m'as l'air en pleine forme !

Ça doit être sa peur qui suinte, tout simplement. Ça doit être ça. Cette peur constante que Rasmus et son partenaire ne soient pas en bonne santé, que le pire leur soit arrivé, que la maladie tant redoutée par Harald et elle les ait rattrapés.

Elle fait un pas en arrière, examine son fils. Et elle voit aussitôt combien il a maigri, elle n'est pas dupe. Mais elle ne dit rien. Pendant toutes ces années, Harald et elle se sont toujours répété que leur fils, forcément, le leur dirait s'il n'allait pas bien.

Harald plisse le front.

– Tu t'es maquillé ?

Il tend la main pour toucher la joue de Rasmus, mais celui-ci tressaille et s'écarte.

– Ça va pas la tête ! répond Rasmus, agacé. C'est juste une pommade contre les boutons !

Harald est obligé de se contenter de ça.

Benjamin file à la cuisine pour préparer de la crème fouettée qu'ils serviront avec une salade de fruits, puisqu'ils n'ont que ça à leur proposer. Sara insiste pour s'en charger, et c'est alors que, tandis qu'elle fouette nerveusement la crème en tenant le bol en plastique contre elle et que d'une voix affectée elle reproche à Rasmus et Benjamin de ne jamais venir les voir.

C'est alors que.

– On a remplacé les portes de placard dans la cuisine et on a mis du lambris dans le salon, on a enfin une maison à peu près convenable. Ah, au fait, je donne des cours de cuisine à des retraités. Et figurez-vous que Harald fait partie d'une chorale ! Il a vraiment des capacités, avec sa voix de baryton. Chante-nous donc quelque chose, Harald.

C'est alors que, tandis qu'elle fouette la crème fraîche et que Harald chante maladroitement *La vallée verdoyante tend ses bras*, c'est alors que Sara rassemble son courage – ou peut-être qu'il ne s'agit pas de courage, peut-être que la phrase lui échappe. Toujours est-il qu'elle regarde son fils et, sans ménagement, lui signale ce qu'elle a déjà remarqué : que Rasmus n'a pas l'air en bonne santé, qu'il a perdu du poids, qu'il est maigrichon, très maigre même.

Rasmus ne répond pas. Benjamin non plus. Mais ils échangent un regard, comme on le fait juste au moment où on tombe, quand il est déjà trop tard pour empêcher la chute. Sara les voit se regarder et instantanément elle comprend. Elle chuchote :

– Dites-moi comment vous allez. Comment vous allez vraiment.

Mais est-ce un chuchotement ? Car c'est peut-être un cri, voire carrément un hurlement. Et c'est Benjamin qui répond, avec calme, pour eux deux :

– Pas très bien. Rasmus pas du tout.

– Va te faire foutre ! crache celui-ci à la figure de son amoureux.

Sara cesse de battre la crème, scrute son fils et déclare d'une voix lente :

– Non non, tu n'es pas du tout en bonne santé, tu n'as que la peau sur les os !

Là, Harald cesse de chanter que la vallée verdoyante tend ses bras.

– Je suis en train de chanter et personne ne m'écoute ! se plaint-il.

Sara l'ignore, il faut qu'elle découvre le fin mot de l'histoire, qu'elle apprenne ce qu'elle sait déjà.

– Et maintenant réponds-moi. Il t'est arrivé quelque chose ?

Confus, Harald s'exclame :

– Qui, quoi ? Il est arrivé quelque chose à qui ?

Et Benjamin pose un regard sévère sur Rasmus en disant : «Dis-le maintenant, Rasmus !», et Rasmus fusille Benjamin du regard et siffle : «Je te hais !», et Harald s'écrie : «Qu'est-ce qu'il y a ? Quoi ? De quoi vous parlez ?», et Sara lâche tout à coup un gémissement, une plainte :

– Mon Dieu, dites-moi que ce n'est pas vrai ! Dieu du ciel, faites que ce ne soit pas vrai !

Elle invoque ce Dieu qui va totalement l'abandonner au cours des années à venir, mais à qui elle prête encore… oui, quoi ? De la puissance ? De l'influence ? Elle n'en est même pas certaine.

Harald se lève d'un bond et, d'une voix ferme, annonce que c'est l'heure de partir. Sara, au désespoir, s'écrie :

– Mais Harald, tu ne comprends pas ?!

Et lui de rugir, en guise de réponse :

– Bien sûr que je comprends ! Je ne veux pas comprendre, voilà ! Ramasse tes affaires, on rentre à la maison ! Je vais démarrer la voiture !

– Non, Harald. Maintenant on se calme. Asseyons-nous et parlons en adultes. Ne nous laissons pas déborder par la panique.

À ces mots elle se remet à fouetter la crème fraîche, frénétiquement, tandis que son mari tourne en rond entre le vestibule et la table.

Et donc ça lui ferait cet effet, le moment où elle serait mise au pied du mur ? Elle se l'est toujours demandé. Elle a essayé de l'imaginer. Oui, elle a lu les journaux, elle a regardé la télé, elle n'a pas pu s'empêcher de s'inquiéter. Non : elle *s'est* inquiétée, qu'on l'excuse. Elle s'est dit que ça ne pouvait pas leur arriver, pas à eux. Rasmus et Benjamin sont ensemble, ils ne peuvent *pas* être contaminés ! Elle a cru que ça arrivait seulement à ceux qui… ceux qui n'ont à s'en prendre qu'à eux-mêmes – pardon de penser ça, mais…

Elle regarde son fils et comprend. Rasmus baisse les yeux. Et, en détachant chaque syllabe, du désespoir et du jugement plein la voix, elle dit :

– Si seulement vous n'étiez pas allés voir ailleurs !

La défense de son fils n'est qu'un chuchotement. Cent fois, mille fois, il s'est accusé comme sa mère l'accuse en ce moment.

– Tu ne crois tout de même pas qu'on l'a voulu ?

Ça suffit ! Harald n'arrive plus à se contrôler. Des années de colère retenue jaillissent hors de lui.

– Vous n'avez pas arrêté d'exiger de Sara et moi qu'on accepte, qu'on comprenne, qu'on respecte. Vous nous avez bassinés avec vos droits par-ci, vos slogans par-là et vos manifestations ridicules…

Sara en rajoute une couche.

– Si vous vous aimez autant que vous le prétendez, vous auriez au moins pu rester fidèles !

– Benjamin n'y est pour rien, chuchote Rasmus.

C'est moi qui...

Pour Sara, c'en est trop. Et on peut le lui reprocher si on en a envie, on peut même s'en amuser, mais elle réagit comme toujours quand elle est révoltée : elle se réfugie dans la cuisine et se lance dans la vaisselle.

– Exactement ! poursuit Harald en criant. Comme ta mère et moi ! Comme tous les gens honnêtes et normaux !

– Papa, vous commencez à me fatiguer ! aboie Rasmus. Je savais que tu réagirais comme ça !

– N'importe quoi ! objecte Sara devant l'évier. Qu'est-ce que tu en sais, d'abord ? Tu t'en fiches de toute manière ! Ce que ton père a pu penser ou sentir, ça t'a toujours été égal !

– Tu es obligée de faire la vaisselle ? lui crie Rasmus.

– Non, je ne suis pas obligée de faire la vaisselle ! fulmine Sara. J'essaie juste de me rendre utile !

Elle lâche la brosse et se met à frotter le carrelage au-dessus de l'évier avec le chiffon éponge.

– «Acceptez ! Respectez !» Voilà ce que tu nous as seriné à longueur de temps, poursuit Harald, toujours aussi furieux. Et moi j'ai accepté, j'ai respecté. J'ai accepté et respecté à en avoir la nausée !

– Pense à ton cœur, Harald !

Sara tente de calmer son époux, mais il ne l'écoute pas. Il continue sur sa lancée, continue de vider son sac, repousse brutalement Rasmus obligé de reculer.

– À quoi bon te montrer ma peine ? Tu n'aurais même pas été capable de l'accepter, toi qui nous rabâches : «Acceptez !» Tu m'aurais engueulé, tu m'aurais sorti ton sempiternel : «Respectez !»

Rasmus se tourne vers Benjamin :

– Tu vois le résultat ? On aurait mieux fait de se taire. On aurait dû arrêter de les voir.

Sara pivote et dévisage Rasmus. Elle ne comprend pas. Elle qui sacrifierait sa vie pour lui. Elle est en train de le perdre alors qu'il est encore avec eux. Pourquoi est-il aussi méchant ? Pourquoi ne peut-il pas simplement tomber à ses pieds et lui permettre de le relever, de le serrer dans ses bras, de le bercer, de le protéger de tout ce qui menace son existence. Qu'est-ce qu'il attend ? Elle est là, devant lui, prête à tout pour lui. Or il ne vient pas vers elle, il ne bouge pas, il continue de leur crier dessus, de leur lancer des horreurs à la figure.

– Je le sais, hein ! Je sais que je suis méchant, que je suis moche, malade et repoussant. Vous croyez que je ne suis pas au courant, peut-être ?

Une pensée épouvantable frappe alors Sara, elle est obligée d'y mettre des mots :

– Mon Dieu, et son cerveau ? J'ai lu que le cerveau se modifie, qu'on peut devenir fou. C'est donc vrai ?

Harald l'interrompt :

– On est vraiment obligés d'apprendre tous les détails ?

Sont-ils vraiment obligés d'apprendre quoi que ce soit ? Pourquoi ne peuvent-ils pas juste rentrer chez eux, dans leur maison avec le jardin et le portillon, face à la route entre Årjäng et Åmotfors, à Koppom, avec Chez Tor – Dépannage de tracteurs, le Coin de la Chaussure, la Papeterie de Valdemar, le Koppom-shop, le Salon de coiffure Astrid, le Café Philippines, la coop Konsum, la Banque coopérative, la Caisse d'Épargne départementale, la bibliothèque, l'église évangélique, le Club des chasseurs, la congrégation pentecôtiste, le Club de gym volontaire, le centre médical, la forêt et tout le reste, tout ce qui représente leur vie, tout ce qu'ils connaissent, tout ce qu'ils peuvent comprendre, tout ce qui leur appartient ! Pourquoi faut-il qu'ils soient ici ?

– On n'est jamais sûrs de rien, tente Benjamin pour détendre l'atmosphère. Il y a des hauts et des bas, ça marche par périodes.

Harald, Sara et Rasmus écoutent Benjamin raconter. Ils se calment. Comme si ses mots avaient sur eux un effet anesthésiant.

– Telle maladie peut se déclarer, et peut-être qu'on peut la surmonter. Ou pas. Peut-être même qu'on peut en surmonter une autre, puis encore une autre. On perd quinze kilos, on en reprend trois. On perd ses cheveux, les cheveux repoussent. Les médicaments font enfler, les médicaments font vomir, on croit qu'on va mourir, mais peut-être qu'on va s'en sortir. Ou pas. On n'a peut-être plus assez de forces pour retourner travailler, on n'a peut-être même plus la force de s'habiller. On meurt peut-être rapidement, mais peut-être qu'on a encore cinq ans à vivre.

À cet instant précis, Harald l'interrompt et répète qu'il ne veut pas de détails. À cet instant précis, Rasmus se place devant lui et rétorque qu'il va les apprendre, les détails, qu'il le veuille ou non. Il se frotte alors la figure et révèle ainsi que le maquillage que son père avait cru voir est en réalité une crème couvrante pour dissimuler les taches qui ont commencé à apparaître sur son visage.

Harald regarde les taches. Il ravale son dégoût et, d'une voix troublée par le mépris, donne à Rasmus une fin de non-recevoir :

– Et tu crois que je vais te plaindre ? C'est ça que tu crois ? Eh bien non ! Moi je te dis : récolte ! Récolte ce que ta fierté a semé !

Accablé, Rasmus se tourne vers sa mère et fait enfin ce geste qu'elle a tant attendu de lui : il tombe à ses pieds et la supplie.

– Je suis tellement désolé qu'on en soit arrivé là ! S'il te plaît, maman, dis-moi quelque chose. Maman chérie, s'il te plaît ! Je t'en supplie !

Sara le toise longuement. Puis elle prononce son verdict, le verdict qu'elle va regretter pendant des années et des années, ce verdict qui va la réveiller la nuit et qu'elle voudrait ne jamais avoir prononcé. Mais cette phrase est réellement celle qu'elle prononce, ces paroles sont réellement celles qu'elle prononce. Elle-même entend les mots tomber de sa bouche :

– Est-ce… pour… arriver… à… ça… que… je… t'ai… mis… au… monde ?

Est-ce pour arriver à ça que je t'ai mis au monde ?

Sa respiration est courte. Puis elle cesse tout à fait. Dix, quinze secondes s'écoulent sans qu'il respire. Et il respire à nouveau.

Brièvement, rapidement. Il inspire, il expire. Trois, quatre fois. Comme un message, un signal que son corps enverrait. À qui ? Qui ou quoi essaie-t-il de contacter ?

Puis il marque une nouvelle pause dans sa respiration, et pas seulement lui – Benjamin retient son souffle lui aussi.

Ensemble, ils remplissent une toute dernière fois leurs poumons d'une grande goulée d'air. Comme si dans cette ultime inspiration ils voulaient tout retenir : l'univers, la vie, l'un l'autre.

Le soleil descend sur la baie. À l'approche du soir, l'eau se fige. Les derniers rayons se reflètent dans les fenêtres tout juste nettoyées qui ouvrent sur la véranda et la mer. L'été vient à peine de commencer. Ils ont attendu si longtemps.

Ils habitent en ville un logement sombre et exigu, alors qu'ici les lieux débordent d'une lumière presque irréelle. Il veut rester dans cette lumière pour toujours. Pour toujours. Mais le soleil décline et, dès qu'il aura disparu derrière la cime des arbres de l'autre côté de la baie, l'air se rafraîchira et ils devront songer à rentrer.

Sa mère lui a déjà dit plusieurs fois de se mettre en pyjama. Mais il s'attarde sur la véranda. Il renonce uniquement lorsque la dernière lueur du soleil a disparu. Il s'efforce de ne pas cligner.

Il s'efforce de retenir. La mer. Le ciel. Le soleil. Le jour. Son père pose une main sur son épaule. Il sait ce que ça veut dire. Ils n'ont pas envie de devoir le lui répéter.

Benjamin prend une inspiration, ce que ne fait pas son compagnon, son amour.

La tête de son adoré tombe avec un fléchissement à peine perceptible, une révérence, et se tourne vers lui. Ses yeux opacifiés, aveugles, fixent Benjamin droit en face, droit à travers lui, au-delà de lui.

– Il ne respire plus, chuchote Sara.

Le soleil s'est éclipsé, la fraîcheur du soir traverse son corps frêle de garçon de sept ans.

Benjamin se penche sur Rasmus, tout contre lui, comme pour voir vraiment. Il bégaie un «si» malheureux, presque insoumis :

– Si, si, je l'ai vu respirer !

Si. Si. Si. Si.

Une infirmière les rejoint. Elle se presse sans se presser. Elle tâte le pouls au niveau du cou, ne dit rien, mais son visage est sérieux et focalisé.

– Il ne respire plus, répète Sara.

Pourquoi dit-elle cela ? Benjamin secoue la tête, perplexe.

– Mais j'ai vu que…

– Chuut !

L'infirmière a sorti un stéthoscope et se concentre pour écouter, pour détecter les battements du cœur. Puis elle soupire et recule d'un pas, comme pour faire de la place à la famille en deuil.

Et confirme ainsi ce que Sara sait déjà.

C'est la fin de l'été et la famille est dans la forêt. Sara et Rasmus, accroupis, cueillent des myrtilles. Rasmus se sert de son verre à dents jaune. C'est son gobelet porte-bonheur. Il ne s'en sépare jamais dès qu'ils partent en cueillette. De temps en temps, il en vide le contenu dans le grand seau rouge en plastique de Sara. Pour cette journée entière qu'ils vont passer en forêt, ils ont emporté un casse-croûte : chocolat chaud, sandwiches, et du pain polaire beurré de pâte à tartiner au petit-lait puis recouvert de confiture. Ils ne vont pas tarder à continuer vers une zone de coupe à blanc, un peu plus loin. Avec un peu de chance, ils tomberont sur des framboises sauvages. S'ils en trouvent suffisamment, Sara fera du sirop.

Soudain, exalté, Harald leur fait signe de venir vite le rejoindre en faisant bien attention, ils doivent à tout prix voir quelque chose.

– Regarde, Rasmus, là-bas dans le champ ! chuchote-t-il, presque en transe, en montrant à son fils le point vers lequel il doit regarder.

Dans le champ dégagé se promène un élan mâle – blanc. Seule la couleur le distingue de ses congénères. Pourtant, il surgit de la forêt dense et sombre comme une créature surnaturelle ou un animal légendaire. Comme un être complètement différent, un être à part.

– Regarde, Rasmus. Tu as vu ? C'est un élan blanc ! chuchote sa mère à son oreille, comme s'il n'était pas en mesure de comprendre ce qu'il voit ; puis elle l'entoure d'un bras protecteur et l'attire contre elle.

– C'est bon, je vois ! répond Rasmus.

Il se dégage avec impatience des bras maternels et fait un pas en direction de la bête insolite qui lève la tête vers eux et les regarde. Il ne bouge pas, demeure ainsi un long moment. Il les regarde.

Lui, l'animal si différent. Lui, l'animal à part.

Rasmus sait que l'élan le regarde, lui et lui seul.

Lui, si différent. Lui, à part.

Puis l'étrange créature se retire au cœur de la forêt. Comme si elle n'avait jamais existé. Comme si elle retournait s'engloutir dans une eau obscure et profonde.

Benjamin est assis au chevet de Rasmus, mais Rasmus n'y est plus. Il a lâché prise. Il s'est retiré.

Délicatement, Sara pousse Harald hors de la chambre. Elle parle d'une voix douce comme à un enfant. Elle dit tout bas :

– Viens maintenant. On va le laisser seul avec Rasmus un petit moment.

Ils referment délicatement la porte.

Benjamin ne se rend même pas compte de leur départ. Il n'a d'yeux que pour l'homme qu'il aime. Il caresse sa joue. Ses cheveux si fins qu'il a perdus par touffes entières. Son visage s'est en quelque sorte lissé maintenant que le combat est terminé. Et Benjamin ne peut s'empêcher de sourire : son adoré semble seulement s'être endormi. Peut-être qu'il rêve aussi.

«*Et il essuiera toute larme de leurs yeux, et la mort ne sera plus ; ni deuil, ni cri, ni douleur ne seront plus. Les choses anciennes ont disparu.*»

Benjamin se penche tout près de son adoré. Il le regarde afin de mémoriser chaque trait de son visage. Il sait que lorsqu'il quittera cette chambre, ce sera pour toujours.

La pièce où ils se trouvent est devenue sacrée. Rasmus est sacré. Les objets sont sacrés. Le lit, les draps entortillés, l'odeur douceâtre de renfermé, le verre d'eau, la solution physiologique, le pied du goutte-à-goutte, tout cela est sacré, voué à l'éternité. Tout, sauf lui. Lui seul n'est pas sacré. Et il sait que lorsqu'il sortira de la pièce, il ne sera pas le *nous* qu'il a été, il ne sera plus que Benjamin. Il sera seul, il ne sera personne, il n'aura personne. Personne à aimer, personne à défendre, personne à protéger. Il n'aura plus d'obligations, plus de responsabilités, il n'aura que sa liberté.

Et il n'en veut pas, de cette liberté. Il ne veut pas être libre.

C'est pourquoi il s'accroche à cet instant, c'est pourquoi il s'approche aussi près du visage de l'homme qu'il aime, dans l'espoir d'effacer la distance entre eux. C'est pourquoi il caresse les joues de l'homme qu'il aime, caresse ses cheveux si fins, l'embrasse et l'embrasse encore, tandis que ses larmes coulent sans qu'il s'en rende compte, mouillent le visage de son adoré. Il lui chuchote :

– Tu es si beau maintenant. Si calme. Tu n'as plus mal. Moi non plus je n'ai pas mal.

Imperceptiblement, il secoue la tête et répète encore deux fois les mots, comme un petit poème qu'il essaierait de graver dans sa mémoire.

– Tu es si beau maintenant. Si calme. Tu n'as plus mal. Moi non plus je n'ai pas mal.

Ils dorment lovés l'un contre le dos de l'autre, toujours. Benjamin avec son bras protecteur autour de Rasmus. Accrochée au-dessus d'eux, l'image de la famille idéale au paradis. Ce paradis où, côte à côte, les fauves paressent avec les agneaux.

Une balayeuse de voirie nettoie la rue. Le gyrophare envoie ses flashes saccadés de lumière orangée par la fenêtre, effleure le couple endormi. On entend le bruit des grosses brosses rotatives.

Qu'essaient-ils donc si vainement de nettoyer ? Les rats envoyés mourir dans une cité heureuse ?

La contagion qui se colle aux poignées de main, aux poignées de porte, aux combinés de téléphone, aux verres et à la vaisselle, à tous les fluides corporels que sécrète l'être humain, le sang, la sueur, le sperme, les larmes. Les brosses rotatives n'en finissent pas de nettoyer une ville qui ne saura jamais être vraiment propre.

Ces dernières années, Rasmus a écouté en boucle un morceau de David Bowie : *We Are the Dead*. Soudain, une phrase du chant séduisant et plaintif s'insinue dans son sommeil : « *Oh dress yourself, my urchin one, for I hear them on the stairs. Because of all we've seen, because of all we've said, we are the dead…* »

Rasmus ouvre les yeux et, d'un coup, il est tout à fait éveillé.

Quand Benjamin était enfant, il ne se réveillait jamais la nuit, même pas pour faire pipi. C'est sans doute pour ça que le souvenir va rester ancré dans sa mémoire.

Il s'est réveillé, il a tourné la tête et tendu l'oreille. Il y avait un bruit. Il ne comprenait pas ce que c'était. Doucement, il est descendu du lit superposé. En prenant soin de ne pas réveiller sa sœur sur la couchette du bas. Margareta dormait sur le côté, un bras devant elle comme si elle voulait attraper quelque chose, les lèvres en mouvement comme si elle parlait à quelqu'un.

Le bruit étrange qu'il entendait, rythmé, saccadé, était suivi d'un son qui ressemblait à une plainte ou un gémissement et paraissait émis par sa maman.

– Maman ? a-t-il appelé, inquiet. Papa ?

Personne n'a répondu. Le bruit étrange s'est poursuivi.

C'était au début de l'été. La maison de campagne ne s'était pas encore débarrassée de sa fraîcheur et de son humidité hivernales, le plancher était froid. Benjamin grelottait dans son petit pyjama. Il ne savait pas quoi faire.

Il se souvient d'avoir pensé qu'il avait eu raison de se réveiller. Il fallait toujours se tenir prêt. Il fallait toujours être vigilant.

Quelques jours plus tôt, ils assistaient à une réunion dans la Salle du Royaume. Margareta, les autres enfants et lui écoutaient le discours, en compagnie des adultes. Benjamin était vêtu de son beau costume tout neuf, Margareta portait ses escarpins avec les petits talons qui claquaient à chacun de ses pas.

Peut-être que Margareta ou lui ont eu un moment d'inattention, car l'homme sur l'estrade s'est tourné vers eux : «Voici ce que dit la Bible de Jésus-Christ ! a-t-il dit en plantant son regard sur les deux enfants : *"Il vient avec les nuages, et tout œil le verra"…* » Benjamin a aussitôt vu devant lui les nuages sombres s'ouvrir et les rayons du soleil les transpercer. Puis, un trône doré entouré d'anges surgissant des masses nuageuses lui est apparu. L'orateur a poursuivi : « *"… et toutes les*

tribus de la terre se frapperont la poitrine de cha-
grin à cause de lui."»

Les pauvres, s'est dit Benjamin en pensant aux gens des tribus de la terre. Ils ont eu tellement peur et ont eu tellement de chagrin en voyant Jésus qu'ils se sont sentis obligés de se frapper et de se faire du mal. Ils en font tout un drame alors que tout petit déjà, Benjamin, lui, avait décidé de ne pas avoir peur. Lorsque Jésus reviendrait, il exulterait, il serait heureux. Jésus comprendrait alors qu'il était l'un de ceux qui, dans la fidélité et la joie, avaient attendu son retour.

Pourtant, ce n'étaient pas des inventions, ce que racontait le monsieur dans la Salle du Royaume. Ça se passerait exactement comme ça. Raison de plus pour que Benjamin, le cœur rempli d'inquiétude, sorte doucement de sa chambre et traverse le petit vestibule.

Le vilain bruit venait de la chambre des parents.

La journée serait sombre pour ceux qui n'obéissaient pas à Dieu et à Sa volonté ! Jamais le pécheur ne pourrait se soustraire à Sa colère.

La porte de la chambre de ses parents était entrouverte. Dans l'interstice il voyait que la lampe de chevet était restée allumée, il voyait des draps voleter et bouger bizarrement comme s'il se passait quelque chose en dessous. Et puis ces bruits affreux. Les craquements et les gémissements.

Il s'est rapproché un peu plus, s'est planté devant l'entrebâillement, a regardé à l'intérieur.

– Papa, maman, vous êtes là ? Qu'est-ce que vous faites ?

Les bruits ont cessé. Instantanément.

Sa maman a chuchoté quelque chose, mais ce n'était pas vraiment sa voix, il ne l'a pas vraiment reconnue.

– Les enfants sont réveillés !

Il n'a pas eu le temps de comprendre ce qui lui arrivait. Quelqu'un (son papa ?) est sorti en trombe du lit, puis la porte lui a été claquée au nez.

Et il s'est retrouvé là. Seul. Exclu.

À l'avenir, Jésus allait récompenser les justes et châtier les pécheurs. C'était peut-être par une nuit d'été comme celle-ci que ça aurait lieu.

Benjamin s'est toujours figuré qu'il serait à l'extérieur à ce moment-là. Dans un champ peut-être, ou sur une place dégagée. Dans son imagination, il quittait la ville à pas rapides, déterminés, confiants. La ville derrière lui s'effondrait, le sol s'ouvrait, les gens hurlaient, terrorisés, ils tentaient de se sauver, mais ils n'avaient pas la foi. Alors que lui, invulnérable, protégé par une puissance supérieure, poursuivait son chemin, indemne.

C'est ainsi qu'il se l'était imaginé. Et non qu'il serait réveillé en pleine nuit, dans leur maison au bord de la mer, au début de l'été, en entendant des plaintes et des craquements – et être ensuite exclu.

Pas non plus qu'il serait réveillé par son amoureux en train de faire les cent pas pour éloigner les affres de la mort, tandis qu'une balayeuse enverrait sa lumière orangée par la fenêtre. Sans recours face à un ennemi qui avait déjà élu domicile dans son corps.

Rasmus se dégage de l'étreinte de Benjamin, se lève et s'approche de la fenêtre. Il regarde un long moment le véhicule qui nettoie la rue déserte.

Un jour, il a sept ans, Rasmus se perd dans la forêt. Le crépuscule est déjà tombé. Il tient un petit bol rempli de myrtilles. Ou plus exactement, son verre à dents jaune. Il a aux pieds ses bottes neuves. Des bottes en caoutchouc.

Il n'est pas très loin de leur maison. Il ne devrait pas s'être perdu. Ses parents sont peut-être déjà en train de rentrer, ils se disent sans doute qu'il trouvera le chemin tout seul, ils habitent si près. Et c'est vrai : en général, il sait exactement par où passer. Seulement voilà, au crépuscule, plus rien n'est pareil et Rasmus n'est plus sûr de rien. Il appelle son papa, il appelle sa maman, mais n'obtient pas de réponse. Il regarde autour de lui, mais il n'y a personne.

Et c'est à ce moment-là qu'il fait cette chose idiote.

Comme son papa et sa maman ne répondent pas, il crie qu'il a peur. Et comme il a peur, il se met à courir. Et comme il se met à courir, il a encore plus peur. Alors que ce n'est pas en courant qu'on peut vaincre sa peur.

Il court dans la forêt où d'habitude il sait retrouver son chemin. Mais maintenant qu'il a peur, il ne reconnaît plus rien. Soudain, sa botte s'enfonce dans une flaque de boue en produisant un horrible bruit de succion. Et elle y reste coincée. Sa jolie botte en caoutchouc toute neuve. Elle reste dans la boue.

Rasmus est seul dans la forêt. Il a perdu une botte. Il a très peur. Il boite. Sa chaussette est vite détrempée et glacée. Brusquement il entend un bruit. Un craquement derrière lui. Il pousse un cri, s'élance de plus belle. Une chose le pourchasse. Il le sait. Il entend la chose respirer, il entend battre son cœur. Il ne devrait pas être ici, il devrait être déjà rentré. Être bien au chaud à la maison, chez lui. Or il est dans un tout autre endroit, il a peur, il ne retrouve pas son chemin, son papa et sa maman n'entendent pas ses cris.

Comment a-t-il pu se tromper autant, s'égarer à ce point ?

Benjamin se réveille en même temps que Rasmus, il a le sommeil si léger depuis que Rasmus a été diagnostiqué séropositif. Il se dresse sur ses coudes.

– Il s'est passé quelque chose ? Tu ne te sens pas bien ?

Rasmus se tourne vers lui. Benjamin peut voir qu'il est sur le point de s'effondrer, qu'il est contracté, crispé, noué, comme ses pulls qu'il plie en petits paquets serrés.

– Je ne veux pas.

Benjamin secoue la tête pour se réveiller complètement.

– Quoi ? Qu'est-ce que tu ne veux pas ?

Rasmus répète, sur un ton malheureux mais plus déterminé :

– Je ne veux pas, c'est tout.

Benjamin pousse un soupir. Combien de nuits n'ont-ils pas vécu ça ? Rasmus qui se réveille parce qu'il est angoissé ou qu'il a soif, et Benjamin qui tente maladroitement de le réconforter.

– Mais chéri, qu'est-ce que tu ne veux pas ? Tu ne te sens pas bien ? Tu as envie de vomir ?

– Je ne veux pas !

Rasmus appuie son front contre le verre froid de la fenêtre. Autrefois, le monde se trouvait à portée de main, de l'autre côté de la vitre. Il suffisait de franchir le jardin, puis la clôture, et là s'étendait la route qui fait sortir d'ici, qui emmène loin, qui conduit vers le grand monde, le vrai, vers Årjäng et Åmotfors. Or voilà où il en est.

Le gyrophare du véhicule de nettoyage balaie la chambre de son éclat orangé. Tel le projecteur du mirador d'une prison. Le monde de l'autre côté de la vitre a cessé d'exister. Il n'y a plus aucune route qui fait sortir d'ici, aucune qui emmène loin, rien.

– Mais Rasmus, soupire Benjamin, on est en pleine nuit, on travaille demain. Dis-moi, enfin. Qu'est-ce que c'est que tu ne veux pas ?

– Je ne veux pas mourir.

«Je ne veux pas mourir.» Benjamin ferme les yeux, respire à fond. Comme il aimerait se rendormir. Il sent son pouls battre sous les paupières. C'est le sommeil qui l'appelle. Mais l'angoisse de Rasmus est comme un petit rat malheureux qui gratte, qui griffe et égratigne, enfermé dans sa cage.

– On t'enferme dans un sac-poubelle noir. Quand tu meurs du sida. Je le sais. Comme si tu étais un déchet. Je ne veux pas, Benjamin. Je ne veux pas être un déchet.

Que peut-il répondre, Benjamin ? Ce que dit Rasmus est la vérité.

Bien qu'on connaisse depuis deux ou trois ans les modes de transmission de la maladie, les hôpitaux et la santé publique sont toujours aussi paniqués.

Les séropositifs et les sidéens savent ce qui les attend.

Les sacs-poubelle.

Benjamin et Rasmus savent comment ça a commencé : les patients morts du sida à l'hôpital de Roslagstull étaient transportés à l'hôpital de Danderyd pour une autopsie obligatoire. Mais, les ambulanciers chargés du transport des corps ayant peur de toucher les morts, ils ont exigé des aides-soignantes qu'elles les leur confient, enveloppés dans une housse munie d'une ferme-ture Éclair. L'autopsie pratiquée, il n'était pas rare que le personnel hospitalier de Danderyd replace les corps dans la même housse. Ainsi s'explique que les morts ont fini par se retrouver dans des sacs en plastique noirs, une concession accordée aux employés que la manipulation des défunts rebutait. En conséquence de quoi, les agents des pompes funèbres ont à leur tour considéré que les cadavres des sidéens étaient contaminants, aussi n'étaient-ils pas revêtus de la chemise blanche aux manches amovibles rituelle, ainsi que le veut la tradition funéraire suédoise.

Les patients morts du sida étaient considérés comme des foyers infectieux, placés dans des sacs plastique noirs imperméables.

L'homme homosexuel comme un déchet.

La balayeuse de voirie nettoie à n'en plus finir sans que jamais la chaussée soit propre. Rasmus regarde les brosses et frissonne. La lumière orange fouette son visage, encore et encore.

Benjamin sort du lit. Il veut prendre Rasmus dans ses bras. Il veut lui dire que ce n'est pas vrai. Mais il ne le peut pas. Alors à défaut, il dit ce qui *est* vrai : Rasmus ne va pas mourir. Pas maintenant. Il est en parfaite santé. En ce moment. Pour l'instant.

Puis il entoure son adoré de ses bras protecteurs, mais Rasmus se fige.

– Ne me touche pas !

Benjamin essaie encore de le serrer contre lui.

– Ne me touche pas, je te dis !

Rasmus s'écarte. Benjamin croise les bras sur sa poitrine.

– Je ne veux pas devenir un déchet !

– Mais s'il te plaît, Rasmus, mon chéri. Tu ne vas *pas* devenir un déchet, voyons !

Ces tractations nocturnes.

– J'ai maigri.

– Tu as toujours été mince.

– Putain, je suis à peine adulte. C'est pas juste.

– Non, c'est pas juste.

– Je passe mes journées à m'ausculter.

– Je sais.

Benjamin fait la même chose. Il s'ausculte. Est-il gêné quand il avale ? A-t-il des ganglions ? Pourquoi tousse-t-il ? N'a-t-il pas mal au crâne ? C'est quoi cette tache bizarre ? L'avait-il avant ? Il connaît la chanson.

– Je n'arrive pas à dormir. Je n'arrête pas de penser. Je ne fais que penser.

– Laisse-moi te serrer dans mes bras !

– Ne me touche pas, je pourrais te contaminer !

– Je le suis déjà probablement.

– Sauf qu'on ne le sait pas encore, nuance.

Benjamin essaie encore de toucher Rasmus, qui sursaute et le frappe, un coup dur à la joue.

– Ne me touche pas, je te dis ! crie-t-il.

Sa voix est sur le point de s'étrangler.

– Je suis immonde ! Je suis tellement immonde !

Il crache les mots, dégoûté.

– Je suis tellement immonde ! Je suis tellement immonde ! Je suis tellement immonde !

Immonde. Plus immonde. Le plus immonde.

Ces premières années se sont à peu près bien passées. Tant qu'on peut se faire soigner à l'hôpital de jour où Rasmus, tout comme Paul, a été pris en charge par Kerttu, Linda et les autres infirmières.

Mais ensuite. Quand on a besoin de soins les samedis et dimanches, là, pas le choix : on doit se faire hospitaliser. Et on échoue à l'Unité d'observation C.

L'Unité d'observation C de Roslagstull devient le service réservé aux patients du sida admis dans cet hôpital.

On rénove les bâtiments du service C, qu'on pourvoit notamment d'une belle salle à manger, ce qui en agace plus d'un. On essaie aussi de choisir des infirmières qui ont une attitude bienveillante envers les malades. Les premières années, le personnel des autres services a le sang qui bout dans les veines en constatant qu'autant de moyens sont attribués pour soigner ces déviants étranges qui depuis quelques mois font des allers et retours subits à l'hôpital, avec des symptômes de plus en plus désagréables et horribles. Des hommes jeunes atteints de ce nouveau virus qu'on compare à la peste noire et qui coûtent – mais surtout, motus et bouche cousue sur ce point – une fortune au contribuable.

– Eux ils ont tout et nous on n'a rien !

Voilà ce qui se dit un peu partout dans les autres services. Car ça leur fait bouillir le sang, s'ils osent dire de façon peut-être un peu mal à propos dans ce contexte, de voir autant d'argent jeté par les fenêtres pour des gens qui, pardon, mais mettons les points sur les i, n'ont à s'en prendre qu'à eux-mêmes.

De plus. Ne pas oublier. Au début. La panique.

La panique présente aussi dans les services chargés de soigner les personnes contaminées. La protection anti-coupures et anti-piqûres se transforme en une réelle industrie et voit se développer un arsenal de fournitures censées sécuriser le personnel. Car on a peur. On jette même les téléphones qu'un séropositif a touchés, ils pourraient avoir des taches de sang. Pourtant, aucune trace de sang n'est visible. Qu'importe, ça pourrait être des taches invisibles. Des taches de sida invisibles et contaminantes.

Chaque fois qu'on doit entrer auprès d'un patient, ne serait-ce que pour arranger la literie ou demander s'il a soif, on doit suivre un protocole minutieux : se laver les mains, enfiler des gants, mettre un masque et une charlotte, enfiler par les bras une blouse jaune qui reste ouverte dans le dos. Les visiteurs, soumis à des horaires de visite stricts, sont eux aussi astreints aux gants et aux autres vêtements de protection. Tous les patients sont hospitalisés en chambre individuelle avec sas et sonnette, dans un service d'isolement. Les procédures hospitalières priment sur l'aspect humain.

On vit en milieu clos, sur une colline, en hauteur, la ville à ses pieds, et on sait tout mieux que personne. Le voilà, l'esprit de Roslagstull.

En 1987, l'arrêté d'un protocole de base est pris : tout le monde sera désormais logé à la même enseigne. Difficile de le faire accepter, et difficile de comprendre qu'il sera valable pour tous les patients. Mais dans l'intervalle on a appris les modes de transmission du virus, on n'a donc plus besoin d'être aussi rigoureux au niveau de la protection, par exemple quand il s'agit simplement d'entrer dans la chambre pour bavarder.

N'empêche. N'empêche qu'on a peur. La crainte des larmes et de la salive a la vie dure. Allez, hop, des gants pour tout le monde, même pour les visiteurs. La peur est dans toutes les têtes. Bien que la science ait découvert les voies de contamination. Le personnel hospitalier se méfie des experts. Ils redoutent d'être contaminés à leur tour. Venez, faites-le à notre place ! Et on verra si vous la ramenez toujours autant. La contamination par le sang, d'accord, on en parle. Mais le reste, macache !

Les soins, purée ce que c'est dégueu. Ces plaies, là, infectées, suppurantes, jaunasses. Et j'vous parle même pas des escarres : elles bouffent les tissus, les chairs se nécrosent, et après vous voyez le fémur au fond des ulcérations. Là, vous avez plutôt intérêt à mettre un tablier en plastique par-dessus votre blouse jaune. Parce qu'il va falloir tourner le patient sur l'autre côté et vous risquez de tomber sur une bouillie gluante, sanguinolente, purulente, tellement les lésions sont ulcérées. Alors faites-le à notre place, vous qui exigez de nous de ne pas avoir peur !

Un service d'urologie est censé accueillir un séropositif pour une opération. En dépit de toutes les informations que le personnel a reçues, il refuse d'opérer, soutenant que le dossier du patient aurait dû être rejeté dès le départ. Rejeté dès le départ.

Il arrive qu'on pratique des opérations dans le garage de l'hôpital Söder, pour ne pas avoir à introduire les malades du sida dans les blocs opératoires. Et si jamais on les opère au bloc, on les passe en dernier. Car après, il faut tout désinfecter. Tout !

Pareil pour l'hygiène dentaire. On a toutes les peines du monde à trouver des dentistes prêts à accepter les malades. L'hôpital de Huddinge ouvre en 1988 un service de stomatologie qui soigne les patients séropositifs de tout le pays, tant il est fréquent que les dentistes refusent de les traiter.

La première fois que Rasmus tombe malade au point de devoir être hospitalisé, il atterrit à l'Unité d'observation C. Ça équivaut à être déjà mort.

Tant de souffrances. Ceux qui ont un Kaposi, par exemple, les pauvres. Ceux qui ont un sida déclaré finissent souvent déments. À l'Unité d'observation C de l'hôpital de Roslagstull, quand Rasmus y est admis, il croise un homme qui collectionne les chaussures, il en achète dès qu'il est sorti, c'est dire s'il n'a plus toute sa tête. Chaque fois qu'il revient à l'hôpital, il aligne devant son lit ses paires de chaussures, toutes hors de prix, alors qu'il ne les mettra jamais. Cette enfilade méticuleuse de chaussures neuves, c'est ce dont Rasmus se souvient le plus de son séjour à Roslagstull.

On le déplace ensuite au service 53 de l'hôpital Söder. Il n'est pas le seul à y être transféré. Seuls les patients admis à Roslagstull depuis longtemps, qui connaissent les médecins, préfèrent y rester.

Le service 53 de l'hôpital Söder : le service VIH.

Söder parvient à éviter la plus grande hystérie de l'isolement. Les médecins qui y travaillent sont souvent homosexuels eux-mêmes, ils ont décidé, coûte que coûte, de soigner dignement leurs amis, leurs… frères. On ne sait pas guérir, mais on peut soigner.

Le service 53 finit par devenir mythique. Douillet et accueillant, comparé à d'autres services de l'hôpital. Ceux qui y travaillent sont presque exclusivement des gays ou des filles à pédés qui prennent l'initiative de mettre leur petite touche personnelle pour rendre l'endroit agréable, qui égaient et décorent les chambres, confectionnent des rideaux, posent de petites peluches sur les lits. Les patients peuvent bénéficier d'une chambre individuelle, mais peuvent aussi être hospitalisés dans des chambres à plusieurs lits. La salle de séjour commune permet de rompre l'épouvantable solitude des malades.

Au bout du couloir, les grandes fenêtres donnent sur la baie d'Årstaviken. Le balcon est pris d'assaut par les fumeurs. Les visiteurs sont libres de venir quand ils veulent. On installe des postes de télévision dans les chambres, on dispose même d'un cuistot qui améliore les repas. Il s'appelle Herbert, c'est une petite folle d'un certain âge qui n'est pas du tout cuisinier de formation mais travaille dans le service – ce qui n'est pas vu d'un bon œil par tout le monde.

C'est ici que Rasmus sera hospitalisé quand il tombera de nouveau malade, ici où le personnel est si gentil. Mais les expériences de ses premiers séjours à Roslagstull resteront gravées en lui.

Le souvenir d'être coupable. Le souvenir d'être déjà mort. Et le dégoût de soi.

– Je suis immonde !

Rasmus s'effondre devant le radiateur. Accroupi, il croise les bras sur son ventre comme s'il avait des crampes.

– Je suis immonde !

Désemparé, Benjamin le regarde. Il sait qu'au jour du Jugement dernier, les armées de Dieu, avec Jésus en tête, vont faire la guerre aux forces de la société humaine méchante et elles vont juger et causer la ruine de ceux qui ruinent la terre. Et c'est nous, songe-t-il, les damnés, c'est nous !

Jamais il n'a aimé comme en ce moment.

La respiration de Rasmus finit par se calmer. Benjamin peut alors se mettre à genoux et le serrer dans ses bras. Ils se balancent ensemble, pendant que Rasmus retrouve peu à peu la tranquillité.

Benjamin le berce comme un petit enfant. Voilà. Voilà. La voix calme, douce.

Là, voilà. Là, voilà.

Benjamin caresse le visage de Rasmus retombé sur le côté lorsqu'il a cessé de respirer.

Là, voilà. Là, voilà.

– Tu es si beau maintenant. Si calme. Tu n'as plus mal. Moi non plus je n'ai pas mal.

Un si long combat. Il a été si stoïque, Rasmus. Il s'est battu avec tant de courage. Pendant tant de mois. Maintenant il est libéré, il n'a plus à lutter.

Ce qui est raconté dans cette histoire s'est réellement passé. Et ça s'est passé ici, dans cette ville.

C'était comme une guerre menée en temps de paix.

Tout autour, la vie continuait comme s'il ne se passait absolument rien. Les saisons se succédaient, des foyers de troubles s'allumaient et s'éteignaient à différents endroits du monde, comme des feux follets qui flamboient puis disparaissent. L'attention des individus était attirée par ceci, par cela, et cette maladie épouvantable n'était qu'un des nombreux tourments qui frappaient les autres.

Si on n'était pas concerné, on ne se rendait pas du tout compte de la mort, cette mort qui était arrivée en ville et qui pendant un certain nombre d'années a été une invitée quotidienne pour des hommes tels que Paul, Benjamin, Seppo et Lars-Åke.

Abstraction faite du flot d'articles inquiétants qui parlaient de pédés, de putes et de toxicos avec leur ignoble maladie, causée par eux-mêmes, le quidam dans la rue ne s'apercevait de rien.

L'un après l'autre ils ont été cueillis, si discrètement qu'en définitive on les remarquait à peine, ceux qui allaient mourir.

Ils étaient comme des fleurs qui soudain se fanaient, ces jeunes gens qui maigrissaient, s'étiolaient et mouraient. Comme des fleurs dans un pré d'été, que quelqu'un arrachait et cueillait. Et laissait tomber le long du sentier.

Harald et Benjamin sont tous les deux dans l'espace fumeurs. Sara est retournée au chevet de son fils pour être seule avec lui un petit moment. Benjamin sort une cigarette.

– Tu fumes ? demande Harald, surpris.

Benjamin observe le paquet. Il ne sait pas pourquoi il l'a dans la poche.

– Ce sont celles de Rasmus.

– Ah bon, d'accord.

Harald hoche la tête comme s'il allait de soi que Benjamin se promène avec les cigarettes de son fils dans la poche. Benjamin lui en propose une. Avec le sentiment d'être pris en faute, Harald jette un œil autour de lui mais en attrape une.

– Ne dis rien à Sara, s'il te plaît.

Benjamin tend son briquet, Harald inspire la fumée. Il s'en allume une à son tour, tire de petites bouffées maladroites. Ils fument en silence dans ce lieu austère.

Voilà, maintenant c'est terminé. Maintenant il n'est personne. Maintenant il n'a rien.

D'abord hésitant, il se dit qu'il doit quand même poser la question. Après tout, ils sont de la même famille.

– Vous allez faire comment ? Vous voulez dormir chez nous ? On a un lit supplémentaire.

Ils ont acheté un canapé-lit chez Ikea l'année dernière. À cause des nuits que Rasmus passait à délirer, brûlant de fièvre. Pour que Benjamin puisse au moins grappiller quelques heures de sommeil.

Effaré, Harald dévisage Benjamin. Son intention n'est pas de paraître consterné, mais il s'exclame :

– Chez vous ?

Puis il s'arrête et change rapidement de ton :

– Non, non. On ne veut pas déranger.

Benjamin est seul. Il n'est personne. Il n'a rien. Sentant le désespoir ramper vers lui, il tente de convaincre le père de Rasmus.

– Mais il est tard.

– Je crois qu'on préfère rentrer à Koppom. C'est mieux.

Harald trébuche presque sur les mots tant il a hâte de faire valoir sa position. Malgré cela, Benjamin parlemente. La perspective de rentrer seul dans l'appartement vide l'effraie.

– Mais ça fait quatre cents kilomètres ! S'il vous plaît…

Il mendie. Il se dénude. Il chuchote.

– Je ne sais pas comment je vais pouvoir rentrer…

Harald regimbe, tourmenté :

– Tu as peut-être un ami qui… ?

Benjamin serre les paupières. Les larmes montent. Elles débordent à nouveau.

– Je ne vais jamais pouvoir rentrer…

Comme frappé de stupeur, Harald le dévisage.

– Mais tu as bien *quelqu'un* qui peut…

Il ne sait pas quoi faire. Il s'approche du jeune homme pâle qui n'a pas pu se raser, le compagnon de vie de son fils. Il hésite, pose une main mal-habile sur son épaule, appuie légèrement dessus. Et il trouve enfin la voix qui console, la voix d'un père à son enfant, celle qui admet que, oui, en effet, c'est épouvantable.

– Que veux-tu, c'est comme ça. Allez, pleure, ça soulage.

Il attire Benjamin contre lui. Il le laisse pleurer, et Benjamin se laisse faire. Au bout de quelques instants, Harald a un mouvement imperceptible, comme pour signifier que, bon, ça suffit peut-être, là. Mais Benjamin se cramponne de plus belle à lui, il ne veut pas le lâcher, il veut que Harald sente combien il a besoin qu'on le serre dans ses bras, que c'est primordial pour lui, une question de vie ou de mort, d'être tenu, porté, étreint, même pour un tout petit moment encore.

Cette fois Harald se tortille, se dégage doucement, mais d'un geste déterminé. Gêné, Benjamin le lâche.

Benjamin n'a aucun droit. Harald n'a aucune obligation.

Mais il se trouve que le père de Benjamin ne répond ni à ses lettres ni à ses coups de fil. Benjamin a essayé, il a appelé quand les médecins leur ont annoncé que ce n'était qu'une question d'heures, mais dès qu'il a ouvert la bouche, on lui a tout bonnement raccroché au nez.

Ses parents, disparus.

Leur porte, verrouillée.

Benjamin s'oblige à arrêter ses larmes, il se mouche.

– Pardon, murmure-t-il, pour montrer qu'il a conscience d'avoir dépassé les limites.

Harald s'éclaircit la voix.

– Mais je t'en prie, voyons…

Enfant, Benjamin avait l'habitude de se détendre dans les bras de son père. Jusqu'à ce que celui-ci soit obligé de se dégager, en douceur. De dire qu'il devait s'en aller, mais que demain Benjamin pourrait l'accompagner au service du champ, toute la journée même, et là ils seraient rien qu'eux deux, ce serait chouette, non ? Puis le père se levait, mais Benjamin essayait de le retenir.

– Attends ! Tu ne peux pas me chanter une petite chanson avant de partir ?

Son papa souriait alors, toujours. Il s'accroupissait devant lui et chantait avec sa belle voix chaude :

– «*J'ai ouvert grand les yeux, pour voir si je voyais mieux. Et j'ai vu, parbleu : je ne peux vivre heureux sans toi !*»

Et, au moment de dire «toi», il touchait en souriant le nez de Benjamin et ajoutait : «Bip !»

Bip ! Qui signifiait «Je t'aime».

Je t'aime.

Harald et Benjamin sont assis dans l'espace fumeurs. Rasmus est mort. Harald écrase sa cigarette et pousse un soupir. De toute évidence, il a quelque chose à annoncer.

– Euh, oui… Puisqu'on ne va pas tarder à partir, il faudrait qu'on parle un peu de l'enterrement.

Benjamin secoue la tête. Il ne comprend pas ce revirement brutal.

– Oui, l'enterrement, commence-t-il en essayant de mettre de l'ordre dans ses pensées. J'avais pensé faire appel à… je veux dire, Rasmus et moi, on en a déjà discuté ensemble, et on…

Il n'arrive pas à construire sa phrase. Il est trop fatigué.

– Mais ça peut attendre, non ?

Ennuyé, Harald fixe le sol, avant de poursuivre malgré tout :

– Peut-être pas, justement. Mais ne t'en fais pas. On s'occupera de tout. Sara et moi, on va s'en charger.

C'est comme une immense migraine. Benjamin ne voit pas où il veut en venir. De quoi vont-ils se charger ?

– Ce ne sera pas la peine. Rasmus et moi, on a à peu près tout mis au point.

Harald soupire. Et interrompt Benjamin. Gentiment, mais avec fermeté. Une fermeté inattendue.

– Non, Benjamin. C'est *nous* qui allons nous occuper de l'enterrement. C'est *nous* que ça regarde. Mais il faut s'en occuper vite. Le plus vite serait le mieux. Surtout qu'on risque de ne plus jamais remettre les pieds à Stockholm…

Après une brève hésitation, il poursuit.

– Donc il va nous falloir parler de l'enterrement tout de suite, j'en ai bien peur.

Mais qu'est-ce qu'il lui raconte ? Ça n'a pas de sens ! Benjamin a l'impression qu'un écho résonne dans la pièce, comme si les murs étaient en tôle, comme s'ils répercutaient sans arrêt la voix de Harald, impossible à saisir. Il se masse les tempes, regarde le père de Rasmus avec ses yeux fatigués et rougis.

– Bon. L'enterrement, j'écoute, lâche-t-il d'une voix agacée, il l'entend lui-même.

– Oui, alors… comment je vais dire ça ? On en a parlé, Sara et moi, et on va annoncer que notre fils est décédé, point. Pas qu'il était de la jaquette.

Benjamin est abasourdi. Il entend mais ne comprend pas les paroles de Harald. Quoi ? Que leur fils est mort mais qu'il n'était pas homo ?

– Et ?

– Le faire-part dans le journal, poursuit Harald, en marchant sur des œufs. Ça aura l'air de quoi si…

– Si ?

– Eh bien, si…

Et soudain Benjamin comprend. La lassitude, foudroyante, le frappe comme s'il se prenait un coup de massue.

– Si j'y figure aussi ?

Harald fixe le sol. Est-ce qu'il a honte, au moins ? Est-ce qu'il a le bon sens d'avoir honte ?

– Oui, chuchote-t-il. Tu ne peux pas y figurer.

La voix de Benjamin se brise. Il puise dans ses dernières forces.

– Je l'aimais ! Il m'aimait ! Le faire-part de décès est à moi !

Harald est indulgent, patient. Il attend, il a tout son temps.

– Je crains que non.

– Putain, ça se passera pas comme ça, nom de Dieu !

Et c'est toujours aussi bizarre quand Benjamin prononce des gros mots, lui qui les a bannis de son langage. Mais là il blasphème. Là il en appelle à Dieu, à Jéhovah, au diable, à Satan, à n'importe qui, pourvu que quelqu'un lui vienne en aide.

– On a déjà tout prévu, Rasmus et moi : comment on veut que ça se déroule, où on sera enterrés, quelle stèle on aura, quelle musique sera jouée. Il n'y aura pas de discours, il y aura du gâteau au chocolat…

Il manque d'air, il n'arrive plus à respirer. Harald l'écoute attentivement. Il n'est pas pressé. Il prononce alors la phrase la plus logique, la plus cruelle :

– Est-ce que Rasmus l'a mentionné par écrit ?

Benjamin se glace. Il voit le gouffre se profiler devant lui.

– Non, admet-il, à bout de souffle. Mais on en a parlé.

– Dans ce cas, je crains que tu n'aies absolument pas ton mot à dire.

Harald change d'appui sur l'autre pied.

– Maintenant tu m'écoutes !

Quoi que Harald s'apprête à lui dire, Benjamin sait qu'il ne veut pas le savoir. Il ne veut pas l'écouter. Il ne veut pas l'entendre.

– Nous nous aimons ! s'écrie-t-il.

– *Nous*, on le sait, Benjamin. *Nous*, on le comprend. Mais les *autres*, tu crois qu'ils vont le comprendre, *eux* ?

Ils avaient dit au revoir à leur fils au tout début de l'automne, à la mi-septembre, si Harald s'en souvient bien. Ils l'avaient accompagné à la gare. Le train était déjà là. Rasmus partait à Stockholm faire ses études, il habiterait chez sa tante. L'idée ne plaisait guère à Harald, mais il n'avait pas son mot à dire. Il savait en lui faisant ses adieux que d'une certaine manière ils venaient de le perdre. Alors, maintenant, sept ans plus tard, dans l'espace fumeurs de l'hôpital Söder, il reprend son fils. Rasmus va rentrer chez lui. Il va redevenir leur fils.

Les arguments de Harald sont clairs comme de l'eau de roche. Même un enfant de cinq ans serait capable de les entendre.

– Koppom est un petit village, toute la famille sera présente. Tous les gens seraient au courant. Ce ne serait pas un enterrement digne, ce n'est pas difficile à comprendre. Ce serait... *la fête à la jaquette*. Et j'imagine que ce n'est pas *ça* que tu veux ?

Harald sait parfaitement que le franc-parler de Rasmus a toujours mis Benjamin mal à l'aise. Sa propension à s'afficher, à s'exhiber. Pendant toutes ces années, Harald a été obligé de garder ses opinions pour lui pour ne pas s'attirer les foudres de son fils. Mais maintenant il peut s'exprimer librement, il peut livrer le fond de sa pensée :

La fête à la jaquette.

L'expression est assez parlante pour montrer à quel point ce serait grotesque. Et il sait qu'il a raison. Néanmoins, la suite se révèle bien plus difficile à annoncer qu'il ne l'avait cru. Non qu'il hésite, pas du tout, il veut seulement que ses paroles sonnent juste. Ils ne sont pas des monstres, Sara et lui.

– Là où je voulais en venir, c'est que... Je veux dire : tout le monde peut assister à l'enterrement, bien sûr, mais... Enfin, ce n'est pas difficile à comprendre !

Cette fois, Benjamin comprend d'emblée. Il est pris. Le piège vient de se refermer sur lui. Il se souvient que le père de Rasmus est un chasseur expérimenté. Il ne manque plus que le coup de fusil qui va l'achever.

– Qu'est-ce que tu essaies de me dire ? chuchote-t-il.

Il a beau entendre les mots, il n'arrive pas à se mettre dans la tête que c'est Harald qui les prononce. Le papa et la maman de Rasmus. Qui sont venus les voir, qui se sont occupés de lui, qui l'ont accueilli au sein de leur famille, qui l'ont serré dans leurs bras, qui lui ont envoyé des cadeaux de Noël et d'anniversaire, qui ont été aux petits soins pour lui, année après année. Le ton a radicalement changé désormais.

Et Benjamin pense : Alors que j'étais aveugle, à présent je vois.

Harald poursuit son raisonnement impitoyable :

– Tu ne fais pas partie de la famille. Les gens se poseraient des questions. C'est qui, celui-là ? Qu'est-ce qu'il fait là ? Tu vois bien que c'est impossible. Ce n'est quand même pas difficile à comprendre.

Depuis le départ, le père de Rasmus n'arrête pas de lui répéter cette phrase : Ce n'est pas difficile à comprendre. Il n'a plus à se donner cette peine. Pour Benjamin, tout est on ne peut plus clair.

– Tu es en train de me dire qu'il ne faut pas que je vienne à l'enterrement de l'homme que j'aime le plus au monde ?

Dit comme ça, sans y mettre les formes, c'est d'une cruauté inutile. Mais sinon, oui, c'est effectivement ce que Harald veut dire.

– Ce serait le plus simple pour tout le monde.

Benjamin le toise.

– Quelle sorte d'homme es-tu ?

Sara sort de la chambre au même instant. Elle tient un sac en plastique contenant des fruits qu'elle a rapportés de Koppom. Voyant Harald et Benjamin derrière la vitre de l'espace fumeurs, elle va les rejoindre.

– Sara ! Tu es d'accord ? l'apostrophe Benjamin d'une voix aiguë, comme quelqu'un qui se débat pour ne pas se noyer.

Sara le regarde. Donc Harald vient enfin d'avoir avec Benjamin la petite discussion qu'ils estimaient tous deux indispensable. Elle baisse les yeux sur le sac.

– Quelqu'un voudrait une orange ? Ou une pomme ? Prends donc un peu de chocolat, Benjamin !

– S'il te plaît, termine Harald. Pour Rasmus !

Benjamin rugit. Comme ça ne lui est jamais arrivé. À l'autre bout du couloir, un aide-soignant pointe la tête par une porte pour vérifier si tout va bien.

– Tu es d'accord avec ça, j'ai dit ? rugit Benjamin, en exigeant une réponse.

Sara plante dans son regard de petits yeux froids, remplis de douleur et de haine.

– Oui. Ça t'étonne ? On ne va pas non plus ramper devant toi. Rasmus est mort. On ne veut pas de toi à son enterrement.

La discussion est close. Le combat est terminé. Tout est dit. Rien ne peut être retranché.

– Allez, on rentre, Sara, dit Harald.

Sara pousse un soupir.

– Oui, Harald, on rentre.

Elle se ressaisit, adopte le ton banal et aimable de celle qui fait la conversation, en ignorant les débordements hystériques de l'ami de Rasmus.

– Bon ben, dit-elle sèchement. Puisque personne n'en veut, je n'ai plus qu'à rapporter les fruits à la maison. Ce serait dommage de les laisser se perdre.

Harald va chercher leurs manteaux. Il aide sa femme à enfiler le sien. Benjamin enlève le pull tricoté que Sara lui a donné deux heures plus tôt et le lui rend.

– Le pull de Rasmus.

Il a la voix pâteuse. Il n'arrive pas à regarder Sara dans les yeux.

Elle prend le pull sans broncher et le fourre dans le sac en plastique sur les fruits.

– On y va, Harald.

Ils partent.

– Tu veux que je prenne les sacs ? demande-t-il, prévenant.

– Non, rétorque Sara d'une voix dure et fatiguée. Je peux les porter moi-même !

Ils disparaissent par la porte de sortie du service 53. Benjamin les fixe du regard. La porte se referme.

Il ne reverra plus jamais les parents de Rasmus.

Seppo, Lars-Åke et Paul discutent souvent de la question du suicide : si, et auquel cas à quelle phase de la maladie, il vaut mieux se donner la mort.

Bien qu'ils soient chacun à des stades complètement différents – Seppo a un bilan plutôt bon alors que Lars-Åke et Paul enchaînent les séjours à l'hôpital –, ils s'accordent pour dire qu'ils n'ont pas trop à se plaindre, ce qui ne les empêche pas d'appréhender l'étape suivante.

C'est comme ça.

Ce n'est que lorsque vous avez été contaminé que vous vous dites : Maintenant ma vie est terminée. Si néanmoins vous surmontez cette crise et si vous avez la chance d'avoir un bilan biologique pas trop moche, vous allez malgré tout de l'avant et vous vous dites : Je vais en profiter pour m'éclater, mais le jour où il faudra que je commence les médocs, ça demandera trop d'énergie, donc en fin de compte le jeu n'en vaut pas la chandelle. Puis ce jour-là arrive, le jour où les médecins vous annoncent que vos résultats sont moins bons, et là vous vous retrouvez face au vieux dilemme : le moment de vous supprimer est-il venu ou allez-vous attendre encore un peu ? Envers et contre tout, vous redéployez vos positions défensives. Vous décidez : Non, le jour où ils me diagnostiqueront le sida, là je me suiciderai. Puis ce jour-là arrive, et vous vous dites : Le jour où il faudra que je sois hospitalisé, là cette fois le moment sera venu de tirer un trait définitif.

Voilà comment vous vous adaptez : pas à pas.

La définition d'une vie décente évolue. Vos exigences rétrécissent, vous vous accrochez. Un nombre étonnamment important de séropositifs comme vous s'accrochent, en dépit de la souffrance démentielle, des douleurs physiques, des multiples humiliations et déchéances. Car c'est quand même époustouflant de voir qu'il en faut si peu pour que soudain la vie vaille le coup d'être vécue.

Pour beaucoup de pédés, ça tient à une considération aussi «superficielle» que l'apparence physique. Quand vous devenez trop décharné, quand les taches de Kaposi atteignent votre visage – quand vous commencez de facto à *avoir l'air* malade, il ne vous reste plus de raisons de vivre. Quand vous ne pouvez plus dissimuler la maladie, quand vous êtes obligé d'afficher votre honte.

Là.

En même temps vous vous cramponnez, vous comme les nombreux séropositifs dans votre cas. Vous commencez à mesurer la vie à l'aune de distances raisonnables : Si je tiens jusqu'à l'été, si je peux assister à mon anniversaire, OK pour une semaine de plus, OK pour encore une autre. Et, comme lors de n'importe quel siège, vous attendez la libération, vous attendez l'arrivée des renforts, vous espérez l'arrivée des médicaments.

Il circule tant et tant de rumeurs.

En mars 1984, *Dagens Nyheter* prévient qu'une épidémie de sida peut éclater en Suède d'ici à un an. Quant au quotidien *Arbetet*, il claironne avec sarcasme, avec cruauté même, que «*le sida sera la peste noire de notre époque. Le seul salut viendrait d'un vaccin qui n'existe pas.*» Mais, le 24 avril 1984, quelques petites semaines plus tard, *Expressen* titre : L'ÉNIGME DU SIDA RÉSOLUE – UN VACCIN DISPONIBLE DANS DEUX ANS.

Il n'en sera rien – mais l'espoir ! L'espoir !

«On l'a trouvé. C'est un virus. Le HTLV-3.» «Si on réussit à isoler le virus, on doit bien pouvoir en venir à bout.»

Les représentants d'une clinique privée allemande font le déplacement jusqu'à Stockholm pour proposer des conférences destinées aux séropositifs. Qui y assistent tous. À grand renfort de courbes et d'images diffusées par un rétroprojecteur, les Allemands prétendent pouvoir aider les séropos suédois en bidouillant leur sang. Et ils ont tant envie de croire que ça va marcher. Que quelqu'un ou quelque chose pourra soulager, guérir la maladie, anéantir, gommer le virus.

Comment reprocher à une personne sans défense face à une telle souffrance de dresser l'oreille chaque fois qu'une voix promet de venir à sa rescousse ? Les séropositifs s'agrippent aux fétus de paille qu'on leur présente.

Ainsi du Projet Bain révélateur.

En se badigeonnant la peau du liquide révélateur fabriqué par Kodak, une sorte de réaction allergique se produit dans le corps, qui stimule certaines parties des défenses immunitaires.

Après coup, ils en reparleront souvent en se tordant de rire. Tous les pédés sont devenus hystériques et se sont précipités pour acheter du révélateur. Jusqu'au jour où un mec de Posithiva Gruppen, l'association d'aide aux séropositifs, s'est levé pendant une réunion pour se plaindre qu'il ne pouvait plus se montrer dans sa salle de sport parce que le révélateur avait déclenché chez lui une éruption cutanée carabinée.

Plusieurs fois par an, dans son local associatif de la rue Wollmar Yxkullsgatan, le Posithiva Gruppen organise une fête qui se déroule à guichets fermés. Bien que l'endroit en lui-même n'ait rien de très émoustillant, on se presse à ces soirées qui offrent des conditions plus sympas pour trouver quelqu'un avec qui on pourra ensuite tirer son coup.

Ailleurs, personne n'a plus envie de vous toucher une fois que vous avez révélé votre statut sérologique. Voilà pourquoi ces réjouissances sont les bienvenues. Quel soulagement de ne plus avoir à faire semblant.

Ils s'y retrouvent donc tous. Ils, à savoir, comme le dit Paul : «Des séropotes décaties, aigries et pompettes qui passent leur temps à se lamenter : "Pourquoi il n'y a jamais de jeunes !" »

Une répartie qui fait rire Lars-Åke et Seppo, comme toujours quand Paul se lâche.

Les deux maladies opportunistes qu'il a déjà chopées semblent avoir glissé sur lui comme sur les plumes d'un canard. Dès qu'il est un peu requinqué et tient à nouveau sur ses jambes, il redevient la follasse des grands jours, guillerette et charmante, qui tient salon et adore être garce.

Cette fois, il a été hospitalisé à Söder pendant six semaines pour une forte fièvre. Personne ne croyait qu'il s'en sortirait, mais il est là contre toute attente, à pérorer sur les séropotes aigries.

– C'est vrai quoi, dans le genre marrant, on fait mieux, non ? dit-il, les yeux au ciel, en s'allumant une énième clope, avant de donner un coup de coude à Lars-Åke :

– Tu as essayé l'ail ?

– Si j'ai mangé de l'ail, tu veux dire ?

– Non, crétin. De l'ail dans le cul !

– Tu te fous de nous ?!

Lars-Åke est plus que sceptique.

– Mais pas du tout, ma crotte ! Je suis tout ce qu'il y a de sérieux. Il paraît que ça stimule le système immunitaire.

Dubitatif, Seppo l'interrompt et objecte :

– Et toi, tu t'en es déjà mis dans le cul, de l'ail ?

– Le suppo est déjà en place, darling !

Et il n'a même pas l'air ironique en disant ça. Mais juste d'une insouciance totale. Il boit son vin blanc et fume ses Blend jaunes, assis sur son cul osseux bourré de gousses d'ail, comme si c'était la chose la plus évidente au monde.

Le fait est que, parmi les cures censées fonctionner, l'ail a en ce moment le vent en poupe. On se le fourre dans tous les orifices du corps.

– Et comment tu comptes te débrouiller si tu lèves un mec ce soir ? veut savoir Lars-Åke.

– Oh, je procéderai à de petits préliminaires pour exciter le prince charmant, j'expulserai les gousses d'ail de mon cul les unes après les autres, comme des projectiles !

Au même moment, un mec avec une chemise en flanelle et un gilet de cuir s'approche d'eux et demande à Paul s'il peut s'asseoir à côté de lui. Paul, Lars-Åke et Seppo se regardent et explosent de rire.

C'est important. Rire ensemble permet de survivre.

Paul ajoute :

– Parce que tu vois, la maladie, elle a beau me mettre à genoux, moi, ma vie, je l'ai passée à genoux. Et de mon plein gré en plus. Du coup, elle se retrouve comme une conne, la maladie ! Bien fait pour sa gueule !

À une époque où la maladie est encore toute récente dans l'esprit des gens, le journal *Proletären* estime en 1983 : «*Si la maladie mortelle qu'on appelle le sida n'avait concerné que les homosexuels, on aurait pu laisser courir.*» Situé sur le bord opposé de l'échiquier politique, le quotidien chrétien *Dagen* écrit quatre ans plus tard : «*Si on fait abstraction des personnes contaminées lors d'une transfusion sanguine, d'un rapport sexuel entre époux ou en donnant naissance à un enfant, il y a derrière chaque individu contaminé par le VIH un comportement fautif, coupable.*»

Dans une ville où la plupart des gens continuent à vivre leur vie comme si de rien n'était, sans même savoir ce qui se passe, de jeunes hommes tombent malades, maigrissent, s'étiolent et meurent.

Oui, c'est comme une guerre menée en temps de paix.

Un sentiment de vivre la fin des temps.

Ils sont tous vaincus. Couchés là par terre. Quelqu'un tend un cordeau. Avec un cordeau sont mesurés ceux dont la vie est terminée, ceux dont le moment de mourir est venu. Avec un cordeau sont mesurés ceux qui seront laissés en vie. Ainsi est mesurée la vie de chacun. Personne ne sait de quelle longueur il relève. Ils sont couchés par terre. Et quelqu'un tend le cordeau.

Ceux qui sont contaminés.

Vous qui êtes contaminé, qu'est-ce que vous faites ? Vous dépensez vos économies, vous abandonnez vos études, vous vous débarrassez de votre appartement. À quoi bon commencer une thèse de doctorat qui ne sera jamais achevée ? Pourquoi consacrer les dernières années de votre vie à assimiler des tas de connaissances que la maladie va systématiquement et impitoyablement effacer ? Pourquoi miser sur une carrière qui n'adviendra jamais ? Pourquoi économiser et vous priver alors que vous serez peut-être déjà mort l'hiver prochain ?

Vous voulez avoir le temps ! Le temps de vivre, le temps de voyager, de faire les fous, de faire la fête, d'expérimenter – vous voulez, en l'espace d'une petite année, avoir le temps de vivre suffisamment de choses pour combler une vie entière.

Avant de tomber malade. Avant que commence la longue souffrance.

Car vous savez une chose : vous n'en réchapperez pas.

Et, pour atténuer l'angoisse, vous buvez. Si la maladie ne vous fauche pas, vous pouvez toujours vous soûler à mort. À l'instar de ceux, de plus en plus nombreux, qui ignorent s'ils sont contaminés ou pas. Que faire ? À quoi bon passer par l'épreuve du test alors qu'il n'y a pas de traitement, pas de soulagement, mais au contraire la menace de méthodes musclées et de mesures coercitives ?

Compter sur une société qui a toujours tout fait pour ne pas mériter votre confiance ? Beaucoup ont au contraire l'impression que les chiens sont en train d'être lâchés sur eux, les pédés, les pas-comme-nous, les porteurs de virus, ces obscurs étrangers d'une certaine façon responsables de leur contamination.

Les militants homos sont peut-être inutilement paranoïaques. Ou peut-être pas. Peut-être qu'ils ont toutes les raisons de l'être et de craindre le pire.

Dans son ouvrage *Sexe et religion,* l'universitaire norvégien Dag Øystein Endsjø fait un inventaire macabre du sort réservé aux homosexuels en Europe, du Moyen Âge à nos jours : ils ont été mutilés, assassinés, hommes comme femmes.

Des ajouts ont été apportés au XIIIe siècle à l'ancienne loi des Wisigoths, qui stipulent que les sodomites condamnés seraient d'abord castrés sur la place publique, puis pendus par les pieds jusqu'à ce que mort s'ensuive. À la même époque, en Angleterre, les sodomites sont enterrés vivants. Toujours à la même période, à Orléans, le condamné se voit amputé des testicules à la première condamnation, amputé du pénis à la deuxième, brûlé sur le bûcher à la troisième.

Pendant la Renaissance, les sodomites condamnés à Venise sont soumis à des châtiments variables : certains sont bannis, d'autres vendus comme esclaves, d'autres encore enchaînés à vie dans des geôles ou mis en cage jusqu'à leur mort – ils sont fouettés, mutilés, décapités, brûlés. Dans une autre ville d'Italie du Nord, Trévise, des hommes et des femmes condamnés pour des relations avec des partenaires du même sexe sont cloués au pilori par les organes génitaux. Ils y restent une journée entière avant d'être brûlés. Dans des villes espagnoles telles que Madrid ou Almería, les hommes condamnés pour homosexualité sont pendus par les pieds, avec autour du cou leurs organes génitaux tranchés.

Les homosexuels, cela n'a rien d'étonnant, font partie des groupes persécutés par les nazis. Ils se situent tellement bas dans la hiérarchie des camps de concentration que certains hommes pourvus du triangle rose sont parfois prêts à tuer pour se procurer une étoile jaune. Les exactions dont ils sont victimes sont même considérées, à la fin de la guerre, comme légitimes par les alliés. Le fait est que ceux-ci ne relâchent pas la totalité des déportés homosexuels après la libération des camps et la capitulation des nazis : nombre d'entre eux sont tout bonnement renvoyés dans d'autres prisons.

Dans les années 1980, des voix s'élèvent en faveur de l'adoption de mesures coercitives et de méthodes radicales, qui passent notamment par l'isolement et l'internement forcés des séropositifs. Et ce, à quelques décennies seulement de la dernière période de l'histoire récente où les homosexuels étaient internés en Europe. Ayant cela en tête, il est plus facile de comprendre la crainte des pédés face aux dispositions que la société pourrait potentiellement prendre à leur encontre.

Ces doléances s'expriment en même temps qu'est votée la loi dite Section 28 en 1988 dans la Grande-Bretagne de Margaret Thatcher, un amendement qui interdit la diffusion de documents contenant des informations sur l'homosexualité. Toute opinion positive sur les homosexuels devient un délit – partant de ce principe, tant les pièces de Shakespeare qu'une quantité d'ouvrages classiques peuvent être catalogués comme des œuvres criminelles.

Le 1er novembre 1985, en Suède, le sida est classé parmi les maladies vénériennes. Il relève désormais de la Loi sur la protection contre les maladies contagieuses. Pour beaucoup, c'est un jour funeste.

Ceux qui préconisent l'instauration d'une telle législation – les journaux *Dagens Nyheter* et *Expressen* en tête – prétendent que la société ne peut combattre les maladies autrement : il faut traquer les malades qui seront ensuite traités ou placés en isolement obligatoire, jusqu'à ce qu'ils ne soient plus contagieux. Tout ce qu'il suffit de faire, c'est de localiser les porteurs de virus.

Ceux qui s'opposent à la loi soutiennent que la menace dirigée contre l'anonymat, le spectre d'un isolement à vie, vont pousser les personnes exposées au sida à se terrer. Les homosexuels n'oseront pas venir se faire soigner, ce qui facilitera une propagation encore plus rapide du virus.

La RFSL commence par conséquent à recommander aux gays de ne pas se faire dépister, de vivre comme s'ils étaient déjà contaminés : «*Pars du principe que tu es séropositif.*» La situation se poursuit quelques années sur ce mode : les pédés supposent qu'ils sont contaminés, puisqu'ils ne veulent ou n'osent pas se faire dépister.

La RFSL publie une brochure sur le sexe sans risque. *Le sexe, c'est bon !* claironne le titre, tentant de faire croire que se frotter l'un contre l'autre et se masturber ensemble est non seulement désirable mais excitant.

Paul en pleure presque quand il lit la brochure.

– *Se frotter l'un contre l'autre*, tu parles d'un plaisir ! Nan mais j'hallucine, ils nous prennent pour des collégiennes avec leur frotti-frotta ?

– Et je te dis pas : capote obligatoire, même pour une pipe, soupire Seppo. Sans oublier le film plastique sur le trou du cul avant de mettre la langue.

– En un mot, je suis outré, murmure Paul avec une petite grimace. Non mais tu me vois en train léchouiller un bout de plastique ? J'ai beaucoup de fétiches, d'accord, mais pas celui du caoutchouc.

Le sexe sans risque est-il entièrement sans risque ? Ne devrait-on pas hiérarchiser les risques ? Toutes les pratiques ne comportent quand même pas le même danger ? Quels risques peut-on se permettre de prendre ?

Parmi les homosexuels, des conflits éclatent entre les différents camps. Quelle est la position la plus juste en matière de prévention ? Fournir des recommandations tellement draconiennes qu'au bout du compte personne ne pourra ni n'aura le courage de les suivre, ou plutôt relativiser les risques ? Tout le monde s'accorde pour affirmer qu'il faut utiliser le préservatif lors de la pénétration anale. Mais quid du sexe oral ? Finalement, on s'entend pour donner le conseil suivant : OK pour sucer une bite, mais pas de foutre dans la bouche. Mais voilà que les plus pointilleux soutiennent que le virus peut être présent aussi dans le liquide séminal et que, donc, le préservatif doit être également enfilé lors des rapports oraux. Soit dit en passant, comme la capote peut éclater, mieux vaudrait s'abstenir de toute sexualité, qu'elle soit orale, vaginale ou anale.

D'autres encore prétendent que la transmission du VIH lors d'une simple fellation est indémontrable. Certains rétorquent qu'il existerait des cas isolés. Mais tant d'histoires circulent que bientôt on ne sait plus ce qui relève du fantasme ou de la vérité.

En 1986, le magazine *Ottar* donne du sexe absolument sans risque la définition suivante : «*Les câlins, les caresses, les baisers sur la peau et sur la bouche, les massages, les caresses du pénis, du clitoris et du vagin. Bref, toutes les pratiques possibles et imaginables, pourvu qu'elles excluent l'échange de fluides corporels.*» Et tant pis si l'expression «*toutes les pratiques possibles et imaginables*» relève du mensonge : ces fameuses «*pratiques possibles et imaginables*» n'existent pas.

Bien qu'aucun cas de contamination par la salive n'ait été documenté, les baisers profonds sont rangés dans la catégorie SEXE AVEC LÉGER RISQUE, de même que les rapports avec préservatif et les fellations sans éjaculation dans la bouche. On a retrouvé du virus dans la salive, ainsi que dans les larmes, alors comment sait-on que les pleurs ne sont pas contagieux ?

Et d'abord, que reste-t-il de la révolution, de la libération sexuelle, si tout ce qu'on a le droit de faire c'est de caresser, de se masser et de se faire des baisers pudiques sur la bouche ?

Le sexe n'est pas merveilleux pour deux sous. Il n'est que source d'angoisse et d'effroi.

Cependant, contre les pédés ne se dressent pas seulement les réacs, les monsieur Je-sais-tout et les donneurs de leçons, les partisans des méthodes à la schlague et les blindés du cœur. Parmi les dépositaires de l'autorité et les représentants de l'intérêt général, certains comprennent qu'il faut sans doute essayer d'atteindre le groupe des homosexuels par des moyens autres que la contrainte et la menace de représailles. Il doit être possible de trouver une manière d'entamer un vrai dialogue avec ces homosexuels, il va absolument falloir gagner leur confiance. Ce qui ne va pas du tout de soi. Car jusque-là, on ne s'est jamais soucié de mériter la confiance des déviants.

C'est pourquoi le scepticisme et la méfiance sont réciproques lors des premières rencontres entre les politiques et les représentants des homosexuels, c'est-à-dire les militants de la RFSL – ceux-là mêmes qui, à peine quelques mois plus tôt, ont été snobés et remerciés alors qu'ils tentaient d'alerter la société sur cette nouvelle maladie en embuscade.

Mais parce que la RFSL est bien organisée, à la suédoise, avec un bureau central et des sections locales disséminées dans tout le pays, l'association dispose ainsi d'un réseau susceptible de fonctionner comme un canal de communication pour transmettre aux homosexuels l'information et la prévention nécessaires. Il devient désormais vital, au sens propre du terme, de maintenir ce canal ouvert.

Cela ne se fait pas sans friction.

Linda Morfeldt, médecin spécialiste des maladies infectieuses à l'hôpital de Roslagstull, accuse la RFSL : «*Je connais des homosexuels potentiellement atteints du sida qui fréquentent les saunas. Que faites-vous pour supprimer ces pièges mortels ?*» Sten Pettersson, de la RFSL, lui répond : «*Nous avons eu connaissance du sida bien avant les autorités et nous avons commencé à diffuser des informations à nos membres dès le début de l'année – sans subvention de l'État, avec la seule force de nos volontaires. La Direction nationale de la Santé et des Affaires sociales s'est extrêmement peu engagée pour empêcher la propagation du sida. Nous avons mis nos connaissances à leur disposition, mais les autorités nous ont communiqué une fin de non-recevoir.*» Et ainsi de suite.

Souvent, le corps médical ne fait pas son travail. C'est l'un des problèmes principaux au cours des premières années. Déjà que les homosexuels ont toujours témoigné aux médecins une confiance toute relative, dorénavant, ils ne risquent plus seulement de leur part la négligence, le rejet, la traditionnelle réprobation et le mépris, dans de nombreux cas, ils reçoivent des soins moins bons que ceux qu'ils sont en droit d'attendre – voire, parfois, ils ne sont pas soignés du tout. Il arrive même qu'on leur refuse l'accès aux soins sous prétexte qu'ils sont homosexuels, quand bien même ils ne sont pas contaminés par le virus HTLV-3, ou VIH comme il sera appelé plus tard.

Lorsque, ensuite, la Loi sur la protection contre les maladies contagieuses classe le sida parmi les maladies vénériennes, cela signifie – exactement comme la RFSL l'avait prédit – que de nombreux homosexuels n'osent plus du tout consulter un médecin. Car, à part l'éventualité de se retrouver entre les mains de personnes dont ils ne connaissent pas les dispositions à leur égard, de personnes qui les détestent peut-être depuis le début, qui les haïssent, il n'y a pas d'aide disponible, pas de médicaments, rien qui puisse les guérir et leur rendre la santé.

En revanche, ils risquent la prise en charge forcée et le fichage si leur test de dépistage se révèle positif. Puisque la législation prévoit d'abord que tous les partenaires se fassent à leur tour dépister. Elle prévoit aussi l'obligation de se présenter à chaque consultation que le médecin exige et de suivre des lignes de conduite sexuelle strictes, c'est-à-dire, à chaque relation sexuelle, d'informer son partenaire de son statut sérologique et de mettre un préservatif. Si le séropositif ne suit pas ces règles, ou s'il est soupçonné de ne pas le faire, le médecin traitant peut le convoquer pour un petit entretien et avertir l'infectiologue de la Veille sanitaire. Si, après plusieurs mises en garde, le séropositif n'obtempère toujours pas, ses coordonnées complètes sont communiquées à l'infectiologue qui peut demander son isolement de force. Il n'est pas possible de faire appel de sa décision.

Quoi d'étonnant, alors, si les homosexuels commencent à *éviter* de se faire dépister, puisqu'un résultat positif mène à un fichage, à une menace d'internement, et qu'il n'existe pas de traitement ? Ou, comme le dit Seppo un jour, hors de lui, tandis qu'ils en discutent : « Si le résultat est positif, un enfer vous attend, avec fichage, furetage intensif dans votre vie privée et des soins quasi inexistants. » Seppo ne se fait pas dépister.

Il a vu de près à quel point les médecins et le personnel hospitalier ont été ignobles envers son Lars-Åke adoré : ils ne se sont pratiquement pas donné la peine de dissimuler leur mépris et leur dégoût ; de temps en temps, peut-être pour s'amuser, ils lui ont carrément donné un traitement inadapté ou ont omis de lui fournir l'aide à laquelle il avait droit.

Ou, comme au début des années 1980, lorsque Seppo a consulté pour des condylomes dans l'anus, le médecin de l'hôpital Söder l'a regardé froidement dans les yeux en lui disant :

– Encore un homosexuel ? Non mais je rêve ! Tu ferais mieux de virer ta cuti dans l'autre sens !

On l'a hospitalisé, opéré, les excroissances ont été ôtées à l'aide d'un simple bistouri, son rectum n'était plus qu'une plaie sanguinolente, tous les nerfs avaient été tailladés. Pendant les deux semaines suivant l'opération, à chaque visite aux toilettes, il hurlait de douleur, il avait l'impression qu'on lui enfonçait des aiguilles dans le cul. Des années plus tard, quand il a fallu refaire l'opération, il est allé voir un ami médecin homosexuel qui lui a dit qu'on aurait dû, à l'époque, lui donner des antalgiques puissants. Chaque fois qu'il avait besoin d'aller aux toilettes, il aurait dû se masser le rectum avec une crème anesthésiante. Et ainsi de suite. Donc, il n'aurait pas dû souffrir le martyre comme il l'a fait.

La douleur, la souffrance, étaient un châtiment que le médecin hétérosexuel de l'hôpital Söder lui a sciemment infligé, en refusant de lui prescrire les antalgiques apaisants auxquels il avait pourtant droit. Ce même médecin qui, à la visite de contrôle, l'a fusillé du regard en le menaçant presque :

– Toi, je ne veux plus jamais te revoir ici. C'est compris ?

Mais les choses vont aussi s'améliorer.

La société qui, en 1987, essaie de venir à bout de la propagation du virus parmi les homosexuels en promulguant une loi qui ordonne la fermeture définitive de tous les saunas et back-rooms du pays, «compense» la même année en validant la loi sur le partenariat enregistré, qui reconnaît le concubinage homosexuel et accorde aux couples gays à peu près les mêmes droits que ceux dont bénéficient déjà les hétéros. L'enjeu est de tenter, par différents moyens, de réorienter l'homosexualité mâle, dans une direction souhaitable – si elle doit absolument exister, autant qu'elle soit monogame et bâtie sur une relation de couple.

Dans la Klara pornorra, la vieille rue du sexe, le lieu de drague des pédés surnommé le Bonheur est déserté, les sex-shops et les cinémas porno ferment les uns après les autres. Le quartier est assaini, réhabilité. Déperversifié. Dans les anciens locaux des sex-shops s'installent des boutiques de jeans, des salons de coiffure, des restaurants ouverts seulement la journée. On récure, on ripoline et, une fois qu'on a éliminé le péché, disparaissent aussi les hommes anonymes qui y trouvaient d'autres hommes pour tirer un coup.

Le pédé qui a une sexualité basée sur le multipartenariat constitue désormais la grande menace et doit à ce titre être éradiqué. Les autres pédés, ceux qui sont prêts à s'adapter, seront dorénavant intégrés à l'État providence et à la «famille suédoise». Plusieurs facteurs ont, bien entendu, contribué à ce changement d'attitude si rapide et en apparence si soudain vis-à-vis des homosexuels au cours des années 1980 et 1990. Mais l'une des raisons en est probablement la crise du sida – et c'est là toute l'ironie de l'histoire.

Harvey Milk, cet homme politique américain ouvertement homosexuel, a compris dans les années 1970 que pour gagner la liberté et l'égalité, l'homosexuel devait cesser d'être cet «obscur étranger» menaçant. C'est pourquoi l'idée de «sortir du placard» devient si importante pour lui : si l'on peut démontrer que l'homosexuel existe partout, qu'il ou elle est votre mère, votre sœur, votre professeur, votre éboueur, votre barmaid, le joueur dans votre équipe de foot, le pompier et l'artiste que vous admirez, l'homme ou la femme pour lesquels vous votez, votre camarade de classe et peut-être carrément votre meilleur ami, il ne sera plus possible de discriminer les homosexuels de la même manière que jusqu'alors.

Une évolution similaire se produit dans la société suédoise. Pour atteindre les pédés, il faut apprendre à les connaître, et une fois qu'on a appris à les connaître, il n'est plus du tout aussi facile de les rejeter.

Quand le styliste Sighsten Herrgård en 1987 et l'éditeur Ebbe Carlsson en 1991 annoncent publiquement qu'ils sont en train de mourir du sida, ils sont adulés et inondés par une vague de sympathie et d'amour. Et, lors du décès d'Ebbe Carlsson, ses dernières heures sont décrites comme héroïques par les mêmes journaux qui quelques années plus tôt seulement s'étaient emportés contre lui pour son ingérence notoire dans la traque du meurtrier d'Olof Palme. Le destin de Sighsten Herrgård a fait une telle impression sur la partie hétérosexuelle de la population qu'il est encore aujourd'hui la première personne à venir à l'esprit des Suédois quand on mentionne le sida.

– Ah oui, c'est vrai, Sighsten Herrgård ! disent-ils.

Puis ils ne disent rien de plus, car ils ne savent rien de plus.

Lorsque la RFSL, à plusieurs reprises au cours de l'année 1983, sollicite les autorités pour sonner l'alarme au sujet de la mystérieuse nouvelle maladie, elle essuie un refus. La Direction nationale de la Santé et des Affaires sociales soutient qu'il s'agit d'un phénomène américain qui ne touchera pas la Suède. Les représentants de l'Association des conseils de comté déclinent même tout dialogue et toute rencontre avec les délégués de la RFSL.

Quand la société réagit enfin quelques années plus tard, elle se prend une volée de bois vert par la RFSL : non seulement le gouvernement met l'accent sur les seuls hétérosexuels, mais il soudoie les homosexuels avec une Loi sur le partenariat enregistré pour mieux les menacer avec une Loi sur la protection contre les maladies contagieuses. Car la vaste campagne de prévention tant attendue s'adresse à la portion de la population que les autorités jugent la plus estimable. De grands panneaux publicitaires trompettent en effet que le sida TE concerne – ce TOI interpellé dans la campagne est indubitablement un hétérosexuel. De la même manière, pour la conférence internationale sur le sida qui se tient à Stockholm en 1988, on choisit comme symbole un logo représentant un homme, une femme et un enfant qui se tiennent par la main.

Mais on débourse aussi de l'argent pour toucher les pédés. Les magazines *Reporter* et *Kom Ut*, ce dernier destiné aux membres de la RFSL, sont les seules publications à s'adresser à un lectorat homosexuel. Ils se financent globalement grâce aux recettes générées par les messages de prévention payants que les autorités politiques et sanitaires font paraître dans leurs pages. Et cette RFSL, devant laquelle on s'est jusque-là tant pincé le nez, on lui alloue de plus en plus de ressources.

En février 1988, la Maison de la RFSL est inaugurée dans l'avenue Sveavägen. Après avoir occupé un petit local commercial de quelques misérables mètres carrés dans la rue Timmermansgatan, elle dispose désormais d'un immeuble situé au centre-ville comportant une grande boîte de nuit, un restaurant, une librairie et un étage entier dédié au secrétariat et à l'administration. Ici, les pédés et les gouines vont pouvoir danser et se fréquenter sous des formes contrôlées, surveillées. L'endroit sera cordialement détesté par de nombreux pédés. Le sida est une tragédie, mais il transforme les militants gays de la RFSL en fonctionnaires salariés ; les nouveaux locaux dépourvus de charme sont rapidement rebaptisés «La Préfecture».

Le pédé est à présent toléré, accepté, il touche des allocations, il peut même gagner une petite place dans le cœur de la population.

À condition qu'il arrête de faire sa folle.

Comment raisonner ?

Le virus VIH n'implique pas en soi le sida. Seulement le risque du sida.

Peut-être, éventuellement, probablement, la maladie ne va pas se déclarer.

Peut-être, éventuellement, probablement, vraisemblablement, elle va le faire.

Parmi les séropositifs qui tombent malades, très peu survivent au-delà de deux ans.

Il n'existe qu'un traitement capable d'agir sur le virus. Il s'appelle le Retrovir et la substance active l'AZT. On commence à le prescrire de façon systématique aux personnes entrées en stade sida, mais seulement à partir du moment où elles tombent malades, pas quand elles sont encore relativement dépourvues de symptômes. Au lieu d'aider des séropositifs à continuer à vivre «en bonne santé», on a recours à l'AZT pour maintenir un souffle de vie en ceux qui sont déjà malades.

Certains séropositifs se débattent avec l'énergie du désespoir pour avoir accès au médicament. Grâce à lui, ils espèrent tenir en échec le développement de la maladie, jusqu'à ce qu'un vrai remède soit disponible. D'autres ne veulent pas entendre parler de médicaments puisqu'ils sont encore en bonne santé, et ils savent que les effets secondaires sont souvent terribles.

Et, au début de la séropositivité, parmi la totalité des symptômes plus ou moins flous susceptibles de se manifester, comment distinguer les maladies qui sont une conséquence directe du virus ?

– Je m'inquiète un peu. J'ai les ganglions enflés.

– Non, c'est sûrement un simple rhume.

Lorsque Benjamin commence le traitement au début des années 1990, après une baisse de ses lymphocytes T4, il est obligé de s'arrêter de travailler pour la première fois de sa vie. Il reste en congé maladie pendant trois mois, tant son corps réagit de façon violente : urticaire, nausées. Les effets secondaires sont tellement monstrueux que de nombreux patients préfèrent interrompre le traitement. Mais Benjamin a de la chance : il reçoit les médicaments au bon moment.

Le problème, c'est que personne n'a la liberté de choisir. Ni les personnes atteintes, ni les médecins qui les soignent. La ministre des Affaires sociales, Gertrud Sigurdsen, ne donne pas son aval pour généraliser le traitement par AZT à l'ensemble des séropositifs. Au lieu de quoi, elle met sur pied un comité d'éthique chargé de vérifier si et, le cas échéant, à quelles conditions le médicament sera prescrit. Pendant qu'on mène ces pourparlers, des gens meurent, sans doute tout à fait inutilement.

Plus tard, Benjamin y pensera souvent : si seulement Rasmus avait eu la force de tenir encore un an, ou ne serait-ce que quelques mois de plus, peut-être serait-il encore en vie aujourd'hui.

Si seulement les autres avaient tenu.

Si seulement la maladie avait tardé à venir, comme un hiver sait qu'il peut repousser son arrivée. Si seulement le virus n'avait pas été aussi agressif, si seulement il n'avait pas été aussi affamé et vorace. Alors, peut-être qu'ils auraient tous survécu. Ils auraient continué à réveillonner ensemble à Noël et à se retrouver pour toutes les autres fêtes, ils auraient bronzé à Långholmen et à Frescati en été, ils auraient vieilli ensemble, ils auraient connu le partenariat enregistré, les Gay Pride, le mariage homosexuel et l'adoption.

Rasmus et lui seraient sûrement mariés aujourd'hui.

Tout comme Seppo et Lars-Åke.

Lars-Åke, avec sa chemise de maçon, sa coupe au bol et sa vilaine moustache, qui voulait devenir artiste-peintre – il avait étudié à Konstfack, l'académie suédoise des métiers d'art –, qui faisait de la peinture à l'huile et à l'aquarelle, de la poterie, qui travaillait comme auxiliaire de vie chez les personnes âgées pour payer son loyer, chantait dans une chorale, militait au sein des Homosexuels révolutionnaires. Et puis Seppo, toujours en chemise et en gilet de cuir, le plus carré de la bande, leur papa à tous, qui faisait partie de ces militants ayant dans les années 1970 radicalisé la RFSL, qui avait participé aux toutes premières manifestations de Libération homosexuelle, pris part à l'occupation de l'immeuble de la Direction nationale de la Santé et des Affaires sociales, une action ayant permis d'éliminer enfin la détestable étiquette «maladie mentale» collée à l'homosexualité.

Tous les deux, ils étaient inséparables : Seppo et Lars-Åke, Lars-Åke et Seppo, toujours ensemble, toujours actifs.

Ils partaient chaque été aux camps gays organisés d'abord au Danemark puis en Suède. Si la librairie La Chambre rose proposait une soirée littéraire avec Inger Edelfeldt ou Kerstin Thorvall, ils y allaient. Si Jan Hammarlund chantait des chansons françaises dans un café anarchiste quelque part, on pouvait être sûr de les trouver, solidaires, parmi le public. Idem si le ciné-club Filmklubben projetait un film de Rosa von Praunheim *Un virus sans morale* ou *Ce n'est pas l'homosexuel qui est pervers mais la société dans laquelle il vit.* Ou si le jeune Rikard Wolff chantait *Crime Passionnel* dans les locaux du théâtre Galeasen à Skeppsholmen. Ils y étaient. Toujours intéressés, toujours joyeux.

L'été 1988 est le dernier que Benjamin et Rasmus passent ensemble. Rasmus porte encore relativement peu les marques de la maladie.

Ils sont partis en voyage presque tout l'été. D'abord à Mykonos pendant deux semaines, avant de descendre en Scanie pour aller voir des copains. Comme ils n'ont pas vu Paul, Seppo et Lars-Åke depuis longtemps, ils ont un véritable choc en tombant par hasard sur eux aux halles, près de la station de métro Fridhemsplan.

C'est Rasmus qui le premier aperçoit Seppo et Lars-Åke. Impossible de se tromper, c'est bien eux. Pourtant, il hésite. Certes, il ne voit que le dos de Lars-Åke, mais son ami a tellement changé. Il se dit que ça ne peut pas être lui ; et pourtant, si, c'est lui, forcément. Il les appelle. Quand ils se retournent, tant Benjamin que lui sursautent.

Lars-Åke est un squelette, et sa tête est un crâne.

Il s'illumine et sourit en les voyant, et son sourire est une grimace.

Il vient les rejoindre en s'appuyant péniblement sur deux cannes. Maigre, il l'était certes déjà, mais en l'espace de quelques semaines il a perdu tellement de poids qu'on a du mal à concevoir qu'il ne soit pas hospitalisé.

Rasmus et Benjamin font semblant de ne rien avoir remarqué.

Rasmus dit «Salut mon vieux !» et l'embrasse sur la joue, comme si tout était normal, comme si rien n'avait changé, comme s'ils ne voyaient pas qu'il ne reste pratiquement rien de leur ami ; et Benjamin dit «Alors ça gaze ? Comment tu vas ?» ; puis cet ami réduit à l'état de squelette appuyé sur des cannes, pourtant toujours aussi joyeux et positif que d'habitude, dit «Bien, merci !» et semble l'instant d'après prendre conscience de ce qu'il vient de répondre, de se souvenir de son état, et ajoute embarrassé «Enfin, comment dire ?».

Voilà, c'est ça : comment dire ?

Quelqu'un peut-il indiquer ce qu'il faut dire lorsqu'on croise après les vacances deux de ses meilleurs amis, qu'on s'est rabougri au point de n'être quasiment plus rien, comme une maison est réduite à néant par une tempête ?

Lars-Åke est manifestement mourant. Benjamin et Rasmus baissent les yeux.

– Vous étiez fourrés où ? demande Seppo d'une voix toujours aussi chaleureuse et intéressée.

– On est partis quinze jours à Mykonos, et après on a été chez des copains, en Scanie, répond Benjamin, d'un ton qui se veut aussi insouciant que celui de Seppo et Lars-Åke. Et vous ?

– Ben, nous, on a surtout été à l'hôpital, précise Seppo. Il a fait une de ces chaleur cet été…

Le quotidien, d'une telle absurdité : on annonce que l'homme qu'on aime a passé son été à l'hôpital et, l'instant après, on se plaint de la chaleur.

– Alors c'est pour ça que vous n'avez pas répondu à mon invitation. Je trouvais ça bizarre ! s'exclame Lars-Åke.

– Quelle invitation ? demande Rasmus.

– Je fais une fête la semaine prochaine. Pour mes trente ans.

Au collège, ils ont droit à : un entretien personnalisé d'orientation professionnelle. Ça fait tout de suite grave et intimidant, presque fatidique. Après avoir été des enfants, ils doivent maintenant réfléchir au sérieux de la vie et faire un choix déterminant pour leur avenir. Aussi ont-ils besoin du précieux soutien que seuls des adultes responsables sont en mesure de leur apporter. Cette aide est donnée par le conseiller d'orientation, tapi dans son petit réduit dépourvu de fenêtres au bout du couloir principal de l'établissement. Un système astucieux de boîtes de rangement en plastique recouvre la totalité d'un des murs, il suffit de les tirer une par une pour découvrir les mille et une professions honnêtes et décentes qu'on aura envie d'exercer plus tard : électricien, instituteur en maternelle, ingénieur civil, mécanicien auto.

Elles ne contiennent aucune brochure pour qui veut devenir artiste-peintre, comédien ou astronaute.

La première chose qu'on apprend dans l'antre du conseiller d'orientation, c'est surtout de ne pas viser trop haut. De ne pas rêver de l'inaccessible, d'opter plutôt pour le raisonnable. L'orientation professionnelle a pour enjeu de faire redescendre les enfants sur terre, de leur apprendre à ne pas avoir la folie des grandeurs. De ne pas trop espérer. De ne pas avoir d'ambitions démesurées. Et de ne pas rêver.

Conséquence : Lars-Åke choisit le métier d'instituteur.

Un choix atteignable, honnête, décent.

Pendant plusieurs années, Lars-Åke raconte donc, de plus en plus malheureux, qu'il va devenir instituteur en école primaire. De toutes celles qui lui tendent les bras, c'est cette brochure très précise qu'il pioche dans une boîte bleue chez le conseiller d'orientation. Il a quand même un instant d'hésitation. Il se doute peut-être qu'il existe d'autres vies possibles, passées sous silence par les brochures. Et pourtant il va postuler à l'École normale dès que son enfance sera terminée.

Une petite flèche blanche clignote dans le coin supérieur droit de l'écran télé quand une émission va commencer sur l'autre chaîne. On a alors une minute pour changer. Lars-Åke sent son cœur cogner dans sa poitrine : «S'il te plaît papa, *Alias Smith & Jones* va commencer ! Il faut qu'on change MAINTENANT !»

Des années plus tard, cette flèche clignotante continue de l'angoisser. D'ailleurs, en repensant à son enfance, Lars-Åke se souvient surtout des émissions de télé. Peut-être parce que lui-même n'existait pas. Son enfance était *dans l'attente de* : Votre vie a été placée en attente, veuillez patienter quelques instants, un conseiller va lui répondre.

Il regarde tout ce qui passe dans le poste. Même *Le Panneau d'affichage*, où de courts films d'information sur la Sécurité sociale conseillent aux citoyens suédois de toujours signaler un changement de revenus : «C'est pour votre bien.» Son père ne dit pas autre chose lorsqu'il lui indique ce qu'il a le droit de faire ou de ne pas faire : «C'est pour ton bien.»

Lars-Åke a grandi à Täby, à quelques dizaines de kilomètres au nord de la capitale, ce qui signifie qu'à partir de treize ans, il faut poireauter tous les jours au moins trois heures dans le bus 601 pour quitter cette cité merdique et rejoindre l'avenue Sveavägen dans le centre de Stockholm, à côté du McDonald's où les cendriers sont en alu. En attendant le foutu bus 601 qui les ramènera dans leur cité merdique, Lars-Åke et ses copains fument des cigarettes et partagent une tarte aux pommes.

Le goût des taffes et de la tarte aux pommes sera un des souvenirs les plus marquants de Lars-Åke, avec les émissions de télé. Et ce goût-là est aussi une attente : l'attente que le bus daigne arriver, l'attente que l'enfance daigne se terminer.

L'attente, encore, quand Lars-Åke et son meilleur ami Richard vont traîner le dimanche au tout nouveau centre commercial, le Täby Centrum. Les portes, ici automatiques, donnent sur le grand magasin Domus au rez-de-chaussée qui est ouvert même le dimanche. Ils enfilent les différents rayons, inspectent les arts ménagers, les disques, les affiches et enfin la hi-fi près de l'escalator menant à l'étage qui, lui, est fermé le dimanche. En réalité, ils n'ont aucune raison de se trouver là. Domus n'est qu'une salle d'attente.

Ainsi, tout n'est qu'attente.

L'enfance de Lars-Åke n'est pas mauvaise. Elle est comme celle de la plupart des enfants.

Elle est les dimanches matin en hiver, quand sa mère arrête l'aspirateur pendant les quelques minutes où Ingemar Stenmark fonce tout schuss sur les pistes des lointaines Alpes enneigées et où Sven Plex Petersson commente la descente pour tous les téléspectateurs suédois. Elle est les champions de tennis de table Stellan Bengtsson et Kjell Johansson dans le téléviseur, et elle est une table de ping-pong dans la cave, à côté de la chaufferie, où flottent des relents de fuel chaud et de gants mouillés en laine mis à sécher sur le radiateur.

Elle est aussi d'autres odeurs : celle, d'alcool, des cartes muettes violettes sur les stencils à l'école, où il faut indiquer le nom des fleuves de l'Union soviétique ; celle, de fraise synthétique, de la gomme que Lars-Åke serre dans sa main pour la renifler ensuite pendant des heures ; celle, écœurante, des patates de la cantine qui donnent envie de dégobiller et n'ont pas du tout le même goût que les pommes de terre à la maison.

L'enfance de Lars-Åke est comme toutes celles de sa génération. Elle est choc pétrolier, elle est course à l'armement. Elle est Roger Moore en James Bond, elle est *La Linea*.

Elle se définit ainsi, son enfance : une multitude de détails qu'il partage avec tous les habitants du pays et qui, réunis, forment la Suède du début des années 1970, calfeutrée, bienveillante. Une couverture rassurante.

À l'aide des cartes muettes, ils mémorisent l'aspect du monde. Ce monde immuable, avec équilibre de la terreur et rideau de fer, poulet sauce à la crème et pommes de terre à la vapeur tous les dimanches, sociaux-démocrates au pouvoir et parties de ping-pong tournantes, Ericsson et annuaire de téléphone, attitude à adopter en cas de déclaration de guerre.

Tout est expliqué. Du plus petit au plus grand. L'atome est déjà découvert, sa masse a été calculée et faite exploser. L'espace est conquis, on a marché sur la Lune. Leur époque tire son nom de l'infiniment petit et de l'infiniment grand : l'ère atomique, l'ère spatiale. C'est l'époque à laquelle ils vivent. Un temps entre deux extrêmes.

La fin des temps, quand tout a été révélé.

Leur manuel de sciences naturelles se termine par une page avec des coupes anatomiques des organes génitaux masculins et féminins, représentés de profil. Il est question de sexualité, la seule qui existe, celle déterminée par les hormones entre un homme et une femme, celle qui se développe pendant la puberté, rien qui ne sorte de l'ordinaire. Limpide, illustrée par un croquis, décrite jusque dans la moindre glande et vésicule.

Lars-Åke traverse l'enfance sans réfléchir outre mesure à quoi que ce soit. Son existence, il la veut, et en même temps il ne la veut pas. Il n'a aucune raison de remettre en question l'ordre des choses, ni aucun outil pour le faire.

Les langues étrangères par exemple : on apprend d'abord l'anglais. Ensuite, au collège, on choisit entre l'allemand et le français. On apprend ces langues-là : l'anglais, l'allemand, le français. Aucune autre langue n'existe dans le monde entier. C'est voulu comme ça. Quelques failles existent peut-être, mais elles sont tellement exceptionnelles, tellement extraordinaires, qu'on ne saurait même pas les interpréter : quelqu'un qui manifesterait l'envie d'apprendre l'italien – voire le chinois.

Pareil pour ce garçon, dans une autre classe de cinquième, qui essaie de se pendre dans les vestiaires avec les lanières de son sac de gym. Il est depuis longtemps le souffre-douleur du collège. C'est comme ça. Tout le monde le sait. Ce n'est pas un secret. Ça aussi ça fait partie de l'aspect du monde. Que Berndt et Christer dans l'autre classe soient martyrisés, ça a toujours eu lieu.

Un jour, les camarades de classe de Berndt l'ont attaché à l'espalier dans le gymnase du collège. Même Lars-Åke l'a vu. Et, en cinquième, Berndt fait donc une tentative de suicide. Il atterrit au service de pédopsychiatrie. Ses parents se présentent au collège pour avoir un entretien avec le principal. Ils sont scrutés quand ils traversent le couloir de l'école. On les déshabille du regard. Lars-Åke aussi. Il n'y a pas de mauvaises intentions.

Tout le monde a confectionné son sac de gym en cours de couture. Celui de Lars-Åke est violet, son nom est brodé dessus. Quand il est rempli de vêtements, il se balance et cogne contre les jambes à chaque pas. Lars-Åke peut donner des coups de pied dedans, comme dans un ballon attaché à une ficelle.

Plus tard, Lars-Åke connaîtra lui aussi le désespoir. Il apprendra que, parfois, nous avons beau regarder dans quelque direction que ce soit, aucune issue ne se profile. Que l'impuissance peut nous pourchasser comme une bête.

Il y a peut-être d'autres failles, plus invisibles encore. Notamment le jour où il voit Björn Skifs chanter à la télé, lorsqu'il le trouve beau, le dit tout net, et que son frère aîné le corrige tout de suite : il ne peut pas dire ça. Un mec ne peut pas savoir si un autre mec est beau. C'est comme ça, point à la ligne. Lars-Åke se tait, déconcerté. Car Björn Skifs porte une chemise déboutonnée en haut qui révèle une lanière de cuir garnie d'une pierre, et c'est plus fort que lui, mais Lars-Åke *trouve* qu'il est beau.

C'est peut-être une sorte de faille.

Ou quand le père de Lars-Åke se retrouve au chômage parce que l'atelier de mécanique où il travaille doit fermer. Ou quand les parents de sa cousine Lena divorcent parce que son père est tombé amoureux d'une autre femme. Ou quand la mère de son copain Richard est soûle en plein après-midi et que Lars-Åke et lui se réfugient dans sa chambre, en fermant la porte à clé pour ne pas la voir. Ou quand Lars-Åke va à la piscine et qu'un homme commence à se branler au moment où ils se retrouvent tous les deux dans le sauna, que Lars-Åke est effrayé au point d'avoir les larmes aux yeux mais qu'il reste, que l'homme continue de se tripoter et que Lars-Åke n'arrive presque plus à respirer.

Et ces épisodes sont peut-être précisément des failles qui suggèrent que le monde n'est pas aussi limpide et explicable, mais qu'il existe quelque chose de plus, autre chose, au-delà. Tout cela mis bout à bout, Lars-Åke comprend peu à peu qu'il attend, que l'enfance, c'est ça : une attente. Simplement, il ne sait pas de quoi.

Dans l'intervalle, il fait de la natation. Deux fois par semaine à la piscine de Tibblebadet. Il se dit que l'exercice physique est une bonne chose. Une nouvelle passion enflammée qui se déclare brusquement à l'adolescence.

Après avoir nagé, une séance de sauna s'impose. Mais il y entre toujours avec une serviette, de crainte d'avoir une érection qu'il ne pourrait pas cacher. Il passe néanmoins d'abord aux toilettes pour se réchauffer la quéquette qui, minuscule, froide et fripée, s'est ratatinée dans l'eau. Il ne peut décemment pas se montrer comme ça au sauna.

Une fois à l'intérieur, ses yeux se posent comme par inadvertance sur les hommes adultes. Malgré lui il observe leur corps en sueur, leur membre lourd. Ces corps, ces membres se faufilent ensuite comme une fièvre dans ses fantasmes nocturnes et évincent ses autres rêves. Il arrive de temps à autre qu'un homme lui retourne son regard, parfois à la dérobée, parfois de manière effrontée, ouvertement, sans vergogne.

Et c'est là qu'il doit avoir sa serviette à portée de main. Quand il sent le désir éhonté de l'autre, assis à seulement un bras de lui. Son excitation irradie jusqu'à lui, Lars-Åke sent sa verge se dresser et durcir. Il ne le comprend pas, ce désir. Il n'en a pas peur, simplement il ne le comprend pas. Les coupes anatomiques de son manuel de sciences naturelles ne l'évoquent pas, ce désir. Aussi Lars-Åke évolue-t-il en eaux troubles.

À peu près à la même période où, dans la boîte bleue en plastique chez le conseiller d'orientation, Lars-Åke pioche la brochure qui lui décrit comment devenir instituteur, il commence à traîner à Stockholm avec ses copains après les cours. Depuis leur entrée au collège, ils bénéficient d'une carte de transport gratuit, et c'est à cette époque que Täby est rebaptisé Trou de merde. Évidemment, ce n'est pas Lars-Åke qui a inventé ce surnom. Mais il comprend ce que les autres sous-entendent.

Ils vont au cinéma et au McDonald's. Ils ont un faible pour les films d'action avec des courses-poursuites en voiture. Ou pour les films d'horreur, si tant est qu'on leur en autorise l'accès : *Black Christmas*, *Les dents de la mer*, *Les grands fonds*. Ils regardent aussi *Vol au-dessus d'un nid de coucou*. Un jour, ils entrent dans un cinéma porno. Ils voient un film italien. Dans une séquence, une femme s'accouple avec un âne. Lars-Åke et ses copains Richard et Hasse en sont estomaqués. Un vieux se masturbe ouvertement dans le fauteuil à côté de Hasse. Ils font semblant de ne pas le voir. La salle de cinéma pue le renfermé. Le film tourne en boucle. La bistouquette de l'homme est toute rouge, gluante de salive.

Au lycée, Lars-Åke choisit la filière scientifique. Sans que ce soit un choix délibéré. Ses notes le lui permettent, c'est tout. Pendant ces trois années, il sort avec Sofia, l'une des deux filles de sa classe. Pour seules pratiques sexuelles, ils jouent à touche-pipi. Sur une photo prise le jour où ils décrochent leur bac, ils posent devant le lycée, côte à côte, avec une allure pas très naturelle. Lars-Åke a passé un bras autour de l'épaule de Sofia. Ils arborent un sourire figé sous leur casquette de bachelier. Sofia a un œil fermé à cause du soleil.

Lorsque plus tard Lars-Åke regardera cette photo, il pensera qu'on voit très nettement qu'ils se sentent mal à l'aise.

Ils se fiancent le même jour. Lars-Åke a acheté les bagues. Chez Guldfynd. 995 couronnes les deux. C'est lui qui l'a demandée en mariage. Sofia est heureuse. Il a l'impression étrange d'être à l'extérieur de lui-même, de regarder en specta-teur. Le père de Lars-Åke est ému à l'annonce de leurs fiançailles, il prononce un discours pour souhaiter à Sofia la bienvenue dans leur famille.

Lars-Åke se rappelle même ce qu'ils ont mangé au dîner : du poulet préparé dans une cocotte en terre cuite.

Le lendemain matin, Lars-Åke va à la piscine pour nager. Il faut bien rester en forme.

Il a été exempté du service militaire alors que ce n'est pas facile de se faire réformer. Il a inventé qu'il était homosexuel. Il a entendu dire que grâce à ça on peut y échapper. Mais on risque gros : si les militaires découvrent le subterfuge, on est affecté à Boden, une garnison surnommée la Caserne des tantouzes.

Quelques semaines après le bac, Sofia et Lars-Åke emménagent dans un appartement que le père de Sofia a déniché par l'intermédiaire d'un collègue. Un deux pièces dans Storstugan, une immense HLM située près du centre commercial de Täby. L'avantage pour Lars-Åke, c'est qu'il a moins de trajet à faire pour aller à la piscine.

Il est admis à l'École normale sans problème. Il fête ça avec Sofia lors d'un dîner en tête à tête à l'Auberge Godthem. Ils mangent la spécialité de la maison, servie des milliers de fois comme l'indique un grand panneau devant la façade : un steak présenté sur une planche à côté de tomates grillées, dans un pourtour de purée façon pommes duchesse.

Située dans le quartier de Marieberg, sur l'île de Kungsholmen, l'École normale occupe un bâtiment, aux allures de château, le Konradsberg. Comme il abritait autrefois un hôpital psychiatrique, il porte le sobriquet de «Château des fous». De l'autre côté du pont Västerbron s'étend Långholmen, une île verdoyante et charmante, qui se révèle être un lieu de promenade idéal après les cours, que ce soit pour bûcher avant un examen ou simplement profiter un instant du soleil de l'après-midi. Une telle chaleur alors qu'on est en septembre, c'est inespéré ! Lars-Åke découvre qu'on peut bronzer dans le plus simple appareil, sur un petit pré en hauteur. Beaucoup d'autres mecs font pareil.

Un après-midi, alors que Lars-Åke descend du petit pré pour piquer une tête avant de prendre le chemin du métro et de rentrer à la maison, il voit deux mecs se faire une pipe à l'abri d'un grand lilas. D'abord il ne comprend pas ce qu'ils font. Puis il comprend.

Le lendemain, il tombe malade. Il ne va pas en cours pendant plusieurs jours. Il a beaucoup de fièvre, transpire et vomit tour à tour. Il ne sait pas ce qui lui arrive. Il pleure aussi, en s'agrippant à Sofia. Il lui dit qu'il l'aime tant. Ce qui lui arrive ressemble à des douleurs d'enfantement.

Toute sa vie a été organisée autour d'une attente. Une petite flèche blanche vient de se mettre à clignoter dans le coin supérieur droit de son écran télé. Avec obstination. Une autre émission est sur le point de commencer. Très bientôt il n'aura plus besoin d'attendre.

Pourtant, il ne retourne pas à Långholmen cet automne-là. De toute façon l'air s'est rafraîchi, l'eau n'est plus aussi chaude, l'île ne lui paraît plus aussi conviviale et accueillante qu'avant.

Sofia et Lars-Åke font moins souvent l'amour cet hiver-là. Ils sont tellement pris l'un comme l'autre. Sofia étudie le droit, elle est censée ingurgiter deux cents pages par jour si elle ne veut pas être en retard sur le programme. Lars-Åke passe ses journées à Konradsberg et quatre heures quotidiennes dans les transports à cause du trajet aller-retour. Conséquence : la semaine, ils se voient à peine. Le week-end, ils rejoignent souvent les parents de Sofia dans leur grande maison de campagne près de Vaxholm. En plus de partager la salle de bains, ils occupent la chambre contiguë à celle des parents. S'ils veulent faire l'amour, c'est forcément en silence. Lars-Åke trouve donc qu'il vaut mieux patienter, d'autant qu'il a quelques problèmes d'érection s'il se sent oppressé.

Parfois, Sofia se plaint qu'ils mènent une vie plan-plan. Ils ressemblent à un vieux couple marié depuis des lustres. Lars-Åke ne comprend pas du tout ce qu'elle veut dire, eux qui s'entendent si bien.

L'hiver passe, le printemps arrive. Un après-midi après les cours, Lars-Åke se met en tête d'aller à Långholmen admirer les énormes massifs de lilas en pleine floraison qui entourent justement le petit pré où il bronzait nu en septembre dernier. L'idée lui plaît bien. Il achète une boisson et un sandwich et part se promener.

Tandis qu'il franchit le pont Västerbron, son cœur se met soudain violemment à battre, de plus en plus fort, comme un marteau dans sa poitrine. Il est pris d'un vertige et, pour une raison qu'il ignore, d'une angoisse folle. Il a tellement peur qu'il a le hoquet. Il presse le pas, a l'impression de marcher en vent contraire, il doit lutter pour continuer. Il finit par courir à petites foulées, quelque chose en lui se fissure. Il descend en quelques enjambées le petit escalier qui, à l'extrémité du pont, mène à Södermalm et sert de raccourci aux piétons pour rejoindre Långholmen. Sitôt la circulation laissée derrière soi, on a la sensation de se retrouver à la campagne, d'avoir quitté l'agglomération et de mettre le pied sur une petite île de l'archipel de Stockholm, alors qu'on est toujours en plein centre-ville.

Son cœur galope dans sa poitrine.

Les senteurs du lilas en fleur l'accueillent de toutes parts comme de denses bouffées de parfum. Il regarde autour de lui, à croire qu'il guette quelque chose. Qu'est-ce qui le met dans un tel état ? Et que guette-t-il, Lars-Åke, pendant que son cœur cogne à grands coups et qu'il a du mal à contrôler sa respiration ?

Il cherche les mecs de l'année dernière.

Il s'attend à les voir là, dans le même fourré de lilas, il s'attend à les voir faire ce qu'ils faisaient alors. Cette chose indicible et sensationnelle. Cette chose qui l'a fait fantasmer pendant ce long hiver dans la HLM de Täby.

Il dépasse l'ancienne prison et poursuit le long du canal, en direction de la pointe ouest de l'île.

Et le voilà enfin. Le pré. Entouré de lilas en fleur.

Et les voilà. Les mecs.

Ou plus exactement, il n'y en a qu'un. Et il est assez âgé. Ce n'est pas le même.

Lars-Åke s'enfonce dans les buissons. Il n'y a personne. Il est dépité. Il n'y a que le type nu dans le pré. Sur l'herbe. Entouré de lilas en fleur.

Lars-Åke se déshabille, déçu, et s'allonge à distance respectueuse du bonhomme. Il garde son slip. De temps en temps il reluque le vieux, qui ne semble pas remarquer sa présence.

Lars-Åke reste allongé dans l'herbe, il respire lourdement, il récupère comme après une très longue course.

Le printemps 1978 est celui où Lars-Åke connaît l'errance. Il arpente à l'infini les sentiers de Långholmen, dans un sens puis dans l'autre. Il fouille les haies, le creux des rochers, les clairières retirées, il furète sur le monticule.

Il comprend assez vite que les hommes nus ne se trouvent pas uniquement dans le pré, et que ce n'est pas uniquement au cœur des massifs de lilas qu'ils s'adonnent à ce qu'il a vu – ce dont il a fantasmé. Ils le font partout. Et il n'est pas le seul à rôder, à traîner inlassablement sur les sentiers, à guetter, à observer, à chercher. Il y en a d'autres. Des hommes qui, comment dire, qui n'arrivent pas à garder les mains dans leurs poches.

Lars-Åke la sent grandir en lui, la démangeaison. Pourtant il ne se résout pas à y consentir ou à y mettre des mots, même pour lui-même.

Il pense sincèrement que Långholmen offre une si belle expérience de la nature. Imaginez donc : une île de l'archipel en plein centre-ville ! Il se dit que c'est magnifique de pouvoir s'allonger et profiter du soleil une heure ou deux après une longue journée de cours et de contraintes, que c'est bon d'être dehors et de bouger un peu.

Voilà ce qu'il pense, c'est pourquoi il est totalement innocent. Il ne se leurre pas, il ne s'agit pas de ça.

Ce serait plutôt que les sons qu'il entend correspondent à des mots prononcés dans une langue qu'il n'a jamais appris à comprendre et encore moins à parler, dont il ignorait carrément l'existence. Elle n'était pas décrite dans les brochures de la boîte bleue chez le conseiller d'orientation. Elle n'était pas mentionnée dans les légendes des coupes anatomiques des organes génitaux masculins et féminins, sur les dernières pages de son manuel de sciences naturelles. C'est une langue jusque-là invisibilisée qui se dénude peu à peu sous ses yeux. Et non seulement il l'entend chuchotée, mais il la *voit* exister ; elle est de plus en plus nette, de plus en plus stupéfiante, tout autour de lui, dans la ville, elle est gravée comme un sous-texte voilé qu'on apercevrait seulement après l'avoir repéré.

Quoi qu'il en soit, Lars-Åke finit par comprendre que les sentiers se ramifient bien au-delà de Långholmen, ils forment en réalité un réseau qui tisse sa toile au gré des rues. Autant de fils qui eux-mêmes mènent à des parcs : Skinnarviksparken, Stadshusparken, Kronobergsparken, Humlegården ; qui mènent à des espaces verts disséminés autour de la ville : Frescati, Kärsön, Älgö. On peut remonter leur piste en suivant les serviettes et les mouchoirs en papier froissés, les mégots et les préservatifs usagés qui la parsèment.

Il existe aussi des clubs. L'un à Söder, un autre dans la rue David Bagares gata qui propose des spectacles transformistes : des mecs qui se déguisent en femme et chantent en play-back. Lars-Åke a lu chez sa grand-mère, dans le magazine *Vi*, un reportage sur le sujet.

Il existe, a-t-il également appris, un bureau de tabac dans le quartier de Gamla stan : La Boîte à cigares. Derrière un rideau, on trouve des magazines porno rien qu'avec des mecs. On entre, on achète ses cigarettes comme dans n'importe quel tabac, mais si on pose la bonne question, si on piétine dans la boutique avec un air hésitant pour bien faire comprendre ce qu'on cherche au vieil homme derrière son comptoir, dans ces cas-là : il écarte le rideau et divulgue les rayons secrets où est exposée la pornographie gay. Il lit ses clients à livre ouvert, il entend leurs monologues intérieurs, il a le don de deviner s'ils parlent cette langue-là, la langue clandestine et presque invisible dont Lars-Åke apprend en ce moment et non sans peine les premiers mots.

Il écoute la respiration de Lars-Åke, il enregistre sans doute d'un air amusé que le jeune homme rougit, il note le flottement de son regard. Il voit quelque chose que même Lars-Åke ne voit pas, il sait quelque chose que même Lars-Åke ne sait pas.

Lars-Åke, non pas à sa première mais à sa troisième visite, finit par acheter un magazine. *Revolt*. Il est à ce moment-là totalement extérieur à lui-même. Propulsé en eaux très profondes. Dans un sous-marin. Tout est irréel. Ça résonne. Il a envie de vomir. Il transpire anormalement. Il est sur le point de fondre en larmes.

Le rideau les isole du reste du monde. Le buraliste ne dit rien. Brusquement, il tend la main, ses doigts boudinés, et la glisse entre les jambes de Lars-Åke. Puis il lui fait un clin d'œil et serre son sexe. Lars-Åke est comme paralysé. Il pense surtout qu'on pourrait les voir.

– Je voudrais juste payer, chuchote-t-il.

Le vieux retire sa main, range la revue dans un sac en papier marron discret et pousse Lars-Åke vers l'avant du magasin pour encaisser la somme due.

Malgré l'emballage, le magazine gay lui brûle la main quand Lars-Åke regagne le trottoir. Son cœur tambourine comme le jour où il rejoignait Långholmen. Il se fond dans la masse de la rue bondée, il a l'impression que c'est écrit sur sa figure, il se dit que tout le monde voit clair dans son jeu – tout le monde ! Et le plus étrange est peut-être ceci : bien qu'il vienne d'acheter son premier magazine gay, Lars-Åke ne comprend pas la dimension de cet acte qui à ses yeux ne montre de lui rien de plus que sa curiosité, son absence de préjugés. Il n'est question que de ça, se dit-il. Les hommes sont tous égaux, songe-t-il aussi.

Il expérimente tant de choses au cours de ce printemps et de cet été. Dans une telle détresse que sa situation devient de plus en plus intenable.

En rentrant chez lui avec le magazine protégé par l'emballage marron et soigneusement enfoui au fond de son sac à dos, il est tellement excité qu'il a toutes les peines du monde à introduire la clé dans la serrure. Une fois dans l'appartement, il tripote toujours aussi fébrilement son trousseau de clés, sans trouver la bonne pour fermer de l'intérieur. Sa main tremble.

– Sofia ? appelle-t-il.

Pas de réponse. Il pousse un soupir de soulagement. Sa compagne ne devrait pas revenir de la fac avant plusieurs heures. Pourtant il ferme la porte à double tour en prenant soin de laisser la clé dans la serrure. Comment va-t-il expliquer qu'elle soit verrouillée si d'aventure Sofia rentrait à l'improviste ? Ça ne l'empêche cependant pas de s'enfermer dans l'appartement.

On est au milieu du mois de juin. L'année scolaire vient de se terminer, les écoles sont vides. À bientôt huit heures du soir, le soleil brille toujours haut dans le ciel. Lars-Åke ouvre la fenêtre. L'air doux de ce début d'été diffuse dans la chambre à coucher un souffle aux allures de frisson.

Et ce que Lars-Åke s'apprête à faire est complètement nouveau pour lui, au-delà de tout ce qu'il a jamais fait dans sa vie.

Il sort le magazine de son sac. *Revolt – contre les préjugés sexuels. N° 6. Juin 1978.* Sur la première page, la publicité pour un petit guide gay intitulé *Berlin pour toi !* Puis l'interview de Carl-Edvard Sturkell, juriste chargé par l'État d'enquêter sur la situation des homosexuels dans la société. Plus loin, *La Cage d'écureuil*, une nouvelle érotique en quatre parties écrite par un dénommé Micke.

C'est juste de la curiosité, se persuade Lars-Åke. Il veut juste apprendre de quoi elle retourne exactement, cette histoire de pédalerie. Il se dit encore une fois que c'est uniquement une question de regard : le regard qu'on porte sur l'autre, sachant que tous les hommes ont la même valeur, que toutes les amours se valent. Voilà comment il raisonne, Lars-Åke, dans un petit dialogue avec lui-même.

Tout du long avec l'érection la plus dure qu'il ait jamais eue.

Il étudie scrupuleusement le magazine. Il lit chaque ligne. Il regarde chaque photo.

Syphilis et blennorragie. Tom Robinson, le chanteur britannique de *Glad to Be Gay* et Jan Hammarlund, le chanteur suédois. Une publicité pour un lieu appelé Viking Sauna. Un article sur un pédé assassiné dans un restaurant à Oslo. Une nouvelle intitulée *Idylle campagnarde*. Un reportage photo porno intitulé *Mon soleil, ta chaleur*.

Une communauté cuir au Danemark qui organise une fête. Homosexualité et maladie psychique. Des petites annonces avec différentes rubriques : ON TE CHERCHE, TOI, UN AMI ; ON VOUDRAIT BAISER AVEC TOI ; DE LA BAISE HARD AVEC TOI ; APPARTEMENT ; BOULOT ; POSE POUR PHOTO.

Toutes les annonces s'adressent à un «*toi*». Je *te* cherche.

Lars-Åke serre fort le magazine. Il lit chaque petite annonce. Il apprend que, depuis cette année, en date du 1er avril, l'âge de la majorité sexuelle est devenu le même pour les homos et les hétéros : quinze ans. Il ne savait pas qu'il y avait une différence. Les modérés ont voté non à 35 %, indique le journal. Les communistes ont voté oui à 100 %.

L'année prochaine, aux élections parlementaires de 1979, Lars-Åke pourra voter pour la première fois de sa vie. Allongé sur son lit, le magazine sur sa poitrine, il se promet de toujours voter communiste à chaque scrutin, lui qui, ça tombe bien, est aussi contre l'énergie nucléaire. Il ne se démarquera pas trop des autres à l'École normale, qui sont pratiquement tous de gauche.

Dans un autre article de *Revolt*, un étudiant américain bénéficiant d'un programme d'échange parle de la petite association pour militants gays créée à l'université et des obstacles qu'ils ont rencontrés. «Militants gays.» Lars-Åke fait rouler les mots dans sa bouche. Ainsi donc, il existe des homosexuels politiquement actifs. Un peu comme les féministes. En fait, ça n'a rien d'étrange. C'est même assez évident, quand on y réfléchit. «*Lutte homo = lutte féministe*», clame une pancarte sur une photo en noir et blanc prise lors d'une de leurs manifestations.

Suit dans le magazine une grande enquête socio-psychologique sur les hommes homosexuels, à laquelle le lecteur est invité à participer.

Elle porte sur ce qu'on trouve attirant chez un homme. Si on pense que les hommes peuvent eux aussi éprouver l'un pour l'autre de la tendresse sincère. Si on se considère homo ou bi. Si on trouve que la franchise est importante.

Question 119 : «Je peux parfois / souvent…», puis on doit cocher une case : «1. Défendre publiquement les homosexuels. 2. Participer à des manifestations en faveur des homosexuels. 3. M'afficher ouvertement en tant que homo/bi. 4. En faire des tonnes et choquer l'entourage avec mon homosexualité. 5. Rester plutôt discret et ne pas m'annoncer publiquement comme un homosexuel.»

Lars-Åke lit la proposition «En faire des tonnes et choquer l'entourage avec mon homosexualité». Qu'est-ce que ça signifie ? C'est ce qu'on fait si on est trop démonstratif ? De toute évidence, en faire des tonnes n'est pas recommandé. C'est le seul endroit de l'enquête où le rédacteur de ces questions à choix multiple propose une réponse vraiment tendancieuse.

Lorsque Lars-Åke fait la connaissance de Paul quelques mois plus tard, au cours de l'automne, il se souviendra immédiatement de cette formulation et comprendra que Paul est l'un de ceux qui aime «en faire des tonnes» et «choquer l'entourage» avec son homosexualité.

Vient maintenant la lettre d'un jeune lecteur : «*Salut tout le monde à la rédaction de* Revolt. *Je me demande ce qu'il en est des mecs qui ont une boucle d'oreille. Dans mon lycée, il y en a un qui a les oreilles percées. Est-ce que ça veut dire qu'il est homosexuel ? J'ai entendu dire et j'ai vu de mes propres yeux qu'il sort avec une nana. Est-ce qu'on peut être les deux, même si dans le fond on est homosexuel ? Un lycéen qui se pose des questions.*» Le rédacteur du magazine répond que les boucles d'oreilles n'ont rien à voir avec l'homosexualité.

Mais bon, là, il se trompe forcément. Lars-Åke croit savoir qu'un anneau à l'oreille gauche chez un mec – ou une bague à l'auriculaire gauche – est le signe infaillible de son homosexualité. C'est un des codes qu'il a appris ces dernières semaines.

Le magazine contient aussi des photos porno qui montrent deux mecs en train de fricoter sur une moto. Le titre : DU SEXE EN TOUTE AMITIÉ. «*Kenneth et Tomas étaient membres du même club de motards. Berit, la nana de Kenneth, l'avait jusque-là suivi partout, installée derrière lui sur la selle. Jusqu'au jour où elle en a eu marre. Elle voulait une autre vie, plus stable, etc. Mais Kenneth n'arrivait pas à lâcher sa bécane, et il sortait souvent faire des virées avec Tomas. Berit restait toute seule à la maison. Ça faisait plusieurs années qu'ils étaient copains, Kenneth et Tomas. Pourtant, ils ne s'étaient jamais touchés. Ils étaient donc super excités. Mais ils avaient quand même un peu les jetons lorsqu'ils se sont approchés l'un de l'autre, lentement, presque solennellement. Ils ont vite trouvé une nouvelle dimension à leur amitié.*»

Lars-Åke regarde les photos et prend une profonde inspiration.

Les deux mecs se font un 69.

Lars-Åke sent une vague de chaleur se diffuser dans son pubis, puis le sang affluer avec une telle brusquerie et une telle violence qu'il n'a pas le choix. D'un geste fougueux, il ouvre son pantalon pour sortir sa queue avant qu'il ne soit trop tard et éjacule sur son pull qu'il n'a même pas eu le temps d'enlever. Il n'y peut rien, ça jaillit de lui. Comme un geyser. Il en reste pantelant de stupéfaction. Il tremble de tout son corps sur son lit, aussi effrayé qu'excité. Et surtout, il ne comprend pas. Il ne comprend vraiment pas ce qui lui arrive.

Il est soudain tiré de sa paralysie en croyant entendre l'ascenseur. C'est peut-être Sofia qui rentre. Terrorisé, il bondit du lit, fourre le magazine au fond de son sac à dos et se précipite dans la salle de bains pour enlever ses vêtements souillés et se laver. Il vient juste de tourner le robinet de douche quand on tambourine à la porte.

La porte fermée à double tour ! La clé restée dans la serrure ! Sofia qui ne peut pas ouvrir !

Une serviette autour de la taille, il fait entrer sa compagne.

Elle l'interroge du regard, le front barré d'un pli de mécontentement.

– Pourquoi tu as fermé à clé ?

– Je ne sais pas ! articule-t-il à toute vitesse, dans un balbutiement qui ressemble davantage à un sanglot.

Sofia le dévisage.

– Et pourquoi tu es nu ?

– Je ne sais pas ! répète-t-il, d'une voix atone.

Puis il chuchote, il supplie, comme s'il demandait grâce :

– Je voulais juste prendre une douche.

Les petites annonces de rencontre dans *Revolt* sont brèves et ne dépassent souvent pas les trois ou quatre lignes.

Trois ou quatre lignes pour se présenter et dire qui on est. Trois ou quatre lignes comprimées, saturées d'espérances, de désir et d'excitation.

«*Mec dans département T cherche mec jeune pour suce, lèche, branle.*» Et c'est tout. Ensuite, il n'y a qu'à espérer que quelqu'un mordra à l'hameçon et qu'un «*mec jeune*» d'Örebro aura lui aussi envie d'une joyeuse «*suce, lèche, branle*».

Les petites annonces énumèrent tout ce qu'on fera lors d'un rendez-vous. Chacune d'elles ressemble à une étude sur le désir et le languissement. Il n'y a pas assez d'espace pour des descriptions plus détaillées. On dispose d'un nombre de signes déterminé. Au-delà, c'est tout de suite plus cher. Voilà pourquoi les petites annonces sont lapidaires et rédigées en style télégraphique, comme des sonneries de trompette : suce, lèche, branle. Comme si, dans le cas où la rencontre se concrétisait, on tenait à être aussi efficace que possible.

Certaines formulations sont récurrentes. La plus utilisée est «*Adepte d'eau et de savon*». Peut-être que ceux qui cherchent un mec veulent laisser entendre qu'ils ne sont pas des monstres. Ils se considèrent comme homophiles, ils font partie des pervers, mais ils ne sont pas non plus repoussants à ce point.

Une autre phrase qui revient comme un leit-motiv est «*Discrétion assurée et demandée*». Une promesse d'invisibilité, la promesse que personne n'en saura jamais rien. L'assurance que l'homme en question n'est pas de ceux qui en font des tonnes et choquent l'entourage avec leur homosexualité. Ce qu'on va faire ensemble sera effacé dès qu'on l'aura fait, on pourra prétendre que ça n'a jamais eu lieu. Sur l'air de : je te renie, tu me renies, nous nous aimons à ces conditions-là.

Mais c'est aussi une étude sur la paralysie induite par la peur. L'idée que quelqu'un pourrait savoir, que quelqu'un pourrait deviner, que ça risquerait de briser une existence en mille morceaux.

Sauf que, pour Lars-Åke, dès l'instant où il commence à s'orienter sur la carte de ce nouveau territoire, quelque chose en lui prend forme, lentement mais définitivement.

Comment sinon expliquer qu'il écrit sa propre petite annonce pour qu'elle soit publiée dans *Revolt* ? Sous la rubrique ON TE CHERCHE, TOI, UN AMI. Eh oui, Lars-Åke a vingt ans quand il rédige sa propre petite annonce homosexuelle.

Qui est-il en seulement trois ou quatre lignes ? Un «*homme seul voudrait être aimé*». C'est sans doute ce qu'il est. Cinq mots. Vingt-neuf signes espaces compris.

Non, il ne peut quand même pas écrire ça.
Du coup, il biffe, modifie, et peaufine son texte.

Qui est-il ? Un adepte d'eau et de savon ?
Promet-il la discrétion ? Veut-il sucer et lécher
et branler ?

Lorsque finalement son texte est prêt, il n'ose
de toute façon pas l'envoyer.

Mais, grâce à sa petite annonce et à ses mots
minutieusement soupesés, il peut s'observer
lui-même. Comment ose-t-il se définir en tant
qu'homme seul qui voudrait être aimé alors qu'il
n'est ni seul ni pas aimé, alors qu'il est fiancé et
vit avec la femme qu'il va épouser ?

Il a plus que jamais conscience que quelque
chose en lui ne tourne pas rond.

Puis le miracle a lieu.

Lars-Åke se trouve être au centre-ville pour faire de menues courses en ce samedi après-midi d'août quand au même moment déboule le cortège d'un rassemblement. Il se plante au bord du trottoir pour regarder. Et sans doute n'est-ce pas un si grand hasard s'il traîne dans le quartier. Parce qu'il a repéré au cours de l'été une affiche annonçant cette marche, il a fait les cent pas non loin du parc de Kungsträdgården pendant une bonne heure dans l'attente de voir enfin les manifestants se lancer.

Combien sont-ils ? Peut-être mille. Peut-être moins. Pour Lars-Åke, ces gens forment une mer houleuse. Les badauds du samedi s'arrêtent pour les observer. Certains les montrent du doigt et ricanent. D'autres secouent la tête. Quelques-uns détournent le regard.

Une grande banderole clame : NOUS SOMMES CEUX DONT TA MAMAN T'A MIS EN GARDE. Sur une autre, on peut lire HOMOSEXUELS RÉVOLUTIONNAIRES, et sur une troisième : LUTTE HOMO = LUTTE FÉMINISTE. Soudain, ils se mettent à scander des slogans, encouragés par un jeune homme torse nu sous une salopette qui crie dans un mégaphone :

– Regardez-nous sur les boulevards, montrez-vous et sortez du placard !

Lars-Åke commence à les suivre. Sur le trottoir, certes, mais quand même. Il marche à côté d'eux. Jusqu'au parc Humlegården, la destination de la marche, où des orateurs prononceront des discours et où des artistes se produiront.

Lars-Åke s'attarde, à l'écart, à l'affût.

Un homme présenté comme le président de la RFSL de Stockholm prend la parole – et, à moitié dissimulé, Lars-Åke se souviendra à jamais d'une phrase en particulier, elle s'imprimera aussitôt en lui et restera gravée pour toujours. L'homme s'appelle Kjell Rindar et il dit à peu près ceci :

– Tant que des milliers de pédés seront persécutés, harcelés, emprisonnés, assassinés à cause de leur amour, l'homosexualité ne sera pas une question de vie privée.

Son discours terminé, les gens observent une minute de silence en hommage à tous les gays et les lesbiennes emprisonnés et persécutés partout dans le monde ; puis des centaines de ballons roses et violets sont lâchés et montent vers le ciel. Le silence qui s'ensuit est si prégnant qu'il devient physique. Comme si une épaisse couverture s'était déposée sur le tumulte du parc.

Tout à coup, Lars-Åke perçoit d'autres bruits. Le battement d'ailes des pigeons. Le cri des mouettes. La pétarade d'une moto, au loin. Comme si, dans le silence, il prenait soudain conscience de son propre silence. De sa propre situation, à l'écart, en retrait. De lui qui rôde en périphérie. Qui guette, qui attend, qui erre.

Il voit quelques mecs se tenir par la main. D'autres brandir le poing. Deux nanas se sont donné le bras. Et, lorsqu'il voit les ballons monter dans le ciel, il est tellement incapable de se défendre qu'il éclate en sanglots. Il ne sait pas pourquoi. Il pleure, et ça ne le gêne pas. Ses yeux se remplissent de larmes, c'est tout. Elles coulent, il se met en marche.

Il ne réfléchit même plus, il marche. Il se dirige droit vers la foule massée devant la scène et ne s'arrête que lorsqu'il se retrouve au milieu du rassemblement, entouré de manifestants – et, là seulement, il sent un calme étrange s'installer en lui. Il comprend qu'après avoir longtemps erré il est enfin arrivé, il comprend que son attente est enfin terminée.

Plus tard, Paul se moquera de lui en disant qu'il a «trouvé la foi» pendant cette marche qui ponctuait la Semaine de Libération homosexuelle, et dans un certain sens Lars-Åke lui donnera raison.

L'après-midi même, il prend sa carte de membre à la RFSL et participe à la grande fête de clôture organisée dans la soirée.

De même qu'une saison change parfois en une seule nuit, Lars-Åke fait sa mue en un seul mouvement. Il se débarrasse de son ancienne peau et se retrouve comme neuf.

Tard dans la matinée, il est réveillé par le soleil qui pénètre par les carreaux sales d'une fenêtre. Ses vêtements en vrac forment un petit tas sur un lino gris. Il a les lèvres en feu à force d'avoir embrassé la barbe naissante de l'autre homme. Sur les draps, des taches de sperme séché. Quand il change de côté, le large dos de l'homme encore endormi lui apparaît alors. Son corps, un soufflet quand il respire.

Lars-Åke approche son visage. Par le nez, il aspire l'odeur de l'homme, elle est vertigineuse. Il embrasse son dos, veut qu'il se réveille. L'autre se retourne avec un grognement fatigué et ouvre les yeux, des yeux verts qui se plantent dans les siens. Le visage est sérieux, scrutateur. Mais lorsque Lars-Åke sourit, un sourire s'épanouit aussi sur la figure de l'autre et Lars-Åke se penche pour l'embrasser. L'homme garde les lèvres fermées.

– Il faut que je me lave les dents, murmure-t-il.

Il roule hors du lit, rejoint la salle de bains d'un pas rapide. Lars-Åke a le temps de voir qu'il bande, une décharge d'excitation le parcourt, sa bite se raidit d'un seul coup, si vite qu'il se met à rire.

Ils passent leur journée au lit, avec des pauses pour descendre chercher des pizzas.

Ils se séparent quand vient le soir et, dans le train pour Täby, l'odeur de l'homme l'imprègne toujours. Sa peau est douloureuse comme si elle avait été frottée au papier de verre, ils ont tellement baisé qu'il a la peau écorchée à certains endroits de la bite et qu'il a mal au cul. Sur son cou se détache un gigantesque suçon qu'il ne se donne même pas la peine de cacher. Il n'éprouve aucune honte, aucune culpabilité, il est uniquement épuisé et heureux.

En descendant à la gare de Täby, il ne reconnaît presque pas les lieux. Comme si tout cet environnement familier lui était devenu totalement étranger. Le quai de gare, le lycée encore déserté avant la rentrée de demain, le centre commercial avec son gigantesque parking vide lui aussi à part une voiture esseulée de-ci de-là, les immeubles derrière la gare où habitent plusieurs de ses anciens camarades de classe, la piscine où il a fait des longueurs à n'en plus finir en attendant que sa vie daigne commencer – il ne fait plus partie de tout ça.

En l'espace de vingt-quatre petites heures, tout ça est devenu d'une insignifiance totale.

Émerveillé, Lars-Åke regarde autour de lui, maintenant qu'il sait qu'il a fait une croix dessus. Il pense : Ce que c'est laid.

Quand il ouvre la porte de l'appartement, il remarque d'emblée que Sofia prépare le dîner dans la cuisine. Ça l'exaspère. Alors qu'il vient de voir sa vie entière basculer, elle ne trouve rien de mieux que de cuisiner, de faire cuire du riz et de faire revenir des oignons, des carottes et du chou comme si de rien n'était. Il se dérobe à son étreinte quand elle le rejoint dans l'entrée pour le serrer dans ses bras, elle voit le suçon dans son cou quand il fait un pas en arrière, elle se fige et demande comme si elle ne comprenait pas :

– C'est quoi, ce truc ?

Sa question a le don de le mettre en colère :

– Ne te fais pas plus bête que tu ne l'es !

Il veut qu'elle se fâche elle aussi. Qu'ils se disputent pour lui permettre de crier que c'est fini, qu'il a rencontré quelqu'un d'autre, un homme, qu'il n'autorisera personne à lui enlever sa fierté, non, jamais de la vie. Or elle ne se fâche pas, elle s'esquive et dit qu'elle a fait à manger. Ce qui le fout encore plus en rogne. Il voudrait la pousser, la renverser comme lui-même vient d'être renversé. Il voudrait la frapper pour qu'elle réagisse, pour qu'elle le frappe à son tour.

Car elle ne lui demande pas où il a passé la nuit. Elle ne défend pas leur couple. Au lieu de quoi elle lui propose du pain dans leur vilaine panière bleue, elle dit que c'est elle qui l'a fait, il est même encore chaud. Et elle croit que ça va l'amadouer ? Il la foudroie d'un regard noir et méprisant, elle baisse la tête.

Ils mangent en silence. Il est obligé de se maîtriser pour ne pas hurler. Si elle ne dit rien, si elle ne fait rien, il ne peut rien lui révéler alors qu'il ne veut que ça.

Il mâche le pain chaud, mou, pâteux, il sent le goût de beurre à moitié fondu et de sel, il ferme les yeux, il repense à l'homme, à son corps, sa peau basanée, ses tétons, son ventre poilu, son sexe, il se souvient de tout ce qu'ils ont fait, il relève les yeux, il regarde sa compagne, sa fiancée, il voit qu'elle est pâle, maigre et fade, qu'elle se tient mal, il ne supporte plus de la voir craintive en face de lui, à le fixer d'un œil bovin.

Mais elle ne dit rien, si bien que lui non plus ne dit rien.

Lorsqu'ils sont couchés et qu'il lui a tourné le dos pour s'endormir, il l'entend pleurer. Toujours sans un mot.

Qu'a-t-elle l'intention de faire ? Tenir le coup ? Être patiente ? S'accrocher ? Comme s'il allait changer d'avis ! Il finit par lui lancer d'un ton méchant qu'elle l'empêche de dormir à pleurnicher comme ça, elle s'excuse et essaie de pleurer en silence.

Voilà à quoi ressemble la dernière nuit qu'ils passent ensemble. Rien n'est dit. Elle pleure, il est énervé. Ils s'endorment peut-être, ou pas.

Lars-Åke gardera le souvenir d'une nuit aussi longue que l'éternité. Quand vient le matin, ils savent tous les deux que c'est fini.

Se détacher de Sofia est d'une facilité déconcertante. Son image pâlit pour s'estomper tout à fait au fil de cet automne où Lars-Åke change de vie, et il a bientôt l'impression que Sofia n'a jamais existé.

La plupart du temps il dort chez Stefan, son nouveau copain. Ils sont tombés d'accord pour avoir une relation libre. Au bout de quelques semaines où Stefan semble cependant se désintéresser de lui, Lars-Åke répond à la petite annonce d'un mec qui sous-loue certaines chambres de son appartement avenue Sveavägen. Une semaine plus tard il emménage chez Paul. Avec Gunnar, qui est bibliothécaire, ils créent le collectif gay La Corneille.

Paul est un garçon étrange qui fréquente à la fois les homosexuels néo-bourgeois d'Östermalm et les folles gauchistes de Södermalm. Car souvent les militants sont mal vus par la frange des homos qui refusent catégoriquement de s'afficher : ils sont considérés comme des hystériques à se pavaner dans les rues en agitant leurs drapeaux. On pourrait croire que les pédés forment une communauté, fraternelle et solidaire, unie dans la lutte commune pour leurs droits, mais là, on se fourre le doigt dans l'œil. Hilare, Paul explique le fin mot de l'histoire à Lars-Åke :

– Tu les verrais, ces tapettes mondaines qui se terrent dans leurs quartiers chics de Vasastan et d'Östermalm… Tu n'imagines pas le mal qu'elles peuvent dire de ces pauvres militants ! Tu *n'i-ma-gines* pas !

La RFSL étant globalement considérée comme un projet de gauche, la plupart des gays d'Östermalm n'envisageraient pas une seule seconde, même pas en rêve, de fréquenter ce «repaire de cocos» de Södermalm, ainsi qu'ils qualifient le Timmy. De la même manière, un militant de la RFSL n'est *pas* convié aux soirées organisées en grande pompe à Östermalm tantôt par le journaliste Lennart Swahn, tantôt par le docteur Ahleman, tantôt par le diplomate Sverker Åström ou d'autres homophiles de la haute.

– C'est comme ça qu'on se fréquente dans le monde très fermé des pédés aristos friqués, raconte Paul en privé. Ils vont à la rigueur se montrer chez Victoria dans le parc Kungsträdgården ou encore s'encanailler à l'After Dark dans la rue David Bagares gata, mais parce que c'est *mixte* ! Rends-toi compte, on y a même vu la princesse Christina, excusez du peu !

Le plus vulgaire à leurs yeux serait de se faire démasquer. La franchise tous azimuts et l'ouverture sexuelle prônée par les adeptes du *gay power* leur sont totalement étrangères, oui, même menaçante pour leur existence si bien rangée. Or, curieusement, Paul est admis chez eux. Bien qu'il soit plus ouvert que le grand magasin NK un jour de soldes, comme il le dit lui-même.

Paul adore avoir sa cour et faire des fêtes chez lui qui rassemblent, elles, un mélange salutaire de folles, qu'elles soient de gauche ou de droite. En plus, il ramène sans arrêt à la maison de nouveaux minets. Il explique souvent qu'ils ont à peine le temps de descendre du train à la gare centrale après avoir quitté leur bled paumé qu'il se tient illico sur le quai pour les cueillir comme les fleurs de province qu'ils sont. Il endosse le rôle de maman pour tout le monde, s'adresse à ses petits avec la même insolence chaleureuse, leur sert des «ma crotte» longs comme le bras. Il est l'exemple parfait de ces pédés qui en font des tonnes et qui choquent l'entourage avec leur homosexualité.

Lars-Åke lui voue une admiration sans bornes.

Mais ils ne vont jamais former un couple. Un peu plus tard cet automne-là, Lars-Åke rencontre Seppo à une réunion chez les Homosexuels révolutionnaires. Dès lors, ils sont inséparables.

Seppo est un militant pur et dur. Il a participé à la déjà légendaire occupation de la Direction nationale de la Santé et des Affaires sociales qui a conduit au retrait de l'homosexualité de la liste des maladies mentales. Il a fait partie du petit groupe parti en repérage avant l'action pour vérifier la présence d'éventuels vigiles. Ils sont entrés à environ trente-cinq dans la Garnison, l'ancienne caserne de la garde royale où était logée la Direction nationale. Une fois à l'intérieur, les militants ont occupé le grand escalier en pierre avec sa balustrade en fer forgé qui mène aux étages, ils ont déplié une banderole, donné des coups de sifflet et fait un boucan d'enfer.

Seppo le raconte dans un grand éclat de rire. Ils ont chanté «*Personne ne m'enlèvera ma fierté, non, jamais de la vie !*» et «*Nous combattons pour notre liberté, nous ne bougerons pas !*». Une foule d'employés est sortie voir qui causait un tel vacarme, et Seppo a évidemment pensé qu'ils allaient alerter la police. Or, non. Barbro Westerholm, la patronne des lieux, est sortie pour inviter deux représentants à venir dans son bureau, elle a attentivement écouté leurs revendications, a promis de faire son possible pour y remédier, et ç'a été fini. Ça n'a pas duré plus d'une heure.

Et elle a tenu sa promesse, la Westerholm ! Malgré la résistance de certains fonctionnaires de la maison. L'action a eu lieu fin août ; en octobre, l'homosexualité n'était plus une maladie mentale.

Pour Lars-Åke, Seppo est un héros vivant. Il est tellement heureux de l'avoir qu'il remercierait la terre entière. Pour rien au monde il ne voudrait une autre vie. C'est pour atteindre Seppo qu'il a parcouru tout ce chemin. C'est Seppo qu'il n'a cessé d'attendre, Seppo qui à lui seul représentait son attente. Seppo représente tout ce qui viendra. Quel que soit ce tout Lars-Åke l'accueillera à bras ouverts, quoi qu'il advienne Lars-Åke ne regrettera pas.

Après la douche, Benjamin s'est rasé pour l'occasion avec un bon vieux rasoir mécanique. Il vient d'enfiler son costume de Témoin et noue sa cravate d'une main experte devant la glace de la salle de bains. Ces gestes familiers demandent une dose de concentration qui a le don de l'apaiser. Voyant Rasmus passer vêtu d'une tunique et d'une veste brillante à épaulettes, les manches retroussées, il lui dit, toujours aussi inquiet et soucieux des autres, qu'il ferait mieux d'emporter un pull, les soirées peuvent être fraîches à cette époque de l'année.

Comme cadeau d'anniversaire, ils ont opté pour un CD. Nina Simone, *My Baby Just Cares For Me*. Benjamin s'inquiète : Un compact disc ? Ça fait un peu radin, ils auraient peut-être dû compléter avec autre chose.

La fête a lieu dans la cour de l'immeuble. Des tables rectangulaires sont disposées en enfilade, l'éclairage consiste en des lanternes multicolores suspendues aux branches du grand érable au milieu, des bougies d'extérieur sont allumées un peu partout.

Ils sont une bonne centaine à avoir répondu présent. Dans l'ouverture d'une fenêtre du rez-de-chaussée, deux baffles sont orientés vers l'extérieur. Dinah Washington chante. Benjamin et Rasmus saluent des amis, des connaissances, ils serrent dans leurs bras deux amies lesbiennes, cherchent Lars-Åke qu'ils trouvent dans un fauteuil placé sous l'érable dont les feuilles vont bientôt jaunir et tomber, mais qui pour l'heure resplendit de verdure. Devant lui serpente une petite file d'invités impatients de lui souhaiter bon anniversaire.

Soudain il lève la tête et, apercevant Benjamin et Rasmus, leur adresse un grand sourire. À la lueur des bougies et des lampions colorés, il a encore plus l'air d'un cadavre. Il flotte dans son beau costume Armani, celui qu'il a dit vouloir porter dans son cercueil. On le croirait déjà étendu sur son lit de parade.

Benjamin frémit.

Quand vient leur tour, ils lui font une accolade et l'embrassent sur les deux joues. Il s'excuse de ne pas se lever.

– Je reste assis.

– Et tu fais bien ! dit Benjamin en balayant son inquiétude et en le serrant encore dans ses bras.

– C'est fou, ce monde ! s'exclame Rasmus, impressionné.

Lars-Åke s'illumine.

– Pas vrai ? Ils sont tous là !

Il regarde autour de lui d'un air heureux. Tous les gens qu'il connaît, tous les gens qu'il a aimés dans sa vie, ils sont tous venus en son honneur.

– On t'a apporté…

Un peu gêné, Benjamin agite leur cadeau.

– Oh, comme c'est gentil ! Je l'écouterai après. Merci, c'est vraiment sympa !

Il semble alors pris de vertige et ferme les yeux un instant.

– Il y a une table pour les cadeaux, précise-t-il. Vous n'avez qu'à le poser là-bas.

Sa tête s'incline comme s'il s'endormait. Il rouvre les yeux avec un sourire fatigué mais très heureux, puis tourne son attention vers les deux invités suivants qui attendent leur tour.

– Betty ! Caro ! Et en plus vous êtes venues avec Gereon !

Le chien remue la queue et pose sa tête sur les genoux de Lars-Åke.

– Oui, forcément, une femme est bien obligée d'avoir un mâle à ses côtés ! plaisante l'une d'elles en lui donnant l'accolade pendant que sa copine retient le labrador noir – la blague les fait rire.

Benjamin et Rasmus s'approchent de la table qui croule sous les paquets. Ils y trouvent Seppo en train de ranger pour essayer de faire de la place. Rasmus pose sa main sur son épaule et lui demande à voix basse :

– Écoute… Benjamin m'a seriné de ne pas te poser la question, mais dis-moi : il est à quel stade, Lars-Åke ?

– Mais enfin Rasmus ! tente de protester Benjamin.

– Ben, vous le voyez vous-mêmes, répond-il d'une voix absente, sans se déconcentrer.

Un silence s'installe. Ils regardent la table : des vêtements, des vidéos, des disques, des livres, des bouteilles de vin.

– Oh là là, tous ces cadeaux ! finit par dire Benjamin.

– Je sais, lâche Seppo entre ses dents.

Et on perçoit le désespoir vibrer dans sa voix, comme une note en sourdine. Il ajoute :

– Des livres qu'il n'aura pas le temps de lire. Des disques qu'il n'aura pas le temps d'écouter. Des vêtements qu'il n'aura pas le temps de porter. C'est comme ça.

Ça aussi ils sont forcés de l'admettre.

Des cadeaux qui ne seront jamais ouverts.

– Salut les garçons !

La voix de Paul, reconnaissable entre mille, rompt le silence. Il pose un cadeau de la taille de deux briques.

– *Moi Claude empereur*, treize épisodes d'une heure ! C'est un acte de protestation !

Il embrasse Seppo sur la bouche, ouvre grand ses bras, rit et gazouille.

– Seppo, mon chéri. J'espère vivement que vous avez rédigé un testament, sinon c'est sa famille qui va tout rafler sur cette table !

Et personne n'oubliera jamais cette fête au mois d'août. Une fête de fin d'été, tout en scintillement et en tristesse, tout en fragilité et en jubilation. Tout ça à la fois. Ce soir ils festoient comme si c'était la dernière fête sur terre.

À table, Benjamin et Rasmus se retrouvent à côté d'Alf, un mec un peu plus âgé qui a souvent accueilli les clients à la porte du Timmy mais qui, depuis qu'on lui a diagnostiqué le sida, est devenu volontaire à Posithiva Gruppen. Il leur raconte comment c'était autrefois d'être pédé à Stockholm, et autrefois ça signifie il y a plus d'une vingtaine d'années.

Et quelque chose dans cette lumière les touche, telle qu'elle est dispensée par les bougies et les lampions multicolores. Et quelque chose dans cette tiédeur de la nuit d'août les touche aussi, dans cette cour d'immeuble où ils sont rassemblés. Benjamin regarde autour de lui et éprouve un sentiment qui doit être de la gratitude. La gratitude d'être arrivés jusque-là, jusqu'à cette soirée, cet endroit, cette relative liberté, cet instant de bonheur commun.

Paul vient chercher Rasmus pour qu'ils aillent danser tandis que Benjamin reste avec Alf, qui raconte comment il est devenu membre de la RFSL vers la fin des années 1960, quand Benjamin n'allait même pas encore à l'école.

– Y avait une soirée au Fjädern, le restaurant de la Fédération de badminton dans la Lidingövägen. La RFSL le louait pour organiser ses grands raouts. J'imagine qu'un type de la fédération nous aimait bien. Ou alors c'était parce que ça leur rapportait des sous. Va savoir… Toujours est-il que j'ai rencontré un gars dans le parc de Humlegården, c'est lui qui m'a emmené. Quand on est entrés, je suis tombé sur des mecs travestis en femmes. J'avais jamais vu ça ! Oh là là, t'imagines pas ! J'ai tout de suite pris ma carte. Parce que, dans le temps, c'était pas simple : fallait des recommandations et tout pour être admis, fallait faire une demande au bureau de la fédé. Et là, je me souviens, t'étais accueilli par un vieux bonhomme en pantoufles, il traînait les pieds par terre au lieu de marcher. Enfin bref. Après, le bureau devait donner son aval et seulement à ce moment-là tu pouvais récupérer ta carte au Timmy. Donc la première fois que j'y ai mis les pieds, au Timmy, c'était pour chercher ma carte. Le local était installé là depuis quelques années. Avant c'était une crémerie. T'avais deux sections séparées à la RFSL à cette époque : Diana pour les gouines, Le Cercle pour les pédés. T'avais le droit d'utiliser un pseudonyme, tu pouvais même donner un faux nom si tu voulais. Ben ouais, que veux-tu !

Ils sont des bougies qui se consument pendant la fête.

Et Benjamin se dit en l'écoutant que cette histoire, c'est la sienne. Il regarde autour de lui comme s'il cherchait de quoi écrire, il se dit qu'il voudrait s'en souvenir, qu'ils devraient tous s'en souvenir, il ne faut pas qu'ils se consument entièrement, il faut au contraire qu'ils se souviennent de tout ce qu'ils ont vécu, les insultes comme les amours, les bonheurs comme les saloperies, le long trajet qu'ils ont parcouru, il ne faut pas qu'ils oublient d'où ils viennent.

Alf lui indique qu'il est né en 1941 et qu'il est donc «né criminel». Il rit de sa facétie et continue son récit.

— Au Timmy, c'était soirée messieurs le mercredi, il me semble, et soirée dames le jeudi. Le vendredi et le samedi, c'était mixte. Pour rigoler, on disait toujours que quand c'était soirée messieurs, y avait des canapés mignons comme tout, au fromage, décorés avec un brin d'aneth. Alors qu'à la soirée dames, c'étaient des gros sandwiches de prolétaires. Eh oui, il me semble, à moi, que dans le temps les gouines elles étaient plus camionneuses. Tiens, prends Barbro Sahlin. Je l'adorais, elle. Elle fumait la pipe et portait des jeans de mec avec braguette. Elle bossait au service de l'Équipement des armées. Elle disait toujours qu'il fallait rester discrets mais soudés. Ah sûr, c'était une drôle d'époque, ça, purée ! Mais t'avais un esprit de famille au Timmy. Tout le monde connaissait tout le monde.

Rasmus s'est arraché à la danse et s'assied pour souffler un peu.

– Vous parlez de quoi ? demande-t-il, mais Alf est tellement accaparé par ses souvenirs qu'il ne remarque même pas sa présence.

– Sinon, on se rencontrait dans des dîners privés. Et ça se terminait toujours en partouze, glousse-t-il. Après les digestifs, on baissait notre culotte. C'était pas plus compliqué que ça.

Benjamin secoue la tête et rougit. Rasmus éclate de rire.

– C'était quand ? J'aurais bien aimé participer.

– Oh, tu sais, on faisait pas crac-crac, hein… C'étaient plutôt des *exercices manuels*.

Il sourit. Paul les rejoint et cette fois entraîne tant Benjamin que Rasmus. Parce que ce soir la danse est de mise.

« *Under the moonlight, this serious moonlight.* »

La soirée de fin d'été s'assombrit. La nuit sera étoilée. Une nuit pour les déserteurs, aurait dit Bengt s'il était encore en vie.

On mange, on rit, on trinque, on chante, on allume de nouvelles bougies.

Lars-Åke est assis au centre de la plus grande table. Autour de lui, tout suit son cours. Parfois on voit qu'il est fatigué. Il ferme alors les yeux un instant. Puis il rouvre les paupières et reprend part à la fête.

Tout le monde est là. Pas seulement les pédés et les gouines, mais aussi sa famille, son père et sa mère, son grand frère, ses amis d'enfance,

Richard et Hasse, quelques amis de l'École normale. Et Sofia, évidemment, sa fiancée avant qu'il fasse son coming out. Quelques années après leur séparation, elle l'a recontacté et ils sont devenus amis.

Benjamin regarde par moments du côté de Lars-Åke. Il a l'air tellement heureux. Le visage rougi, il est ivre, en sueur.

Brusquement quelqu'un arrête la musique. Alf se lève avec son verre de vin rouge.

– Cher Lars-Åke, cher Seppo, chers tous, commence-t-il quand le silence s'est installé. Tout à l'heure, j'ai raconté à Benjamin comment c'était quand j'étais jeune…

– Tu veux dire en 1809 ? Quand la Suède a été obligée de donner la Finlande à la Russie ! crie Paul – tout le monde rit, Alf se contente de sourire et continue.

– Et ça m'a fait penser à un truc que je voudrais vous raconter. On avait fait imprimer des petits autocollants ou des… *stickers*, c'est comme ça que vous appelez ça aujourd'hui, non ? Bref. Je sais plus en quelle année c'était exactement, mais on a été les premiers à le faire en Suède. Dessus, y avait d'écrit «Homosexuel, bisexuel. OSE ! Tu ne le regretteras pas !», puis un numéro de téléphone. Je me souviens que Barbro Sahlin, elle nous avait dit de les coller partout. «Colles-en sur une boîte d'allumettes», qu'elle disait, «et après tu la laisses dans un restaurant ou une cabine téléphonique !» Et c'est ce qu'on a fait. On en a collé partout ! On était comme fous ! Alors aujourd'hui, quand je nous vois tous réunis ici, mes chers, mes très chers amis, je suis tellement content. Je suis tellement content de voir qu'on a tous osé !

Sa voix tremble quand il termine. Il lève son verre.

– Et on ne regrette pas de l'avoir fait !

Quelqu'un lance un «santé», tout le monde répond.

Betty se lève, propose qu'ils chantent pour Lars-Åke.

Paul se penche en avant et chuchote assez fort pour que tout le monde l'entende :

– Ne me dites pas qu'on va chanter «*Pourvu qu'il vive pendant cent et un ans*» à un mec qui sera sans doute mort dans trois semaines ! Je veux dire : *Avec une modeste tulipe*, ce serait mieux, non ?

Ni Rasmus ni Benjamin n'ont le temps de répondre. Tout le monde se lève et chante «*Pourvu qu'il vive, pourvu qu'il vive, pourvu qu'il vive pendant cent et un ans !*», de rigueur à un anniversaire.

Paul sourit, lève les yeux au ciel, hausse les épaules. Mais il se met debout, lui aussi. Et de tous, c'est lui qui chante le plus fort.

Le héros de la soirée, maigre, a les larmes aux yeux. Sa chemise est trop large pour son cou, le costume trop grand pour son corps. On voit qu'il transpire, que respirer représente pour lui un effort considérable. Son visage s'illumine d'un immense sourire, ses yeux pétillent. Si c'est de fièvre ou de bonheur, personne ne le sait.

Cette vie, ces brèves années qu'il leur a été donné de vivre ensemble, est à l'image de cette soirée. Comme une fête ininterrompue, voilà ce qu'elles ont été ces années, songe Benjamin, tout en scintillement et en tristesse, comme les lampions multicolores suspendus aux branches de l'érable, comme le ciel étoilé tendu au-dessus de leurs têtes.

Il regarde ses amis. Il les voit rire, crier, manger, boire. Ces cœurs qui battent la chamade. Et il se surprend à se demander : Est-ce que ça en valait la peine ?

Bientôt, tout le monde danse sauf Lars-Åke, ses parents, et lui. Son Rasmus adoré danse avec Paul, avec Seppo, avec leurs amis.

Et là, Benjamin se dit qu'il ne voit que des morts.

Des morts qui dansent.

Des dieux insouciants.

Des dieux qui dansent sous la lumière des lampions multicolores.

Ils savent tous qu'ils vont toujours se souvenir de cette soirée. Et ils se diront : «Tu te souviens de la fête de Lars-Åke, le jour de ses trente ans ?»

Voilà ce qu'ils diront.

La toute dernière fête.

Une fête qui tenait tête à la mort.

Ils se souviendront de la maigreur de Lars-Åke ce soir-là, assis à la grande table. Ils se souviendront de son crâne qui menaçait de percer la peau si mince. Ils se souviendront de ses mouvements infiniment lents, comme s'il était déjà un vieil homme. Ils se souviendront d'avoir lancé des hourras, d'avoir chanté pour lui de toutes leurs forces : «Pourvu que tu vives pendant cent et un ans !», comme pour prouver qu'on pouvait peut-être les mettre à genoux mais qu'on ne pouvait pas les vaincre.

Ils voulaient arrêter le temps en cette soirée, ils voulaient que cette soirée ressemble à n'importe quel anniversaire quand quelqu'un fête ses trente ans.

C'est pour ça qu'ils chantaient, c'est pour ça qu'ils lançaient des hourras, c'est pour ça qu'ils lui faisaient des cadeaux.

Des livres qu'il n'aurait pas le temps de lire.

Des disques qu'il n'aurait pas le temps d'écouter.

Des vêtements qu'il n'aurait pas le temps de porter.

Une vie qui ne fut jamais vécue.

À peine deux mois plus tard, ils sont réunis dans la salle paroissiale où, un après-midi d'octobre, ils grignotent une part de sandwich cake en buvant du café. La pasteure se charge de lire les télégrammes reçus. Elle en fait la lecture successive d'une voix forte et criarde en hochant la tête d'approbation à chaque message.

– «… nous avons versé 500 couronnes à la Ligue contre le cancer au nom de Lars-Åke. Signé : Les cousins et les enfants des cousins.»

Seppo est retranché dans un coin, le regard vide dirigé droit devant lui. Comme si rien de tout cela ne le concernait. Autour de lui, Paul, Rasmus et Benjamin. Ils forment une sorte d'enclave à part dans la pièce.

– La Ligue contre le cancer ? chuchote Benjamin. Mais… Lars-Åke était un militant de la lutte contre le sida, punaise !

– Je sais, chuchote Seppo. Simplement, je n'ai plus eu la force de m'opposer à la famille. C'était trop compliqué.

La pasteure interrompt sa lecture et les foudroie du regard. Ils se taisent.

– Et voici un autre télégramme, poursuit-elle quand elle a de nouveau obtenu l'attention de tous. «Notre merveilleux Lars-Åke adoré. Le monde est vide sans toi. Tu nous manques, nous t'aimons.»

Elle regarde en bas du papier.

– Celui-ci est de la part de Kalle, Birgit, Kennet et Siv – les amis de Gryt. Et ils versent… 300 couronnes à la Ligue contre le cancer.

Elle marque une courte pause avant d'indiquer le montant. Elle pense peut-être que ça crée un petit suspense parmi l'auditoire.

Et, de nouveau : la Ligue contre le cancer. Invariablement : la Ligue contre le cancer.

Lorsque, pour la sixième fois, la pasteure se fend d'un hochement de tête approbateur et prononce la Ligue contre le cancer, Benjamin lâche un juron. Il rugit à la cantonade :

– Fait chier, putain !

Seppo, Paul et Rasmus le regardent, abasourdis.

– Tu viens de jurer, *toi* ?! fait Rasmus, comme si c'était tellement incongru qu'il est persuadé d'avoir mal entendu.

– Oui, j'ai juré, peste Benjamin en fixant la pasteure jusqu'à ce qu'elle se sente observée et lève les yeux vers lui.

Quand il a enfin capté son regard, il le répète, d'une voix haute et forte :

– Fait chier !

La pasteure a l'air troublée. Les garçons là-bas dans le coin semblent révoltés. Forcément, un jour comme celui-ci, les sentiments remontent à la surface…

– Bon, prenons donc un autre télégramme, décide-t-elle ensuite. C'est vrai qu'il en a reçu beaucoup, dites-moi…

Seppo, Paul, Rasmus et Benjamin sont rencognés dans la salle paroissiale. Rasmus serre fort la main de Seppo. Seppo regarde droit devant lui.

Sur le point de partir, des personnes ayant assisté aux obsèques donnent une poignée de main aux parents de Lars-Åke assis à côté de la pasteure. Quelqu'un va même jusqu'à s'incliner devant eux.

Ils n'ont pas un regard pour Seppo.

Lorsqu'ils quittent la salle paroissiale après la collation, Rasmus déclare :

– C'était bizarre, tout à l'heure, pendant la cérémonie à l'église. Je n'ai pas arrêté de penser que le prochain enterrement, ce serait peut-être le mien.

– Je t'interdis de dire des choses pareilles ! s'écrie Benjamin en lui prenant la main.

– Remarque, il n'a pas tort… enchaîne Betty qui, elle, marche déjà main dans la main avec sa copine. J'ai trente-quatre ans et j'ai assisté à plus d'enterrements que mes parents à des mariages.

Paul éclate de rire.

– Ce qu'il y a de bien dans tous ces mariages… Mais qu'est-ce que je raconte !

Paul rit de son lapsus, s'arrête pour tousser, en profite pour allumer une cigarette.

– Excusez-moi, je voulais évidemment dire : dans tous ces *enterrements*…

Ils poursuivent leur chemin.

– Ce qu'il y a de bien dans tous ces enterrements auxquels on assiste, c'est qu'ils fonctionnent comme une espèce de répétition du nôtre.

Il observe une pause oratoire avant d'ajouter, radieux :

– Et j'ai bientôt fini la mienne !

Betty lui donne un coup de coude avant de le charrier :

– Et il sera divin, j'imagine ?

Paul l'expédie d'un revers de main.

– Mon enterrement ? Sur ce point, je resterai muet comme une tombe ! répond-il en partant dans un autre éclat de rire. Comme dit le dicton, tout vient à point, et patati et patata. Mais je peux te révéler une chose, petite créature impatiente, c'est qu'il n'y aura pas de pouffiasse de pasteure à nous bassiner avec sa Ligue du cancer. Alors là, tu peux me faire confiance !

– Moi non plus, je ne veux pas de ça à mon enterrement ! renchérit Rasmus. Est-ce que vous pouvez me le promettre ?

– Mais oui, voyons. Nos deux tourtereaux veulent que leur nid d'amour soit transféré six pieds sous terre, je suppose ? les taquine Paul.

Rasmus et Benjamin se regardent. Ils sourient. Et c'est Benjamin qui répond :

– Oui, en effet. Nous voulons reposer dans la même tombe.

Rasmus serre sa main.

Remontant la rue Hantverkargatan jusqu'à la place Fridhemsplan, ils passent devant le Pan Video sur leur gauche. Paul ne peut s'empêcher de chambrer Rasmus en lui demandant avec un clin d'œil s'il ne veut pas y entrer.

Le Pan Video a été l'une des premières boutiques du genre à ouvrir ses portes à Stockholm, juste avant que la maladie fasse son apparition. Des publicités tape-à-l'œil vantaient le jamais-vu, à savoir des *glory holes*, un *sucker's bench* et des *private cabins*, autant d'aménagements si inédits en Suède qu'on les nommait encore en anglais. Pour mieux illustrer leur propos, des dessins reproduisaient des silhouettes d'hommes anonymes lancés dans une baise frénétique qui balançaient la purée à droite et à gauche.

Dans l'obscurité de la boutique, une multitude de petites cabines individuelles permettaient de regarder des films porno mais aussi de tirer un coup. L'établissement étant à l'origine un cinéma ordinaire, le sol incliné a été conservé lors de l'ouverture du Pan Video, raison pour laquelle les clients ont rebaptisé la salle «la planche savonneuse». Quelques années plus tard, tous les glory holes y ont été bouchés, le banc de suce a disparu, remplacé par des distributeurs de préservatifs gratuits et des brochures sur le safe sexe. Les rares mecs à s'y aventurer encore sont timorés et prudents : chacun sait que s'il tire le mauvais numéro, il meurt.

Mais cette ville n'en demeure pas moins celle de Rasmus. La ville où il a ces repères. La ville où vivent et meurent ses amis. La ville où lui aussi va vivre et puis mourir.

Il a l'hôtel de ville derrière lui et ses amis à côté de lui. Il a un virus qui détruit peu à peu les T4 dans son sang et le rend vulnérable aux maladies et aux infections qu'il ne contracterait sinon pas. Il a un amoureux qui lui tient la main et ne la lâchera jamais.

Et, non, il n'a aucun regret.

L'homme entre deux âges traîne sa valise à roulettes sur le trottoir. Lentement, comme quelqu'un qui a tout le temps devant lui. Qu'est-ce qu'il dit toujours, déjà, Seppo ? Ah oui : «Les jours passent avec lenteur, les années filent à la vitesse de l'éclair.» Il a l'impression d'avoir eu quarante ans hier alors qu'il approche déjà de la cinquantaine.

Sa vie est réglée comme du papier à musique. Il fait ses courses au Konsum de la rue Kocksgatan. Un magasin pas particulièrement agréable, on y est à l'étroit et on ne s'y retrouve jamais, ce n'est même pas la supérette la plus proche de chez lui mais c'est là qu'il fait ses courses. Sur le chemin du retour, il s'arrête souvent chez le fleuriste de la rue Renstiernas gata, à côté du magasin vidéo. Il continue de dire «magasin vidéo», bien qu'on n'y propose plus que des DVD depuis une dizaine d'années et que le lieu compte désormais un espace cybercafé. Il avise en vitrine une publicité pour une édition spéciale du film *Avatar*.

Mais aujourd'hui il va rompre ses petites habitudes quotidiennes. Il a reçu un coup de fil étrange il y a quelques jours. De la part d'un certain Holger, vivant à Koppom, qui se disait avoir été le voisin de la famille Ståhl depuis toujours.

La famille de Rasmus.

Très content de l'avoir au téléphone, quoique un peu gêné, ce Holger avait enfin pris son courage à deux mains pour le contacter. Parce que, oui, Harald et Sara étant morts tous les deux, donc... plus rien n'empêchait que...

Que...

Le fleuriste fume devant sa boutique. Sur le trottoir, il a disposé des seaux remplis de bouquets de tulipes de toutes les couleurs qui partagent l'espace avec des couronnes de Noël, des amaryllis et un porte-plantes garni de poinsettias rouges et blancs. Benjamin sent qu'il devrait engager la conversation.

– Oh, vous avez déjà des tulipes ? Alors que Noël n'est pas encore passé !

– Eh oui, que voulez-vous… répond le fleuriste sans enthousiasme avant d'écraser sa cigarette.

Benjamin choisit de ne pas tenir compte de son désintérêt et poursuit d'une voix toujours aussi guillerette :

– Remarquez, hier au Ica, ils vendaient bien des pâtisseries de mardi gras et de la Sainte-Lucie… Ils avaient même des fraises, c'est dire !

Il rit.

Il a été éduqué comme ça. À faire preuve de politesse, de bienséance et d'amabilité. S'il a appris une chose quand il était enfant, c'est bien celle-ci : chercher à nouer le contact avec les gens, à mener une conversation avec des inconnus, à accepter chaque refus avec un sourire poli.

Benjamin habite ce quartier depuis de nombreuses années. Depuis qu'il a déménagé de l'appartement de Kungsholmen. Il salue tout le monde, il aime faire la causette avec des personnes telles que le fleuriste. Il aime cette image qu'il renvoie de lui-même : celle d'un homme sympathique qui prend le temps de bavarder un petit moment.

Et non celle d'un homme qui discute parce qu'il est seul.

Le fleuriste l'observe comme s'il l'interrogeait du regard : il compte en acheter, des fleurs, oui ou non ? Benjamin se racle la gorge et dit :

– Bon, je vais prendre vingt rouges dans ce cas.

– Pas de blanches ?

– Surtout pas ! Les fleurs blanches, c'est pour les enterrements !

C'est censé être une boutade, mais le fleuriste ne relève pas. Il attrape deux bouquets de tulipes rouges et retourne dans la boutique. Benjamin lui emboîte le pas. Le fleuriste coupe le bout des tiges, compose un bouquet. Benjamin le regarde et reprend la conversation qu'il a entamée sur le trottoir.

– Autrefois il y avait pour chaque chose un temps, une saison. Il y avait un temps pour semer, il y avait un temps pour récolter…

Le vendeur l'interrompt, agacé :

– Certes. Sauf que ça ne se passe plus comme ça, vous savez. Aujourd'hui, on fait tout en même temps, et on se retrouve avec un sacré bordel à la fin. Il vous fallait autre chose ?

Il plante ses yeux dans les siens, comme pour mieux exiger une réponse immédiate. En ce qui le concerne, la conversation est terminée, il veut être payé. Benjamin pousse un soupir, sort son portefeuille et règle.

Il lui reste une heure avant le départ du train, il a tout le temps devant lui. Mais autant prendre le bus tout de suite pour rejoindre la gare centrale.

Il a tellement de temps à tuer.

Il a toute la vie devant lui. Il lui reste tellement de temps à vivre.

Plusieurs heures plus tard, Benjamin descend du train à Åmotfors. Le même trajet que son Rasmus adoré a fait il y a tant d'années, en sens inverse. Il tient dans une main le bouquet de tulipes acheté chez le fleuriste, dans l'autre sa valise à roulettes si pratique qu'il peut l'utiliser comme bagage à main si un jour lui venait l'envie de prendre l'avion.

Deux garçons font du skate sur le quai. Les rares personnes à descendre avec lui hâtent le pas pour rejoindre leur voiture sur le parking. Le train reparti, il inspecte les lieux du regard. La gare, en bois, peinte en jaune. De l'autre côté des rails, l'auberge. Sur le toit, un élan sculpté en taille réelle.

Un élan blanc.

C'est aussi le nom de l'auberge : L'Élan blanc.

Benjamin sourit. Il le voit enfin, cet élan blanc dont Rasmus parlait si souvent.

Un homme plus tout jeune vient à sa hauteur. Il s'adresse à lui avec un accent prononcé du Värmland. Ses yeux scintillent.

– Un train qui arrive à l'heure ! Qui l'eût cru !

Il lui donne une poignée de main.

– C'est moi, Holger. Mais tu l'auras deviné. Je te souhaite la bienvenue dans notre région. Oh, quelles jolies fleurs !

Benjamin est embarrassé. Les fleurs ne sont pas pour Holger. Il aurait dû lui en apporter à lui aussi. Quel manque de tact ! Mais ces tulipes rouges sont pour Rasmus, c'étaient ses préférées, ils en achetaient toujours. Depuis sa disparition, Benjamin en a tout le temps dans un vase, en tout cas quand c'est la saison. Il les pose alors à côté de la photographie où on les voit tous les deux.

– Oui, elles sont pour… je ne savais pas si je pourrais acheter des fleurs à…

Holger balaie son embarras d'un revers de main et attrape, avec une étonnante agilité, la valise de Benjamin par la poignée.

– Ce n'est pas à toi de la porter. De toute façon elle roule toute seule. Attends, je te montre ! dit Benjamin qui s'en empare et sort la poignée télescopique.

Holger pouffe et s'exclame, impressionné :

– Waouh ! C'est fou, ce qu'ils peuvent inventer à Stockholm !

Benjamin ne sait pas trop quoi répondre.

– Quoi ? Tu n'as jamais vu de valise cabine ?

Holger part dans un grand éclat de rire.

– Mais non, je te fais marcher !

Il pousse gentiment Benjamin du coude et reprend la valise.

– On est un peu des petits rigolos dans notre genre, nous, les Värmlandais. On est toujours là où les gens ne nous attendent pas. Mais ça, tu le sais déjà, toi qui en as connu un.

Il marque un silence puis fait un signe de tête en direction de l'auberge.

– Tu vois la sculpture, là-bas, sur l'auberge ? Ce sont les anciens propriétaires qui l'ont fait faire. Elle est jolie, non ? Un élan blanc sur le toit…

– On dirait presque le titre d'une opérette !

Holger pouffe.

– Peut-être bien, oui. Viens, ma voiture est garée là-bas.

Ils traversent Åmotfors et bifurquent vers Koppom. Ils dépassent une station-service désaffectée. Des voitures prennent la rouille sur l'aire goudronnée, l'une n'a plus de roues. Holger soupire :

– Comme tu vois, il n'en reste plus grand-chose de nos vieux villages. Au moins, à Åmotfors, ils ont deux pizzerias. Avant, il y en avait trois. Mais les propriétaires se sont brouillés. Deux étaient kurdes, et de la même famille par-dessus le marché. Tu as peut-être aperçu celle qui est située près du pont du chemin de fer. Elle est tenue par un Syrien, un chic type d'ailleurs. Dans les Kurdes, tu en as un de sympa, et un de pas sympa. Le Kurde sympa s'est associé avec le Syrien sympa pour ouvrir une pizzeria dans le centre-ville. Jusque-là, tout marchait comme sur des roulettes pour les deux types sympas. Sauf que le Kurde sympa a divorcé et que son ex-beau-frère a racheté l'ancienne quincaillerie où il a ouvert une pizzeria concurrente, juste histoire de l'emmerder. C'est lui, le Kurde pas sympa. Eh ben, tu me croiras ou pas, le Kurde sympa, le pauvre, il a été obligé de fermer et de déménager. Mais bientôt, il ne restera plus que le Syrien sympa, parce que le Kurde pas sympa a fait des conneries et s'est retrouvé en prison, avec interdiction de remettre les pieds à Åmotfors. Tu me suis ?

Benjamin sourit et articule pour seule réponse :

– Eh ben dis donc !

– Voilà ce qui peut arriver quand on a du mal à s'entendre, glousse Holger d'un air satisfait.

– C'est loin, Koppom ?

– Oh, un petit quart d'heure, je dirais. Une fois qu'on y sera, n'oublie pas d'ouvrir bien grands tes yeux, sans quoi tu risquerais de louper le village.

Sur ce il s'esclaffe, mais cesse immédiatement de rire et retrouve son sérieux. Comme s'il se rappelait soudain pourquoi Benjamin a fait tout ce chemin depuis Stockholm. Et, cette fois sur un ton différent, il dit :

– Eh oui, que veux-tu, Harald est mort un an après Rasmus. Il ne s'en est jamais remis, le pauvre. Quant à Sara, elle est morte l'année dernière. Et c'est à ce moment-là que je me suis dit qu'il fallait absolument que je te trouve. Maintenant que plus rien ne t'empêchait de venir.

– Et moi qui croyais que personne ici ne connaissait mon existence. C'est gentil de ta part.

– Non. Oui. Enfin... On pouvait malgré tout déduire une ou deux petites choses...

– «Malgré tout»?!

Et c'est au tour de Benjamin d'éclater de rire. Holger toussote.

– Je me suis dit que tu préférerais peut-être commencer par te rendre sur la tombe. Comme ça ce sera fait.

– Oui, c'est peut-être le mieux.

– Oui, sans doute. Et puis il vaut mieux qu'on y soit avant la nuit.

Ils roulent en silence. Autour d'eux, la forêt. Kilomètre après kilomètre après kilomètre.

Ils finissent par dépasser le panneau bleu d'entrée d'agglomération.

KOPPOM.

Benjamin ressent comme une brûlure. Une sorte de tremblement qui parcourt son corps. Son cœur se met à battre plus fort.

– Et voilà, on est arrivés, dit Holger tout doucement.

Il ralentit. La voiture traverse le petit village au pas.

– C'est donc là, Koppom...

La voix de Benjamin se brouille, il doit avaler sa salive.

– Ce fameux village célèbre dans le monde entier...

Il tente d'adopter un ton léger et drôle, mais la sincérité n'y est pas. Il entend lui-même combien sa répartie sonne creux.

Cela fait plus de vingt ans qu'il a été séparé de son Rasmus adoré. Depuis que Koppom le lui a repris.

Maintes et maintes fois il a essayé de se représenter les lieux. Le village. La forêt. L'usine.

La route entre Åmotfors et Årjäng que Rasmus lui a décrite. La maison. La fenêtre du salon où il se tenait, où il appuyait son front contre la vitre froide, soufflait sur le verre et écrivait son nom dans la buée.

C'est aussi réel qu'un souvenir. Comme si Benjamin lui-même s'en souvenait, bien qu'il n'ait jamais…

Holger le tire de ses pensées :

– Quand Rasmus était petit, tu trouvais de tout dans le village : plusieurs banques, un Ica et un Konsum pour les courses, une gare ferroviaire, une antenne de la Sécurité sociale, un poste de police, et même un petit hôtel. Mais il n'existe plus, comme presque tous les magasins. Le fleuriste a dû mettre la clé sous la porte quand le Konsum a commencé à vendre des fleurs, donc tu as bien fait d'en rapporter de Stockholm. La quincaillerie a fermé, la Papeterie de Valdemar a fermé, le Magasin de Haute-Fidélité a fermé. Quoique, il me semble qu'il a fermé quand Rasmus est…

Il se tait.

– Mais le Salon de coiffure Astrid, lui, il est toujours là ! dit-il en riant. Et on a pu conserver une station essence. Même si elle a changé de nom.

Il se gratte les cheveux.

– Tu comprends, tout le monde va au centre commercial de Charlottenberg. Les Norvégiens aussi ils y vont, on est tellement près de la frontière.

Il se range sur le bas-côté, met au point mort. Il lève le menton vers la droite.

– C'est là que je travaillais avant. La pharmacie. Elle a été privatisée, après que l'État a renoncé à son monopole sur les officines en 2009. Le Cœur, elle s'appelle maintenant. Mais bon, je suppose qu'elle aussi ils vont la fermer, vu que la commune a décidé de centraliser les soins à Charlottenberg. Le conseil de comté subit une grosse pression pour faire des économies. Ils sont obligés de gratter partout où c'est possible.

– Vous ne pouvez pas protester ?

– Bah, si, sans doute. Mais à quoi bon ? fait-il, fataliste avant de pointer du doigt. Tu vois, là, les parties les plus anciennes du bâtiment ? C'était le logement du médecin de district et le cabinet de consultation. Après, c'est devenu un centre médico-dentaire. Mais aujourd'hui il n'y a plus rien.

– Sara, elle travaillait au centre médical, non ?

– Oui, c'est ça. Bientôt, il n'y aura plus que la maison de retraite et les pompes funèbres.

Il rit.

– Et quand les vieux seront morts et enterrés, il ne restera plus rien du tout.

– Comme c'est triste.

– Oui. Les gens partent d'ici. Même moi, j'ai commencé à chercher un appartement à Arvika.

Il soupire, encore. Puis il enclenche la première, ils reprennent lentement leur petit trajet. Il s'illumine alors – et éclate de rire, encore.

– Mais tu sais ce qu'on a de nouveau, en matière de soins ? Du massage thaï !

Il rit cette fois à gorge déployée.

– Peut-être que je devrais essayer un de ces jours. Dame !

Benjamin dit qu'il s'est fait masser lors d'un voyage en Thaïlande, Holger répond qu'il n'y est jamais allé. Au moment où une station essence se profile sur leur droite, Holger s'arrête devant et désigne une maison sur la gauche.

– C'est là.

Benjamin voit une maison individuelle qui ne paye pas de mine. Enduite d'un crépi saumon. Des fenêtres carrées avec des rideaux. Des géraniums sur les rebords. Une grande baie vitrée sans doute installée plus tard. Une allée de gravier. De vieux pommiers. Un portique avec des balançoires.

C'est donc là qu'ils habitaient. C'est là que Rasmus a grandi.

Interloqué, Benjamin regarde le petit pavillon. Des enfants jouent dans le jardin. Ils s'interrompent un instant pour faire coucou à Holger. Il leur répond en agitant la main.

– Ils sont mignons, ces mômes.

Il continue sa route.

Holger se gare, ils sortent de la voiture et entrent dans le cimetière.

Depuis que Benjamin est descendu du train, des nuages sombres ont grossi dans le ciel et escamoté le soleil bas. Des rayons parviennent cependant à filtrer, qui jettent leur lumière mélancolique dans cette fin d'après-midi d'automne où les ombres se font plus longues. L'hiver sera bientôt là.

Des champs s'étendent d'un côté de la route, prolongés au-delà par la forêt. De l'autre se dresse l'église datant de la fin du XVIIe siècle, blanchie à la chaux. Le soleil brille sur les parois du clocher qui scintille en contraste avec les nuages noirs.

Le cimetière est entouré d'un vieux muret en pierre. Benjamin a les mains glacées, il grelotte, il serre fort son bouquet de tulipes.

Ils s'approchent des tombes. Il s'approche de Rasmus.

Depuis ce jour de mai il y a plus de vingt ans lorsque la mort lui a ravi son Rasmus adoré, ils ont été séparés. Ils ont été perdus l'un pour l'autre.

Holger lui fait un signe de tête.

– Elle est là-bas. Je me disais que… que je vais t'attendre ici… Prends tout le temps dont tu as besoin.

Benjamin se dirige vers un alignement de tombes. Il entend Holger lui crier quelque chose et se retourne.

– Au fait, je voulais te dire. C'est une honte. Que les choses se soient passées comme ça. Oui, c'est vraiment une honte.

La voix du petit bonhomme se brise. Il se retourne vivement quand il ne parvient plus à dissimuler son émotion. Benjamin serre fort son poing.

Il ne veut pas se mettre à pleurer. Pas encore.

Il ne veut pas céder aux sentiments. Pas encore.

Il repart vers les tombes. Et soudain il l'aperçoit. La stèle de Rasmus. D'une certaine manière elle se distingue. Une pierre grise, polie uniquement sur la face avant. Les noms de Harald et Sara y sont gravés, avec des dates, il voit que celui de Sara est récent. Puis figure le nom de Rasmus.

RASMUS STÅHL

1963–1989

Benjamin lit. Il lit encore et encore. Les larmes lui viennent. Cette fois il ne fait rien pour les retenir.

Il glisse les tulipes dans un petit récipient enfoui dans le sol. Les tulipes rouges de Stockholm. Elles baissent déjà la tête.

Benjamin reste là. Longtemps. Devant la tombe. Chez lui. Chez son adoré.

Il ne parle pas. Alors qu'il aurait sans doute tant de choses à dire. Et tout ce qu'il arrive à prononcer, c'est le prénom de Rasmus, et qu'il l'aime.

Rasmus.

Je t'aime tant.

Quand ils s'étaient rencontrés il y a si longtemps pendant cette nuit de Noël magique, alors que la neige tombait sur la ville déserte, ils avaient chanté *Minuit, chrétiens*. Tous sauf Benjamin, car il ne connaissait pas ce cantique. C'était la première fois qu'il entendait les paroles : «*Peuple à genoux, Attends ta délivrance !*»

Peu après, dans l'entrée, Rasmus avait enfilé son blouson et pris congé des autres. Comme il s'était dépêché, Benjamin, en le voyant partir !

– Tu t'en vas ? Je pars avec toi, alors. Comme ça on se tiendra compagnie.

Ça avait amusé Paul.

– De quel côté tu vas ? avait demandé Rasmus – et Benjamin de répondre la seule chose vraie qu'il puisse dire :

– On s'en fiche ! Je vais là où tu vas.

Et ils étaient partis ensemble dans la nuit.

Benjamin et Holger vont s'asseoir sur un banc le long de l'église. Ils gardent le silence. Benjamin regarde les tombes. Et, au-delà des tombes, le muret. Puis, au-delà du muret, la forêt.

Il voudrait dire quelque chose. Il ne sait pas par quoi commencer.

Holger croise les mains, les laisse sur ses genoux. Il attend, il n'est pas pressé. Quand on a attendu tant d'années, on peut bien attendre encore un peu.

Et ça sort. Les mots sont d'abord hésitants, bal-butiants – il est important qu'il trouve les mots justes –, puis de plus en plus fluides. Pour finir, ils viennent tout seuls.

Benjamin ne regarde pas Holger pendant qu'il parle. Comme s'il ne s'adressait pas à lui. Il parle, c'est tout.

Il parle à cheval sur deux décennies. Il parle aux morts et aux vivants. Il parle aux tombes et au soleil déclinant, au muret de pierres, aux champs, aux forêts, à son immense solitude, à son attente.

– Quand Rasmus est mort...

Il hésite, poursuit :

– ... à l'âge de vingt-six ans. Après avoir vécu un enfer les deux dernières années de sa vie.

Il détache chaque syllabe.

Un enfer.

Il comprend que c'est la vérité. Que c'était un enfer.

– Il a dû prendre des traitements inadaptés prescrits par des médecins complètement nuls. On lui a refusé les bons de transport. On l'a dénigré sur son lieu de travail. Partout il n'a croisé que des regards méprisants. Il a passé la plus grande partie de sa maladie esseulé dans notre appartement. Sa souffrance physique était inouïe ! Inouïe ! Un homme jeune, fort, plein de… *vitalité* s'est peu à peu décharné pour devenir un…

Il secoue la tête, comme s'il voulait ravaler ce qu'il s'apprête à dire :

– … je ne sais pas comment l'appeler… un paquet ratatiné !

Désespoir de devoir décrire l'homme qu'il aimait en ces termes, pourtant les seuls qui lui viennent à l'esprit.

Un paquet ratatiné !

– Le cancer a sclérosé ses jambes et il a été cloué dans un fauteuil roulant. Sa rétine s'est décollée et il est devenu aveugle. Il s'est mis à perdre la mémoire immédiate, à perdre la parole. Je l'ai veillé jour et nuit. Le pire c'était la nuit. Ses cris de douleur incessants quand le zona l'attaquait comme des coups de couteau. Les lésions dues au sarcome de Kaposi ont déformé son si beau visage. Les mycoses ont fait fondre son corps divin. Devant mes yeux j'ai vu ce que j'avais de plus précieux être anéanti !

Sa voix lâche. Il cache son visage dans ses mains. Il essaie de respirer, de se calmer.

Holger ne bouge pas, mains croisées. Il écoute. Il regarde devant lui, la tête légèrement tournée.

– Et je savais, je savais que chaque fois que je l'aidais à s'asseoir dans son fauteuil roulant, chaque fois que je le nourrissais à la sonde, chaque fois que je changeais ses couches, je savais… que lorsque viendrait mon tour, je n'aurais personne pour me soigner.

Il renifle, gêné.

– Pardon ! Excuse-moi ! Je ne sais pas ce qui m'arrive aujourd'hui.

– Ne t'excuse pas, soupire Holger doucement. C'est comme ça !

Benjamin relève la tête, regarde au-delà du muret.

– Mais tu comprends, après, les antiviraux sont arrivés. Au début, les gens ont failli mourir des effets secondaires. Mais petit à petit ils ont compris qu'ils allaient peut-être vivre, malgré tout.

Sa voix s'affaiblit. On dirait qu'il a honte.

– Et le changement le plus difficile à accepter c'était ça : accepter qu'on n'allait *plus* mourir !

Il se tait. Il a terminé. Il s'est vidé.

Ils restent silencieux. Le soleil est si bas. Les ombres sont si longues. Holger passe sa langue sur ses lèvres, il aimerait poser une dernière question :

– Je ne voudrais pas être indiscret mais… est-ce que je peux te demander…

Benjamin lui jette un regard rapide.

– Non. Je n'ai pas rencontré quelqu'un depuis. Ça ne s'est jamais fait.

Holger se renfonce sur le banc, regarde lui aussi au-delà du muret, le ciel où le soleil descend de plus en plus vite.

– Non, des fois c'est comme ça que ça se passe.

Ils gardent le silence.

Puis Holger se sent comme obligé d'ajouter quelque chose :

– Moi aussi j'ai vécu seul. Pendant toutes ces années.

Une constatation. Mais on devine aussi ce que ça lui a coûté. Toutes ces années. À Benjamin il peut le dire. Harald n'en a jamais rien su. Ni Sara. Personne n'a su.

Benjamin le regarde. Holger a les yeux baissés sur ses mains. Il dit :

– Bon, on va peut-être y aller sinon tu risques de rater ton train.

Ils montent dans la voiture. Holger manœuvre dans le parking, fait demi-tour et s'engage sur la chaussée.

Ils laissent la tombe derrière eux. Une stèle parmi d'autres.

Son nom. Son temps mesuré. La longueur du cordeau.

Les années qui lui furent imparties.

RASMUS STÅHL

1963-1989

Ils sont de retour à la gare. En silence, ils attendent le train et observent la sculpture de l'élan blanc sur le toit de l'auberge. Le spectacle a quelque chose d'étrange, songe Benjamin : l'élan paraît pris au piège, quasiment neutralisé. Ça le met presque mal à l'aise.

– Il y a une souche d'élans blancs dans cette partie du Värmland, explique Holger.

– Oui, je sais. Rasmus me l'a raconté.

– On ne les voit pas très souvent. Mais un jour, ça ne date pas d'hier, il y en a un qui a traversé Koppom. C'était le soir du réveillon de Noël. Tout le monde est sorti pour l'admirer. C'était magique. Oui, voilà : magique.

Il se tait, examine la sculpture.

– Et maintenant il est là. Il ne peut rien faire de plus.

– Il ne peut rien faire de plus.

Ils replongent dans le silence, contemplent l'élan blanc.

«Être ou ne pas être. Telle est la question pour l'élan albinos norvégien. Les villageois veulent l'épargner – les chasseurs veulent le tuer.»

Ainsi commence l'article d'*Aftonbladet* consacré à l'élan blanc qui vit dans les forêts autour du petit village norvégien de Svinndal, dans le comté d'Østfold, tout près de la frontière suédoise et du Värmland. Il paraît que les villageois défendent leur protégé, quand bien même il aurait *«volé dans leurs jardins des fruits tombés des arbres»*, note le journal. «*Cet élan est particulier. Je prie à genoux pour que la loi sur la chasse le laisse tranquille*», déclare quant à elle Kirsten Foss Hansen, devenue la première défenseure de l'élan blanc.

D'autres veulent coûte que coûte le voir tué. Ainsi de Morten Bronndal. Ce responsable du département animaux au sein de l'Institut des biosciences moléculaires à Oslo juge qu'il faudrait l'abattre : «*C'est sans doute sympathique d'avoir un élan blanc dans le voisinage, mais du point de vue de la perpétuation de la race, ce serait une erreur de le laisser vivre. Il est une aberration de la nature.*»

Le quotidien suédois *Sydsvenskan* publie quelques années plus tard un article sur une affaire similaire : un élan blanc a été abattu à Örkened, dans le nord-est de la Scanie. Là-bas aussi les avis ont été longtemps divisés sur le droit de l'élan blanc à vivre en paix parmi la faune. «*Il était sous-développé, tant au niveau des bois que des organes génitaux. Il était probablement stérile*», constate le chef d'équipe des chasseurs Bengt Andersson. Et Bengt Persson, qui a tiré la balle fatale, de commenter : «*L'élan blanc n'a pas sa place dans notre faune.*»

Une opinion également partagée dans le district de chasse de Göinge : l'élan blanc est un individu déviant. Considérant que la présence d'un élan blanc dans leur secteur est unique en son genre, certaines équipes de chasseurs ont choisi de lui laisser la vie sauve. «*Nous en avons débattu au sein de la zone de gestion des élans, et nous sommes arrivés à la conclusion que c'était à chaque équipe de décider si elle voulait le tuer ou pas*», termine Bengt Andersson dans son interview au *Sydsvenskan*.

De nombreuses personnes estiment que l'élan blanc devrait être exterminé pour son propre bien, un argument qu'elles étayent en faisant souvent référence à la préservation de la nature. C'est une question d'hygiène raciale, ni plus ni moins.

Un passionné de chasse écrit :

« *Ce qui me stupéfait le plus chez les adversaires de la chasse, c'est qu'ils ne font pas preuve d'une très grande connaissance de la préservation de la nature. Je n'écris pas ces lignes en tant que chasseur, je me place dans une perspective de conservation du milieu naturel, puisque ce sont des problématiques que je traite tous les jours dans ma vie civile. Ce qui me stupéfait aussi, c'est que, en tant que défenseurs des droits des animaux, les adversaires de la chasse se font les avocats de gènes qui ont les coudées franches et disqualifient les chances réelles qu'a un animal. Et qu'ensuite ces gènes seront transmis à une autre génération, etc. Laissez-moi rire !* »

Sa contribution au débat continue en ces termes :

« *Si des anomalies génétiques se produisent chez les vaches (spéciale dédicace aux hypocrites défenseurs des droits des animaux qui bouffent de la viande ; je ne cite personne, comme ça je n'oublie personne), par exemple chez la blanc bleu belge, c'est une catastrophe. Mais lorsque surgissent des élans blancs, alors là, ça devient pittoresque. Personne n'en veut, de la blanc bleu belge, de la même manière que les élans ne veulent sans doute pas des élans albinos, puisqu'ils entraînent une moins bonne survie pour la souche des élans dans leur ensemble. Si ça avait représenté un avantage d'être élan albinos, il y en aurait eu nettement plus que ça.* »

– Regarde, Rasmus. Là-bas ! chuchote Harald, le doigt pointé.

Dans le champ dégagé trottine l'élan blanc, celui que tant de gens voudraient tuer. Si seule sa couleur le distingue des autres élans, il a cependant tout d'une créature de conte de fées, à émerger ainsi de la forêt sombre.

– Qui voudrait tuer un aussi bel animal ? s'exclame Sara.

– Beaucoup de gens. Des gens qui trouvent qu'il n'a rien à faire chez nous, que son existence est une aberration de la nature. Qu'il est dégénéré, si tu vas par là.

– Pourtant il existe ! essaie de protester Rasmus.

– Certes, mais… Oui, non, enfin si, soupire papa. Il existe, ça on ne peut le lui enlever.

Son père tente de défendre les chasseurs :

– L'espèce, la population entière, la grande famille des élans, sont plus importantes que l'élan particulier, que l'individu, surtout un individu qui pour ainsi dire est… pourri !

Et son papa explique et réexplique à Rasmus de quoi il retourne tandis que celui-ci se met à pleurer à cause du pauvre élan. Harald aura beau utiliser sa voix la plus douce, Rasmus ne va jamais jamais comprendre.

Lorsque le téléphone sonne, c'est une main maigre qui se tend pour décrocher. Elle renverse presque, ce faisant, le verre de soupe de myrtilles. Sur le dos de la main maigre, près du poignet, est fixé un cathéter dont le tube apporte en continu au corps la nutrition nécessaire.

– Mouais ?

Il détache chaque lettre. La voix est fatiguée, beaucoup plus grave que d'habitude. «Je sais, dit-il souvent un peu gêné. Normalement j'ai une voix de basse et ça me fait une belle jambe. Ça n'a rien de génial, crois-moi. N'importe quel choriste te le dira. Du coup, je prends une voix plus aiguë. C'est nettement plus marrant.»

Il est allongé sur le lit. Les draps et la mochissime couverture jaune faite au crochet (non pas par mémé mais en usine pour le comté) sont roulés en boule, humides de transpiration. Son visage est amaigri, fané, comme s'il avait jusque-là été camouflé par un maquillage permanent qui lui serait désormais refusé. Il a le teint gris.

Deux journaux du soir à moitié lus traînent à côté de lui. Il lui faut des lunettes puissantes pour arriver à les déchiffrer. Le mur face à son lit est égayé par une illustration dans un joli cadre doré qu'il a lui-même apportée. Il aime bien la regarder. Elle représente une famille de classe moyenne, mignonne et proprette, qui semble faire un pique-nique dans ce qui doit être les Alpes, ou les Alpes telles qu'on les dessinerait si on n'y est jamais allé. Un lion et un agneau paissent ensemble à côté de la famille en goguette.

– Salut, c'est Benjamin. Tu m'avais appelé.

Paul inspire avec difficulté par le nez avant de répondre. Ses pieds nus pointent sous la couverture d'hôpital froissée. Les ongles de ses orteils sont vernis de rouge.

– Oui, je t'avais appelé.

Car ça ne lui ressemble pas, à Paul, d'avoir un débit aussi saccadé. Mais depuis quelque temps il est pour ainsi dire obligé de prendre son élan avant chaque phrase. Ou, histoire de citer ses médecins, «comme s'il respirait à travers une paille ou tirait sur sa pipe». L'ancien Paul aurait bien sûr lâché un commentaire goguenard pour demander à quel cocktail ils font allusion, ou pour glisser une remarque tout aussi inspirée sur les pipes. Mais aujourd'hui il n'en a plus la force. Ça lui demande trop d'énergie, ça n'en vaut pas la peine, il laisse donc filer. Et il est peut-être là, le plus grand changement. Cela équivaut à voir un joueur de tennis de classe mondiale tétanisé sur le court, dans une indifférence totale alors qu'on lui lance balle sur balle.

– Comment ça va ? demande Benjamin dans le combiné.

Paul regarde d'abord le tableau puis ses orteils qu'il remue un peu avant de répondre.

– Betty est venue… Elle m'a aidé à… me vernir les ongles des pieds. Ils sont… rouge coquelicot.

– Ah bon ?

Un bref silence s'installe.

– Ma mère faisait toujours ça… en été. Elle se mettait du vernis rouge… sur les ongles des pieds. Le matin, au réveil… elle était toujours de bonne humeur… en les voyant.

Paul est pris d'une quinte de toux. Benjamin attend patiemment qu'elle soit passée.

– Sauf que je ne sais pas… si ça m'a mis de bonne humeur.

Nouveau silence.

– Je me disais… c'est bientôt Noël. Si tu voulais venir… On ne sera pas nombreux…

– Pour le réveillon ? Tu te sens assez costaud ?

– Non mais… que veux-tu ? La tradition, c'est la tradition… Peut-être qu'on pourrait le faire… quelques jours avant Noël cette année ?

Moppsan saute sur les genoux de Benjamin pendant qu'il écoute Paul. Le chat vit chez lui depuis que l'état de santé de Paul s'est détérioré. De la famille, il ne restera bientôt que Benjamin, Seppo et Moppsan.

– Ça me fera très plaisir de fêter Noël chez toi, Paul.

Paul respire par le nez à plusieurs reprises avant de répondre.

– On ne sera pas nombreux… Je te l'ai déjà dit ?

– Oui, il me semble.

– Ce n'est plus comme autrefois.

Benjamin caresse le chat qui se met aussitôt à ronronner.

– Non, répond-il en grattant Moppsan derrière l'oreille. Ce n'est plus comme autrefois.

Ils fêtaient Noël ensemble chaque année. Ils mangeaient, buvaient, riaient et faisaient les folles. Ils chantaient que la terre était libre et le ciel ouvert, qu'ils voyaient un frère là où n'était qu'un esclave. Tous avec leurs histoires respectives qui les avaient portés jusqu'ici. Jusqu'à ce havre temporaire.

Comme un mantra leurs prénoms étaient répétés au fil des ans, au fil du récit. Benjamin. Rasmus. Paul. Bengt. Reine. Lars-Åke. Seppo.

Évidemment, ils étaient beaucoup plus nombreux. Ils allaient et venaient. Évidemment aussi, ils avaient un autre prénom. Certains n'en avaient même pas eu – ou ne le révélaient pas. Ils vivaient, puis ils disparaissaient. Des hommes qui tous avaient levé le camp, quitté un lieu d'origine, une famille d'origine, une maison natale, une terre natale pour gagner une terre promise, tout au moins celle qu'on leur avait promise. Ils avaient tout laissé derrière eux pour gagner la liberté dans cette nouveauté inconnue qui n'était autre qu'eux-mêmes.

Le premier montait dans un train à Kragenäs, devant la gare en briques orangées fichée d'un panneau qui indiquait sa distance kilométrique par rapport à Strömstad et Göteborg. Le deuxième montait lui aussi dans un train, mais pour quitter Åmotfors, village où l'on dresserait un jour sur le toit de l'auberge une sculpture en l'honneur de l'élan blanc des forêts värmlandaises. Un troisième quittait quant à lui Östersund, que l'on rejoignait depuis Hammarstrand grâce au bus postal. Un quatrième vivait à quelques arrêts de bus et de stations de métro seulement de cette capitale promise, dans une banlieue appelée Täby, si proche et pourtant un tout autre univers.

Et la liste peut continuer ainsi de s'allonger à l'infini.

Ils venaient de partout. De la côte du Norrland et de l'intérieur du Västerbotten, des villages du Småland et de toutes les villes qui bordent le lac Mälaren. Des faubourgs denses de Stockholm et de la Finlande si peu peuplée. Comme des émigrants, comme des colons. Ils venaient tous à la ville avec leurs rêves, leur envie d'amour et de faire l'amour, leurs espérances lacérées et ridicules. Arrivés dans la ville, ils ont pu humer le parfum de la liberté : elle dégageait en fait une odeur âcre de rage et de désespoir. Cependant, ils savaient qu'ils ne reviendraient jamais en arrière.

Revenir en arrière était totalement exclu.

Aucun n'allait retourner sur les lieux de son enfance autrement que mort.

La table de Noël est dressée dans la cuisine. Un joyeux bordel fait se côtoyer le jambon et le homard, les langoustines et les saucisses cocktail, les boulettes de viande et les huîtres. Paul dit que c'est une question de principe. Bengt renifle avec méfiance le plat d'huîtres.

– Tu vas faire comme tes petits camarades, tu vas goûter aux huîtres, dit Paul avant d'ajouter dans un grand éclat de rire : Tu verras, mon ange, c'est comme de jouer à broute-minou, mais sans poils pubiens !

Paul avale ostensiblement une huître et simule un frisson. Bengt le regarde, effrayé. Quand on a grandi dans une barre HLM de Hammarstrand, on n'est pas habitué à ce type d'extravagances. Paul se secoue comme une poule.

– Mes amis, c'est une infection. Mais je te préviens, Bengt : autant t'y faire tout de suite, ce sont des choses qu'il faut accepter si on veut devenir une star !

Il regarde ses invités à tour de rôle.

– Tout le monde a tout ce qu'il lui faut ? Mais Lars-Åke, ma crotte ! Tu ne bois rien, voyons !

Il lui sert de l'aquavit. Lars-Åke le remercie et veut l'empêcher de remplir son verre – en vain. Seppo essaie de casser une pince de langoustine avec les dents.

– À quoi tu penses, Reine ?

Celui-ci sursaute, il était à mille lieues d'ici.

– Oh, pardon… Je pensais à ma bouche. J'ai mal et je ne comprends pas pourquoi. Puis je me disais aussi qu'en fait je suis heureux.

– Tiens, tiens, dit Seppo en riant. Et comment il s'appelle cette fois ?

– Johan. Il est bibliothécaire. Vous ne trouvez pas ça sexy comme métier ?

– Alors là, non ! C'est même pire que les huîtres ! Déjà qu'on s'est coltiné Gunnar dans le collectif… On a donné, merci !

Gunnar, qui a participé à la fondation du collectif gay La Corneille avenue Sveavägen, est devenu avec le temps un végétarien forcené, exigeant que tous les autres le soient aussi. Quand aucun n'a voulu abandonner totalement la viande, il s'est acheté une batterie de cuisine complète (poêles, casseroles, vaisselle et tout le toutim) qui ne devait en aucun cas être utilisée par les viandards. Il exigeait par-dessus le marché que ses colocataires en partagent le coût. Ça a fait sortir Paul de ses gonds et, comme le contrat de location était en son nom, il a poussé l'affaire jusque dans ses derniers retranchements. Gunnar convoquait les autres à des «AG», comme il disait, désignation que Paul raillait plutôt deux fois qu'une puisque le collectif ne comptait que cinq membres. Leur conflit a signifié le début de la fin de leur cohabitation. Gunnar est parti s'installer sur l'île de Gotland – il y vit toujours, avec un céramiste.

Seppo, Paul et Reine évoquent leurs souvenirs du collectif, racontent des anecdotes sur Gunnar. Reine ne peut s'empêcher de rire en écoutant leurs blagues et, chaque fois, est obligé de plaquer une main sur ses lèvres à cause d'une douleur qui lui brûle les muqueuses.

L'inflammation buccale dont il souffre est en réalité un muguet lié au sida, mais il ne le sait pas encore. Reine est journaliste, il a grandi sur l'île de Resö dans le nord du Bohuslän, il est toujours amoureux et presque toujours inconsolable, il sera dans moins d'un an l'un des premiers Suédois à mourir de la nouvelle et effroyable épidémie. Sa mort fera la une des journaux et, bien qu'il s'acharne à cacher sa maladie, allant jusqu'à se condamner à la souffrance dans une solitude totale, dans un isolement total, ce sera en tant que «*victime du sida*» qu'on se souviendra de lui, si tant est que quelqu'un se souvienne de lui.

Tout le monde l'oubliera – sauf cette petite bande autour de la table.

Pour eux, il restera à jamais leur Reine, l'éternel timide, l'éternel malheureux en amour, le gars du Bohuslän qui s'était installé dans la chambre de bonne du collectif, le garçon sans doute le plus gentil qui ait jamais existé.

Bengt ressert du champagne à Rasmus et en profite pour lui faire un clin d'œil coquin. Celui-ci le lui rend en souriant, ce que Benjamin apprécie moyennement. Paul, qui saisit le moindre changement d'ambiance, se lève aussitôt pour faire diversion.

– Viens avec moi, mignon de Jéhovah. Il faut que je te montre… J'ai encadré ton machin, tu vas m'en dire des nouvelles !

Benjamin se lève et s'éclipse avec Paul dans sa chambre, qui lui montre fièrement le mur au-dessus de son lit. Ce n'est autre que l'illustration de la brochure des Témoins que Benjamin avait apportée lors de sa première visite, la même illustration qui sera l'un des rares effets personnels que Paul emportera dans sa toute dernière résidence : la chambre 5 du service 53 de l'hôpital Söder.

L'image est désormais insérée dans un cadre doré somptueux.

– Il est divin, tu ne trouves pas ? Le cadre, je veux dire !

Il s'esclaffe et donne une petite tape amicale sur le bras de Benjamin.

– Tu sais ce qu'on dit : il faut chasser le mal par le mal. Eh ben là c'est pareil, mon Benjaminou : il faut chasser le kitsch par le kitsch.

Il rit de plus belle avant d'ajouter :

– Toujours est-il que j'ai accroché le tableau ici pour pouvoir le regarder avant de m'endormir.

Benjamin sourit et dit qu'il se sent honoré. Ils vont retrouver les autres dans la cuisine.

– C'était quoi déjà, le passage de la Bible que tu m'as lu quand tu es venu me voir cet automne ?

Benjamin se racle la voix et essaie de retrouver son sérieux, il sent son cœur battre plus fort. En tant que Témoin de Jéhovah, il a pour mission d'apporter la bonne parole à autrui.

– «*Et il va essuyer*»… commence-t-il.

Il hésite cependant avant de poursuivre car personne ne l'écoute. Après tout, il n'est pas un singe dans un zoo qu'on exhibe quand il fait son petit numéro. Bengt est en pleine discussion avec Rasmus. Lars-Åke, Reine et Seppo continuent de parler de ce Gunnar. Pourquoi Benjamin devrait-il s'humilier, brader ce qu'il a de plus précieux ?

Paul lève les yeux au ciel et s'écrie :

– Nan mais j'hallucine ! Regarde-moi ces vieilles pies-jacasses. LA FERME, les gonzesses !

Les conversations cessent instantanément. Satisfait, Paul invite Benjamin à poursuivre d'un geste généreux avec le bras. Celui-ci rougit. Tous les regards sont braqués sur lui, il ne peut plus reculer.

– C'est un extrait de la Révélation, dit-il prudemment. Ou de l'Apocalypse, comme vous l'appelez. C'est ma citation préférée de la Bible quand je fais du porte-à-porte, ou plutôt… comme nous le disons nous : quand j'effectue mon service du champ. Je la lis dès que j'en ai l'occasion.

Depuis tout petit, Benjamin a participé de bonne grâce au service du champ. C'est la seule vie qu'il a eue, la seule qu'il connaît réellement. S'il ferme les yeux, il voit derrière ses paupières tous les escaliers qu'il a grimpés, toutes les sonnettes sur lesquelles il a appuyé, tous les tracts et pamphlets qu'il a distribués, tous les gens qui lui ont claqué la porte au nez, scandalisés, désagréables, mais aussi toutes les personnes aimables, curieuses, accueillantes. Il sait pourquoi il a choisi cette vie-là. Et l'explication tient dans ce passage de la Révélation, le tout premier qu'on lui ait laissé lire à voix haute quand, à l'âge de sept ans, il accompagnait sa mère. C'est un passage d'espoir et de confiance, une promesse que tout s'arrangera un jour, absolument tout, tout ce qui nous inquiète et nous tourmente aujourd'hui. Un jour, tout cela n'existera plus.

Avec lenteur et gravité, il récite de mémoire :

– « *Et il essuiera toute larme de leurs yeux, et la mort ne sera plus ; ni deuil, ni cri, ni douleur ne seront plus. Les choses anciennes ont disparu…* »

Le silence est soudain total. Comme si tous retenaient leur respiration. Personne ne parle, personne ne mâche, personne ne boit, personne ne claque la langue, ne pouffe, ne bouge. Rien.

Cet étrange et sérieux beau jeune homme que personne ne connaît, qui détonne dans son costume du dimanche (on voit sa poitrine se soulever sous la chemise), avec ses yeux bleus intenses et gentils, l'ombre foncée d'une barbe naissante, des lèvres douces, lui aussi vient de prendre une profonde inspiration et retient son souffle dans l'attente de… de quoi ? De leur jugement ?

Tout à coup ils se sentent touchés, concernés par ce qu'il dit.

Paul rompt la solennité de l'instant par des applaudissements frénétiques en criant que c'était merveilleux.

Benjamin se rassoit, un peu gêné. Rasmus pose une main sur la sienne, le regarde dans le fond des yeux et lui dit que c'était vraiment très beau, lui demande de répéter.

Et c'est peut-être à ce moment très précis, à cette question de Rasmus, au moment où Benjamin le cœur battant s'adresse à lui et à personne d'autre, c'est à ce moment-là qu'un contact s'établit, oui, comme une adhérence, comme s'ils s'accrochaient l'un à l'autre. Ils sentent peut-être tous les deux que le voyage qu'ils ont fait chacun de leur côté est terminé, ils sont arrivés l'un à l'autre ; de même que leur attente est terminée, une attente aussi

784

longue que l'éternité qui dure depuis l'enfance, ils se sont trouvés l'un l'autre.

Ce bref passage de l'Apocalypse est devenu leur prière du soir. Rasmus voulait toujours que Benjamin le lui récite avant de dormir.

Quand il était mourant aussi. Les derniers jours à l'hôpital, quand chaque respiration représentait un effort colossal, quand la vie se résumait à une seule respiration à la fois, Benjamin lui tenait la main, à côté de lui, et lui chuchotait inlassablement :

« Et il essuiera toute larme de leurs yeux, et la mort ne sera plus ; ni deuil, ni cri, ni douleur ne seront plus. Les choses anciennes ont disparu. »

Ils avaient tant envie qu'il en soit ainsi. Que ce soit vrai. Que le verset de la Bible ne soit pas des paroles en l'air, des phrases certes réconfortantes mais vides. Qu'elles soient un passage entre ce monde et le suivant, un chemin susceptible d'être emprunté par le grand amour de Benjamin, par un Rasmus délivré de la peine, de la souffrance, de la douleur.

Et pas seulement par lui. Par tous ! Tous !

Un autre Noël. Sans doute en 1987. Le dernier Noël de Lars-Åke. Juste au moment de lever le coude pour le premier verre d'aquavit. Paul lance, à propos de rien :

– Au fait, il faut que je vous raconte : l'autre jour, j'ai reçu une lettre de suicide !

Personne ne hausse ne serait-ce qu'un sourcil. Seppo continue de sucer bruyamment les pattes de sa langoustine.

– Ah bon, encore Frille ? répond-il sans cesser de manger.

Paul grimace, agacé.

– Oui, tu le connais, tu sais comment il est. Lars-Åke, toi aussi tu le connais, non ?

Celui-ci secoue la tête.

– Non ? C'est pas grave, on s'en fout. Quoi qu'il en soit, il a déjà envoyé des centaines de lettres de suicide. Mais est-ce qu'elles ont été suivies d'effet ? Pensez-vous !

Paul attrape le pot de moutarde.

– Autant envoyer un tas d'invitations et ensuite annuler la fête. Non, franchement, il commence à radoter, là. Je me suis senti obligé de lui répondre. Vous voulez écouter ce que je lui ai écrit ?

Ni une ni deux il se lève pour aller chercher sa lettre. Revenu à sa place, il dit avec satisfaction :

– Écoutez-moi ça : «Frille, ma crotte ! Il y a tout le temps des gens qui meurent. Tous les jours. Partout. Qu'est-ce qui te fait croire que tu as quelque chose de plus que les autres ? Mais putain, secoue-toi !»

Il ôte ses lunettes de lecture.

– Alors ? Qu'est-ce que vous en pensez ?

– Je savais pas que t'avais besoin de lunettes.

Seppo est comme d'habitude le seul à savoir comment répondre à Paul.

– Ah, toi aussi tu les trouves sympas ? s'illumine-t-il. C'est ce sida de merde, je n'y vois plus rien. Toujours est-il qu'il m'a répondu, il s'est excusé, il a dit qu'il allait se ressaisir. Sur une carte postale, en plus ! ajoute-t-il en agitant une carte de vœux. Ça lui a permis de ne pas payer le timbre au tarif lettre, radin comme il est.

– Ça veut donc dire qu'il ne va pas se flinguer ? demande Lars-Åke.

– Mais j'espère bien que non ! Quoique, mieux vaut ça que de voir la moitié de ses amis chier dans leur froc de trouille en recevant une autre lettre.

Paul se rend compte que cinq années d'amitié intense ne sont pas venues à bout de l'extraordinaire faculté qu'a Benjamin d'être choqué pour un rien. Ce qui le ravit. Aussi tapote-t-il son bras et réplique :

– Nan mais j'hallucine, Benjaminou ! Arrête de prendre ton air de sainte-nitouche. Tu sais très bien que j'ai une vision de la vie très terre-à-terre. Il en va d'elle comme de la bouffe : on finit toujours son assiette. Nous sommes vivants si peu de temps alors que nous sommes morts pendant si longtemps. Ce n'est pourtant pas difficile à comprendre ?

Il lève son verre à schnaps et porte un toast à la vie, à Frille et – comme il dit toujours depuis la disparition de Reine – « aux amis absents ».

Le brouhaha autour de la table s'apaise, pendant un instant ils se souviennent ensemble. De tous ceux qui ne sont plus là. Ils ferment les yeux et voient leur visage.

Le verre bu cul sec, l'alcool avalé d'un trait. Ils en font un point d'honneur.

Ensuite ils chantent. *Trois petites vieilles partaient sur la route, elles se rendaient au marché de*

Nora. Quant à savoir pourquoi elles s'y rendaient, ça, mystère.

Et le deuil s'impose à eux. Le deuil est une nouvelle réalité qui les oblige à se positionner par rapport à lui, à trouver une manière de l'intégrer dans leur vie. Le deuil n'est pas un rhume ou une infection qu'on affronte et qu'on surmonte pour en être enfin débarrassé.

Benjamin en fait lui-même l'expérience. Un an environ après la mort de Rasmus, il croise une vague connaissance à la pharmacie. Il a du mal à situer l'homme, une grande folle – mais d'où est-ce qu'il le connaît ? Il réussit malgré tout à formuler un «salut», puis à demander : «Ça va ?» Le visage radieux, l'autre répond le plus naturellement du monde, comme s'ils se fréquentaient depuis des lustres : «Tiens, salut !», puis : «Ça va très bien, merci !»

Benjamin est sur le point d'ajouter quelques mots sur la pluie qui tombe à verse, quand l'autre paraît soudain hésiter, à croire que quelque chose lui est revenu à l'esprit et qu'il doit apporter une légère rectification : «Non, en fait ça ne va pas si bien que ça. Mon mari est mort samedi dernier. Je l'aimais tellement.»

Les mots tombent, lourds, nets. Un bref instant, tout s'arrête, avant que la pluie ne se remette à ruisseler sur la vitrine. Entre-temps la file d'attente s'est résorbée, c'est au tour de Benjamin de payer, il tend ses achats au pharmacien.

En ce lundi, vers midi, le pharmacien, Benjamin, les autres clients, tout le monde entend les mots de cet homme tout à coup esseulé, transformé en ombre. Le deuil et l'exclusion déferlent sur lui telle une vague de solitude.

«Mon mari est mort samedi dernier. Je l'aimais tellement.»

Un bref instant, peut-être à cause de ce saut qu'il a dû faire à la pharmacie (quoi de plus banal ?), cet homme s'est senti complètement normal, pris dans le train-train quotidien. Puis ça lui est revenu, d'un seul coup il s'est souvenu. Qu'en fait, non, ça ne va pas bien du tout. Qu'au contraire c'est épouvantable, que son monde vient de s'écrouler, que tout est brisé, qu'il ne reste qu'une réalité irréelle, un après effroyable où plus rien ne pourra aller bien puisque tout a été brisé.

Parfois, ce n'est pas une question de vie. C'est une question de survie. Il s'agit de survivre à cet instant, puis au suivant, puis à un autre, puis à un autre encore. Il s'agit de passer au travers, de continuer à respirer, une respiration à la fois. Ça ne change peut-être pas grand-chose sur le moment, mais à la longue ça peut s'améliorer.

Benjamin est bien placé pour le savoir. Il s'est trouvé dans la même situation, il s'y trouve encore. Mais ça ne sera pas toujours comme maintenant car maintenant est épouvantable et ça ne doit surtout pas l'être pour toujours ; c'est épouvantable et c'est comme ça, et tant pis s'il est impossible de croire autre chose en ce moment.

Ça ne doit surtout pas l'être pour toujours : épouvantable.

Benjamin passe son après-midi à penser à l'autre. À penser qu'ils sont deux jeunes hommes partageant la même expérience. À penser que votre vie peut se briser et pourtant vous continuez d'aller faire des emplettes à la pharmacie, vous mettez un short et un tee-shirt parce que c'est l'été, vous saluez des amis, vous dites «merci», vous dites «ça va», bien que votre monde se soit brisé et qu'il ne puisse jamais être reconstruit.

Quand il rentre à vélo, la pluie ruisselante s'est transformée en un déluge quasi tropical. L'eau n'a pas le temps de s'écouler. C'est comme une crue soudaine, et Benjamin est obligé de se réfugier sous une porte cochère.

Le deuil qui vous marque de son sceau devient une partie intégrante de votre personne. Et puisque le deuil est une marée, il n'est donc pas rare qu'il remonte et vous submerge avec une force époustouflante, alors que vous aviez le sentiment que tant de temps s'est écoulé, que les années ont succédé aux années. Mais puisque le deuil est une marée, il n'est pas rare non plus qu'il se retire, vous découvrez à ce moment-là que vous avez les pieds au sec et que vous devriez peut-être vous étirer les jambes et aller faire une promenade.

Car la vie continue même si elle est totalement différente. Vous pouvez pleurer et éprouver le manque, mais vous pouvez aussi vous réjouir et vous souvenir. Par moments vous n'êtes pas obligé d'y penser, et par moments ça vous envahit à nouveau. Les années vont passer, vont devenir des décennies, Benjamin vieillira et finira par avoir la force de se dire qu'en définitive il s'agit peut-être de composer avec la grâce qui vous a été donnée d'avoir pu partager votre passage sur terre avec quelqu'un – de se réconcilier avec elle, d'être reconnaissant envers elle.

Pour Benjamin, la grâce d'avoir pu dans sa vie aimer quelqu'un qui l'a aimé.

Dès que la pluie a diminué en intensité, Benjamin est remonté sur son vélo.

Benjamin et Holger attendent le train sur le quai de la gare d'Åmotfors. Ils sont plongés dans le silence depuis un long moment. Et finalement Benjamin trouve quelque chose à dire. Il dit :

– On voit que l'automne est arrivé.

Ça, au moins, on peut y répondre. Du coup, Holger dit :

– Ah, sûr. Le soleil se couche tôt en ce moment.

Suite à quoi ils replongent dans le silence. Puis c'est au tour de Holger de faire une tentative. Il hésite longuement, mais il dit :

– Je pensais à quelque chose... Si tu voulais rester, j'ai de la place chez moi. J'ai une chambre d'amis, je veux dire.

Benjamin le regarde. Il ne comprend pas.

– Merci, mais non. Je pense que je vais rentrer. Mais merci.

– Non, c'est juste que je pensais que...

Holger ne termine pas sa phrase.

Le fait est que Benjamin a apporté de quoi passer la nuit. Au cas où. Il ne sait pas pourquoi. Il hésite à son tour.

– J'espère que tu n'as rien préparé au moins ? Parce que dans ce cas...

Holger l'interrompt aussitôt et lui assure :

– Oui, non, enfin... pas exactement...

Ce qui coupe l'élan de Benjamin.

– Ah bon ? Ben alors, euh, tant pis.

Silence de nouveau. Holger désigne les rails d'un mouvement de tête.

– Le train ne va pas tarder. En général on le voit arriver de là-bas.

Tous deux fixent la voie ferrée. Ni l'un ni l'autre ne voit de train apparaître.

Le train finit par arriver. Il s'arrête, les portes s'ouvrent.

– Bon ben… commence Benjamin, il ne me reste plus qu'à te remercier.

Ils n'ont plus beaucoup de temps. Holger est soudain très pressé.

– Tu es sûr de ne pas vouloir rester, alors ?

Benjamin hésite. Il lève les yeux vers l'élan blanc sur le toit de l'auberge.

– Non. Enfin… je veux dire, je ne sais pas…

Ils se regardent. Il aimerait certainement.

– C'est-à-dire, je ne voudrais pas te déranger.

Holger est sur le point de dire qu'au contraire, ça lui ferait plaisir, quand le contrôleur descendu sur le quai les interpelle :

– Bon, vous montez ou pas ? Le train va démarrer.

Et c'est ce qui se passe.

Ils se serrent la main. Benjamin remercie Holger une nouvelle fois et il monte dans le train. Les portes se referment.

Holger regarde longuement le convoi s'éloigner.

Lorsque Benjamin descend du train à la gare centrale de Stockholm, qu'il roule sa valise noire à travers le grand hall, qu'il passe devant ce qui était appelé autrefois la Rondelle et était un lieu de drague pour les homosexuels, qu'il passe devant les toilettes où adolescent il avait eu ses premières expériences homosexuelles maladroites, brusquement, il aperçoit son reflet dans une vitrine.

Que voit-il ?

Un homme seul, entre deux âges, pas spécialement attirant, traînant une petite valise noire à roulettes.

Quand Holger arrive dans sa cuisine, il ouvre le réfrigérateur, sort un bol avec deux filets de poulet mis à mariner. Sur le plan de travail sont disposés un saladier rempli, deux bouteilles d'eau gazeuse, deux assiettes, deux verres, quatre couverts.

Il remet une assiette et un verre dans le placard du haut. Range deux couverts dans le tiroir. Place une bouteille d'eau gazeuse dans le réfrigérateur. Sort la poêle.

Il pousse un soupir.

Puis il allume sous la poêle et fait revenir un seul des deux filets de poulet.

Combien de fois ne se sont-ils pas tenus devant la porte laquée noire à attendre que Paul daigne leur ouvrir. Aujourd'hui, quand il l'ouvre, avec cette joyeuse insouciance qui est sa marque de fabrique, ils sentent l'effort considérable qu'il doit fournir. Il est essoufflé et s'appuie sur une canne.

Le temps n'est qu'un prêt. Et ce temps est désormais consommé. Il est en fait déjà écoulé.

Le temps qui court en ce moment n'est qu'un répit.

Paul a l'air épuisé avant même que la soirée ait commencé. Il parle d'une voix fatiguée, presque indifférente. Habillé d'un pantalon confort, d'un pull informe et de grosses chaussettes en laine, il n'a visiblement pas eu la force de prendre soin de sa tenue. Après les avoir invités à entrer, il retourne dans le salon d'un pas traînant, sans les attendre. Il s'allonge sur le lit qui y est installé depuis quelques années puisque c'est la pièce la plus grande et la plus agréable.

Comme un petit vieux, pense Benjamin avec tendresse.

Seppo et Benjamin se débarrassent de leurs manteaux dans l'entrée avant de le rejoindre.

Le salon ressemble autant à une chambre d'hôpital qu'à une pièce à vivre. La même odeur de renfermé, de maladie. Un peu partout des médicaments, des verres sales. Sur le fauteuil un coussin-bouée en mousse. À la tête du lit une potence en acier sur pied, avec sa poignée pour aider Paul à se coucher et à se relever.

Lors des Noëls précédents, pas plus tard que l'année dernière, cette pièce était décorée du sol au plafond avec des guirlandes scintillantes et des guirlandes électriques, des anges et des pères Noël, des chèvres en paille dont la plus grande était pourvue d'un harnais de cuir et d'une casquette en cuir clouté. Cette année, le sapin en plastique argenté n'a même pas été sorti du cagibi. Ce réveillon ressemble à n'importe quel jour de l'année, il a cessé d'avoir une quelconque importance.

Benjamin a apporté une boîte de chocolats Aladdin, une tradition depuis leur premier Noël en commun : elle avait été le cadeau offert à Paul par Rasmus, aussitôt atterré en comprenant à quel point ça faisait plouc. Chaque année, la boîte circule parmi les invités après que Paul l'a dépucelée, comme il dit, en mangeant la noisette triplée.

Aujourd'hui, Benjamin soupèse la boîte dans ses mains. Il ne sait pas trop quoi en faire. Paul ne l'a pas vue. La tête sur l'oreiller, il regarde le plafond.

– Je me repose un peu, là. Asseyez-vous donc.

Seppo et Benjamin s'assoient dans le canapé poussé contre le mur, au fond de la pièce.

– Comment… comment vas-tu ? demande Benjamin doucement.

Paul tourne la tête vers ses invités et les dévisage.

– Vous voulez un peu de vin chaud ?

Encore un rituel. Au réveillon de Noël, Paul leur propose toujours le traditionnel vin chaud pour aussitôt faire remarquer que chez lui on boit du champagne, pas de la pisse de bourrique tiédasse avec des raisins secs.

Seppo sourit et dit qu'il en prendrait volontiers un verre. Paul l'observe. Il tarde à répondre. Comme s'il devait prendre son élan pour réussir à articuler les mots.

– Je n'ai pas… de vin chaud.

Il se tait, fixe le plafond, semble y chercher quelque chose. Puis il ferme les yeux. Il finit par dire :

– J'ai… du sirop.

Il se tait de nouveau. Au bout d'un moment, Seppo et Benjamin pensent qu'il s'est peut-être endormi. Seppo tousse.

– Paul ? Tu préfères qu'on s'en aille ? demande-t-il doucement.

Paul ouvre les yeux.

– Vous en voulez, du sirop ?

Il se lève péniblement du lit, prend la canne appuyée contre la table de chevet, se traîne dans la cuisine. Benjamin et Seppo se regardent. Ils se lèvent et suivent Paul. Il ne les regarde toujours pas.

– Mais asseyez-vous !

– Tu es sûr que tu veux qu'on reste ?

Avec difficulté, Paul sort du réfrigérateur un pichet de sirop qu'il pose lourdement sur la table déjà mise. Des assiettes en carton aux motifs de Noël, des serviettes de Noël. Pas de nappe. Une bougie rouge dans son bougeoir.

Il y a quelque chose dans cette table si maladroitement dressée qui émeut Benjamin au point qu'il doit se faire violence pour ne pas courir prendre Paul dans ses bras.

Savoir qu'il a déployé de tels efforts sans être parvenu à un résultat satisfaisant. Savoir que ceci est tout ce qui reste de leur vie commune. Ce qui reste du faste. De la liberté jubilatoire. De la fête que fut leur vie. Que ceci est tout ce qui reste d'eux.

Eux : trois hommes autour d'une table suffisamment grande pour accueillir beaucoup plus de convives. Ceci : quelques assiettes en carton sur une table sans nappe, quelques serviettes en papier à motifs de pères Noël.

Paul verse des flocons de purée mousseline dans une casserole avec de l'eau qu'il met à chauffer. Il sort du réfrigérateur un paquet de jambon blanc qu'il balance sur la table. De toute évidence il essaie de minimiser ses mouvements, de toute évidence chaque geste lui coûte.

– Il y a de la salade de betteraves aussi…

Il ouvre de nouveau le réfrigérateur, cherche, mais ne voit aucune salade de betteraves.

– À moins que j'aie oublié d'en acheter ?

Encore une défaite. Il plisse le front. Il s'en veut. Plus rien ne fonctionne en lui. Ni le souvenir. Ni les forces. Ni l'humeur.

Benjamin se lève d'un bond.

– Je peux descendre en acheter.

– Non, soupire Paul en claquant rageusement la porte du frigo. De toute façon, manger, ça me fait trop mal. J'ai… j'ai la bouche pleine de muguet… Exactement comme Reine. Putain ce qu'il me faisait chier avec ses jérémiades…

Ce souvenir le fait sourire.

– Bref. Tout ça pour dire que je ne peux pas manger beaucoup.

Il réfléchit un instant. Pense-t-il à Reine ? Essaie-t-il de maîtriser la douleur dans sa bouche ? Pour ça aussi il faut de la concentration. Il semble avoir pris une décision. Il dit, d'un air sérieux :

– Je pense qu'il y a du saumon.

Il rouvre le réfrigérateur, son visage s'illumine.

– Mais oui ! C'est bien ce que je pensais !

Il lance triomphalement un paquet de saumon tranché sur la table devant Seppo et Benjamin.

– Mais ça non plus, je n'arrive pas à le manger. Allez-y, vous !

Il explore une dernière fois son frigo quasi vide.

– De la compote, j'ai aussi de la compote de pommes !

Il en sort un pot, referme le réfrigérateur, remue la purée mousseline, pose bruyamment la casserole sur la table. Chaque mouvement l'épuise. On voit que tout son corps lui fait mal. L'effort le fait transpirer. Il renonce. Il s'assied.

– Voilà ! dit-il en soufflant. Ça suffira comme ça. Eh ouais, voilà où ça nous mène !

Il fixe le vide devant lui, ferme les yeux, balance doucement son corps.

Benjamin et Seppo se regardent. Ils ne savent pas quoi faire. Ils voient que Paul pleure. En silence. Ce n'est pas grave. Ce ne sont que des larmes. Sans ouvrir les yeux il chuchote :

– Je me suis dit qu'on pourrait commencer par le saumon. Comme entrée.

Benjamin ouvre le paquet de saumon et celui de jambon. Il demande à Paul :

– Tu veux du jambon ?

Paul les regarde de nouveau. Et cette fois il sourit.

– Oui, je veux bien. Avec un peu de purée.

Seppo verse la purée directement de la casserole, elle est tellement liquide qu'elle ressemble plutôt à de la bouillie.

– Est-ce que l'un de vous se rappelle une chanson de Noël ? Putain, je crois bien que je les ai toutes oubliées !

Ils mangent, ils mentent, ils disent que c'est bon. Ils plaisantent en disant que cette année ils ne voient pas de homard sur la table. Mais l'année prochaine ! Paul réplique :

– L'année prochaine à Jérusalem !

Benjamin lance soudain, la bouche pleine :

– Cette année ça va faire dix ans que j'ai rencontré Rasmus. Ici même !

Paul pose ses couverts.

– Rasmus, oui ! Et Lars-Åke…

Il cache son visage dans ses mains. Est-ce qu'il pleure encore ? C'est difficile. Difficile de vivre. Difficile de se souvenir.

– Le soir du réveillon, ça fera dix ans, précise Benjamin.

– Ah oui, dit Seppo en laissant Paul pleurer en paix. C'est vrai que chez les Témoins vous ne fêtez pas Noël. C'est ça, non ?

Benjamin raconte un épisode de son enfance : une année, sa famille a été invitée chez des amis le soir du réveillon. Ils ont joué aux petits chevaux, ils ont mangé des saucisses cocktail et des boulettes de viande, mais de retour à la maison, ils étaient tous d'accord pour affirmer qu'ils ne s'étaient pas sentis à l'aise. Surtout sa mère avait été embarrassée. À son avis, ils venaient de franchir une limite. Ils avaient presque fêté Noël. Si bien que l'année suivante, quand la même famille les a invités, ils ont décliné l'invitation.

Paul se lève, interrompt Benjamin.

– On a peut-être le temps de manger un biscuit au gingembre ?

Seppo se lève lui aussi.

– Tu es fatigué, mon chou ? Tu veux te reposer ? On peut partir, tu sais.

– Non, de toute façon le taxi ne va pas tarder à venir me chercher. J'ai juste une permission de sortie, je dois retourner à l'hôpital. Je voulais seulement…

Qu'est-ce qu'il veut, en fait, Paul ? Comment pourra-t-il formuler tout ce qu'il veut ?

– Je voulais seulement fêter Noël un peu…

Ils se tiennent devant l'immeuble de Paul dans la Sankt Paulsgatan. C'est une journée de décembre grise, le vent est froid, il ne fait pas plus de deux ou trois degrés. Le taxi vient d'arriver. Benjamin et Seppo aident Paul à monter dans la voiture. Paul est nettement plus fatigué que tout à l'heure.

– Ça va aller, tu crois ? demande Benjamin, soucieux.

– Mais oui ! souffle Paul, en respirant lourdement par le nez, les yeux fermés.

Seppo le serre dans ses bras.

– À bientôt, mon chou.

Paul sourit malgré la fatigue.

– Oui, dit-il avant d'ajouter : Ou pas.

Au moment où le chauffeur s'apprête à fermer la portière, Paul se penche en avant pour tendre une grande enveloppe à Benjamin.

– Benjamin, mon cœur. Tu feras publier ça pour moi, dans les journaux ?

– Bien sûr. C'est quoi ?

Intrigué, Benjamin prend l'enveloppe. Pendant un instant, Paul retrouve sa légèreté d'autrefois. Comme un bref moment de grâce. Il pouffe :

– Qu'est-ce que tu crois ? C'est mon faire-part de décès, évidemment ! Je l'ai rédigé moi-même. On n'est jamais si bien servi que par soi-même !

– Vous avez bientôt terminé ? demande le chauffeur, impatient.

Paul agite la main :

– Oui oui, je suppose que oui ! Allez, salut les garçons !

Le chauffeur referme la portière, s'installe au volant. Le taxi s'en va. Benjamin et Seppo le regardent partir.

Benjamin ouvre l'enveloppe.

Une feuille A4. Les lettres tremblées d'une personne malade. Il est écrit, en majuscules :

PAUL

Puis, en dessous, en plus gros encore, suivi d'un point d'exclamation :

J'AI VÉCU !

Nouvelle année, nouveaux enterrements. Mais celui-ci devrait tout de même être le dernier avant que son tour ne soit venu. Certes, lors de sa contamination, il a fait une primo-infection d'une virulence inattendue, mais il n'a depuis développé aucun symptôme. Peut-être qu'alors ce ne sera pas pour tout de suite.

Certains s'en tirent bien. Steinar, par exemple. Il est séropositif depuis douze ans, et toujours beau et gros, comme il dit lui-même. Combien de temps va-t-il continuer à y échapper ? Il reste sept ans avant l'an 2000. Aura-t-il l'occasion de vivre le changement de millénaire ?

Dans la communauté des Témoins où Benjamin a grandi, on a toujours beaucoup parlé de l'année 1914. Elle est considérée comme l'année où Jésus est devenu Roi dans les cieux. «*Et aux jours de ces rois-là, le Dieu du ciel établira un royaume qui ne sera jamais supprimé*», peut-on lire dans le livre de Daniel. Jésus ayant enseigné cette prière à ses disciples : «*Que ton royaume vienne*», cela signifiait qu'il fallait patienter. La question était uniquement de savoir combien de temps durerait cette attente. Dans l'intervalle, grâce aux calculs savants effectués au XIXe siècle par des «étudiants de la Bible», on a découvert qu'elle prendrait fin en 1914.

Comme l'a appris Benjamin, tout ce qui s'est produit dans le monde depuis cette date-butoir confirme que ces «étudiants de la Bible» ne se sont pas trompés dans leurs calculs. Tout autour d'eux ils ont vu quantité de prophéties bibliques se vérifier, qui démontrent réellement que le Christ est devenu Roi en 1914, que le Royaume céleste de Dieu a été instauré depuis.

Nation se lèvera contre nation et royaume contre royaume, il y aura des disettes, il y aura des pestes dans un lieu après l'autre, il y aura de grands tremblements de terre, l'illégalité se multipliera, les hommes seront amis de l'argent, les hommes défailliront par peur des choses venant sur la terre habitée. Depuis 1915, ils vivent tous dans la *« courte période qui reste à Satan »*.

Ils se trouvent dans la période des tout derniers jours.

C'était – et c'est encore – la ligne directrice officielle de la communauté : l'accent a toujours été mis sur les paroles de Jésus, lequel affirme que la génération vivant au commencement de cette période ne s'éteindra qu'une fois accomplies les prophéties contenues dans la Bible.

Nous sommes aujourd'hui en 1993. La génération de 1914 est en train de disparaître. La fin des temps est réellement arrivée.

Il ne reste que Seppo et lui désormais. Les deux bonnets de nuit de la famille. Et c'est eux tout craché d'être les seuls survivants. Il y aurait de quoi avoir honte, pense Benjamin, et sa réflexion le fait sourire.

Benjamin attend Seppo devant l'entrée du théâtre. Il piétine sur place pour conserver sa chaleur. Le sable et la glace crissent sous ses chaussures bien trop légères pour une journée d'hiver aussi limpide, le vent glacial traverse sans difficulté le tissu noir de son pantalon. Le ciel est pur et d'un bleu éclatant comme ils n'en ont pas eu depuis longtemps. En face, sur la devanture du bureau de tabac, les journaux annoncent que John Ausonius, baptisé par la presse l'homme au laser, a été condamné à la prison à vie pour assassinat, tentative d'assassinat et vol à main armée.

L'Orionteatern est logé dans un ancien atelier de mécanique datant du début du siècle, dans la friche industrielle de Norra Hammarbyhamnen reconvertie actuellement en zone d'habitation. Benjamin et Seppo se promènent parfois sur les quais de l'ancien port pour regarder les nouveaux immeubles qui sortent de terre par dizaines.

Benjamin est évidemment déjà venu à l'Orionteatern. Rasmus et lui y ont vu de nombreuses pièces, notamment *Pygmalion*, qui avait eu un succès phénoménal – c'était quand déjà ? En 1985 ? Bengt les avait accompagnés, donc ça doit être dans ces eaux-là, à l'époque où Bengt allait encore devenir la plus grande étoile du firmament.

Avant de nouer une boucle avec une rallonge et de se pendre.

À la fin de la pièce, Eliza quittait le professeur Higgins et s'en allait. Elle poussait les grandes portes du théâtre ouvrant sur la rue et sortait dans la froideur nocturne, dans la réalité, pour de vrai.

Benjamin se rappelle avoir été ébranlé par cette expérience théâtrale. N'avait-il pas lui-même délaissé un monde factice, poussé les portes pour rejoindre un monde réel, rempli d'air réel, dans une froideur nocturne réelle, sur des chemins qui le conduisaient loin, très loin de tout ce en quoi on lui avait appris à croire ? Une fois lancé sur ces chemins, il ne pouvait plus revenir en arrière, les portes derrière lui avaient été refermées à double tour.

Et le voici maintenant dans un froid mordant, attendant de pouvoir entrer à nouveau dans le monde factice. Entrer pour un dernier adieu.

Ils sont de moins en moins nombreux à mourir autour de lui. Comme à la traîne.

Au pire de l'hécatombe, pour lui au cours des deux années qui viennent de s'écouler, ils étaient parfois plusieurs à disparaître chaque semaine. Autant de malades contaminés avant même qu'on connaisse l'existence de ce virus, avant qu'on sache comment s'en protéger. À l'époque où la fête battait son plein. Une fête à laquelle il n'a lui-même jamais participé. Parce qu'il est arrivé trop tard et parce qu'il n'a jamais été du genre fêtard.

Combien de personnes de son entourage proche sont décédées ? Trente ? Quarante ? Comme autrefois il était membre de plusieurs associations de lutte contre le sida, tant le Posithiva Gruppen que la Noaks Ark, fatalement, ça fait beaucoup. Pendant les six derniers mois qu'a vécu Rasmus, Benjamin n'a cependant plus eu la force de s'engager : il a tout lâché, tout laissé dériver, et par la suite il ne s'est jamais réinvesti activement, pas pour de vrai.

Le deuil est si paralysant.

Après la disparition de Rasmus, Paul et Seppo sont devenus ses filins de sécurité. Ce sont eux qui l'ont maintenu debout. Et dorénavant il ne reste plus que Seppo. Et lui-même, bien sûr.

Elle durera le temps qu'elle voudra bien durer, sa vie synonyme d'attente.

L'attente que l'infection le phagocyte, l'attente que sa charge virale augmente, l'attente que ses T4 diminuent, et enfin l'attente d'être à nouveau réuni avec son adoré.

Mais aussi l'attente que les antirétroviraux soient plus efficaces, l'attente d'un remède sans cesse repoussé à plus tard.

Dans cette salle d'attente où il se trouve, que va-t-il entreprendre ?

Quand le chagrin l'a plongé pendant près d'un an dans l'apathie, après le décès de Rasmus, on lui a proposé une retraite anticipée. Mais il a décliné. Il n'était pas malade. Il était seulement fatigué, terriblement fatigué.

Heureusement qu'il a eu Paul et Seppo. Sa famille. Ils l'ont forcé à sortir. À partir se promener, à aller au cinéma, au théâtre, à prendre une bière. Ils l'ont maintenu en mouvement. Ils disaient que c'était important, car sinon les muscles s'atrophieraient et il ne pourrait plus jamais bouger.

«Nous vivons mieux nos vies si nous comprenons que notre temps est compté», disait souvent Paul, qui prononçait cette phrase avec un air toujours aussi insouciant. Seppo marmonnait alors qu'il l'avait piquée dans un bouquin, ce sur quoi Paul haussait les épaules, encore plus insouciant, et admettait que, oui, évidemment, où était le problème ?

Comme il lui manque, Paul !

Paul, qui le premier a réussi à le faire sortir de son placard, ce fameux automne il y a dix ans. Paul qui l'a… comment dire ? Paul qui l'a *reconnu*. Et c'est assis chez lui que Benjamin, son manteau encore sur le dos, sans avoir ôté ses chaussures, a formulé dans un désespoir extrême la seule chose dans sa vie qu'il savait être tout à fait vraie :

Je veux dans ma vie pouvoir aimer quelqu'un qui m'aime.

Paul qui lui a fait rencontrer Rasmus deux mois plus tard. Cela fait maintenant dix ans. Dix ans seulement ! Et pourtant une vie entière, une éternité.

Quand ils se sont rencontrés, Rasmus et lui, ils n'étaient que des enfants, ils n'étaient pas complets, car l'un manquait à l'autre. Pendant dix-neuf ans, son adoré lui a manqué avant même qu'il l'ait rencontré, et dès l'instant où il l'a rencontré ç'a été si simple, il s'est simplement dit : «Le voilà, c'est lui !» Et il a su qu'il n'avait aucune intention de le laisser disparaître loin de lui.

Cette nuit bénie alors qu'il tombait tant de neige et qu'ils traversaient la ville, main dans la main.

Sans Paul, rien de tout cela ne serait arrivé.

De partout affluent maintenant des gens venus assister aux obsèques. Beaucoup se saluent, se donnent l'accolade. Un couple d'un certain âge semble perdu. Ils longent la façade du théâtre dans un sens puis dans l'autre, se demandant s'ils ne se sont pas trompés. Benjamin voit la femme revérifier l'adresse et l'entend dire :

– Mais mon chéri, c'est forcément ici.

Son mari marmonne en secouant la tête :

– On dirait une sorte d'entrepôt !

La femme se tourne vers Benjamin :

– Excusez-moi, c'est ici l'Orionteatern ?

Son accent révèle qu'elle n'est pas de Stockholm. Örebro, songe Benjamin, ou Eskilstuna. Paul ayant grandi là-bas, ça doit être ça. D'un hochement de tête, il confirme qu'ils sont au bon endroit. La femme s'adresse à son mari d'une voix triomphale :

– C'est bien ce que je disais, mon chéri !

Elle se tourne de nouveau vers Benjamin.

– On va à l'enterrement de Staffan.

Benjamin sursaute, confus.

– Staffan ? Vous voulez dire Paul ?

– Non. Staffan.

Elle plisse le front, irritée. Elle ouvre la porte derrière Benjamin.

– Je crois qu'on peut entrer par ici, mon chéri.

Ils disparaissent à l'intérieur, dans la chaleur des lieux. Benjamin reste dehors. Pour se réchauffer les doigts, il tape l'une contre l'autre ses mains protégées par des gants en cuir noir. Il attend Seppo. Il ne veut pas entrer seul.

Seppo arrive enfin, essoufflé. Il a le nez rouge, ses joues sont froides quand ils se font la bise.

– Désolé, je suis en retard. Tu n'imagines pas comme j'ai couru ! J'ai loupé le bus. Ça fait long-temps que tu m'attends ? Ça caille, putain !

En ouvrant la porte, Benjamin mentionne le couple qui n'était pas sûr de l'adresse.

– Tu comprends, c'était étrange, ils ont appelé Paul Staffan.

Le visage de Seppo s'illumine.

– Oui, il s'appelait comme ça !

– Quoi ?

Benjamin ne comprend pas. Seppo poursuit tranquillement.

– Son passeport indiquait Staffan. Mais comme il n'a jamais aimé ce prénom, il en a changé. Quand il a quitté Eskilstuna pour venir vivre à Stockholm.

Benjamin dévisage Seppo, il n'en revient pas.

– Attends, attends, j'ai du mal à suivre. Paul ne s'appelait pas Paul ?

– Si, bien sûr. Mais un jour il a décidé qu'il s'appellerait Paul. Et il s'est appelé Paul, point à la ligne.

– Mais… et ceux qui l'appellent Staffan alors ?

Seppo agite la main avec la même désinvolture que Paul à l'époque.

– Pff ! Des membres de la famille, j'imagine. Faut toujours qu'ils se fassent remarquer. Nan mais j'halluciiine !

Il imite le ton de Paul et éclate de rire. Benjamin lui emboîte le pas, toujours aussi déconcerté.

– Allez, ferme la porte maintenant, je meurs de froid.

– Mais il était bien juif ?

– Oui oui. Enfin, je crois.

Seppo se retourne et lui fait un clin d'œil.

– Ou alors c'est simplement qu'il aimait les minorités.

Un jeune body-builder, que Benjamin reconnaît comme étant serveur au Huset, la boîte de nuit, aide les gens à s'installer dans les rangées installées pour l'occasion, face à la scène où un rideau de velours rouge est tiré. En voyant Seppo et Benjamin, il leur annonce qu'ils ont des places réservées. Il les conduit à un petit espace où les chaises sont délimitées par des rubans de soie. Benjamin ne peut s'empêcher de rire.

– Oh, Paul a prévu une section VIP !

Seppo sourit mais il n'est pas surpris : on ne peut pas s'attendre à autre chose venant de Paul. Le jeune éphèbe sort un papier plié en deux, où Benjamin reconnaît les pattes de mouche de Paul.

– D'après les instructions écrites de la main de Paul, je dois donner ceci…

Il tend le vieux coussin-bouée de Paul en mousse jaune à Benjamin qui ne comprend pas.

– … « *au mec avec le cul osseux*». Je me suis dit que ça ne pouvait pas être lui ! précise-t-il en désignant Seppo, aux fesses bien plus rebondies que celles de Benjamin.

– Tiens donc, insulté d'outre-tombe, murmure Seppo.

Benjamin prend le coussin-bouée et s'assied dessus.

– Tu sais que c'est du vol, hein ? chuchote Seppo. Il appartient sans doute toujours à l'hôpital.

– Il n'y a que Paul pour organiser son enterrement dans un théâtre, chuchote à son tour Benjamin.

– Que veux-tu, il a eu quelques années pour tout planifier, répond Seppo.

Il semble vraiment joyeux.

Puis la cérémonie commence. Un jeune homme en costume, les cheveux gominés, vient se placer devant le rideau. Benjamin fronce les sourcils. Il a immédiatement reconnu son ancien costume de service. Quand Paul a-t-il réussi à le chiper ?

– C'est mon costume ! chuchote-t-il presque révolté à Seppo qui le calme avec une petite tape sur l'épaule.

– Tu ne reconnais pas le mec ? C'est Peter, il était dans la classe de Bengt à l'école de théâtre.

Oui, maintenant Benjamin le remet. Il l'a rencontré à plusieurs reprises en compagnie de Bengt, il est même venu fêter Noël une fois ou deux chez Paul.

Le jeune acteur, vêtu du costume de Benjamin, demande le silence.

– Nous voici rassemblés pour faire un dernier adieu à Paul, la superfolle, et le remettre entre les mains de Jéhovah.

– Paul ?! s'exclame une femme derrière eux, interloquée. Il ne s'appelait pas...

Seppo se retourne et lui fait signe de se taire. Le jeune homme en costume poursuit.

– Aujourd'hui, mes chers amis, nous n'aurons pas une seule pensée pour cette foutue Ligue contre le cancer !

Benjamin tend l'oreille et se redresse sur sa chaise. Il ne s'attendait pas à ça. Après tant d'enterrements, il pensait connaître le cérémonial sur le bout des doigts. Mais, et il est bien placé pour le savoir, Paul ne serait pas Paul s'il n'avait pas orchestré son enterrement jusque dans les moindres détails. Les derniers mois à l'hôpital, c'était son passe-temps préféré, il avait maudit le destin qui l'empêchait d'assister à une répétition générale, à un moment où il aurait pu s'occuper lui-même de la mise en scène. Quel que soit le spectacle qu'ils s'apprêtent à voir, songe Benjamin, ils vont le voir parce que Paul l'a voulu.

Le camarade de Bengt poursuit :

– Car Paul n'est pas mort du cancer... Même s'il en avait aussi un, c'est indéniable. Il n'y a pas un cancer, pas une bactérie, pas une mycose qu'il ne se soit pas chopés. Ou comme il le disait lui-même la fois où il a attrapé des amibes : « Mon cul n'est pas un cul, c'est une saloperie d'immeuble pour parasites intestinaux. »

Des rires fusent. Seppo se penche vers Benjamin et chuchote :

– On revenait d'Égypte. Paul s'était mis en tête que manger local était sans danger.

Quand les rires se sont tus, l'homme sur la scène retrouve son sérieux.

– Paul n'est pas mort du cancer. Il est mort de la maladie qui a fauché tant de nos amis pendant ces dix dernières années. Et tout comme l'homosexualité a été *l'amour qui n'a pas osé dire son nom*, le sida a été la maladie qui a été niée, dont le nom n'a pas été prononcé à haute voix mais chuchoté dans la honte et en cachette. Il a fallu de nombreuses années avant que le président des États-Unis ait pu se résoudre à prononcer ce mot. La punition que Dieu inflige aux pécheurs. Le cancer gay. Le sida…

Benjamin se penche de nouveau vers Seppo et murmure :

– Ça doit être Paul qui a écrit ça, non ?

– Bien sûr ! Qu'est-ce que tu crois ?

– Mais aujourd'hui nous nous sommes rassemblés pour les pleurer. Pour pleurer les pédés morts. Car ils étaient les plus beaux de tous. Les plus courageux de tous. Ceux qui aimaient le plus. Ce sont eux que la gelée a pris.

L'homme en costume marque une petite pause oratoire, sans parvenir à dissimuler un sourire.

– Et puis Paul…

À ce moment-là le rideau s'ouvre. Un frémissement parcourt le public, certaines personnes vont jusqu'à applaudir.

Car il repose là.

Paul. Ou Staffan. Ou quel que soit son prénom.

Dans un cercueil ouvert.

Paul l'a maintes et maintes fois répété : « Je n'ai pas été ouvertement pédé toute ma vie pour des quetsches ! Je ne vais quand même pas me placardiser au moment de ma toute dernière action ! C'est l'évidence même, ma crotte ! »

Et donc il repose là, maigre et chétif, mais d'une certaine manière plus vivant que jamais. Vêtu de son habituel jean noir et d'un tee-shirt noir. Son visage n'a pas été touché par le Kaposi, aucune tache n'a enlaidi ses bras, mais sinon : il n'était plus que l'ombre de lui-même sur la fin. On s'en rend compte maintenant.

Derrière le cercueil, des trans potelés forment une sorte de chœur grec, en robe pailletée. Derrière elles, un décor peint représente les Alpes. D'un côté du cercueil, empaillés, un agneau et un lion (mais où diable Paul a-t-il réussi à le dénicher). Benjamin n'en croit pas ses yeux. Paul a mis en scène l'illustration !

Son illustration.

Celle qui figurait dans la brochure que Benjamin a donnée à Paul la première fois qu'ils se sont rencontrés il y a dix ans. «*La vie dans un monde nouveau et paisible.*»

Paul adorait cette imagerie kitsch. Ce jour-là, il lui avait demandé de la voir expressément et avait été ravi en la trouvant dans le tract apporté par Benjamin. Il l'avait gardée, encadrée et même accrochée dans sa chambre d'hôpital.

Et maintenant il y est, Paul. Dans le paradis sur terre. Celui qu'il s'est lui-même créé ! La vie dans un monde nouveau et paisible.

Les baffles diffusent de la musique, du gospel. Les trans sortent des micros et commencent à chanter. À moins que ce ne soit du play-back. Le public frappe dans ses mains, Seppo et Benjamin se regardent et éclatent de rire.

– «*Ma seule vie*», chantent les trans.

Elles le chantent encore et encore. À moins qu'elles ne le miment. «*Ma seule vie !*»

Et voilà qu'ils affluent sur la scène. De plus en plus de personnes, toujours et toujours plus, jusqu'à la remplir complètement. Des clones en cuir, des trans, un mec déguisé en pape dans un costume de satin violet, avec des bas résille et des talons aiguilles (le costume que Paul portait toujours à la Gay Pride), la moitié de la Chorale gay de Stockholm, quelques danseurs classiques en chaussons à pointes, deux véritables pasteurs et un homme vêtu comme un juif orthodoxe avec barbe et papillotes, trois gogo dancers vêtus en tout et pour tout d'un string doré, quatre enfants qui ont l'air perdus et pourraient être les neveux de Paul (même si personne n'a rencontré son frère), le chat Moppsan porté par une gouine butch, la chanteuse Anne-Lie Rydé (à qui on a donné un micro qui paraît fonctionner puisque Benjamin reconnaît sa voix), une fliquette, deux des médecins de Paul, quatre beaux jeunes hommes avec des ailes d'ange argentées et, pour finir, un vendeur ambulant de hot-dogs qui semble s'être trompé d'endroit.

– «*Ma seule vie !*» continuent-ils de chanter.

Encore et encore.

– «*Ma seule vie ! La seule vie que j'aie eue. La seule vie que j'aurai. La seule vie que j'aie jamais voulu avoir ! Ma seule vie !*»

Le public est debout, les gens frappent dans leurs mains, chantent eux aussi. Ma seule vie ! Ma seule vie ! C'est répété en boucle. Ma seule vie ! La seule vie que j'aie eue. La seule vie que j'aurai. La seule vie que j'aie jamais voulu avoir ! Ma seule vie !

C'est une sorte de manifestation, un acte de résistance.

Et au milieu de cette pagaille générale : Paul.

Paul reposant dans son cercueil ouvert, entouré de ses amis, la vie qu'il a choisie.

Il aurait adoré !

Et, si on l'avait regardé attentivement, on aurait sans doute découvert que son cadavre était en train de sourire.

Tiens, voici mes rêves ! Tu peux presque les toucher. Comme de l'or au fond d'un lac ils scintillent.

Voici mes folles aspirations, mes foutues déchirures, voici mon orgueil, alors regarde-moi car je ne vais jamais, jamais mourir !

Voici tout ce dont j'ai rêvé, tout ce que j'ai espéré, voici tout ce que j'ai osé faire les jours de grand courage.

Voici ma volonté de vivre, les amis qui m'ont porté, voici mon cœur qui bat, mon cœur qui saigne pour tout ce que je désire.

Par une sombre nuit d'août, Paul traverse la rue en direction de l'hôtel de ville. Des hommes draguent le long de la façade est du bâtiment.

Pendant sans doute que Bengt se glisse dans une cabine au Viking Sauna pour baiser une énième fois avec quelqu'un qu'il ne connaît pas.

Plus tôt dans la journée, Benjamin et Rasmus ont fait la course à vélo sur le pont Västerbron, ils ont pris le soleil tout à l'extrémité de Långholmen. Dans le plus simple appareil, ils ont fait des grands signes aux touristes qui passaient en bateau-mouche.

Car telle est la liberté pour celui qui ose la saisir.

Lars-Åke pose sa tête sur l'épaule de Seppo.

Paul et Bengt dansent avec des amis au Confetti. « *Upside down. Boy, you turn me inside out and round and round.* » Ils dansent, ils rient, ils font les folles.

Reine écrit des pancartes pour la marche de la Libération homosexuelle : *Personne ne me prendra plus ma fierté !*

Rasmus est allongé en position fœtale sur le sol de la salle de bains. La lettre contenant le résultat du test de dépistage à côté de lui. « *Je suis hélas au regret de vous annoncer que...* »

Bengt noue une boucle avec une rallonge électrique.

Assis sur la lunette des chiottes, Lars-Åke serre tellement fort la serviette que les jointures de ses doigts blanchissent. Il hurle.

Les escarres de Reine se creusent jusqu'à l'os. La jeune aide-soignante doit se blinder pour ne pas tourner la tête quand elle lui change ses couches. Il pleure en silence et n'adresse la parole à personne.

Ma seule vie. La seule vie que j'aie eue. La seule vie que j'aurai. La seule vie que j'aie jamais voulu avoir ! Ma seule vie !

Un jour, alors que Benjamin et Rasmus prennent un café en terrasse, un bus s'arrête de l'autre côté de la rue. Ils voient des passagers en descendre. Soudain Benjamin se fige, pose rapidement une main sur le bras de son amoureux.

– Eux, là-bas !

D'un signe imperceptible, il montre un homme et une femme sortant du bus. Rasmus se retourne. Il ne comprend pas.

– Quoi ? Tu les connais ?

Soudain l'homme relève la tête et regarde Benjamin dans les yeux. Benjamin voit qu'il le voit.

Il voit qu'il voit !

Et là, le père de Benjamin entoure d'un bras protecteur son épouse qui n'a pas vu leur fils et son compagnon, il l'éloigne lentement.

– Quoi ? C'était qui ?

– Ça n'a pas d'importance, répond Benjamin.

Ma seule vie. La seule vie que j'aie eue. La seule vie que j'aurai. La seule vie que j'aie jamais voulu avoir ! Ma seule vie !

Ici, tous ceux qui leur veulent du mal ne peuvent plus les atteindre. Ici, ils sont la famille l'un de l'autre. Paul passe un bras autour des épaules de Bengt, ses yeux sont heureux et ivres. Benjamin se penche en avant pour embrasser Rasmus. Seppo sert du champagne à tout le monde, puis ils trinquent à leur santé et à Noël.

Ils marchent main dans la main dans le défilé. Ils scandent : «C'est la faute à maman si nous sommes ce que nous sommes ! FREUD ! FREUD ! FREUD !»

En quittant la fête le lendemain au petit matin, Paul se fait attaquer par une bande de skinheads. Quand il porte plainte, le policier lui répond qu'il n'a à s'en prendre qu'à lui-même avec la dégaine qu'il se tape. C'est bien fait, c'est de la provoc !

Devant l'église Storkyrkan, après le culte qui clôture la Semaine de la Libération homosexuelle, des membres de la secte Maranata brandissent leurs pancartes : SIDA = LE CHÂTIMENT DE DIEU ! et LA SYNAGOGUE DE SATAN ! Quand elles quittent l'église bondée, les personnes ayant participé au culte sont accueillies par la haine des manifestants. Un court instant, elles se taisent. Mais quelqu'un entame un chant : *We shall overcome*. Et, très vite, tout le monde chante. Ils sont si nombreux ! Ils ne peuvent pas perdre !

Ma seule vie ! La seule vie que j'aie eue. La seule vie que j'aurai. La seule vie que j'aie jamais voulu avoir ! Ma seule vie !

Lars-Åke est assis devant la grande table rectangulaire, à la lueur des bougies et des lanternes. Il a l'air tellement heureux. Tant de monde venu rien que pour lui, ça alors... Qu'a-t-il fait pour mériter un tel bonheur ?

Seppo essaie d'arranger la montagne de cadeaux. Qu'ils n'auront même pas le temps de déballer.

Bengt ouvre les portes du balcon. Il laisse entrer le rayonnement du soleil, le pépiement des oiseaux, le scintillement du lac Mälaren. Même le chef du Dramaten s'est manifesté pour l'engager. Lui. Il a réussi ! Il est quelqu'un ! Il respire. Quelle belle journée. Une journée à nulle autre pareille. Une journée exceptionnelle pour se donner la mort.

Benjamin est assis au chevet de Rasmus décédé. Il caresse ses cheveux si fins. Il chuchote à son adoré combien il le trouve beau. Dans le couloir attendent les parents de Rasmus. Dans un instant,

ils vont interdire à Benjamin de venir à l'enterrement de l'homme qu'il aime.

Ma seule vie ! La seule vie que j'aie eue. La
seule vie que j'aurai. La seule vie que j'aie jamais
voulu avoir ! Ma seule vie !

À l'enterrement de Paul, tous sont venus.

À l'enterrement de Rasmus, personne n'est
venu.

Hormis Harald et Sara, les deux sœurs de Sara
avec leurs compagnons, ainsi que Holger qui était
presque comme un frère.

Le pasteur a versé de la terre sur le cercueil.
«*Car tu es poussière, et tu retourneras à la poussière.*» «*Les générations suivent les générations.*»
Harald serrait la main de Sara qui fixait le vide
devant elle.

Aucun élan blanc n'allait plus jamais traverser
Koppom la nuit de Noël.

Quelques mois plus tard, Seppo a pris l'initiative
de téléphoner à Harald et Sara pour savoir où
Rasmus avait été enterré, il voulait s'y rendre afin
de fleurir sa tombe. Sara a sèchement répondu :

– Oublie Rasmus ! Il est mort, il est en paix. Il
ne faut plus penser à lui.

Paul est allongé sur son lit d'hôpital. On vient de
lui administrer de la morphine. Plus rien ne lui fait
mal. Il regarde ses ongles d'orteil rouges. Il regarde
le lion et l'agneau et la petite famille heureuse
qui pique-nique. C'est une bonne journée pour
faire un pique-nique. Pourquoi ils n'iraient pas
acheter des bières et un poulet grillé pour aller à
Långholmen et se foutre de tout ? Nan mais j'halluciiine, pense-t-il, c'est pile ce que je vais faire !

Et c'est effectivement ce qu'il fait : il se lève et
entre dans l'image. Le lion et l'agneau paissent
côte à côte, il caresse la crinière du lion et plisse
les yeux dans le soleil qui ne descendra jamais
derrière les sommets alpins.

Ma seule vie.

La seule vie que j'aie eue.
La seule vie que j'aurai.
La seule vie que j'aie jamais voulu avoir !
Ma seule vie !

Benjamin est assis en face de son médecin. Il est venu pour son bilan trimestriel. Le médecin lit les résultats sur l'écran de son ordinateur. La charge virale de Benjamin est toujours indétectable.

– Tant mieux, dit Benjamin.

Non qu'il s'inquiète outre mesure, mais c'est toujours rassurant d'avoir la confirmation que le bilan biologique est bon. Le médecin poursuit sa lecture :

– Aha, et tes T4 sont remontés : ils sont à 700… Je crois qu'ils ne sont jamais montés aussi haut, tant mieux.

En rentrant de l'hôpital Söder, Benjamin s'arrête pour acheter des tulipes. Rouges comme d'habitude. Très à propos aussi, puisque c'est bientôt Noël.

Il ne faudra pas qu'il oublie d'acheter des fleurs pour le réveillon quand il ira chez Seppo et Håkan. Depuis plusieurs années, ils fêtent Noël ensemble dans l'ancien presbytère de Haninge que Seppo et son nouveau mari ont acheté et retapé. Enfin, «nouveau» mari : Seppo et Håkan sont en couple depuis quinze ans, ont fait enregistrer leur partenariat en 1994 et viennent donc de se marier pour de vrai.

Et c'est étrange quand Benjamin y pense, à quel point tout a radicalement changé en ces quelques années, il lui serait presque difficile de se rappeler comment c'était avant pour eux tous. Pendant leur enfance et leur adolescence, l'homosexualité était encore considérée comme une maladie mentale et, dans leurs manuels scolaires, ils lisaient qu'ils étaient les représentants d'une déviance sexuelle, d'une anormalité.

Quand Rasmus et lui se sont fiancés, la société ne reconnaissait pas de statut aux partenaires homosexuels. À chaque contact avec l'administration, ils devaient dire qu'ils étaient célibataires, alors qu'ils vivaient ensemble, qu'ils partageaient la même vie.

Puis est arrivée la loi sur le concubinage en 1987, suivie du partenariat enregistré, très récemment a été enfin reconnu le mariage entre personnes de même sexe – et c'est merveilleux de l'imaginer : si Rasmus était encore en vie, Benjamin et lui seraient mariés !

Benjamin, Rasmus, Paul, Lars-Åke, Seppo, Reine, Bengt et les autres ont participé à ce changement de société, à cette création de l'Histoire. C'est leur lutte et leur courage personnel qui l'ont permis. Car la liberté n'est pas quelque chose qu'on vous donne. La liberté se prend.

En sortant de chez le fleuriste, Benjamin aperçoit son reflet dans la vitrine de la boutique vidéo.

Il n'est peut-être plus aussi beau qu'avant. Les graisses corporelles se sont mal redistribuées et concentrées au niveau de l'abdomen, lui donnant ce fameux « gros ventre », alors que ses bras et ses jambes ont minci. Ce sont des effets secondaires des médicaments. Mais c'est le seul changement qu'il observe.

Pour une raison inconnue, le virus ne s'est pas développé rapidement chez Benjamin. Il est l'un des séropositifs qui ont eu le temps de vivre jusqu'à l'arrivée des trithérapies : en 1996, non seulement une nouvelle classe d'antirétroviraux a été mise sur le marché, mais on a aussi commencé à combiner trois médicaments différents, ce qui a eu un effet quasi miraculeux. De nombreux malades à l'article de la mort ont recouvré leurs forces, d'autres ont pu apprendre à vivre avec le virus sans que la maladie se déclare. Et, avec les années, les molécules ont eu un champ d'action encore plus précis.

Benjamin a continué à vivre.

Lui qui avait accepté avec beaucoup de difficultés qu'il allait mourir a accepté avec les mêmes difficultés qu'il allait vivre.

Mais il vit. Il estime que c'est son devoir.

Et il a une vie agréable, oui, globalement agréable.

Il y a bien quelques fissures ici et là. De temps en temps, c'est l'édifice tout entier qui menace de s'effondrer. Quand il pense à Rasmus, à ses amis, à ceux qui ont vécu et disparu. Sans eux, il n'est pas tout à fait complet. Les morts ont emporté quelque chose avec eux : un peu de ce qu'il était. Il doit se débrouiller sans.

Il a recommencé à fréquenter l'église. Pas la Salle du Royaume, évidemment. Il va à l'église Sofia pas très loin de chez lui, qui propose des cultes Arc-en-ciel. Ils chantent : «*Seigneur, entends notre prière ! Seigneur, réponds-nous quand nous t'appelons !*» Il ne sait pas trop si ses prières ont été spécialement entendues, mais il prie quand même.

Le mardi et le vendredi il va au sauna des bains Storkyrkobadet dans Gamla stan, ce sont les jours réservés aux hommes.

Et il chante dans une chorale.

Oui, globalement une vie agréable.

Tout ce qu'il n'a pas réglé depuis l'enfance continue à clapoter au bord de son rivage, c'est vrai. Son père et sa mère. Margareta, sa petite sœur. Leur comportement. Il le porte en lui. Il n'arrive pas à le lâcher.

La maison d'été lui manque. Leur tour de garde sur le rocher face à la mer. Il s'y est rendu un jour, au début de l'automne, il y a quelques années. Il a regardé par les fenêtres de la maison fermée pour l'hiver, un peu inquiet de voir surgir ses parents. C'était un samedi, tout indiquait qu'ils étaient à la réunion de la Salle du Royaume, mais quand même.

La maison était rénovée. La façade repeinte. La cuisine modernisée. Le mobilier changé. Dans le jardin, la plupart des pins avaient été abattus et un petit chalet pour recevoir les amis avait été construit dans la partie la plus plate, près de la route. La véranda était agrandie, leur véranda pour admirer le coucher du soleil ; elle faisait maintenant tout le tour de la maison.

En se promenant dans le secteur, il a croisé une famille avec des enfants qui y habite à l'année. Les communications avec la capitale s'étant améliorées et les routes étant partout goudronnées, la municipalité encourage les gens à s'installer de façon permanente dans les vieilles maisons de campagne, puisque ça génère des impôts locaux supplémentaires. Quand Benjamin s'est présenté à eux et a expliqué ce qui l'amenait, ils ont répondu qu'ils n'avaient jamais entendu parler d'une famille Nilsson.

La maison sur le rocher appartenait à des amis, dont les enfants ont le même âge que les leurs. C'est eux qui ont changé la cuisine et rénové la véranda. Ce couple d'amis a acheté la maison à une certaine famille Skogsberg, si bien que des Nilsson, ils n'en ont jamais entendu parler.

Ainsi donc, tout est parti.

Avant de reprendre le bus qui le ramenait à Stockholm en ce samedi après-midi de la fin septembre, il est retourné à la maison de son enfance une dernière fois. Il est monté sur la véranda, ne sachant pas très bien s'il fallait considérer son geste comme une sorte de violation de domicile, mais se disant que c'était tout de même très anodin : tout ce qu'il voulait, c'était aller une dernière fois côté coucher du soleil et voir la mer de cet endroit.

Avec le vague sentiment de franchir un interdit, il a contourné la maison. Là, la mer s'est étendue sous ses yeux, comme si, patiemment, année après année, elle avait attendu son retour. À l'abri du vent, il a même senti le soleil le réchauffer un peu bien qu'il soit si bas dans le ciel et passe à grand-peine par-dessus la cime des pins. Et si, pendant les mois d'été, le soleil se couchait dans la mer face à la maison, aujourd'hui, dans une petite heure, il disparaîtrait derrière les arbres sans vraiment atteindre la baie.

Les meubles de jardin des nouveaux propriétaires étaient repliés sous une bâche qui les protégerait pendant l'hiver. Un éclat de soleil brillait dans les baies vitrées de la véranda quand Benjamin s'est retourné. La mer et le ciel se reflétaient sur le verre. Il a eu un pincement au cœur.

Comme si le temps s'était figé, a-t-il songé. Comme s'il avait encore toute la vie devant lui.

Quand il s'est vu dans la vitre, il a pu noter, très prosaïquement, qu'il était maintenant un monsieur entre deux âges. Parfois, on a envie de croire qu'on ne change pas, mais c'est faux, évidemment. On n'est jamais le même.

La vie a fait de Benjamin un homme à la fois meilleur et moins bon, c'est dans l'ordre des choses.

En y regardant de plus près, il a d'ailleurs remarqué qu'une de ses paupières commençait à pendre de la même façon que chez sa mère et son grand-père quand ils ont eu vieilli. Il a poussé un profond soupir. À quoi bon renier ses origines, sa famille, ses racines ? De toute façon elles continuent à vivre en vous. Quand Benjamin s'est regardé dans la vitre de la véranda, il a pu voir sa mère Britta et son grand-père Dan le regarder à leur tour, à travers ses propres yeux.

C'est assez laid en fait, ces paupières qui pendent, a-t-il pensé. Une petite particularité d'ADN qui se perpétue à travers les siècles, et des générations ont la même paupière pendante. Il devrait peut-être consulter un médecin pour la faire opérer. Il a ri. Paul n'aurait pas hésité un instant.

Or il s'est passé quelque chose d'extrêmement étrange, là, sur la véranda face à la mer. Il était en train de s'observer lui-même, l'homme entre deux âges, quand subitement le petit garçon Benjamin a déboulé. Celui qui, un jour, précisément devant cette fenêtre, s'est enfoncé dans son propre reflet et s'est découvert. Celui qui s'est aperçu.

L'homme était ce garçon. Le garçon était cet homme.

La mer et le ciel et le soleil couchant partageaient avec lui le reflet sur le verre et la même pensée qu'un soir de juin quarante ans plus tôt a surgi dans son esprit.

J'existe.

Soudain, il a appuyé ses deux paumes contre la vitre. Il y a eu une empreinte très nette de ses mains.

J'existe, a-t-il pensé. J'ai existé.

Je laisse des traces.

Des empreintes de mes mains.

Un demi-million de personnes participent à la Gay Pride ou la regardent depuis les trottoirs quand elle traverse Stockholm avec son message de liberté et de tolérance. Dans la capitale, c'est le plus grand événement associatif de toute l'année à défiler sur la place publique. On y voit beaucoup de marcheurs aux costumes extravagants, rivalisant d'imagination dans leur tenue. Beaucoup de chars à applaudir, à photographier, à saluer.

Mais au milieu de tous ces manifestants éclatants de couleur, déguisés, attifés, joyeux, folâtres, au milieu des gens qui dansent, qui chantent, qui rient, marche un homme entre deux âges, impeccablement vêtu d'un costume sombre.

Il marche en silence, ne lance pas de slogans, ne chante pas de chansons, ne danse pas au rythme de la musique.

Mais il marche.

En service. Comme un témoin.

Le témoin d'une époque, d'une ville et de quelques individus qui y ont vécu leur vie.

Il marche dans les rues de la ville pour porter un témoignage.

Pour que personne ne soit oublié.

Pendant trente ans il est resté fidèle à l'homme qu'il aimait.

Pendant vingt-cinq ans il a vécu avec le virus qui a ôté la vie à l'homme qu'il aimait.

Merci à Stig-Åke Petersson de la RFSL ainsi qu'à Jon Voss du site Internet gay QX pour avoir mis à ma disposition leurs archives de presse.

Merci à Nicke Johansson, à Kjell Rindar et à George Svéd pour avoir discuté avec moi de la lutte des homosexuels suédois et de l'histoire du sida.

Merci à Erik Engkvist, à Anna Wilborg ainsi qu'à d'autres anciens membres des Témoins de Jéhovah pour avoir répondu à mes interviews.

Merci à Kerstin Mannerquist, infirmière de l'Hygiène publique, à Kerttu Sturesson (l'Ange de Roslagstull) et à Lotta Högberg qui travaillait comme aide-soignante à Roslagstull pendant les premières années de l'épidémie.

Merci à Bertil Gustafsson pour m'avoir fourni des informations inestimables sur le Koppom d'hier et d'aujourd'hui, à Eva Lilja pour m'avoir parlé de Resö ; merci à Stefan Engström pour ses informations sur Hammarstrand, à Pia Johansson pour m'avoir parlé de l'École supérieure de Théâtre, à Anna Lindh (ainsi qu'à un mec dont j'ai perdu le nom) pour m'avoir fourni des détails sur le lycée Solberga à Arvika.

Parmi les livres que j'ai lus, je voudrais mentionner tout particulièrement les anthologies *Queer i Sverige [Queer en Suède]*, *Homo i folkhemmet [Homo dans l'État providence]*, *Gay – en världshistoria [Gay – une histoire mondiale]* et *Sympatins hemliga makt [Le pouvoir secret de la sympathie]* ; la thèse d'Ingeborg Svensson *Liket i garderoben [Le cadavre dans le placard]*, *Sex och religion [Sexe et religion]* de Dag Øystein Endsjø, chercheur norvégien ès religion, *Medicinens öga [L'œil de la médecine]* de Karin Johannisson, *Den yttersta plågan – Boken om aids [Le tourment ultime – Le livre sur le sida]* de Lars O. Kalling, le rapport *Fiendebilder [Images ennemies]* de Benny Henriksson ainsi que le recueil *Säkrare sex [Safer sex]* de la RFSL.

De tous les milliers d'articles de journaux que j'ai lus, je voudrais attribuer une mention spéciale d'une part à la courageuse contribution au débat sur le sida de Nils Jansson dans le quotidien *Dagens Nyheter* en 1988, d'autre part au numéro thématique consacré à la question qu'ont publié Ylva Brune *et al.* dans la revue *Ottar* : *Accueillez le sida avec connaissances, amour et préservatifs* (N° 1/1986), un numéro dans lequel j'ai en outre moi-même écrit et publié plusieurs dessins.

NOTES

La citation de Pat Buchanan p. 374 et p. 612 est ici dans une traduction de l'américain par Nicolas Richard (in : *Fairyland,* Alysia Abbott, Globe, 2015)

Les passages extraits de la pièce *Pour Phèdre* de Per Olov Enquist, pp. 571 et 572, sont dans une traduction de Philippe Bouquet (Presses universitaires de Caen, 1995).

ACHEVÉ D'IMPRIMER
CHEZ MARQUIS IMPRIMEUR
EN NOVEMBRE 2018
POUR LE COMPTE DES ÉDITIONS ALTO

Dépôt légal, 2ᵉ trimestre 2018
Bibliothèque et Archives nationales du Québec
Bibliothèque et Archives Canada

Composition : Hugues Skene (KX3 Communication)
Conception graphique : Antoine Tanguay et Hugues Skene

Éditions Alto
280, rue Saint-Joseph Est, bureau 1
Québec (Québec) G1K 3A9
editionsalto.com